DE DOCHTERS VAN EVE

Eileen Goudge

DE DOCHTERS VAN EVE

Uitgeverij Luitingh ~ Sijthoff

Oorspronkelijke titel
Such devoted sisters
Uitgave
Penguin Books USA Inc., New York
© 1992 by Eileen Goudge

Vertaling
J.A. Westerweel-Ybema
Omslagontwerp
Julie Bergen
Omslagillustraties
Oliviero Berni/W. Smith

ISBN 90 245 1306 5   CIP   NUGI 340

Voor mijn dierbare agent en nog dierbaarder echtgenoot, Albert Zuckerman, die dit boek benen gaf om op te staan... en mij de durf om het te schrijven.

En voor mijn innig verknochte zuster, Patty Goudge.

Dankwoord

Er bestaat niets leukers dan onderzoekswerk in verband met chocolade te doen. Lang niet alle gegevens die ik heb verzameld, zijn op deze bladzijden terechtgekomen. Ik moet bekennen dat een deel ervan door mij werd opgegeten. Maar voor hetgeen u zult zien, moet ik de volgende mensen mijn dank betuigen:

Robert Linxe van La Maison du Chocolat, voor zijn tijd én voor zijn verrukkelijke truffels. De middag die ik in de kelderkeuken van zijn winkel aan de rue du Faubourg Saint-Honoré doorbracht, was een hemelse tijd.

Beverly Levine van Le Chocolatier Manon die zo behulpzaam was om mij in te wijden in de geheimen van de detailverkoop van chocolade... en me een goede reden gaf me niet aan een dieet te houden.

Martha Saucier van Li-Lac Chocolates die me in haar winkel in de Village rondleidde, met daarachter de keuken die al meer dan een halve eeuw zalige chocolaatjes en andere lekkernijen voortbrengt.

Bernard Bloom van Teuscher Chocolates die de beste champagnetruffels ter wereld maakt.

Deborah Marsicek die net zo dol op chocolade is als ik en die me edelmoedig alle gegevens over chocolade afstond die ze in de loop van de jaren had verzameld.

Lora Brody, raadgeefster op het gebied van chocolade en een durfal die haar hand niet omdraait voor het produceren van honderden chocoladetaarten en bij een hitte van meer dan 40°C over cacaoplantages rondrijdt. Ik ben haar dankbaar dat ze dit boek heeft nagekeken én voor de beste chocoladecake zonder bloem die ik ooit heb geproefd.

Rabbijn Ralph Shain voor zijn hulp met de Hebreeuwse terminologie.

John Robinson, die vroeger bij de Amerikaanse douanedienst heeft gewerkt, en Nancy McTiernan, plaatsvervangend hoofd van het Bureau voor Fraudezaken, voor pogingen mij een helder inzicht te geven in de valstrikken verbonden aan de invoer van suikergoed.

Victoria Skurnik en Susan Ginsburg voor de tijd die ze me schonken, hun ervaring en hun morele steun.

Catherine Jacobes, mijn trouwe assistente, wier energie, enthousiasme, prettige humeur en handigheid om afleidingen verre van mij te houden, het mij mogelijk maakten dit boek in twee jaar te schrijven in plaats van in vijf.

Pamela Dorman, mijn redacteur bij Viking, voor haar goede inzicht bij het redigeren en alle andere handelingen vanaf het begin tot het eind.

En als laatste, maar zeker niet als minst belangrijke, wil ik Dale Stine bedanken, mijn medelevende doch keiharde trainer die zorgt dat ik al die calorieën weer wegwerk!

Proloog

And every woe a tear can claim
Except an erring sister's shame.
– Lord Byron

Hollywood, Californië
september 1954

Dolly Drake stapte in de hitte bij Sunset en Vine uit de bus, en het leek of ze op een deinend schip stond. Haar maag deed vreemd en de zon werd door het NBC-gebouw zo schel weerkaatst, dat het leek of er hete naalden in haar ogen werden geschoten. Ik heb vast iets onder de leden, dacht ze. Griep, of zo. Maar het ging niet om griep, zelfs niet om menstruatie, het was veel erger. Het was geestelijk. De hele nacht was ze op geweest en haar gedachten hadden steeds om hetzelfde punt gedraaid.

Dolly dacht aan de brief in haar glanzend leren tas die ze aan het versleten hengsel vasthield, en het leek of ze de dubbelgevouwen witte aktenenvelop kon zíen zitten. Daarin bevond zich een gestencild vel met de notulen van een vergadering van de Vereniging De Gewone Man, gedateerd 16 juni 1944. Tien jaar geleden.

Nou ja, het was een club van niets die al jaren geleden was opgedoekt. Van geen enkel lid had iemand ooit meer iets gehoord, behalve van één. De naam was een nog net leesbare krabbel onderaan. Een naam die miljoenen Amerikanen bijna even goed kenden als hun eigen naam. Een naam waar senator Joe McCarthy in Washington D.C. onmiddellijk op af zou springen. Er stond:

Opgenomen door
Eveline Dearfield, 1233 La Brea Blvd., Los Angeles, Cal.
Notuliste.

Dat was lang voor Eveline Eve was geworden en van La Brea naar Bel Air was verhuisd. Voordat ze haar Oscar had gewonnen en met de succesvolle regisseur Dewey Cobb was getrouwd. Voordat ze was opgehouden nog iets om haar zuster Dolly te geven.

Dolly ademde de teerlucht van het hete asfalt in en dacht aan de airconditioned Cadillac waar Eve tegenwoordig in rondreed, een witte wagen met rode bekleding en een opvouwbaar dak. Wat zou het heerlijk zijn

11

om nu in die Caddy over Sunset Boulevard te rijden terwijl haar haren in de warme wind wapperden. De mensen zouden hun hals uitrekken om haar bewonderend en jaloers na te kijken, en zich afvragen: Wie is dat? Vast een beroemdheid.

Een auto claxonneerde en het beeld werd ruw weggevaagd. Ze passeerde een groepje mooie jonge meisjes die ongetwijfeld allemaal actrice wilden worden. Een van hen had een ongelijk paar kousen aan; Dolly herkende dat als het resultaat van zuiniger dan zuinig zijn. Ze dacht aan de blikjes kippesoep in haar bungalow in Westwood die ze met twee blikjes water vermengde in plaats van met een; samen met een handvol zoute crackers was dat een prima maal. Nou ja, prima; misschien zou ze een reep chocola als dessert nemen. Zoetigheid gaf haar altijd een goed humeur.

Kon ze Eve, haar eigen zusje, dit aandoen, zelfs al verdiende ze het? Ze dacht aan hun jeugd in Clemscott, Kentucky, en hoorde dominee Daggett donderen dat ze zich tegen de duivel moesten wapenen...

Ja, maar wie had haar geholpen toen Eve haar de ene rol na de andere afpikte? En ook haar vriend...

Ze voelde tranen opkomen die ze met de rug van haar hand wegveegde en ze snoof eens flink. Ze kon nu toch niet huilen en dan met rode ogen bij Syd aankomen. Mama-Jo had haar altijd geleerd de vuile was binnenshuis te houden.

Dolly stak over en liep Vine Street in. Het was zo heet dat ze het gevoel kreeg dat ze niet gewoon liep, maar zich tegen iets tastbaars in een weg moest banen. Ze liep langs Castle's Cameras en zag op de Gruen-klok op het ABC-gebouw dat het al kwart over twee was. Ze had om twee uur bij Syd moeten zijn. Weer te laat, als altijd.

Ze liep wat sneller en voelde het hete asfalt aan haar tenen in de open pumps. Syd zou woedend zijn dat ze hem liet wachten. Daar betaal ik hem voor, dacht ze. Maar ja, als je doordacht, was tien procent van niets... niets. Haar laatste film, *Dames at Large*, was niet overal in omloop gebracht, en daarna had ze alleen enkele figurantenrolletjes gehad, en een reclamespotje op de televisie.

Zo was het: Dolly Drake had niets en Eve's handafdrukken stonden met een koperen ster in het cement bij Grauman.

En nu had ze ook Val nog.

Dolly was intussen bij het Century Plaza Hotel aangekomen en in de grote spiegelruiten zag ze zichzelf even: een knappe vrouw van eind twintig – in mei werd ze dertig – met geblondeerd haar dat wegsprong vanonder de kammetjes die het bij elkaar moesten houden. Iets te mollig misschien, in haar beste gebloemde kunstzijden jurk. De zon schitterde op de veiligheidsspeld die de zoom aan de binnenkant vasthield. Wat je ook probeerde, armoede was altijd te zien.

Ze dacht weer aan de brief in de envelop die ze gisteren van Syd had ontvangen.

Dacht dat je geïnteresseerd zou zijn. Een vroegere 'vriend' van je zuster stuurde me dit. Bel me. Het was voor het eerst dat hij haar een brief schreef; hij telefoneerde altijd. Maar Syd had nog een appeltje met Eve te schillen. Zes jaar geleden had zij hem aan de kant gezet, niet alleen als impresario, maar het was ook een week voor hun huwelijk. Syd was twee weken aan de zwier gegaan, totaal onbereikbaar voor iedereen, en was verbitterd teruggekomen.

Dolly wist zeker dat Eve absoluut geen plannen had de Amerikaanse regering omver te werpen. Ze is net zomin een socialiste als Mamie Eisenhower, dacht ze. Ze was waarschijnlijk met iemand uit geweest die haar had meegenomen naar die vergadering en gevraagd had even de notulen op te nemen. Ze was het ongetwijfeld meteen vergeten; anders had ze er wel eens met Dolly over gepraat.

Maar nu was alles anders dan tijdens de oorlog. Toen werkten alle mensen samen voor de overwinning, maar nu kon je geen mens meer vertrouwen, vooral hier in Hollywood niet. Iedereen die ooit maar enige socialistische sympathie had laten blijken, of er alleen maar van werd beschuldigd – zelfs belangrijke regisseurs en producenten – werd ontslagen en op de zwarte lijst geplaatst. Ze kregen nergens meer werk. Doodgaan was nog beter, want bij je begrafenis werden er tenminste nog aardige dingen over je gezegd.

Als zij nu met Syd meespeelde, zou ook Eve getroffen worden.

McCarthy was dol op publiciteit en hoe bekender zijn slachtoffers waren, hoe meer erover werd geschreven. En Eve was bekend.

Dolly voelde plotseling haar verbittering weer. Net goed, dan kon ze eens zien hoe het leven zonder luxe was. En wat zou Val Carrera dan van haar denken?

Dolly klemde de tas tegen zich aan. Ze had de hele nacht met haar geweten geworsteld, maar had Eve ooit geaarzeld om haar te treffen?

Met een grimmig gezicht liep Dolly Hollywood Boulevard op en de koele hal van het kantoorgebouw op de hoek in. Ze moest er nog eens met Syd over spreken. Toen ze hem gisteren had gebeld, had hij gezegd dat hij iets heel belangrijks voor haar had. Maar wat kon belangrijker dan dit zijn?

'Het is zoiets als... moord,' zei Dolly.

Ze zat tegenover Syd en draaide de envelop in haar handen om en om. Hier leek de hele zaak veel echter dan onderweg. Haar hart bonsde alsof ze vier trappen had beklommen in plaats van de lift te nemen.

Ze keek rond. Syds kantoor was altijd zo keurig opgeruimd. Geen rommel, geen volle asbakken. En de wanden vol ingelijste foto's – voornamelijk van Eve Dearfield. Eve in het zojuist geopende Disneyland voor het kasteel van De Schone Slaapster, Eve voor Grauman, Eve glimlachend

13

achter het stuur van een fonkelnieuwe Bel Air cabriolet die haar door Universal was geschonken.

Het leek wel een museum, dacht Dolly. Zij had Syd dan wel laten zitten, maar hij dacht duidelijk nog steeds aan haar. Dolly keek hem aan. Hij was knap, maar had iets glads, en hij kreeg ook al grijzende slapen. Hij had zijn voeten op een open lade van zijn bureau gelegd en keek haar strak aan. Dolly had het gevoel dat ze in een op haar gericht dubbelloopsgeweer keek. Ze dacht een zeker leedvermaak in zijn ogen te zien.

Een matige impresario, maar hij kon het ook niet helpen dat haar carrière niet goed was verlopen – ondanks de goede opbrengst van *Dames in Chains*. Als man mocht ze hem niet; ze zou nog liever met een ratelslang naar bed gaan.

Haar antipathie ging echter verder – ze haatte de man tegenover haar met zijn valse gezicht. Hij kende haar even goed als zichzelf en hij had haar nooit de kans moeten geven die hij haar nu gaf.

Waarom stond ze niet op, liep ze niet weg?

Maar hij had gezegd dat hij iets belangrijks te vertellen had en nu ze hier toch was, kon ze maar beter horen wát hij te zeggen had.

'Waarom stuurde je mij dat ding? Je had toch de vaderlandslievende held kunnen uithangen en die notulen persoonlijk aan senator McCarthy geven... als je Eve zo erg haat?'

'Dit is zakelijk, niets persoonlijks,' zei hij, maar zijn ogen verraadden hem. 'Je wilt toch praten, hè?' vroeg hij.

Ze boog zich voorover en beefde. 'Goed dan, maar vergeet niet dat ze mijn zúster is!' Dolly dacht aan Annie, het dochtertje van Eve. Ze waren toch beiden haar vlees en bloed.

'Ik zal je wat vertellen, en dan moet je zelf maar besluiten,' zei hij op redelijke toon. 'Jij bent veel te goed, Dolly. Maar daar kom je niet ver mee. Daar krijg je geen hoofdrol mee.'

Dolly hoorde wat hij zei, maar het duurde even tot het tot haar doordrong. Hij had het over *Devil May Care*, en de hoofdrol daarin was Maggie Dumont; elke ster hengelde er naar, maar Eve zou hem vast krijgen. Waarom moest hij dáár nu over beginnen? Die rol kreeg ze nooit.

Maar hij keek haar ernstig aan. 'Wat wil je?' vroeg ze.

'Ik zeg je dat als jij het wilt, ik er voor achtentachtig procent van overtuigd ben dat ik die rol voor je kan krijgen.'

Ondanks alles begon Dolly toch hoop te krijgen. Toen bedacht ze plotseling dat *Devil* van Preminger was. En vorig jaar had Eve hem met zijn film aan de Oscar voor de Beste Regisseur geholpen.

'Zelfs als Eve buiten gevecht zou worden gesteld, hoe denk je dan Preminger over te halen aan mij te denken?' vroeg ze. 'Ik stond ook genoteerd voor *Storm Alley*, weet je nog, maar Eve kreeg de rol, ook al moesten ze haar vermoedelijk honderd keer meer betalen dan mij.'

'Dat bedoel ik nou. Preminger is dol op Eve. Volgens hem ís ze gewoon Maggie Dumont. Denk eens goed na, Dolly. Als hij Eve niet kan krijgen, wie is dan zijn tweede keus?'

Is dat zo, vroeg Dolly zich af. Ja, ze leken wel op elkaar, Eve en zij. Maar juist die schijnbare gelijkenis was haar ongeluk geweest. Ze scheelden zestien maanden, maar Eve was mooi, en zij... nou ja, wel knap. Eve had natuurlijk blond haar, bijna platina. Haar eigen geblondeerde haar was niets daarmee vergeleken. Eve had opvallende, diepblauwe ogen, en de hare waren waterig blauw. Het leek alsof een schilder eerst een studie had gemaakt en toen het werkelijke schilderij. Ik had beter lelijk kunnen zijn – dan waren we niet altijd vergeleken. Alleen had zij meer boezem dan Eve, een volmaakte 38 D. Op school hadden alle jongens altijd achter haar aan gezeten.

Nee, dacht ze, Preminger zou nooit een tweederangs actrice nemen als hij de echte kon krijgen. Maar als Eve nu eens niet beschikbaar was...

Stel dat Sydney gelijk had. Hij zou niet achter al die telefoons zitten, als hij niet zijn contacten had. En waarom zou hij haar anders hebben laten komen? Zijn tijd was kostbaar. En een rol als deze zou hun beiden bekendheid geven, afgezien van het geld; misschien brak ze dan eindelijk door. Syd had cliënten genoeg, maar geen enkele echte ster.

Ja, Syd wilde er natuurlijk aan verdienen, maar hij wist ongetwijfeld ook nog hoe Eve hem had laten zitten.

'Ik zóu kunnen doen alsof ik dit nooit heb gezien,' zei ze en tikte met de envelop tegen haar knie. Haar maag draaide zich een paar keer om. 'Wat kan mij het schelen dat Eve jaren geleden een beetje roze deed. Ze dacht misschien de wereld te kunnen verbeteren, samen met zo'n stel zwetsers. Ze zou er gauw genoeg van hebben gekregen.' Ze werd feller. 'De enige aan wie Eve denkt, is Eve.'

Ze dacht aan Val en voelde zich gekrenkt. Het was een jaar geleden gebeurd en ze had hem maar een paar weken gekend... beslist niet lang genoeg om over een gebroken hart te jammeren.

Maar het was Éve die haar pijn had gedaan, niet Vals bedrog.

'Je kunt natuurlijk ook níets doen,' zei Syd. Hij draaide zijn stoel rond en haalde zijn hand door zijn volle haardos. 'Dat zou kunnen, maar ik denk niet dat je dat wilt.'

Dolly voelde een steek door haar hart gaan. 'Ik begrijp het nog steeds niet. Waarom maak je je zo druk? Waarom stuur je je dertig zilverlingen niet zelf naar Washington? Je hebt mij toch niet nodig?'

'Nee, schatje. Je ziet het verkeerd. Jij hebt míj nodig.'

Ze stond op en de envelop viel op de grond. Hij kon barsten, die Syd; wat hij kon bereiken, kon ze zelf ook.

'Ik heb jou niet nodig, Syd.'

Hij grijnsde en keek haar aan.

'Dolly, schatje, je begrijpt het nog steeds niet, hè? Jij denkt dat Eve knapper is en meer talent heeft. Maar wat zij heeft dat jij niet hebt, is de eigenschap ergens haar tanden in te zetten. Ze zou een móórd plegen voor een rol. Daar ben jij te zachtzinnig voor en in de filmwereld moet je een haai zijn. Denk je soms dat Jane Russell met Howard Hughes naar bed ging om zijn mooie lúl?' Hij zweeg even om zijn woorden tot haar door te laten dringen en liep toen om het bureau heen om de envelop op te rapen. 'Laat me zien dat je dit wilt, baby. Toon me dat je er álles voor overhebt, dan ben je er bijna. En als Eve dan iets overkomt, opeens ziek wordt of met die dekhengst van haar naar Acapulco gaat... of op de zwarte lijst terechtkomt, wat denk je dat Otto dan doet als jíj bij hem binnenkomt en als een tweelingzuster op Eve lijkt?'

Dolly hoorde hem nauwelijks. Het leek of in haar hoofd een kleurenfilm werd afgedraaid. Ze zag twee doodvermoeide magere meisjes uit een Greyhound-bus stappen – Doris en Evie Burdock die helemaal uit Clemscott in Kentucky kwamen – en één enkele versleten, goedkope koffer bij zich hadden, samen. Ze giechelden, al waren ze nog zo moe en Dolly hoorde nog Eve's hoge stem: *Van nu af aan zijn wij het samen, Dorrie, net als Mutt en Jeff. We hebben elkaar... niets kan daar ooit tussenkomen...*

Al hadden ze samen nog geen honderd dollar, toch was alles toen anders. Eigenlijk beter, en waarom wist Dolly niet. Ze dacht aan die rommelige flat met maar één kamer, een vreselijk uitzicht en die altijd naar teer rook. Ze hadden zelfs geen telefoon; bellen moest bij de conciërge gebeuren.

En toen ze eindelijk genoeg bij elkaar hadden geschraapt, was het eerste telefoontje van Syd geweest, die Eve had verteld dat ze een rolletje in een goedkope film, *Mrs. Melrose*, had gekregen. Eve had opgewonden op twee flessen roze champagne getrakteerd en ze waren de hele nacht samen opgebleven en hadden zitten fantaseren. Over een paar jaar zouden ze beiden grote filmsterren zijn en hun namen zouden overal op de bioscoopgevels prijken.

En zelfs als het niet zo goed ging, hadden ze samen gezwoegd en hun karige verdiensten samen gedeeld, Eve's salaris als verkoopster bij Newberry en wat zij als serveerster kreeg. Daarvan hadden ze voor hen samen één goede jurk gekocht die ze gebruikten als een van beiden naar een belangrijke auditie moest. Maar ja, uiteindelijk was het altijd Eve die de jurk droeg.

Ze sloot haar ogen en voelde een steek boven haar ogen.

Ja, dacht ze, Eve kon lief en aardig zijn... zelfs edelmoedig af en toe. Maar hoeveel ze ook gaf, ze verwachtte nog veel meer terug. Vooral dingen die buiten hun bereik lagen.

Dolly deed haar ogen weer open en zag dat Syd haar met iets dat op sympathie leek, zat op te nemen. Dat was nog erger dan dat hij haar uitschold, vond ze. Ze stond op.

'Ik zal erover nadenken,' zei ze.

'Jij denkt te veel. En het hoeft niet het eind van alles te zijn,' zei hij terwijl hij langzaam overeind kwam en haar een vochtige hand gaf. Het liefst had ze de hare meteen aan haar rok afgeveegd. 'Dat hele McCarthy-gedoe is vermoedelijk over een paar maanden voorbij. Misschien mist ze een paar films, maar Eve kennend is ze zo weer terug.'

Misschien had hij gelijk, dacht Dolly... maar als het eens niet zo was? Hoe zou zij zich voelen als ze wist dat ze Eve's carrière had vernietigd, misschien zelfs haar leven? Nee, hij moest maar een ander zoeken om Eve in de rug aan te vallen.

Pas buiten, halverwege Sunset Boulevard, merkte Dolly dat ze de brief nog steeds in haar hand hield. Ze wilde hem verscheuren en in een vuilnis-bak gooien, maar ze zag er geen en daarom stopte ze hem weer terug in haar tas. Toen liep ze door.

'Tante Dolly, hoe is die scheur daar gekomen?' Annie zat op een kruk in Dolly's bungalow in Westwood en zwaaide haar voeten heen en weer tus-sen de halfverroeste chromen poten.

Dolly stond bij het fornuis in een steelpan te roeren en keek naar haar vierjarige nichtje en vervolgens naar de plek waar Annie op wees. Een vuile, overgepleisterde scheur in het plafond. Een kaal peertje verlichtte het keukenkastje.

'Dat? O, schatje, dat is nu wat je geschiedenis noemt. Dit oude huis is een staalkaart van alle aardbevingen die Los Angeles hebben getroffen nadat de muren van Jericho waren ingestort.'

Met haar ogen op het plafond gericht vroeg Annie: 'Valt het straks op ons neer?'

'Niet als je voorzichtig ademhaalt,' zei Dolly lachend en ze keek weer in de pan. Maar toen ze even haar hoofd omdraaide, zag ze dat Annie heel bezorgd keek.

Dolly liep op haar toe en knuffelde haar. 'Dat meende ik niet, hoor, schat. Natuurlijk valt dat plafond niet naar beneden. Het is al zo lang blij-ven zitten dat we nog wel even kunnen eten.'

Toen Dolly naar Annie keek, zag ze geen kind, maar een volwassene in het lichaam van een kind van vier, een somber meisje met haar moeders diepblauwe ogen en haar vaders olijfkleurige huid en steile donkere haar. Ze had een donkerblauw jurkje met witte stippen aan, met een stijf ge-streken rond kraagje, en afgezakte witte sokjes die vreemd afstaken bij de zware zwarte orthopedische schoenen die ze droeg om haar naar bin-nen gekeerde tenen te corrigeren. Het arme ding had al genoeg moeten verdragen om te weten hoe ze zich moest aanpassen. Haar vader was vo-rig jaar bij een vliegtuigongeluk omgekomen en Eve was nog vóór de bloemen op Dewey's graf waren verwelkt, naar Mexico gegaan om *Bandido* op te nemen. Annie was in hoofdzaak door kinderjuffen verzorgd – waren het er zes of zeven geweest? Dolly was de tel kwijtgeraakt. De laatste was er net twee dagen geleden met een assistent-cameraman vandoor gegaan naar Rio, waar hij moest filmen. Eve had haar in paniek gebeld. Kon ze die avond op Annie passen? Eve belde haar alleen nog maar als ze haar nodig had.

Dolly stond op het punt te weigeren, maar dacht toen aan Annie, alleen in dat grote huis in Bel Air met een vreemde babysitter, en gaf toe. Ze was dol op Annie en vond het verschrikkelijk dat het kind zo vaak alleen moest zijn.

'Wanneer komt Dearie terug?' wilde Annie weten. Een vreemde roepnaam, Dearie, niet mama of mammie.

'Dat heeft ze niet gezegd, liefje.'

'Waar is ze heen?'

'Naar een feest, zei ze.' Ze zag dat Annie droevig keek en voegde eraan toe: 'Een grote ster als jouw mama moet naar veel feesten toe. Het hoort bij haar werk, zie je.'

'Is Val ook iets wat bij haar werk hoort?' Annie keek Dolly met haar diepblauwe ogen vragend aan.

Wat kunnen kinderen toch veel vragen. 'Nee, dat niet,' zei ze.

'Ik hou niet van Val.' Annie keek fel. Haar ogen stonden vastbesloten en onverzoenlijk.

Dolly dacht aan de keer dat een vreemde man zich over haar wagen had gebogen. Annie was niet bang geworden, maar had gewoon haar handen tegen zijn gezicht gezet en duidelijk gezegd: 'Ga weg!'

'Och, lieverd, Val bedoelt het goed,' zei Dolly sussend, en zuchtte.

'Weet je, toen mijn papa Mama-Jo voor het eerst thuisbracht nadat mijn eigen moeder was gestorven, heb ik haar gebeten!'

Annie lachte eventjes en vroeg: 'Waar?'

'In haar wang, toen ze probeerde me te kussen. Ik deed net of ik in een appel beet.'

'Ze was zeker woedend?'

'Nou en of... en mijn vader gaf me een pak slaag. Maar ik had er toch geen spijt van. Toen zij later met mijn vader trouwde, heeft ze me al mijn poppen afgepakt en een bijbel gegeven. Ledige handen waren hulpjes van de duivel, zei ze.' Ze schudde haar hoofd. 'Waarom vertel ik je dit allemaal? Help maar eens gauw de tafel dekken. Soep. Houd je van boter op je crackers?'

'Nee,' zei Annie, en haalde de borden achter een gordijn vandaan.

'Gelukkig, want ik heb geen boter in huis.'

Toen ze klaar waren en hadden afgewassen, stopte ze Annie in bed en maakte in de zitkamer voor zichzelf de sofa klaar. Ze moest maar proberen wat te slapen; Joost mocht weten hoe laat Eve aan kwam zetten. Misschien pas morgenochtend vroeg.

Dolly deed een oude kimono aan en ging in een oude stoel bij het halfopen raam zitten om wat afkoeling te vinden. Maar ze was doodmoe en viel meteen in slaap.

Het dichtslaan van een portier wekte haar. Haar slaperige ogen dwaalden naar de wekker en ze zag dat het vijf over zes was. Hemel! Haar hele lichaam was verkrampt en deed pijn.

Ze trok het versleten gordijn opzij en tuurde naar buiten. Het was Eve. Ze liep onvast over het kapotte betonpad en had duidelijk te veel gedronken. Haar strapless avondjapon leek wel vloeibaar en haar platina haren waren net gepoetst zilver. Bij de deur van Dolly's bungalow aangekomen, leunde ze ertegenaan, moeizaam steun zoekend.

'Je raadt het nooit, nooit, nooit,' begon ze opgewonden en haar adem rook zoet, naar champagne en orchideeën. Haar ogen leken enorme blauwe meren. 'Ik ben getrouwd!'

'Wát?'

'Het was Vals idee. Op het feest van Preminger kreeg hij het opeens in zijn hoofd en ik zei: "Och, waarom ook niet?" En toen zijn we in de auto gesprongen.' Ze giechelde en klonk niet alleen dronken, zelfs enigszins verdwaasd.

Dolly stond er verbijsterd bij en luisterde naar een mot die zijn vleugels kapotsloeg tegen de lamp op de veranda. Haar gezicht brandde alsof ze een klap had gekregen.

Eve hield haar hand voor Dolly's ogen en ze zag dat aan de vinger waaraan Eve eens de antieke gouden ring had gedragen die ze van Dewey Cobb had gekregen, nu een glinsterende peervormige diamant prijkte.

'Wist jij dat in Vegas de juweliers de hele nacht open zijn? Wat zou Mama-Jo daar wel van hebben gezegd? Zoiets als dat de duivel je daar de weg naar de hel op lokt.' Ze giechelde en hikte toen. 'Maar die weg had ik zelf al gevonden. Ik en Tommy Bliss, achter het kippenhok, toen ik veertien was.'

Dolly zag het plotseling voor zich: Eve op haar rug in het gras liggend met haar jurk omhooggetrokken. Maar het was niet Tommy die daar boven haar knielde, maar Val. Ze werd misselijk.

'Mama-Jo is dood.' Het was het enige dat ze uit kon brengen.

'Dat wéét ik wel. Ik heb immers een wagonlading lelies gestuurd voor haar begrafenis.'

Vanuit de auto klonk ongeduldig getoeter. Toen stak Val zijn hoofd naar buiten en riep: 'Schiet een beetje op. Over twee uur moet je in de studio zijn.'

Dolly dacht aan haar eerste ontmoeting met Val. Ze had over het terrein van RKO gelopen, waar ze *Dames at Large* opnamen. Ze stak een western-straat over en zag opeens iets: een grote man in een cowboypak sprong van het dak van een saloon, een saloon die slechts uit een voorgevel bestond. Dolly bleef met haar hand tegen haar hart (net als een echte heldin uit een B-film, bedacht ze later) staan en zag hem precies midden in een hoop hooi terechtkomen.

Hij zag haar kijken en kwam op haar toe, alle camera's en kabels vermijdend. Hij was lang en gespierd, had een stoffige spijkerbroek aan, een geruit overhemd, versleten cowboylaarzen en een doorgezweten Stetson op. Zijn haren onder de hoed waren lang en sneeuwwit. Heel vreemd. Hij was hooguit dertig en zag er verder donker uit. De ogen waren bijna zwart, echt zwart.

Val Carrera was de mooiste man die ze ooit had gezien. Ze zag hem zijn stunt twee keer herhalen en toen de regisseur zei dat het goed was, had Val haar gevraagd met hem een kop koffie in de kantine te gaan drinken. Dolly aarzelde geen seconde, al zou ze daardoor te laat voor haar eigen opname komen.

Naderhand hadden ze samen gegeten, gedronken en waren naar zijn flat in Burbank gegaan. Het hele weekeinde waren ze in bed gebleven. Toen Dolly eindelijk opstond, trilde ze op haar benen. Ze kon nauwelijks naar de badkamer komen. Was dit nu liefde? Het was in elk geval íets! Val moest dat ook hebben gedacht, want een maand lang kwam hij haar vrijwel elke dag halen en kon zijn handen dan niet van haar afhouden.

Totdat hij Eve ontmoette.

Dolly zag dat haar zuster zich uitrekte als een kat die net een schoteltje melk op heeft. Sprakeloos staarde ze haar aan. Denkt ze dat ik geen gevoelens heb? Dat haar geluk belangrijker is dan het mijne? Misschien was het dat, en had Dolly medelijden met Eve moeten hebben en opzij moeten gaan omdat haar arme zuster Dewey had verloren... of misschien alleen maar omdat haar zuster íemand was; ze was Eve Dearfield, een ster.

Ze dacht aan de avond dat ze die twee in Vals flat had aangetroffen en hoe Eve had gehuild en gezegd dat het haar speet. Ze had niet gewild dat er iets tussen haar en Val gebeurde, maar het was vanzelf gegaan. Ze deed of het iets onvermijdelijks was, een aardbeving of zo. En ondanks haar woede en verdriet was het ermee geëindigd dat Dolly haar had vergeven en zelfs getroost.

Het kwam plotseling allemaal terug. Eve had nooit iets om Dolly's gevoelens gegeven, toen niet en nu evenmin.

'We zijn regelrecht naar Vegas en terug gereden.' Eve sloeg haar armen om Dolly's hals en gaf haar een vochtige kus. 'Wens me geluk, Dorrie, toe.' Toen ze zich terugtrok, zag Dolly dat haar wangen nat waren en haar ogen glinsterden. 'Is Annie wakker? Ik wil het haar meteen vertellen!'

'Het is zes uur in de morgen,' zei Dolly.

'Ik haal haar wel,' zei Eve en kwam even later met het kind dat nog half sliep aan de hand terug.

Annie keek haar moeder aan en stopte haar duim in de mond. Haar wang was nog rood waar die op het kussen had gelegen.

Dolly zag ze het pad aflopen, een chique vrouw en een dapper kind in haar nachtpon en met de plompe orthopedische schoenen aan, haar kleren in een bundeltje onder haar arm.

Bij de auto draaide Eve zich om en schonk haar de glimlach die ze meestal alleen voor de pers en bewonderaars reserveerde.

'O, heb ik je dat al verteld?... Otto heeft me de rol van Maggie in *Devil May Care* beloofd. Er is ook een rolletje dat nog niet is vergeven. Het zusje van Maggie. Ik heb gezegd dat jij daar prima voor zou zijn. Laat Syd hem maar opbellen.'

Dolly had het gevoel dat er iets in haar knapte. Ze wachtte totdat de Cadillac weg was, holde toen naar binnen en gaf in de gootsteen over.

Naderhand liep ze als een slaapwandelaar naar haar kamertje dat nog naar Annie rook. Ze zocht in een lade, pakte een envelop die ze adresseerde en plakte er toen een postzegel op; daarna ging ze de huiskamer in waar ze het gestencilde vel papier uit haar tas haalde.

Buiten zongen de vogels al en uit de bungalow naast haar kwam de heerlijke geur van pasgezette koffie. Een deur werd dichtgegooid en een vrouw riep: 'Gebruik niet al het warme water, wil je?'

Nog in haar kimono en op haar pantoffels, liep Dolly naar de brievenbus op de hoek en liet haar brief erin glijden.

De envelop was geadresseerd aan senator Joseph McCarthy, Capitol Hill, Washington D.C.

Pas toen de klep van de brievenbus weer neerviel, drong het plotseling tot Dolly door wat ze had gedaan. Het was of ze een klap kreeg en ze zakte tegen het koele metaal aan. De rode mist trok uit haar hoofd weg en het leek of al het bloed in haar lichaam in haar benen zonk.

'O, Here God,' fluisterde ze gesmoord, 'wat heb ik gedaan? Wat heb ik in godsnaam gedáán?'

Deel een

1966

Ieder had een zaklantaarn bij zich, maar ze deden ze niet aan uit angst ontdekt te worden. De maan scheen, hoewel het licht ervan af en toe door wolken werd verduisterd.

   Ongeveer halverwege de instorting bleef Nancy plotseling staan en fluisterde: 'Er komt iemand achter ons aan.'

Uit: *Nancy Drew Mysteries:*
The Clue in the Old Stagecoach

Hoofdstuk 1

Annie lag in bed naar de draak op haar muur te staren. Het was geen echte draak, alleen maar een schaduw die erop leek. De stijlen van haar Chinese bed hadden elk de vorm van een draak waarvan de staart onder de matras leek te verdwijnen en die omhoog kronkelde om te eindigen in een afschuwelijke kop met open bek en gespleten tong. Annies moeder had haar dit bed vanuit Hong Kong gestuurd toen ze vijf jaar werd en Dearie daar bezig was met het filmen van *Slow Boat to China*. Ze had er blijkbaar nooit aan gedacht dat zo'n bed het kleine ding angst aan kon jagen, en dat was ook niet gebeurd. Annie had het bed direct prachtig gevonden. Draken waren nergens bang voor... en zij ook niet.

Maar nu ze in het donker om zich heen keek, voelde ze zich niet zo dapper. Ze leek wel zeven in plaats van zeventien, dacht ze, en ze was het liefst ónder het bed weggekropen.

Ze lag heel stil te luisteren, maar hoorde eerst alleen het bonzen van haar eigen hart. Maar toen kwam het geluid waar ze zo bang voor was: het gegrom van de motor van de Alfa Romeo Spider van Val die Chantilly Road in reed, en daarna de oprit van het huis op.

Opgelucht had ze aan het begin van de avond haar stiefvader horen vertrekken en ze had gebeden dat hij de hele nacht weg zou blijven. Maar nu was hij terug, en ze was doodsbang.

Ze ging rechtop zitten, drukte beschermend een kussen tegen haar borst en knabbelde op haar duim waarvan de nagel al tot op het leven toe was afgebeten. Ze had zich altijd zo veilig gevoeld in haar kamer waar op de wanden afbeeldingen uit *Moeder de Gans* stonden; de toilettafel had een bekleding tot op de grond en het poppenhuis was Bel Jardin in miniatuur. Eigenlijk was ze alles, behalve het bed, al lang ontgroeid. Had Dearie dat ooit gemerkt... of zag ze niets als ze dronk?

Haar boekenkast stond vol met haar lievelingskinderboeken. Wat had ze die heldinnen erin benijd! De onverschrokken Eloise en de vindingrijke Madeline. En die waaghals van een Pippi Langkous. En haar idool: Nancy Drew.

Nancy Drew zou wel raad hebben geweten. Die had Val op zijn kop geslagen als hij haar had lastig gevallen, of de politie geroepen, of zou hard zijn weggereden in haar eigen sportauto.

Maar Nancy Drew had geen zusje van elf. Een zusje waarvoor Annie van het prille begin af had gezorgd en voor wie ze álles over had. Ze moest er niet aan denken Laurel bij Val achter te laten, en ze beet op haar nagel tot ze bloed proefde.

Ze ging haar plan nog eens na. Als Val weer uitging, zou ze een koffer voor Laurel en een voor zichzelf pakken. Sinds vorig jaar had ze een rijbewijs en Dearies oude Lincoln stond nog in de garage. Ze kon de parelketting met bijpassende oorbellen verkopen die ze van Dearie had gekregen en die ze voor Val verborgen had gehouden. Dan had ze geld voor eten en benzine.

Maar waar moesten ze heen? Wie zou hen voor Val verbergen? Haar enige familielid was tante Dolly, van wie ze in een jaar of twaalf niets meer had gehoord. Oom Rudy telde niet mee; dat was Vals broer en een nog grotere griezel dan hij. Annie herinnerde zich haar tante Dolly vaag als een vrouw met een gulle lach en citroengeel haar, die haar op het strand hielp om een gat naar China te graven.

Tante Dolly.

Heel lang geleden had ze Dearie nogal verbitterd tegen Val horen zeggen dat Dolly een rijke man had gestrikt en naar de 'big apple' was verhuisd. Annie had zich haar tante als een worm voorgesteld die een gat in een enorme appel knaagde. Pas veel later had ze gehoord dat New York 'the Big Apple' werd genoemd. Maar was tante Dolly daar nog steeds en zou ze haar nichtjes onderdak willen geven? Vermoedelijk niet. En waarom was Dearie zo boos op haar geweest?

Val was niet háár vader; die was bij een vliegtuigongeluk om het leven gekomen toen zij nog heel klein was. Val zou haar niet gaan zoeken, maar Laurel was wel zijn kind. Niet dat hij veel aandacht aan haar schonk. Hij speelde soms wat met haar, maar dat verveelde hem meestal al gauw en dan gaf hij haar aan een ander. Wekenlang keek hij niet naar haar om en dán stopte hij haar opeens vol met snoep tot ze over moest geven. Maar hij bleef haar wettige vader. Als Annie wegliep was dat niet erg, maar als ze Laurel meenam, zou Val dat kinderroof noemen.

Misschien liet hij haar dan wel in de gevangenis gooien! Maar wat moest ze dan doen? Ze was dol op dit mooie oude huis met een naam die in het Spaans 'mooie tuin' betekende. Zelfs als je alle luiken dichthield, rook je binnen nog kamperfoelie en jasmijn.

En ze zou ook haar vriendinnen Naomi Jenkins en Mallory Gaylord niet meer zien. En volgend jaar niet gaan studeren. Ze had op school altijd erg haar best gedaan, zelfs zo dat ze eens midden in een leerjaar naar een hogere klas was overgeplaatst. Het idee te gaan studeren, weg van Dearie en Val, had haar jaren op de been gehouden. Ze was op Stanford aangenomen... maar had de voorkeur aan de universiteit van Californië in Los Angeles gegeven, aan UCLA. Ten dele omdat er geen geld genoeg was voor een dure universiteit, maar ook om dichter bij Laurel te blijven.

Maar hier bij Val blijven wonen? Ze ging nog liever dood.

Ze dacht aan gisteravond, toen Val haar achterna naar boven was gekomen en op het voeteneind van haar bed was gaan zitten om met haar te praten, zoals hij zei. Hij hóórde niet in haar kamer.

'Kijk eens,' was hij meteen begonnen, 'ik zal er niet omheen draaien, je bent geen kind meer.' Zijn grote hand had zich om haar pols gesloten en tot haar afschuw had hij haar naast zich neergetrokken. 'We zijn failliet.'

Annie was verstijfd blijven zitten. Hij zat zo dicht bij haar dat ze zijn after-shave rook, maar ook een warme zweetlucht, alsof hij net aan het gewichtheffen was geweest. En hij had haar met zo'n griezelige blik opgenomen.

'Ik heb Bonita moeten laten gaan. Tja, eigenlijk heeft ze zelf ontslag genomen. Ik had haar al drie maanden geen salaris meer betaald.'

Annie werd plotseling woedend. 'Heb je álles opgemaakt wat we hadden?'

Hij keek een andere kant op. 'Het is niet opeens gebeurd. Er kwam niets meer bij. Je moeder... ze had al twaalf jaar geen film meer gemaakt. En toen de school failliet ging...' Hij haalde zijn schouders op. 'Je weet hoe dat gaat.'

Val had de zwarte band en was een paar jaar geleden een karateschool begonnen, maar zoals alles wat hij probeerde – makelaar, autoverkoper – had hij ook dit verprutst.

'Wat gebeurt er nu?' vroeg Annie. Het was vreselijk om voor alles van hem afhankelijk te moeten zijn.

Hij haalde weer zijn schouders op. 'Het huis moet verkocht worden. Rudy zegt dat het een behoorlijke prijs zal opbrengen, maar ik heb veel schulden. Er zal maar weinig overblijven.'

Vals oudere broer Rudy was klein en lelijk, maar veel slimmer; hij was rijk geworden als echtscheidingsadvocaat. Val vroeg Rudy altijd om raad, maar Dearie had hem nooit vertrouwd en gelukkig had ze een andere advocaat genomen om het vastgezette kapitaal voor haar en Laurel, elk vijftigduizend, te beheren. Annie kon er helaas pas over beschikken als ze eenentwintig was en dat leek nog eeuwen ver weg.

'We moeten iets kleiners zoeken,' zei Val.

'Ik ga binnenkort studeren,' zei Annie. 'En misschien kan ik wel een deeltijdbaantje krijgen. In een cafetaria of boekwinkel.'

'Ja, Rudy wil je wel op zijn kantoor. Een volledige baan. Je kunt toch typen?'

Opeens had ze hem door. Nu Dearies geld op was, moest zíj voor hem aan het werk, niet studeren maar voor hen drieën zorgen. Ze had hem kunnen slaan, maar bleef sprakeloos en bibberend zitten.

Val dacht dat ze verdrietig in plaats van woedend was, sloeg zijn armen om haar heen en deed alsof hij haar wilde troosten. 'Ja, ik mis haar ook,' mompelde hij.

Toen ze probeerde zich los te maken, hield hij haar alleen nog maar steviger vast en het werd iets anders... hij begon haar rug te strelen en duwde zijn ruwe hand tegen de hare. Ze werd gewoon misselijk. Maar ze vermande zich en gaf hem nog een duw. Toen sprong ze op en even leek het alsof ze werkelijk moest overgeven.

'Sorry, even mijn tanden poetsen,' zei ze. Het was het eerste dat haar te binnen schoot. Ze holde naar de badkamer en sloot de deur af. Daarna nam ze een warm bad en bleef er een uur in liggen.

Bij haar terugkomst was Val verdwenen.

Vandaag had ze hem de hele dag kunnen ontwijken. Maar als hij naar haar toe wilde komen, kon ze hem dat niet beletten, want haar deur had geen slot.

Beneden hoorde ze de voordeur dichtslaan; daarna liep hij de hal door. Ze hield haar adem in om goed te kunnen luisteren. Hij kwam de trap op, al werden zijn stappen door de zware loper gesmoord. Voor haar deur bleef hij staan. Haar hart klopte zo hard dat ze bang was dat híj het ook zou horen.

Toen – het leek na een eeuwigheid – liep hij door, naar zijn kamer aan het eind van de gang. Annie kon weer ademhalen, maar ze had het zo heet, of ze koorts had, en ze transpireerde hevig. Ze zou even gaan zwemmen. Het zwembad zou heerlijk koel zijn.

Annie dwong zich te wachten totdat ze zeker wist dat Val naar bed was. Toen liep ze in haar nachtpon op haar tenen door de gang en ging de bediendentrap af, waarna ze door de keuken liep die op de patio uitkwam.

Toen ze langs de openstaande deur van Laurels kamer kwam, liep ze even naar binnen. Haar zusje lag op haar rug te slapen, de handjes op de deken gevouwen. Annie moest denken aan de plaat die haar leraar kunstgeschiedenis, meneer Honeick, had laten zien, van de schilder Millais – van de verdronken Ophelia die met haar gezicht omhoog in het water dreef met haar lange gouden haar als zeewier om haar stille witte gezichtje. Onwillekeurig luisterde ze of ze Laurel wel hoorde ademhalen.

Gelukkig wel, en Annie ontspande zich. Maak je maar geen zorgen, Laurey, ik zal je niet in de steek laten. Ik zorg wel voor je.

Ze dacht aan de tijd dat Laurel, als kind van twee, roodvonk had gekregen. Het kind had met een vuurrood gezichtje naar adem liggen snakken en had verwoed met haar armpjes liggen zwaaien. Annie, zelf nog maar acht, was doodsbang geworden, had Laurel opgepakt en was met het kind in haar armen het huis doorgelopen, op zoek naar Dearie. Laurels ademhaling klonk heel griezelig en het kind scheen steeds verder uit haar armen weg te glijden.

Eindelijk vonden ze Dearie op de sofa in de huiskamer met een lege brandyfles voor zich op een tafeltje, vermoedelijk doodop van de hele nacht opzitten met Laurey. Annie had snikkend aan haar gerukt om haar te wekken, maar het hielp niet. En er was niemand anders; Bonita had vrij en Val was weg. Doodsbang had Annie gedacht: Ik ben nog maar een kind, ik kan het niet, ik kan Laurey niet redden.

Toen had ze in haar hoofd een stem gehoord die zei: Denk na.

Ze dacht aan die keer, lang geleden, toen ze zwaar verkouden was geweest en ze pijn in haar borst had gehad – Dearie had haar toen in een dampend warm bad gezet en dat had het ademhalen verlicht.

Annie sleepte Laurel mee naar Dearies grote badkamer en draaide de warmwaterkraan open. Ze was op het toilet gaan zitten, met Laurey dwars over haar schoot. Daarna had ze haar op haar rug geklopt en gebeden dat wat Laurey dwarszat, eruit zou schieten. Zo dramatisch was het niet gegaan, maar toen Laurels haren nat van de stoom waren, begon ze weer normaal adem te halen en kreeg ze wat kleur. Meteen daarop was ze begonnen te huilen. Alles was weer normaal. Annies gezicht was ook nat, maar niet alleen van de damp; ze merkte dat ze had gehuild.

En ze had gevoeld dat zij eigenlijk Laurels échte moeder was, dat God vond dat zij altijd voor haar zusje moest zorgen, en haar beschermen.

Annie boog zich over Laurel heen en gaf haar een kus. Het was vreemd dat Laurey nooit transpireerde, al was het nog zo warm. Ze rook nog steeds als een baby.

Annie transpireerde veel te veel. Tijdens de gymles, en bij basketbal plakte haar T-shirt direct al aan haar rug vast. Als ze een repetitie had, vooral wiskunde, liep het zweet langs haar rug en benen. Zelfs haar haren werden nat. Tijdens een ouderavond, toen ze allemaal elkaars handen moesten vasthouden en *America the Beautiful* zingen, had haar buurmeisje walgend haar bezwete hand losgelaten.

Ze streek haar handen door haar korte haar; ze was nog niet aan die korte lokken gewend. Vorige week had ze het zelf met Dearies naaischaar afgeknipt, en ze had er geen spijt van. Het leek net of ze een huid had afgestroopt en nu een nieuwe Annie was, sterker en dapperder.

Beneden in de kamer die op de patio uitkwam, scheen de maan door de palmetto's die bij de openslaande deuren stonden en wierp vreemde schaduwen op de betegelde vloer. Toen ze naar buiten stapte, de septemberkoelte in, zag Annie het zwembad er stil en uitnodigend bij liggen.

Ze deed haar nachtpon uit en dook in het water. Het koele water voelde heerlijk aan op haar naakte lichaam. Ze bleef de helft van de baan onder en kwam toen boven om adem te halen. De lucht rook heerlijk naar bloemen en een brandje ergens verderop. Ze hoorde de hibiscushaag om de patio ruisen. Onder de palmen lag het gras vol met lange bladeren. Ze waren al lange tijd niet meer bij elkaar geharkt en verwijderd. Hector, de tuinman, had een tijdje geleden ontslag genomen en Val stak nooit een vinger uit. Hij had weer een plan in zijn hoofd en probeerde een stel mensen zover te krijgen dat ze investeerden in een gezondheidsclub die ongetwijfeld zou mislukken, net als al zijn vorige ondernemingen.

Ze begon te watertrappen. Ze moest iets doen... en gauw. Anders zat ze hier vast in een klein huis waarin ze zich niet voor Val kon verstoppen, en dan zou ze de hele dag brieven voor die dwerg, Rudy, moeten tikken.

Rudy zat altijd zo griezelig naar Laurel te staren. Hij raakte haar niet aan, maar staarde... Wat wilde hij van haar? Hetzelfde dat Val blijkbaar van haar, Annie, verwachtte?

Dat was afschuwelijk, ondenkbaar! Ze moest wég.

Toen hoorde ze plotseling de stem van haar moeder zoals die vroeger had geklonken: Het is prima om te bidden, kindje, maar als het moeilijk wordt, kun je beter zélf maatregelen nemen.

Annie werd nijdig. O, ja, dacht ze, waarom heb jij dan zelfmoord gepleegd?

Annie zwom woedend verder. Zwemmen was haar lievelingssport. Dat kon je alléén doen en een ander kon het niet voor je bederven. En als je zweette, merkte niemand het.

Annies woede veranderde langzaam in verdriet. Had Dearie maar gepraat vóór ze te veel pillen innam. Ze had toch afscheid kunnen nemen? Annie klom het water uit, trok haar nachtpon aan (waarom had ze geen handdoek meegenomen?) en opeens drong het tot haar door dat ze werkelijk alleen was.

Kon ze dat geld maar krijgen dat voor haar was vastgezet. Ze zou eens met meneer Melcher gaan praten en zeggen hoe belangrijk het was. Morgen zou ze bellen en een afspraak maken.

Rillend van kou en kletsnat zag ze plotseling ergens opzij iets bewegen. Bij het trapje naar de kamer stond Val. Even dacht ze dat ze zou flauwvallen. Het enige geluid was het water dat uit haar natte haren op de tegels drupte.

Hij kwam de vier treden af en liep naar haar toe. In het licht van de elektrische toortsen om het zwembad leek het of hij strepen over zijn gezicht had, als een tijger. Hij had een donkerblauw satijnen pyjama aan met zijn initialen in witte zijde op de zak geborduurd.

'Doe toch wat aan. Je vat nog kou,' zei hij.

'Ik ging net naar binnen.'

Het geluid van haar eigen stem activeerde haar. Ze liep snel naar het huis. God, zorg dat hij me niet aanraakt. Ze voelde dat hij haar opnam, en met die natte nachtpon aan had ze net zo goed naakt kunnen zijn. Ze werd warm van verlegenheid.

In de grote huiskamer liep Annie net over het kleedje voor de haard toen ze Vals hand, warm en droog, op haar natte schouder voelde. Het leek of haar hart stilstond. Ze probeerde weg te komen en stootte haar knie aan een zware stoel. Een pijnscheut sloeg door haar heen.

Toen zag ze dat hij haar zijn pyjamajasje aanbood, dat hij snel had uitgetrokken. Wat moest ze doen? Misschien wilde hij alleen maar vriendelijk zijn, op zijn manier... Maar waarom liet hij haar niet met rust?

Annie stond ernaar te staren totdat Val het op de grond liet vallen. Op

30

zijn gezicht lag een uitdrukking die zowel woede als norsheid inhield. Ze probeerde langs hem heen weg te lopen, maar hij pakte haar ruw beet. Hij drukte haar tegen zich aan, streelde haar ruw over haar hoofd en fluisterde: 'Geef me een kans, kind. Ik heb het ook niet zo gemakkelijk.'

Ze rook de bekende lucht van alcohol. Val was niet aan drank verslaafd zoals Dearie was geweest, maar als hij een paar whisky's op had, kon hij soms vreemd en gemeen worden.

Annie keek naar de oude hutkoffer die Dearie jaren geleden had gekocht. Hij rook naar leer en het ruim van schepen. Als kind was ze er eens in geklommen om hem goed te bekijken en toen was het deksel per ongeluk omlaag gekomen waardoor ze in het donker kwam te zitten en doodsbang werd. Ze had zich schor geschreeuwd totdat Dearie haar eindelijk was komen verlossen.

Nu voelde ze zich opnieuw in de val, maar nu was er geen Dearie die haar kon redden.

Plotseling werd ze woedend en siste: 'Het is allemaal jouw schuld! Je hebt nooit van haar gehouden! Je bent alleen met haar getrouwd omdat ze rijk en beroemd was. En toen ze niet meer kon werken, heb je haar... schandelijk behandeld.'

'Ze was aan de drank verslaafd,' snauwde hij. 'Al lang voordat ik haar leerde kennen. En je weet het: eens verslaafd, altijd verslaafd.'

Op de schoorsteenmantel achter Vals schouder zag ze het licht weerkaatsen in het glanzende oppervlak van Dearie's Oscar voor Beste Actrice die ze met *Storm Alley* had gewonnen. Annie wist nog hoe trots ze toen geweest was. Ze had laat op mogen blijven en had op de televisie gezien dat Gregory Peck een envelop openscheurde en haar moeders naam afriep. Toen was Dearie naar het toneel gezweefd, schitterend in een japon vol lovertjes, en ze had iedereen bedankt en het mooi glimmende beeldje omhoog gehouden. De tranen schoten Annie in de ogen, maar ze verdrong ze. Val mocht haar niet zien huilen.

'Als mijn moeder te veel dronk, dan was dat jouw schuld.' Misschien was het niet waar, maar ze zei het toch.

'Klein kreng.' Val pakte haar bij haar bovenarm en kneep erin. 'Jij bent veel te veel verwend op die deftige school van je waar je leert welke vork je waarvoor moet gebruiken. Vanaf het begin heb je op me neergekeken.'

Zijn ogen schitterden woedend in de duisternis. Annie voelde gevaar. Zo had ze hem nog nooit gezien, zelfs niet toen hij Dearie had geslagen. 'Ik ga naar boven,' zei ze bibberend. 'Ik heb het koud.'

Hij pakte met één vinger zijn pyjamajasje van de grond. 'Trek dit aan,' zei hij, en stak het haar toe. Het was geen aanbod meer.

Annie keek er vol afkeer naar en liet het vallen toen hij het haar toewierp. Grommend wierp Val zich op haar.

Eerst dacht ze dat hij haar wilde slaan. Het léék ook of hij een klap op haar mond gaf en ze voelde dat haar lip ging bloeden. Maar hij kuste haar.

Ze wilde gillen, zich terugtrekken, maar hij hield haar stevig vast. De lucht van zijn after-shave vermengd met alcohol maakte dat ze bijna overgaf. Toen leek het even of ze een hysterische lachbui kreeg.

Dit kan niet waar zijn. Maak alstublieft dat dit niet gebeurt, God.

'Ik wilde dat je van me hield,' zei hij met een dreinende stem als een klein jongetje. 'Maar je wees me af. Ik zou een goede vader zijn geweest, ik... zou van je gehouden hebben.'

Doodsbang probeerde Annie zich te bevrijden. 'Laat me toch los.' Dat was het enige wat ze wilde. 'Straks wordt Laurey wakker.'

'Ze heeft me gewoon gebruikt,' ging hij door alsof hij niets gehoord had. 'Ze wilde me hebben omdat ik van haar zuster was... Jezus, ik had met Dolly moeten trouwen. Denk je dat ik dit einde wilde? Je weet niet hoe ik heb geleden...'

Ondanks Annies pogingen zich te bevrijden, bleef hij haar vasthouden. Hij begon haar nu te strelen, eerst een borst. Annie dacht dat ze doodging.

'Ik wilde alleen maar dat je van me hield,' herhaalde hij bedroefd.

Plotseling had ze zich losgerukt, dook langs hem heen en stak haar arm uit tot haar vingers iets kouds en hards voelden. Dearies Oscar. Ze zag haar moeder weer voor zich op het toneel en ze hoorde weer: '... en ik wil vooral mijn dochtertje bedanken dat zo laat is opgebleven om mij te zien...'

Blindelings zwaaide ze het beeldje in het rond, alsof het een knuppel was. Ze zag Val wegduiken. Als hij dat niet had gedaan, bedacht ze later, zou ze hem niet hebben geraakt. Ze schrok ervan, en ook Val leek van zijn stuk gebracht.

Het bloed stroomde uit een wond in zijn wenkbrauw en toen hij zijn hand daar weghaalde, was die vuurrood. Hij liet zich op de sofa neerzakken en zijn armen en benen trokken zo raar, net een marionet. Toen viel hij opzij en bleef doodstil liggen.

Ik heb hem vermoord, dacht Annie.

Het leek of ze verdoofd was. Terwijl ze naar de bloedende Val keek, dacht ze heel kalm en normaal: Ik zal niet te veel inpakken: wat extra kleren, ondergoed, tandenborstel. En Dearies juwelen. Ik neem die reistas; die is niet zo zwaar. De auto kon ze niet nemen. Als Val niet dood was, maar alleen gewond, zou hij onmiddellijk de politie inschakelen.

Het moeilijkste was Laurel te wekken. Die bleef kijken alsof ze nog steeds half sliep of droomde. Niet-begrijpend keek ze Annie aan toen die haar een broek en sweatshirt toewierp.

'Kom, we hebben niet veel tijd,' drong Annie aan.

Laurel zag eruit of ze er geen idee van had wat haar zuster wilde. 'Ik moet weg,' zei Annie. 'En ik kom niet terug. Je wilt toch met me mee?'

Laurel was nu klaar wakker en keek bezorgd. 'Waar gaan we heen?'

Annie was blij dat ze 'we' zei.

Ze wist niet wat ze moest antwoorden. Misschien was dat aldoor al het probleem geweest: ze had alles te goed willen voorbereiden, maar je moest gaan en gewoon zien wat er gebeurde.

'Naar een bus,' zei ze. Het was het eerste dat haar te binnen schoot. 'Kleed je aan voordat hij... hij wakker wordt.'

Toen keek Laurel haar zo bang aan dat ze het meisje even knuffelde.

'Het komt allemaal best in orde,' zei Annie. 'Het wordt zelfs vast leuk. Echt een avontuur.' Maar ze vond zelf dat het klonk alsof ze iemand een plezier aanpraatte dat net zoiets was als in een vat van de Niagara-waterval naar beneden plonzen.

Eerst moesten ze naar het busstation. Dan zou ze wel zien welke bus ze zouden nemen.

'Hebben we geen geld nodig?' vroeg Laurel terwijl ze haar nachtpon uittrok. 'Voor de bus, en zo.'

Daar had Annie niet aan gedacht. Die juwelen kon ze pas morgenochtend belenen of verkopen. En dan moest ze al mijlenver weg zijn.

'Maar ík heb geld, Annie,' zei Laurel blij. 'Bijna honderd dollar. Weet je wel dat een van Dearies vrienden met Kerstmis zijn portefeuille kwijt was, met veel geld erin? Ik heb hem een week later onder de sofa gevonden. Ik had het je eerder moeten vertellen, maar...' Ze zweeg en bloosde.

'Je hebt dat geld toch niet gehouden, Laurey!'

'Natuurlijk niet! Hij gaf me een beloning en ik heb je er niets over verteld omdat ik voor een verjaardagscadeau voor jou wilde sparen...'

Annie knuffelde haar weer, nu opgelucht. 'Kom, kleed je gauw aan. Dan kunnen we vertrekken.'

Laurel keek haar aan met een blik die veel te wijs was voor een elfjarige. 'Je wilt weg om Val, hè? Hij heeft iets gedaan,' fluisterde ze. Ze had hem nooit papa of pappie genoemd.

Annie knikte.

'Mag ik Boo meenemen?' fluisterde Laurel. Boo was haar oude, bijna stukgewassen babydekentje. Eigenlijk wilde ze niet toegeven dat ze er nog steeds mee sliep, maar Annie wist het en knikte.

Bij de voordeur dacht Annie plotseling aan Dearies Oscar. Die mocht niet achterblijven, al vond ze het vreselijk om terug te gaan. 'Wacht even,' fluisterde ze tegen haar zusje.

Met wild bonzend hart sloop ze op haar tenen de huiskamer weer in en pakte de Oscar van de grond waar ze hem had laten vallen. Zorgvuldig keek ze niet naar de figuur op de sofa. Terug bij Laurel zag ze hoe haar zusje vol afschuw naar het beeldje keek, en in het halfdonker zag ze dat de goudglanzende Oscar onder het bloed zat. O, God!

Bleek en zwijgend nam Laurel het beeldje uit Annies handen en veegde het schoon met Boo. Daarna stopte Annie het snel in de reistas en maakte de voordeur open.

Toen ze even later de oprijlaan afliepen, keek Annie nog eens om naar Bel Jardin. In het zwakke maanlicht leek het huis op te rijzen als een rots uit een zee van kamperfoelie, oleanders en hibiscus. Boven de palmen van de oprijlaan zag ze dat het in het oosten al lichter begon te worden.

Op dat ogenblik, toen de zware tas met Dearies beeldje tegen haar been sloeg, verdween Annies moed bijna. Waar moesten ze heen? En wat moesten ze doen als ze ergens kwamen? Als de telefooncel bij het Gulf benzinestation op Sunset nou eens níet werkte en ze geen taxi kon bellen?

Opeens was het of een onzichtbare hand haar een duwtje in de rug gaf. Als je eenmaal het besluit hebt genomen ergens heen te gaan, verknoei dan je tijd niet met kleinigheden...

Annie rechtte plotseling haar rug en hield de reistas steviger vast zodat ze beter kon lopen. Ze pakte Laurels hand die droog in haar bezwete hand lag. Haar hart bonsde – ze had zich nog nooit zo bang en onzeker gevoeld – maar ze moest tegenover Laurel doen of ze precies wist waar ze heen gingen, of ze totaal niet bang was. Dat leek plotseling het allerbelangrijkste.

'Ik hoop dat je sokjes hebt aangetrokken,' zei ze opgewekt tegen haar zusje dat lusteloos aan haar hand meedraafde en het babydekentje met bloedvlekken tegen zich aan drukte. 'Je weet dat je blaren krijgt als je geen sokjes in je schoenen draagt. En we moeten nog een heel eind.'

Hoofdstuk 2

Laurel duwde het worstje onder de toost in de hoop dat Annie het niet zou zien. Ze was misselijk en kon geen hap naar binnen krijgen, maar wilde niet dat Annie weer begon te zeuren dat ze zo mager werd. Maar bij haarzelf hingen haar kleren ook los om haar heen, en ze had kringen onder de ogen.

Waarom had Annie alleen maar toost besteld? Ze zag eruit alsof ze alles in dit eettentje zou kunnen opeten.

Maar ze moesten zuinig zijn. Annie zei dat ze moesten sparen voor een flatje. Ze waren al twee weken in New York en zaten nog steeds in die benauwd ruikende kamer in het Allerton. Laurel vertrouwde nog altijd op Annie, maar werd wel eens bang als ze eraan dacht dat Annie een ongeluk kon krijgen of ziek worden. Als Laurel nadacht wat er allemaal zou kúnnen gebeuren, kreeg ze pijn in haar buik van angst.

In het begin had het bedrag van negenhonderdzeventig dollar dat ze voor Dearies juwelen hadden gekregen, een enorm kapitaal geleken, maar het was bijna op en alles was zó duur! Annie had niets gezegd, maar Laurel had gezien dat haar zuster met een bezorgd gezicht het geld voor deze week voor meneer Mancusi uittelde. Ze merkte het ook aan Annies manier van eten; ze liet elke hap en slok thee heel lang duren.

Annie bleef opgewekt, ook al kwam ze steeds doodmoe terug van haar banenjacht. Het leven als schoolmeisje in Bel Air was geen goede vooropleiding voor werk in een hotel of als serveerster. Maar Annie was slim en had meneer Mancusi overgehaald hun de kamer voor vijf dollar per week te geven in ruil voor het dagelijks schoonvegen van de hal en receptie.

Annie vond altijd een uitweg, overal voor. Zelfs die keer toen Dearie te veel had gedronken en achter het stuur in slaap was gevallen. Annie had haar opzij geduwd en hen veilig naar huis gereden en toen was ze pas veertien en mocht ze nog niet eens rijden.

Laurel wilde dat ze even flink als Annie was.

Was ik maar wat ouder. Dan kon ik ook een baan nemen en dan hoefde Annie niet alles alleen te doen.

Maar wie zou een kind van elf werk geven? Annie met haar zeventien jaar kon al niets vinden.

Laurel zag dat Annie nog een plastic doosje met druivenjam openmaakte en die dik op haar stuk toost smeerde. Wat was ze blij dat ze Annie had. Ze moest er niet aan denken nu alleen te staan. De gedachte bezorgde haar kippevel.

Het was zondag en niet druk. Het eten hier was niet erg smakelijk en alles, zelfs de melk, smaakte naar gebakken spek, maar dat scheen niemand te hinderen.

Annie keek op en zei: 'Ik heb zo'n gevoel dat vandaag een geluksdag voor ons is.' Ze klonk zo vrolijk dat Laurel haar bijna geloofde, totdat ze zich herinnerde dat Annie dat elke dag zei.

Laurel duwde haar melk weg en zei tegen haar zuster: 'Hier, drink jij die maar verder op.'

Annie fronste haar voorhoofd en duwde het glas terug. 'Nee, jij hebt die melk meer nodig dan ik. Ik heb al genoeg gegeten.'

Dat was een leugen en Laurel had haar wel willen smeken niet altijd zo lief te zijn en geen dingen voor haar te bestellen die veel te duur waren, zoals eieren en worst. Het was goed bedoeld, maar Annie moest haar niet blijven behandelen alsof ze nog een kind was.

Liet Annie me maar wat meer doen, dacht ze, ik zou echt wel kunnen helpen. Maar het enige dat Laurel zei, was: 'Mag ik de krant even zien?'

Ze kochten elke dag een krant en de dikke zondagseditie van de *New York Times* van vandaag, 9 oktober, lag opgevouwen naast Annies bord; ze had hem nog niet ingekeken. Meestal begon ze meteen de interessante advertenties aan te strepen – betekende het feit dat ze dat nu nog niet had gedaan dat ze de hoop begon te verliezen? Laurel kreeg weer een vreemd gevoel in haar maag.

Sommige flats die ze gezien hadden, waren leuk maar duur. Andere vreselijk, of in buurten waar overal vuil op straat lag. Binnen rook het dan naar urine, zoals in het Allerton. Ze waren ergens geweest waar de kakkerlakken zich op het aanrecht verdrongen toen de conciërge het licht in de keuken aandeed; hij had iets onverstaanbaars gemompeld en met een opgerolde krant over het aanrecht geveegd.

Het was zo'n grote stad. Misschien had Annie niet in de voor hen geschikte buurten gezocht. Brooklyn bijvoorbeeld? Daar hadden Val en oom Rudy vroeger gewoond. Op de kaart leek het vlak bij Manhattan en er liepen verschillende ondergrondse lijnen naartoe.

Maar eigenlijk zou Laurel het liefst weer in Bel Jardin willen zijn. Ze miste haar kamer met het zonnige venster en alle knuffeldieren. En haar beste vriendinnetje, Bonnie Pell, die alle liedjes van the Beatles uit het hoofd kende en bij spelletjes altijd Laurel als eerste koos.

Ze miste zelfs haar vader, al nam hij nooit veel notitie van haar. Ze zag hem in haar verbeelding in het grote bed liggen waarin hij met Dearie had geslapen, en Hector maaide het gras en Bonita maakte pannekoekjes en zong ondertussen Spaanse liedjes...

Toen verdween het beeld en zag ze alleen nog Vals bloed. Opgedroogd op Boo. Ze had het dekentje in de eerste de beste vuilnisbak gegooid en daarbij een gevoel gehad alsof ze zichzelf achterliet. Het meisje dat ze toen was geweest, leek een vriendinnetje dat verhuisd was, dat ze zich nauwelijks meer herinnerde.

Waarom wilde Annie niet zeggen wat Val had gedaan dat haar zo woedend had gemaakt? Steeds zag ze Val weer in een bloedplas op de grond liggen en dan werd ze ijskoud van angst.

Nee, Val kón niet dood zijn. Ze wílde het niet. Maar als hij leefde, zou hij naar hen zoeken en Annie had gezegd dat ze niet gevonden mochten worden, want dan zou Val haar van Annie afpakken. Misschien zelfs Annie wegens kinderroof laten arresteren.

Annie in de gevangenis? Laurel moest er niet aan denken. Ze wilde niet bij Annie weg. En dus zouden ze moeten oppassen en niemand veel over zichzelf vertellen. Maar ze wilde zich ook niet als een baby aan Annie vastklampen. Het zou heerlijk zijn als haar zuster haar zo af en toe eens als haar gelijke beschouwde. Ik moet haar tonen dat ik oud genoeg ben om te helpen, dacht Laurel.

Ze zette echter haar verwarde gevoelens van zich af, pakte de krant en zocht de rubriek 'te huur'. Met haar vinger liep ze de kolom ongemeubileerde studio's door. Ze had aanvankelijk niet geweten wat al die afkortingen betekenden, maar ze was ze nu al aardig meester. Toen ze eindelijk iets had gevonden dat ze nog net zouden kunnen betalen, was de flat volgens Annie in Harlem, waar het krioelde van de junks en overvallers.

Intussen zocht Annie in de rubriek met aangeboden banen.

'Kijk,' zei ze. 'Een meisje voor alle werkzaamheden bij een hoedenzaak. Net iets voor mij.'

'Maar je kunt toch niet typen? Moet dat daar niet?'

'Ik kan wel typen... alleen niet erg snel.'

'En als je nu eens proef moet werken...'

Annie lachte wat gedwongen. 'De vorige keer was ik te zenuwachtig. Dat ben ik voortaan niet meer.' Ze keek bezorgd naar Laurels bordje. 'Je hebt je ontbijt niet opgegeten.'

'Ik kan niet meer op. Wil jij de rest?'

Annie keek haar onderzoekend aan, alsof ze dacht dat Laurel niet meer at om haar te helpen. Maar als iemand hier deed alsof, dan was het Annie wel, dacht Laurel. Ze deed steeds alsof alles nu gauw in orde zou komen, maar haar nagels waren helemaal afgekloven en er zaten zelfs korstjes opgedroogd bloed op.

Annie keek nog even naar Laurels bord, maar toen won haar honger het. Ze greep naar haar vork en werkte de rest van de roereieren en de worst naar binnen. Met het laatste stukje toost veegde ze het bord schoon. Laurel keek naar haar en haar maag kwam weer wat tot rust.

Ze zag de serveerster op hen toe komen, een mager meisje met puist-jes. Ze was ongeveer even oud als Annie, maar onverzorgd. Haar nagellak was grotendeels weggesleten en ze had een vlek op haar blauwe uniform.

'Is dat alles?' vroeg ze op een routinetoontje en gooide de rekening al neer voor ze geantwoord hadden. Annie boog zich over de tafel en fluisterde: 'Ze is nijdig omdat ik haar de vorige keer geen fooi heb gegeven.'

Toen stond Annie op en liep achter de serveerster aan. Laurel zag dat ze het meisje wat geld in de hand drukte en met haar begon te praten. Toen Annie terugkwam, lachte ze. 'Weet je nog dat er hier op de deur een kaartje hing? "Ervaren serveerster gevraagd"? Nou, ik heb een afspraak voor vijf uur met de baas gemaakt.' Haar diepblauwe ogen schitterden en ze had een kleur.

'Maar, Annie, jij bent toch niet "ervaren",' begon Laurel. 'Bonita serveerde óns.' Toen ze Annies lach zag verdwijnen, had ze meteen spijt van haar woorden.

'Dan zal ik het moeten leren, hè?' zei Annie vastbesloten, maar ze was niet zo vrolijk meer. 'Dat kan toch niet zo moeilijk zijn?'

Laurel kwam in de verleiding om te zeggen dat Annie degene was die altijd verloor als ze Concentratie speelden, maar ze zei niets. Voor Annie kwamen de details er niet op aan; ze zag van alles 'de grote lijnen'. Daarom had ze op school ook de moeilijke dingen gekozen, waar ze lagere cijfers voor kreeg dan voor de gemakkelijke vakken. Voor deze baan was het echter belangrijker dat je wist hoe al die broodjes heetten, dan dat je Latijnse werkwoorden kon vervoegen.

'Nee, ik denk het niet,' reageerde ze onzeker.

Annie keek hoopvol naar buiten. 'We vinden ook vast nog wel een leuk flatje. Er staat ongetwijfeld iets in de *Village Voice*.' Ze pakte haar tas en stond op. 'Kom, ga mee, meneer Singh op de hoek laat me voor niets naar de advertenties kijken.'

Op weg naar buiten zag Laurel een opgevouwen achtergelaten krant op een stoel liggen. Ze pakte hem op en nam hem mee.

Terwijl Annie op de hoek van Eighth en Twenty-third de snoepwinkel in liep om in de *Voice* te kijken, vouwde Laurel de krant open die ze had meegenomen. Het was de *Jewish Press*. Zouden daar flats in staan? Eens even kijken. Ja, en de eerste leek al iets.

Er werd een eenkamerflat aangeboden voor $ 290 in een rustige buurt, op de bovenste etage van een tweegezinswoning met tuin. Er stond een telefoonnummer bij en de woorden *Sjomeer Sabbat*. Het was in Midwood. Waar was dat? Gezien de prijs, moest het ergens in Brooklyn zijn. Maar het klonk volmaakt. Wat een vreemde naam – *Sjomeer Sabbat* – maar in New York waren zoveel vreemde namen.

Nu kon ze Annie eens laten zien wat zij waard was. Maar eerst moest ze te weten komen of de flat misschien al weg was. Dat was hun al zo vaak overkomen.

'Wat heb je daar?' vroeg Annie, die op haar schoenen met hoge hakken – aangetrokken om er ouder uit te zien – naar buiten kwam wankelen.

'Niets,' zei Laurel, en stopte de krant weer onder haar arm. 'Wacht, ik heb iets op tafel laten liggen. Ik ben zo terug.'

In het eettentje was een telefooncel vlak bij de ingang. Ze haalde een stuiver uit haar zak. Die moest ze van Annie altijd bij zich hebben, voor het geval ze zou verdwalen. Snel draaide ze het nummer, dat ze nog uit haar hoofd wist. Er werd onmiddellijk opgenomen.

'Zeg het maar gelijk,' begon een vrouwenstem. 'Heb je hem gekocht of niet?'

Laurel schrok even en zei weifelend 'Hallo?' Even stilte en toen begon de vrouw te lachen, maar het was een aardige lach.

'Met wie spreek ik?' vroeg ze.

Laurel had het liefst willen ophangen, maar omdat de stem zo aardig klonk, vatte ze moed.

'Met Laurel... Davis.' Of was het Davidson? Ze had Annie zoveel verzonnen namen tegen conciërges horen gebruiken, dat ze het niet meer wist. Maar ze moest die mevrouw niet achterdochtig maken. 'De flat,' bracht ze uit. 'Die in de krant stond... zou ik... ik bedoel, wij... mijn zuster en ik... ik bedoel: is hij al weg?'

'Hoe oud ben je, schatje?'

'Twaalf.' Een jaar extra kon; niemand zou haar geloven als ze negentien of twintig zei. 'Maar mijn zuster is eenentwintig,' voegde ze er snel aan toe.

'Getrouwd?'

'Hm, nee... maar ze is erg knap in alles, behalve in wiskunde en ze kan typen.' Had ze nu iets verkeerds gezegd?

'Ze heeft dus een baan?'

'Ja, bij een hoedenzaak. Op kantoor. We komen... uit Arizona, en we hebben een flatje nodig, het liefst met een tuin.'

Op mooie dagen kan ik dan, met mijn schetsboek en verfdoos buiten gaan zitten, dacht ze. Misschien leek Bel Jardin dan minder ver weg.

'O, die tuin. In hoofdzaak onkruid, en verwilderd gras.'

'Dat is niet erg... dat kan ik wel voor u maaien, als u wilt... Dat heeft mijn vader me geleerd, en ook mesten en rozen verzorgen.'

Laurel zag even Hectors vereelte handen voor zich die zorgvuldig de aarde rondom de rozestruiken ophoogden en er het koffiedik doorheen deden dat Bonita voor hem bewaarde.

'Rozen! Was het maar waar!' De dame – mevrouw Sabbat? – lachte gezellig.

Ben ik te ver gegaan? vroeg Laurel zich af. Maar ze kon echt in een tuin werken.

'Mogen we eens komen kijken?' vroeg ze onderdanig.

'Hebben jij en je zus geld voor een aanbetaling, schatje?'

'O, ja.' Plotseling herinnerde ze zich wat Annie altijd zei: 'Contant!'

Stilte. Toen zuchtte de vrouw en zei: 'Om je de waarheid te zeggen, ik weet niet of jullie de meest geschikte huurders zijn, maar je klinkt aardig. Kom maar eens kijken.'

Laurel voelde zich enorm opgelucht. 'Fijn,' zei ze, en probeerde haar opluchting niet te laten merken. Hoe ver zou het zijn met de ondergrondse? Op goed geluk zei ze: 'Over een uur? Schikt u dat? Bent u dan thuis?'

'Waar anders? Ik ben in mijn negende maand, Laurel Davis. Maar dit baby'tje heeft geen haast. Bid in de ondergrondse op weg hierheen maar dat hij me niet zo lang laat wachten als de vorige.'

Laurel had mevrouw Sabbat nog niet eens gezien, maar ze leek haar nu al reuze aardig. Aandachtig luisterde ze naar de aanwijzingen, hing op en holde naar buiten, naar Annie.

'Waarom duurde het zo lang?'

Laurel vertelde Annie dat ze had getelefoneerd en Annie omhelsde haar. 'Geweldig, Laurey! Laten we er het beste van hopen.'

Laurel had zich nog nooit zo trots gevoeld. Ze had Annie getoond dat ze wist wat ze deed. Alles zou prima gaan, dat wist ze zeker.

Laurel en Annie stapten uit in het Avenue J-station, maar toen ze twee blokken hadden gelopen, hadden ze het idee dat ze door een cycloon ergens in het land van Oz waren neergezet.

Laurel keek met open mond naar jongens van haar leeftijd en ouder die ergens onder een zonnescherm stonden te praten in een voor haar volkomen vreemde taal. Ze hadden allemaal een zwarte hoed op en een te groot pak met kwastjes aan de ceintuur. En aan elke kant van hun hoofd hing een lange pijpekrul.

Toen passeerden ze een mevrouw met een donkere huid die een glanzend lichtblauw laken scheen te hebben omgeslagen. Tot haar ellebogen had ze allemaal dunne zilveren armbanden en op het midden van haar voorhoofd een rode stip. Ze had een meisje aan de hand met vlechten, een roze jurkje en witte leren schoentjes.

Laurel keek zo ingespannen om zich heen dat ze bijna tegen een groepje peuters opliep dat door een mollige dame in de rij werd gezet.

Laurel, in haar bijna nieuwe spijkerbroek en oude roze vest van Annie, geborduurd met roze bloemetjes, en haar lange blonde haren in een paardestaart, voelde zich alsof ze regelrecht van Mars kwam.

Ze keek naar Annie die er met haar donkere ogen en haren uitzag alsof ze hier zou kunnen thuishoren. Maar plotseling bleef Annie staan en keek om. Laurel werd door angst bevangen. Als Val hen eens vond en Annie in de gevangenis zou laten zetten, dan was het misschien een beetje haar schuld. Want heimelijk had ze gewenst dat ze Val eens kon opbellen of hem een kaart sturen, alleen maar om te laten weten dat alles in orde was.

Toen ze zag dat Annie alleen maar het straatnaambordje las, voelde ze zich een stuk beter.

'Zijn we hier goed?'

'Ja, East Fourteenth, dat zei die mevrouw. Het vijfde huis links.'

Ze liepen langs een bakkerij met verleidelijke taarten in de etalage, een schoenenzaak, en toen een delicatessenwinkel met heerlijke kazen en worsten. Op de hoek van Fourteenth was een damesmodezaak met een bord op de deur 'Geen kinderwagens binnen'. Overal op de trottoirs stonden kinderwagens en alle vrouwen duwden òf een wagen voort – soms zelfs een dubbele – òf ze hadden minstens één kind aan de hand.

Laurel kreeg weer dat gekke gevoel in haar maag. Dat had haar steeds overvallen, vanaf hun aankomst per bus bij het vieze busstation bij Times Square. Onderweg was ze afgeleid geweest door alles wat ze zag: velden, koeien, bergen, auto's met vreemde nummerplaten en in elk stadje weer een Woolworth en een supermarkt. Het leek allemaal zo onecht. Net alsof ze het maar droomde. Straks zou ze wakker worden in haar eigen bed in Bel Jardin.

Eindelijk had Annie op het silhouet van Manhattan gewezen. Ze reden door de tunnel onder de Hudson en Laurel was bang geweest dat hij lek zou raken en zij zouden verdrinken nog vóór ze in New York aankwamen. Ze had Annies hand vastgegrepen en haar maag deed vreemder dan ooit.

Nu, twee weken later, was die maag nog niet tot bedaren gekomen. Soms vroeg ze zich wel eens af, zoals nu, of het wel verstandig was geweest om weg te lopen. Maar stel dat Annie zonder haar was weggegaan? Dat zou ook vreselijk zijn geweest… nog erger dan dit.

Val. Had ze dan alleen met hem achter moeten blijven? Hij deed niet lelijk tegen haar, maar hij was er vrijwel nooit. Zonder Annie zou het heel naar zijn geweest; ze zou zich ellendig hebben gevoeld.

'Ik geloof dat het hier is,' zei Annie, en haar stem bracht Laurel weer in het heden terug.

Laurel bleef staan en keek naar het huis dat haar zuster aanwees: een houten huis met een verdieping erop, grijsgeschilderd, met een kleine veranda en een piepklein grasveldje ervoor met een keurig geknipte heg eromheen. Afgevallen bladeren waren bij elkaar op een hoop geharkt, onder een grote boom. Het was niet bepaald Bel Jardin, maar toch… ja, gezellig. Op het tuinpad voor het huis lag een omgevallen driewieler en op de veranda stonden een stel gemakkelijke stoelen. Op het naambordje stond 'De Grubermans'. Laurel was opgelucht. Hier woonde een echt gezin.

Maar wacht eens even. Die mensen moesten Sabbat heten, niet Gruberman. Was dit het verkeerde huis? Of was het naambordje nog van een vorige bewoner?

Laurel sloot haar ogen en bad: O, God, laat mevrouw Sabbat ons alstublieft nemen.

Annie trok haar mee het tuinpad op. 'Nou, daar gaat-ie,' zei ze. Ze drukte op de bel.

'Ik kom eraan!' riep binnen iemand.

Even later ging de deur open en stond er een vrouw voor hen met een geruit schort om haar enorme buik gebonden. Ze had een gebloemde sjaal om haar haren en daaronder vandaan keken een paar vrolijke bruine ogen hen aan vanuit een rond gezicht.

'Juffrouw Davis?'

'Ja,' antwoordde Annie onmiddellijk.

'Hm?... eh, ja,' mompelde ook Laurel blozend, en ze liet de zaak nu verder aan Annie over.

'Ik ben Annie... en dit is mijn zusje, Laurel. Zij heeft u opgebeld.'

'En ik ben Rivka Gruberman,' zei de vrouw en ze lachte tegen Laurel. 'En jij kunt goed telefoneren, schat, maar jullie zijn nog zo jong om samen op een flat te wonen. Ik wil geen huurders die meteen weer naar hun mammie teruggaan.'

'Onze moeder is dood,' antwoordde Annie rustig.

'Och,' zei Rivka en ze schudde haar hoofd. 'Nou, kom maar even kijken.' De deur ging verder open. Rivka nam hen onderzoekend op en ging hen hijgend voor de trap op. Laurel haalde opgelucht adem, al rook het hier naar gekookte worteltjes. Ik geloof niet dat ze gelooft dat Annie eenentwintig is, dacht ze, maar ze maakt er geen drukte over.

De flat was klein: een keukentje met gele kasten, een huiskamer met een verschoten groen karpet, en een slaapkamer die niet veel groter was dan haar kast in Bel Jardin. Maar het was er schoon en de wanden waren pas geschilderd. Er hing een heerlijke lucht van versgebakken brood en Laurel keek uit het raam om te zien waar die geur vandaan kwam. Aan de overkant van een met onkruid begroeid stuk land zag ze een grote ventilator ronddraaien op het dak van een klein gebouw.

'Is dat een bakkerij?' vroeg ze.

'*Bagels*,' zei Rivka. 'Dag en nacht. En dan brengt mijn man er elke dag ook nog mee uit de *sjoel*.' Ze lachte en haalde haar schouders op.

Laurel wilde vragen wat een *bagel* was, maar Annie keek haar waarschuwend aan en ze zweeg.

'Het is een leuke flat,' zei Annie. 'We nemen hem.' Ze klonk flink en volwassen, maar opeens werd ze onzeker. 'Als u het goedvindt,' voegde ze eraan toe.

'Ik weet niets van Arizona af,' zei Rivka en ze keek hen onderzoekend aan. 'Maar voordat jullie besluiten, willen jullie niet eerst onze *sjoel* zien?'

Er was iets mis, voelde Laurel. Annie voelde het vast ook, want ze begon op haar nagels te bijten.

'Uw *sjoel*?' herhaalde ze.

Rivka keek hen eens aan. 'Ga maar mee naar beneden, *sjeintjes*,' zei ze. 'Manhattan is ver en jullie willen vast wel een kop warme thee en een stuk *babka*, ja?'

Beneden was het een gekkenhuis. Overal kinderen. Een paar oudere jongens op de sofa lazen elkaar hardop in een vreemde taal voor. Twee kleintjes speelden met autootjes en in de box zat een baby die met plastic sleutels tegen de tralies aan sloeg. Het was een ongelooflijk lawaai.

'Stil, allemaal! We hebben bezoek!' riep Rivka en ze stapte over poppen en dergelijke heen, maar niemand nam notitie van haar.

In de gezellige grote keuken was een donker meisje van Annies leeftijd bezig deeg uit te rollen. 'Dat is mijn oudste,' zei Rivka. 'Sarah.' Het meisje knikte verlegen en rolde verder.

Het leek wel een sprookje, die vrouw met al die kinderen. Maar mevrouw Gruberman leek erg gelukkig te zijn. En aardig.

Laurel en Annie gingen aan een lange met geel zeildoek bedekte tafel zitten. Toen ze om zich heen keek, zag Laurel iets vreemds: van alles waren er hier twee! Twee gootstenen, twee kasten, zelfs twee koelkasten.

'Ik zie dat je die twee koelkasten vreemd vindt,' zei Rivka. 'Weet je waarom ik er twee heb?'

'Misschien omdat u zo'n groot gezin hebt,' zei Laurel. Ze had het gevoel dat mevrouw Gruberman hun iets wilde vertellen.

'Nee, schatje, maar we leven koosjer. We houden alle vlees en melk van elkaar gescheiden.'

Laurel wilde vragen waarom, maar durfde niet.

'Ik weet wat koosjer is,' zei Annie. 'Mijn moeder heeft me eens naar Fairfax Avenue meegenomen voor hot dogs. Daar waren ze het lekkerst, zei ze.'

Rivka lachte en zette een ketel water op. Toen draaide ze zich om en legde haar handen op haar dikke buik. 'Wat moet ik nou met jullie tweeen? Jullie weten zelfs niet wat *Sjomeer Sabbat* betekent, is het wel?'

Laurel schrok. Dat was dus blijkbaar niet de naam van Rivka's man. Erger was dat Rivka hun de flat niet wilde verhuren.

'Wij zijn niet joods,' bekende Annie.

Rivka zuchtte en zei: 'Lieverds, dat had ik meteen al gezien. Wij laten onze dochters niet alleen wonen, zonder vader of echtgenoot. Het spijt me, heus. *Sjomeer Sabbat* betekent: alleen voor hen die de sabbat in acht nemen.'

'We zullen op de sabbat geen lawaai maken,' zei Annie smekend. 'We hebben geen televisie, zelfs geen radio.'

Rivka zette hoofdschuddend dampende koppen thee voor hen neer. 'Jullie lijken me lieve meisjes. Het is ook niet persoonlijk bedoeld.' Ze zette ook een bord met koeken voor hen neer die roken of ze net uit de oven waren gekomen. Laurel watertandde. Ze had honger en nam een groot stuk.

'Ik heb geld. Ik kan u nu meteen de aanbetaling voldoen,' zei Annie wanhopig. 'Contant.'

'Het gaat niet om het geld,' zei Rivka spijtig. 'Maar om onze manier van leven.'

'Maar...' begon Annie, toen zweeg ze en keek voor zich uit. Laurel kende die koppige blik. Ze wilde niet smeken, hoe wanhopig de situatie ook was. 'Goed,' zei Annie toen. 'Ik begrijp het.'

Laurel nam een slok gloeiend hete thee en de tranen sprongen haar in de ogen. Waarom zei Annie niet dat ze al overal zonder resultaat hadden gezocht? Waarom gaf ze niet toe dat ze honger had? Ze zag hoe haar zuster naar het bord met koeken keek, maar ze was te trots om er een te nemen.

Even kreeg Laurel het idee dat ze moest overgeven. Toen bedacht ze iets. 'Ik zou babysit kunnen zijn,' zei ze zachtjes. 'Ik zou u er niets voor berekenen.'

Rivka schudde medelijdend haar hoofd en ging verder met de taak waar ze mee bezig was geweest toen de meisjes kwamen: kippepoten door de bloem halen om ze daarna in een pan met hete olie te laten vallen.

Annie stond op. 'Maar dank u wel dat u ons de flat hebt laten zien. Laurel, laten we nu maar gaan...'

Er klonk een gejammer uit de kamer ernaast en Sarah keek haar moeder smekend aan. 'Ik heb net Shainey haar flesje gegeven, mam. En ik wil klaar zijn voor Rachel me met mijn algebra komt helpen.'

'Heb ik soms opeens vier handen?' zei Rivka wanhopig.

Laurel handelde instinctmatig, holde de kamer in en tilde de baby uit de box. Het kindje trappelde en schreeuwde terwijl Laurel haar probeerde te troosten. Ze wist helaas niet erg veel van baby's af, al had ze Bonnie wel met haar kleine broertje geholpen. Als die schreeuwde, moest hij meestal een schone luier hebben. Misschien wilde dit meisje dat ook.

De jongens op de sofa keken geboeid toe toen Laurel het plastic broekje omlaag trok; de luier eronder was kletsnat. Toen zag ze waarom het kleintje had gehuild – een van de spelden was opengegaan en stak in haar vel.

Ze had haar net de luier uitgedaan toen Rivka kwam binnensnellen. 'Wat nu? Mijn kleine *sjeintje*!' Ze nam de baby op schoot en zette haar op de vaatdoek die ze nog bij zich had. Ze glimlachte tegen Laurel. 'Jij weet dus hoe je met baby's moet omgaan, hè? En je bent zelf nog zo'n baby!'

'Ik weet veel van baby's af,' zei Laurel en ze vermeed zorgvuldig Annies blikken.

'Er zat een speld in Shainey te prikken!' riep een donkere jongen met een rond kapje op zijn hoofd dat scheefgezakt was waardoor hij er vreemd uitzag. 'Dat meisje heeft hem weggehaald.'

Rivka zoende het baby'tje af. 'Mijn man vindt dat ik al genoeg hulp aan de andere meisjes heb. Maar Sarah, Chava en Leah zijn de hele dag in de

44

jesjiewe en met degene die nu binnenkort komt, zou ik best wat meer hulp kunnen gebruiken.'

Laurel zag een blik van onzekerheid op Rivka's gezicht die er zojuist nog niet was geweest. Was er nog hoop? Hadden ze een kans?

Ze haalde diep adem en dacht: hier zouden we veilig zijn. Geen last van overvallers en gierige hospita's en kakkerlakken. Geen politie en geen Val.

'Blijf maar,' zei Rivka. 'Praat eens met mijn man, Ezra. Hij komt dadelijk thuis. Misschien verandert hij van mening als hij jullie ziet.'

Laurel kon van opluchting weer gewoon ademhalen. En van trots. Zíj was degene die dit bewerkstelligd had. Ze lachte tegen Annie, die terug lachte.

Laurel voelde gewoon dat het goed zou gaan. Voorlopig althans. Aan morgen of overmorgen wilde ze nu nog niet denken. Ze wilde er niet aan denken hoe ze in deze vreemde buurt naar school zou moeten, en of Annie een baan zou vinden vóór al hun geld op was.

Later, als Rivka's man had gezegd dat ze mochten blijven, zou ze Rivka wel eens vragen wat dat voor mannen waren, met die baarden en die ronde hoeden op, en die pijpekrullen aan hun hoofd. En die dames met een rode stip op hun voorhoofd.

Hoofdstuk 3

Annie pakte het bord bij de dikke man weg. De stapel vuile borden balanceerde tegen haar andere arm en zwaaide heen en weer; even dacht ze dat de hele zaak op de grond terecht zou komen. Maar ze kon ze nog net vasthouden.

'Neem me niet kwalijk,' zei ze en probeerde kalm en beleefd te blijven terwijl ze het tafeltje afruimde van een dikke man en vrouw die net geluncht hadden.

'Neem míj niet kwalijk,' zei de dikke vrouw, die veel te veel had gegeten. Zeker last van haar maag, dacht Annie. Hoewel, al bij de bestelling had ze de serveerster afgesnauwd.

Annie voelde dat ze een rood hoofd kreeg en begon te transpireren. Waarom kon ze dat tafeltje nu niet schoonmaken? Nee, het is mijn schuld. Ik doe het niet goed, dacht ze, en ze kalmeerde.

Ze werkte nu al een week bij het Parthenon en het ging nog steeds niet zoals het moest. Ze had het gevoel dat ze het nooit zou leren. Hoe deden anderen dat toch, zoals bijvoorbeeld Loretta? Ze was maar iets ouder dan Annie, maar bij haar leek alles van een leien dakje te gaan. Ze kon zelfs nog ondertussen kauwgom kauwen. Wat had Loretta ook weer gezegd die eerste dag?

'Ik ben voor dit vak geboren, maar ik begrijp niet wat jíj hier doet,' en ze had Annie taxerend van top tot teen opgenomen.

Annie vroeg het zich ook af, maar waar moest ze het geld voor eten en de huur vandaan halen als ze deze baan niet had? Ze móest het gewoon leren.

Stel dat Val hen vond. Misschien was hij wel naar het Greyhound-busstation gegaan en had hij ontdekt dat ze kaartjes naar New York hadden gekocht.

De zeurstem van de dikke vrouw drong maar half tot haar door en Annie merkte dat ze nu al nat van het zweet was. Ze zou vanavond haar uniform weer moeten wassen, maar zou ze ooit die ranzige vetlucht eruit krijgen? Ook haar haren en vingers, zelfs haar panty rook ernaar. Vandaag of morgen zou het best eens kunnen gebeuren dat een van die uitgehongerde honden die hier rondzwierven, haar om die lucht zou aanvallen.

De tafel was afgeruimd en ze draaide zich om, maar té snel, en een kop halfvol koffie die boven op de stapel op haar arm stond, gleed weg. Ze kon hem niet meer houden en hij viel, maar kwam helaas eerst tegen de tafel en vervolgens kwam hij in de schoot van de dikke vrouw terecht.

De vrouw gilde en begon haar groene broek af te vegen. 'Sufferd! Kijk eens wat je hebt gedaan! Die broek is voor eeuwig bedorven!'

'O, het spijt me zo,' prevelde Annie, en ze pakte een verkreukeld papieren servetje en hielp met wrijven, maar het enige resultaat was dat er nu ook een ketchupvlek bij was gekomen.

'Ik wil met de baas spreken, haal hem!' riep ze en ze keek haar man dreigend aan. 'Zit daar niet te zitten, Hank. Dóe iets!'

Annie had het gevoel dat ze een nachtmerrie had. Dit was niet echt gebeurd. Maar toen kwam Nick Dimitriou, de baas, eraan. Iedereen hield op met eten en keek. Annie had wel in de grond willen zinken. Maar ze moest dapper zijn; zo'n ongelukje was toch niet zo erg. Toen ze echter naar Nick keek, zag ze dat hij woedend was.

'Verdwijn. Ga naar de keuken,' siste hij tegen haar. 'Ik regel dit wel en daarna moet ik eens een hartig woordje met jou spreken.'

Annie bracht de vuile vaat weg en zette alles in de grote rubber mand die naast de afwasmachine stond. Ze moest moeite doen haar tranen te bedwingen; ze wílde niet huilen terwijl Loretta, J.J. en Spiro, de kok, naar haar keken.

Loretta raakte even haar arm aan; ze had alles gezien. 'Maak je maar niet druk,' zei ze en keek haar vol medeleven aan. 'Nick valt wel eens uit, maar dat is zo weer over. Jij kon het ook niet helpen. Het had iedereen kunnen overkomen.'

Maar Annie wist dat Loretta die kop nooit zou hebben laten vallen. En ze haalde ook nooit de bestellingen door elkaar, zoals zij gisteren nog had gedaan toen ze tafel vijf erwtensoep had gebracht in plaats van minestrone. Dat was allemaal verlies.

Nee, Loretta had dan misschien nooit Frans of meetkunde geleerd, maar in serveren was ze Annie ver de baas.

Plotseling zag Annie zich in de eetkamer in Bel Jardin zitten terwijl Bonita haar bediende. En ik deed of het doodgewoon was... ik heb nooit begrepen hoe hard zij moest werken.

Wat miste ze Bel Jardin. Het liefst was ze in snikken uitgebarsten, maar ze wist dat dat onmogelijk was. Laurel zat in hun vrijwel lege flat op haar te wachten en ze hadden alleen nog een pak melk en een half blikje tonijn in de koelkast staan. Als ze vandaag weinig fooien zou krijgen, had ze Nick een voorschot willen vragen om op weg naar huis wat etenswaren te kunnen kopen.

Wat was ze dom geweest om te denken dat dit baantje gemakkelijk zou zijn. Maar ze móest doorzetten. Ik heb werk nodig, dacht ze.

Ze liep naar de baas toe toen hij de keuken inkwam. Hij was een stevige Griek met een litteken op zijn wang. Dat had hij opgelopen toen hij nog in de haven werkte, had Loretta haar verteld. Annie dwong zich hem recht aan te kijken. Niet jammeren, geen flauwe excuusjes, hield ze zichzelf voor. Dearie had het nooit goedgevonden dat iemand jammerde, en ze deed het zelf ook niet, ondanks al haar pech en ziekte.

'Het spijt me dat dit gebeurd is, meneer Dimitriou,' zei ze. 'Ik doe toch echt mijn best.'

Hij keek wat minder woedend en schudde zijn hoofd. 'Dat weet ik, maar dit is een zaak. Een enkel foutje kan ik door de vingers zien, maar het wordt te veel, Annie. Die vrouw daarbinnen is een vaste klant en ze wil dat ik het reinigen van haar broek betaal. Ik heb gelachen en gezegd: "Natuurlijk, Nicholas Dimitriou vergoedt de schade altijd", maar hoe kan ik op die manier geld verdienen? Nee, het spijt me, je bent ontslagen.' Hij draaide zich om en wilde weglopen.

'Wacht, alstublieft!' riep Annie. Ze wilde niet smeken, maar ze kon dat ontslag toch niet zomaar aanvaarden. 'Ik betaal de schade wel. Trekt u het maar van mijn salaris af. Ik heb dit werk nodig. Alstublieft, geef me nog een kans.' Even dacht ze dat ze zou flauwvallen, of – erger nog – in tranen uit zou barsten.

Nicks vertrokken mond probeerde nu medelijdend te glimlachen. 'Een goede raad, Annie. Je hoort hier niet thuis.' Annie keek hem verbaasd aan, maar hij was al door de draaideur verdwenen.

Loretta sloeg een arm om haar heen. 'Hij heeft helaas gelijk, weet je. Je hoort hier niet. Je bent vast een actrice of model zonder werk, hè?' Loretta keek haar bijna jaloers aan. Het ergste van haar werk was – had ze Annie eens toevertrouwd – dat ze nu de dagelijkse soap miste op de televisie.

Annie had nooit iets over zichzelf verteld en voelde zich gevleid. Maar hoe moest ze ander werk vinden, de huur betalen en eten kopen?

Ze had nog precies tweeënveertig dollar en tweeënzeventig cent – tot nu toe ontvangen fooien en de rest van het geld van de juwelen. Dat, mét haar loon voor deze week, had tot het eind van de maand genoeg geleken. Maar nu... O, God dacht ze, wat moet ik doen?

Totaal van streek nam ze haar tot nu toe verdiende salaris van Nick aan en vertrok.

Toen ze op Eighth Avenue liep en langs een groentewinkel kwam waar sla, tomaten en appels op het trottoir stonden uitgestald, dacht ze aan Scarlett, die ergens in *Gejaagd door de Wind* zegt, terwijl ze een radijsje uitspuugt: 'Ik wil nooit meer honger hebben.' Ze lachte hees. Ze moest iets bedenken. Het móest.

'Boroech atto 'Adonoj, Eloheinoe Meilech ho'olom, hamoutsie...'

Annie luisterde met gesloten ogen naar Rivka's stem. Ze ontspande zich en de scène in het Parthenon vervaagde. Ze voegde haar eigen gebed toe: 'God, laat me alstublieft een baantje vinden. Iets wat ik goed kan doen.'

Annie opende haar ogen en zag Rivka met haar keurige bruine *sjeitel* en een gebloemde japon met lange mouwen, tegenover haar man aan de tafel gaan zitten. Er werd nog meer in het Hebreeuws gezongen met meneer Gruberman als voorzanger. De anderen deden mee: Sarah, Leah en hun vier jongere broertjes, evenals de verlegen dertienjarige Moishe. Annie hoorde verbaasd dat Laurel naast haar af en toe ook meezong. Wanneer had ze dat geleerd?

Rivka had het ook gemerkt en lachte goedkeurend tegen Laurel. 'Goed zo, *sjeintje*. Help je me nu het brood zegenen?'

Laurel knikte verlegen toen ze het zilveren broodmes in de handen gedrukt kreeg.

Boroech atto 'Adonoj...' begonnen Rivka en Laurel samen; toen knikte Rivka tegen Laurel dat ze alleen moest doorgaan. Het meisje stotterde even en kreeg een kleur. Toen keek ze rond, zag dat niemand haar uitlachte, haalde diep adem en voltooide de zin met '... *Eloheinoe... Meilech... ho'olom... hamoutsie... leichem mien ho'orets.*'

Stralend trok Laurel de sneeuwwitte linnen doek van het gevlochten brood af en wachtte totdat Rivka er een stuk afsneed. Toen trok ze een stukje af van wat Rivka haar had gegeven, stopte dat in haar mond en gaf de rest aan Annie. Het stuk *challe* ging daarna verder de tafel rond totdat het op was.

Dit was de tweede keer dat Rivka hen voor de sabbatmaaltijd had uitgenodigd, met de kaarsen, het zegenen van de wijn en het brood. Maar toen had Laurel nog niets gezegd, maar nu zong ze mee in het Hebreeuws.

Annie wist dat haar zusje snel leerde, en ze kon na een paar weken bij Rivka ook al aardig koken, maar toch was ze onder de indruk.

Rivka haalde samen met Sarah en Leah dampende schotels gebraden kip, aardappels, broccoli en noedels uit de keuken en terwijl de jongens samen Jiddisch babbelden, stootte Laurel Annie aan en vroeg: 'Vind je de *challe* lekker? Ik heb hem gemaakt.'

'Jíj?'

'Rivka liet me het deeg maken, en ik heb het gevlochten. Hij glanst zo omdat je hem van boven met eiwit bestrijkt.'

'Eiwit,' herhaalde Annie. Ze keek naar haar zusje en merkte dat ze er veel ouder uitzag dan een paar weken geleden. Zelfs haar haren – ze droeg geen vlecht of paardestaart meer, maar had het in haar nek bij elkaar getrokken. Ook haar ogen stonden helderder.

Toen Annie gisteravond doodmoe en vies uit het Parthenon was thuisgekomen, had Laurel in het keukentje hun maal al klaarstaan – gehakt en gegratineerde puree met wat verwelkte sla. Het gehakt was een beetje te bruin en de puree waterig, maar Annie had het verslonden en niet gelogen toen ze Laurel zei dat ze het heerlijk had gevonden.

Ze had Laurel nog niet verteld dat ze ontslagen was. Ze had het niet gedurfd. En Rivka? Wat zou Rivka doen als ze straks de huur niet konden betalen? De Grubermans met al hun kinderen hadden het moeilijk en konden niet aan liefdadigheid doen. Ze hadden het geld veel te hard nodig. Nee, ze móest iets vinden... en gauw. Maar intussen... wat was het heerlijk hier te zitten en van die heerlijke geuren te genieten, en van de sfeer die in deze warme kamer hing. Zelfs het gekibbel van de kleintjes verstoorde de bekoring niet.

'Ma, Chaim schopt me onder de tafel. Zeg eens dat-ie ophoudt!'

'Chaim, hou op,' beval Rivka kalm en ze keek zelfs niet op van het vlees snijden voor Shainey, die in haar kinderstoel vlak achter haar zat.

'Yonkie, je broccoli hoort in je mond, niet op je servet.'

Annie keek naar de vijfjarige Yonkel. Zijn keppeltje stond scheef op zijn hoofd. Met een verlegen gezicht schudde hij de broccoli van zijn servet op zijn bord.

'Ik eet de mijne niet,' verklaarde de magere Moishe, die veel jonger leek dan dertien, al groeiden er al enkele haren op zijn kin. De damp van de aardappels deed zijn bril beslaan. 'Misschien zit er wel een beest in.'

'Een beest?' Rivka keek hem onderzoekend aan.

'Nou ja, ik heb er geen een gezien... maar als ik er per ongeluk een opeet, is dat *treife*.'

'Wie zegt dat?'

'Rabbijn Mandelbaum.'

'Luister eens, als hij dat wil, kan rabbijn Mandelbaum zelf de broccoli komen wassen als hij hier eet. Maar nu kook ik en jij eet.' Rivka klonk verontwaardigd, maar haar ogen lachten.

'Kijk, Moishe, ik eet het ook op,' zei Laurel bemoedigend. 'Het is echt lekker!'

Iedereen, behalve Annie en Laurel, begon te lachen. 'Jíj mag alles eten,' giechelde Leah. Het knappe vijftienjarige meisje was een kleinere en levendiger uitgave van haar oudere zuster Sarah. 'Jij bent niet joods.'

'Moishe laat het niet staan omdat hij joods is,' antwoordde Laurel rustig, 'maar omdat hij niet van broccoli houdt.'

Opnieuw gelach. Rivka glimlachte en zei stralend tegen Laurel: 'Knappe meid.'

Annie voelde een nieuw respect voor Laurel. Ze was midden in een vreemde stad neergeplant, die net zo goed in Hongarije of op IJsland had kunnen liggen, bij mensen met wie ze niets gemeen had en toch paste ze zich het beste aan...leerde zelfs nieuwe dingen. En misschien leerde ze tegelijkertijd deze mensen het een en ander.

De last van de zorg voor Laurel en hoe het verder moest, leek plotseling lichter dan die middag. Misschien kwam het omdat Laurel niet meer volkomen van haar afhankelijk was... misschien, in zeker opzicht, was zij ook wel van Laurel afhankelijk.

Hoofdstuk 4

Dolly gooide de hoorn op de haak. Ze was woedend. Al vier dagen hield die ellendige douane op JFK haar zending vast; Mozes had in die tijd al de Israëlieten bevrijd. En de kerels met wie ze gesproken had, konden niet eens zeggen wat de reden was en waren te lui om het na te gaan.

Ze pakte de hoorn weer op en begon opnieuw te draaien. Ze zou ze eens wat vertellen en deze keer liet ze zich niet in een hoek drijven. Ditmaal zou ze meteen de allerhoogste baas te spreken vragen, McIntyre zelf. Dachten ze soms dat ze zomaar hoogst bederfelijke bonbons ter waarde van tweeduizend dollar grijs en zacht konden laten worden in een douaneloods? En dat terwijl het al over twee weken Thanksgiving was!

Opeens bedacht ze zich. Dit zit je niet echt dwars, is het wel? Je gebruikt dit alleen om stoom af te blazen.

Ze dacht aan het telefoontje van Ned Oliver een paar weken geleden, die haar had verteld dat de dochtertjes van Eve waren weggelopen... Ned was een oude vriend van haar én van Eve, en hij had haar door de jaren heen heimelijk op de hoogte gehouden van wat er gebeurde, had haar kiekjes gestuurd en de meisjes zelfs af en toe cadeautjes of wat geld namens Dolly gegeven. Ze had graag meer willen doen, maar dat zou Eve gemerkt hebben.

Die arme kinderen. Het was natuurlijk Vals schuld. Ze had hem meteen gebeld en hem gesmeekt haar alles te vertellen, maar hij zei niet veel. Eigenlijk kreeg ze het gevoel dat hij iets verzweeg. Misschien wist hij niet wáár ze heen waren gegaan, maar ze had er een lief ding om willen verwedden dat hij wel wist waaróm ze waren vertrokken.

Maar ja, was het allemaal Vals schuld? Als je er goed over nadacht, was zíj dan niet de schuldige? Als zij Eve niet had verraden, was dit alles vermoedelijk nooit gebeurd.

Onmiddellijk riep ze zichzelf tot de orde. Dit had geen zin. Ze kon maar beter iets dóen. Ze moest haar nichtjes zien te vinden. Ze dacht aan de privé-detective in L.A. die ze in dienst had genomen. Maar ze wilde zelf iets doen en niet alleen zitten wachten of ze iets van O'Brien hoorde. Ongeduldig pakte ze de telefoon weer en belde O'Brien. Zijn prettige stem meldde zich meteen; hij klonk als een verzekeringsman of bankemployé, maar ze wist dat hij tien jaar bij de politie in L.A. was geweest.

51

'Met Dolly Drake,' zei ze. 'Hebt u al iets omtrent mijn nichtjes ont-dekt?' Ze was buiten adem, alsof ze uren had gepraat in plaats van maar één vraag te stellen. De vorige keren dat ze hem belde, had hij gezegd dat ze geduld moest hebben, hij zou het haar laten weten zodra hij een spoor vond. Waarom verwachtte ze nu dan meer?

Maar, lieve God, dit keer zei hij iets wat haar hoop gaf.

'Vreemd dat u nu net belt. Ik heb getracht u te bereiken, maar u was aldoor in gesprek. Wees nog niet te blij, maar ik denk dat ik weet waar ze zijn... tenminste, waar ongeveer. Ik heb met een chauffeur van Grey-hound gepraat die de foto's herkende.' Hij zweeg even en ze hoorde dat hij tussen zijn papieren zocht. 'Hij zegt dat ze een kaartje naar New York hadden. Maar...'

New York? Hier! Dolly's hart leek een slag over te slaan.

'... de kans om hen te vinden in zo'n grote stad is misschien één op een miljoen. Dat kan ik u wel zeggen.'

'Wil dat zeggen dat u de zaak opgeeft?' vroeg ze wanhopig.

'Het is uw geld. Maar volgens mij kunt u het best rustig even afwachten. Vandaag of morgen hebben ze geen cent meer en bellen ze naar huis.'

Geen sprake van, dacht Dolly. Naar huis! Hij kende Val Carrera niet.

Ze zei tegen O'Brien dat hij moest doorgaan met zijn zoekactie, maar toen ze neerlegde was ze pessimistisch gestemd.

Op O'Brien kon ze niet meer rekenen. Nu hing de zaak van haar af. Ze moest iets bedenken. Ze moest zelf proberen hen te vinden.

Kom op, hield ze zich voor. Doe iets. Misschien krijg je wel een goed idee.

In het kantoortje boven haar winkel schoof Dolly moeizaam weg van-achter haar bureau. Ze liep naar de gekoelde kast waar ze haar voorraad bewaarde. Door de glazen ramen zag ze rijen dozen staan. Twintig gra-den Celsius, niet genoeg om condensatie te veroorzaken, maar precies de juiste temperatuur om te zorgen dat de chocolade niet smolt of uitsloeg. Dure chocolade-artikelen waren net tere bloemen had ze geleerd; ze had-den voortdurend zorg nodig. Maar wat hielp het allemaal nu haar volgen-de voorraad op het vliegveld stond te bederven?

Verdraaid, ze hadden bijna geen Bouchons meer, zag ze op de lijst – die donkere roombonbons met cognac waar mevrouw Van Dyne zo dol op was. Elke donderdag, weer of geen weer, kwam haar Filippijnse chauf-feur in die grote antieke Packard een pond halen. Ze had gehoord dat de oude dame leefde op Girod's chocolade en champagne. Wat moest ze die man nu morgen geven? Bonbons met whiskey misschien?

En de Petits Coeurs, hartvormige schelpjes van bittere chocolade ge-vuld met kokos en zure room... die werden het meest verkocht en niet alleen op Valentijnsdag. Zaterdag moest ze er acht dozijn hebben voor een trouwerij in het Carlyle Hotel en op dit ogenblik had ze zelfs niet één volle doos.

Ze had van alles te weinig... praline Gianduja, Noix Caraque en die kleine slakkenschelpjes van Escargot Noir met donkere koffiecrème. En hoe moest het met die afspraak morgen die haar een jaar had gekost? Hoe moest ze de inkoper van het Plaza bewerken zonder een van Girod's speciale Framboise truffels?

Ze voelde hoofdpijn opkomen. Toen dacht ze opeens aan iets prettigs: vandaag kwam Henri. Hij zou om een uur of vijf op JFK arriveren. Ze had hem moeten vragen een extra koffer met bonbons mee te nemen. Beneden bij hem, in het originele La Maison de Girod in Parijs – hier kortweg Girod's genoemd – werden ze elke dag vers gemaakt.

Wacht, ze kon twee vliegen in één klap slaan: persoonlijk McIntyre overhalen haar zending vrij te geven, én Henri afhalen.

Wat zou het heerlijk zijn hem weer te zien. En misschien had hij wel een idee hoe ze Annie en Laurel moest vinden. Haar hoofdpijn leek weg te trekken. Wat zou Henri verrast zijn haar te zien. Meestal wachtte ze thuis op hem, met champagne op ijs en alleen een zwartzijden nachthemd aan. Die champagne kon ze nog wel regelen, maar dat zwartzijden nachthemd? Voorlopig moest hij het maar doen met haar zwartzijden broekje en beha, die ze onder haar japon aan had.

Dolly zag haar spiegelbeeld in de glazen deur van de koelkast. Zwart was prima voor lingerie, maar niet voor dagelijks gebruik. Begraaf mij maar in fuchsiarood, dacht ze. Of oranje, of Iers groen. De japon die ze nu aan had, kwam van Bloomingdale's en was tomaatkleurig met een voorpand van donkerblauwe en witte stippen over haar boezem; 's avonds kon ze er een stuk afknopen en dan vormde het een diep decolleté. In haar oren had ze diamanten knoppen die ze op hun vijfde – en laatste – trouwdag van Dale had gekregen. Om haar polsen een brede gehamerd gouden armband en twee smallere. Haar lange nagels waren uitdagend rood gelakt.

Dolly geloofde in felle kleuren zoals anderen in talismannen. Ze had eens gelezen dat in psychiatrische inrichtingen de muren zachtblauw werden geschilderd, want dat hield mensen kalm zodat ze niet uit het raam sprongen. Maar Dolly had juist felle kleuren nodig tegen depressies: oranje, geel, felrood, roze; glanzend leren schoenen, te grote juwelen. Ze vond de wereld zo al grauw genoeg.

Dolly duwde de parelmoer kammetjes wat beter vast in haar hoge blonde kapsel (twee keer per week hield Michael de grijze haartjes bij die de laatste tijd te zien waren) en zette haar lippen wat feller aan. O, ze wist dat die rijke weduwen in haar flatgebouw aan Park Avenue over haar roddelden, en hun butlers en huishoudsters ook: vulgair, goedkoop, opzichtig, ze hoorde het hen fluisteren. Haar overleden man was een man die op eigen houtje naar olie boorde. Ze was serveerster toen hij met haar trouwde. Hij gaf een kapitaal voor haar uit, maar nog zag ze er goedkoop uit.

Ach, wat kon het haar schelen! Wat konden die ouwe taarten haar bieden dat beter was dan wat ze met Henri had?

Henri.

Dolly werd warm als ze aan hem dacht. Het gevoel begon bij haar tenen en kroop zachtjes omhoog, heel fijn en sexy. Ze had hem al in geen drie maanden meer gezien. Veel te lang.

Toch voelde ze zich onrustig. Vanavond moest ze hem haar antwoord geven. Dat had ze beloofd.

En als ik ja zeg? Als ik ermee instem naar Parijs te verhuizen?

Dolly zag het al voor zich: 's nachts in Henri's armen, de weekends zwervend langs de galerieën op de Linker Oever of op een picknick in Chaville. Een mooie flat bij het Trocadéro, en elke ochtend verse croissants.

Maar verdraaid, Henri was nog steeds getrouwd. Ze zou blijven wat ze nu was: Henri's maîtresse.

En hoe moest het met Girod's? Gloria kon de zaak wel draaiend houden, maar daar ging het niet om.

Ze vond het heerlijk dat de zaak op Madison 870 van haar was. Dale had het misschien niet begrepen. ('Maar, schat,' hoorde ze hem al zeggen. 'Je kunt vrijwel alles bereiken wat je wilt. Waarom zou je dan achter een toonbank gaan staan, als je daarvoor iemand in dienst kunt nemen?') Maar Dolly wist dat de basis van haar bestaan op de zaak rustte. Ze had Girod's nodig, het gebabbel met de klanten, met de loopjongens en postbodes, het gecijfer en de bevrediging als de etalage er weer leuk uitzag. En natuurlijk al die zalige bonbons.

Dolly dacht eraan hoe ze op het idee van de bonbonwinkel was gekomen. Een paar maanden nadat Dale was gestorven, zat ze op een regenachtige lentedag te peinzen wat ze nu verder zou doen. Toen had ze spontaan een koffer gepakt, haar Baedeker genomen en een versleten Frans woordenboekje en ze was vertrokken... naar Parijs.

Toevallig had ze in de rue du Faubourg Saint-Honoré, tussen al die elegante winkels, La Maison de Girod gezien. Ze stond te kijken naar een cupido voor in de tuin toen ze aan de overkant een jonge moeder een ouderwetse winkel uit zag komen, met haar zoontje aan de hand. Het kind klemde iets in zijn vrije hand en zijn dikke wangen zaten vol vegen chocola; hij keek verheerlijkt.

Dolly's belangstelling was gewekt; ze stak over en liep de winkel binnen; een koperen belletje tingelde boven de deur.

Ze haalde monsieur Baptiste over haar rond te leiden en ze snoof zalige aroma's op; ze mocht proeven van dingen die gewoon hemels waren en ze hoorde dat monsieur Baptiste inderdaad graag een winkel van Girod's in New York in franchise wilde geven.

Nu, vijf jaar later, voelde haar winkeltje op Madison Avenue meer als thuis aan dan haar enorme flat op Park Avenue. Hield ze genoeg van Henri om dat allemaal in de steek te laten?

Kwel jezelf niet zo, dacht ze plotseling, beslis maar op het moment dat je hem ziet.

Dolly belde snel haar flat en gaf de chauffeur opdracht haar zo gauw mogelijk te komen halen, met een fles Cristal op ijs bij zich.

Nu moest ze nog zien hoe ze die McIntyre kon ontdooien – niet direct omkopen, maar toch wel motiveren. Hij móest die zending vrijgeven. Ze dook in haar voorraadkamer en besloot McIntyre bonbons aan te bieden. Maar eerst moest ze een een mooie doos hebben. Ze keek naar het karton dat in prachtige Girod-dozen kon worden gevouwen. Boven had ze haar speciale voorraad liggen: antieke koekjesblikken en art deco trommeltjes, vrolijk gekleurde Mexicaanse bussen, mandjes met schelpjes bestikt en dergelijke. Gloria noemde deze kamer haar 'eksternest'. Zo was het ook begonnen. Ze had destijds op een vlooienmarkt een Indiase doos gezien, bedekt met spiegeltjes. Die had ze een goudkleurige voering gegeven en met bonbons gevuld; daarbovenop had ze een prijskaartje, met een flink bedrag erop, gelegd en de doos op een opvallende plaats in de etalage gezet. Binnen een uur was hij weg.

Rommelend in haar eksternest vroeg ze zich af waarmee ze indruk op een verwende douaneambtenaar kon maken. En toen zag ze het: een koekjesbus in de vorm van een appel. Die zou ze vullen met rumcaramels en champagnetruffels… en daarmee zou ze McIntyre verleiden, zoals Eva Adam met een appel de baas was geworden. In de bijbel was het gelukt. Waarom nu niet?

Dolly liep de trap af, waar ze iets moest bukken. Die trap was niet gemaakt voor iemand op heel hoge naaldhakken. Beneden trof ze Gloria aan druk bezig achter de toonbank. Ze kwam overeind en keek Dolly aan, waarbij haar enorme koperen oorbellen tinkelden.

'Heb je iets voor de douane?' vroeg ze.

Dolly liet haar de appelbus zien en grijnsde. 'Ik ga hem persoonlijk te lijf. Mijn bonbons of je leven!'

Dolly had nog nooit iemand als Gloria meegemaakt. In Clemscott werden zwarten kleurlingen genoemd en waren ze schoonmakers of autowassers. Maar Gloria sloeg haar ogen niet neer als er tegen haar werd gesproken, en ze probeerde ook niet haar haar te ontkroezen. Ook haar manier van kleden was heel bijzonder – soms waren het alleen aan elkaar genaaide sjaals, dan weer een mannencoltrui over een minirokje en een panty. Vandaag droeg ze een roze sweater met een boothals, een nauwe strakke broek en balletschoentjes. Zo maakte ze Girod's extra buitenissig. Het zou alleen fijn zijn, dacht Dolly, als ze niet zo vaak werd opgebeld. Ze had minstens evenveel vriendjes als Zsa Zsa Gabor echtgenoten.

Dolly was net klaar met het vullen van de bus voor McIntyre toen ze Felipe bij de bushalte aan de overkant zag stoppen. Ze griste haar mantel van de kapstok, met de Cacharel-sjaal in een zak gestopt – een cadeau van Henri en een zijden weergave van het glas-in-loodraam in de Sainte Chapelle. Ze keek nauwelijks uit toen ze hollend overstak en een taxi miste haar maar net.

'Als u niet leert uitkijken, wordt u nog eens doodgereden,' waarschuwde haar Guatemalaanse chauffeur haar toen ze op de achterbank neerzonk. Ze zag dat hij haar in het achteruitkijkspiegeltje bestraffend aankeek.

Henri hield haar dat ook altijd voor, maar hoe moest je in deze stad anders oversteken?

De Lincoln reed langzaam over de Long Island Expressway, die meer op de grootste parkeerplaats ter wereld leek nu het zo regende. Ze ging er eens gemakkelijk voor zitten; het zou een lange rit worden.

Ze dacht weer aan Annie en Laurel. Hadden ze geld, een plek waar ze konden slapen, genoeg te eten? Wat zouden de laatste jaren moeilijk voor die meisjes geweest zijn: Eve die steeds meer was gaan drinken of maanden weg was voor een ontwenningskuur. Geen geld, bezuinigen totdat dat niet meer kon.

Dolly had haar zuster graag willen helpen en ze had nog elke dag spijt van die brief. Maar als ze Eve opbelde, kreeg ze een Spaans dienstmeisje dat altijd zei: 'Juffrouw Dearfield niet thuis.' Eve belde nooit terug, en toen ze werd opgenomen, mocht ze geen bezoek ontvangen.

Eens was Dolly langs de receptie geslopen en had ze Eve's kamer bereikt. Eve had een sigaret rokend op het bed gezeten; ze keek naar buiten. Haar rug was zo mager dat Dolly wel had kunnen huilen. Eve's haren waren niet meer fraai blond; het leek meer een bos touwkleurig stro.

Het was een paar maanden geleden dat ze met een strak gezicht had geweigerd McCarthy ook maar één naam te geven. Hollywood gonsde nog van de geruchten omtrent het feit dat Preminger nu Grace Kelly had genomen in plaats van Eve. Syd had het totaal bij het verkeerde eind gehad wat Dolly's vooruitzichten betrof, maar dat was verleden tijd. Hoe kon ze Eve laten merken dat ze zo'n spijt had? Wat Eve ook had gedaan, dít had ze niet verdiend.

Maar toen had Eve zich omgedraaid en was op een griezelige manier gaan lachen. 'Je hebt me dus gevonden,' zei ze met vlakke stem. 'Ga dan maar weer. De dierentuin wordt gesloten.' Ze drukte de sigaret uit in het asbakje op het tafeltje naast haar bed.

'Het spijt me zo,' zei Dolly, maar de woorden leken weinig tot uitdrukking te brengen. 'Lieverd, kun je me vergeven? Ik...'

Eve keek haar strak aan. 'Wil je dat horen?' vroeg ze met toonloze stem. 'Goed dan. Ik vergeef je.'

Dolly begon te huilen en ze had geen zakdoek, zelfs geen papieren zakdoekje, bij zich. Eve bood haar er geen aan en Dolly veegde met haar manchet over haar gezicht.

'Hoe heb je ontdekt dat ik je naam heb doorgegeven?' vroeg ze.

'Wéét je dat niet?' Eve verslikte zich in haar lach. 'Dat is mooi. Van Syd natuurlijk. Hij heeft je zeker gouden bergen beloofd? Nou, dan heeft hij ons beiden bedonderd. Eerst maakte hij me wijs dat het jouw idee was en dat hij zijn best had gedaan het je te beletten, de held. Maar hij wist niet dat ik net met Val was getrouwd, en hij dacht nog een kans te hebben. Als iedereen me had uitgespuugd, zou hij me redden!'

Dolly had het gevoel dat ze een schop in haar maag kreeg.

Toen zakte Eve in elkaar, als een marionet waarvan de touwtjes werden losgelaten.

'En weet je wat het mooiste was?' Haar stem klonk scherp. 'Ik ben zwanger. Ik loog dat Val zo nodig met me wilde trouwen. Vegas was mijn idee. Ergens ben ik nog ouderwets ook. En ga nu alsjeblieft weg en laat me met rust.'

Twaalf jaar. Zo lang had Eve erover gedaan om te sterven.

Dolly keek door het beregende portierraampje van de Lincoln naar de Long Island Expressway en zag de scène weer voor zich. Ik heb meegeholpen aan haar dood, dacht ze. Het kwam door mij, niet door drank of pillen. En nu, als gevolg van wat zij, Dolly, had gedaan, zwierven Eve's twee dochtertjes rond, misschien wel in die stromende regen, doodsbang en alleen.

Dolly sloeg haar handen voor haar gezicht en huilde. Ze verdiende dit goede leven niet, Henri niet, noch die schat van een man met wie ze getrouwd was geweest. Dale met zijn grote hart die haar had weggehaald bij Ciro's, waar ze serveerster was. Hij had haar overladen met genegenheid en alle denkbare luxe, en had haar bij zijn dood fantastisch verzorgd achtergelaten.

Plotseling kwam haar gezonde verstand weer boven. Die tranen zouden haar nichtjes niet helpen. Ze moest iets doen waar Val en O'Brien niet op waren gekomen, maar wat?

Ze dacht diep na. Had Annie vrienden in New York? Dolly had iedereen al gebeld van wie ze dacht dat ze iets konden weten, maar zonder enig resultaat. De leerkrachten op Annies school hadden gesnauwd dat ze alles wat ze wisten al aan de politie hadden meegedeeld.

Dolly stelde zich een hereniging met haar nichtjes voor. Ze zouden natuurlijk bij haar komen wonen. Maar als ze nu al eens ergens een onderkomen hadden? Of als Eve hun had verteld hoe zij, Dolly, haar had verraden? Ze moest haar fout goedmaken door de meisjes te helpen. Misschien kon ze ze meenemen naar Parijs en met hen in het Lancaster Hotel gaan logeren. Dat zouden ze leuk vinden, die tuin, de *boiserie* op de wanden, die heerlijke verse croissants bij het ontbijt. Ze zag hen drieën al onder de enorme glazen koepel van de Galeries Lafayette terwijl ze schoenen aanpasten of mooie japonnen, en zijden sjaals uitzochten.

Ze zou Eve niet kunnen vervangen, maar ze kon hen toch wel een béétje bemoederen? Ze had zelf graag kinderen gehad, maar na een jaar was gebleken dat Dale praktisch onvruchtbaar was ('de lul van een hengst en de ballen van een muis,' zei hij altijd, en probeerde dan te lachen, maar hij vond het vreselijk).

Zou dit niet bijna even fijn zijn als eigen kinderen? Als ze voor haar nichtjes zorgde, zou ze daarmee haar fout tegenover Eve niet een beetje goedmaken?

Het verkeer kwam weer op gang en in de regen zag ze de groene richtingborden naar JFK. Even later stonden ze stil voor een grijs betonnen gebouw, Vrachtloods 80, en Dolly rende over het natte asfalt met een boodschappentas onder haar arm geklemd.

Binnen zag het er nog naargeestiger uit dan het er buiten uit had gezien en toen ze bij de receptie naar meneer McIntyre vroeg, wees een verveeld uitziende vrouw een gang in, zonder zelfs te vragen of ze een afspraak had.

De naam McIntyre stond op een plastic plaatje bij zijn deur die openstond. Hij zat achter zijn bureau en was met een stapel papieren bezig. Hij was een man van middelbare leeftijd met een slechte huid, amandelvormige bruine ogen en rood haar waar al grijze draden doorheen liepen.

Ze wachtte totdat hij zijn pen neerlegde en klopte toen zachtjes. Hij keek op, zag een vrouw staan die hij niet kende en nam haar nauwkeurig op. Taxerend, dacht ze.

Ze hadden elkaar nog nooit ontmoet, alleen met elkaar getelefoneerd. 'Dolly Drake,' zei ze, en zag hem in elkaar krimpen. 'U weet vast wel waarom ik hier ben gekomen. Jullie houden goederen van mij vast en ik hoop dat u me kunt helpen.'

Ze probeerde niet te veel met haar wimpers te flirten, en vroeg nederig of hij haar even wilde helpen, al had hij het natuurlijk erg druk. Hij stond op en ze zag zijn dikke buik. Een man die van lekkere dingen houdt, dacht ze. Goed zo.

Terwijl McIntyre met zijn rug naar haar toe de papieren voor haar zending opzocht, haalde ze gauw de appelvormige bus uit haar boodschappentas en zette die op zijn bureau. Even later kwam hij terug, maar keek afwerend, alsof de papieren niet veel goeds beloofden.

Ze schonk hem haar liefste glimlach en zei zachtjes: 'Ik heb iets voor u meegebracht.' Ze wees op de bus. 'Leuk, hè? Maar de inhoud is nog veel leuker.'

McIntyres lach verdween. 'Toe nou. U weet dat ik zoiets niet mag aannemen. Wilt u me moeilijkheden bezorgen?'

Plotseling schaamde ze zich. Het leek alsof een leraar haar op spieken betrapte. Maar ze kon niet meer terug. Je bent toch actrice, hield ze zich voor. Speel je rol. 'Maar, meneer McIntyre, het idee!' riep ze verontwaardigd uit.

'Het feit is namelijk,' zei hij, en hield de papieren omhoog, 'dat u helaas voor niets hierheen bent gekomen. Uw zending wordt pas goedgekeurd als de labresultaten binnen zijn.'

'Labresultaten?'

'Standaardprocedure. Af en toe controleren we of het alcoholpercentage niet de punt nul nul vijf per bonbon overschrijdt. Zit er meer in, dan zijn er wetten overtreden.'

Dacht hij dat ze gek was? Zíj kende de wetten, en Henri ook. Van de alcohol in een bonbon van Girod werd een poesje nog niet dronken!

Wat nu? Alleen het stempel van McIntyre zou haar zending vrijgeven. En ze moest dat stempel nú hebben. Dolly werd bijna misselijk. Als ze dit niet voor elkaar kreeg, hoe moest ze dan ooit haar nichtjes vinden?

Toen kreeg ze een idee. Waarom moest er op labresultaten worden gewacht? Waarom kon die verdraaide test niet nú worden gedaan?

'Julio,' begon ze opeens vriendelijker, 'ik zou je willen vragen mij en jezelf een kleine en volkomen wettige dienst te bewijzen. Probeer er eens een,' zei ze, en wees op de bus op zijn bureau. 'Toe, een kleintje maar. Nog nooit is iemand in dit land zijn baan kwijtgeraakt omdat hij een bonbon at.'

'Kom nou, Dolly, dit is een serieuze zaak.'

'Ik bén serieus. We hebben een nieuwe smaak.' Ze maakte het deksel van de appel open en haalde er een rumcaramel uit. 'Proef eens, en zeg me wat je ervan vindt.'

Toen hij iets wilde zeggen, duwde ze gauw een caramel in zijn open mond. Hij keek even nijdig, maar toen kauwde hij. Hij spuugde hem niet uit, sloot zijn ogen en keek peinzend, als een herkauwende koe. En goddank... hij begon te glimlachen.

McIntyre slikte en stak zijn hand uit voor nog een bonbon.

'Daar zit geen alcohol in,' zei hij. 'Toch moesten ze verboden worden.'

Dolly voelde zich gerustgesteld en vijf minuten later stapte ze met een afgestempeld CF 7501-formulier weer in de Lincoln, op weg naar de vrachtloods van Air France om haar zending af te halen.

Daarna – Henri.

Plotseling dacht ze weer aan haar nichtjes en haar vreugde verdween als sneeuw voor de zon. Daarbinnen had ze zich zo slim gevoeld, maar om Annie en Laurel te vinden was meer nodig. Een soort wonder, dacht ze.

'Dolly?' riep Henri zachtjes in de duisternis.

Dolly keek op. Ze zat naar de televisie te staren, niet echt te kijken, naar een oude Lana Turner-film, die erg sentimenteel was. Ze had nauwelijks echt gekeken.

Henri stond bij de deur. Een stevige figuur in een zijden ochtendjas die zij hem had gegeven, herinnerde ze zich. Hij was te verfijnd voor hem, maar hij droeg hem om haar een plezier te doen. Hij liet hem altijd bij haar hangen, samen met een scheermes, tandenborstel en een paar overhemden. Als hij weg was, droeg Dolly de ochtendjas vaak om zo aan hem te denken; hij had de geur van de Gauloises die hij voor het naar bed gaan rookte.

'Ik kon niet slapen,' zei Dolly. Ze had zich bezorgd liggen maken om Annie en Laurel. Maar nu moest ze bedenken wat ze tegen Henri moest zeggen.

Op de terugweg van het vliegveld had Henri haar verteld dat hij een heel leuk flatje had gevonden in de buurt van de Place des Ternes, vlak bij Girod's, volmaakt voor haar, en de prijs was heel redelijk. Henri had een aanbetaling gedaan zodat de flat een week werd vastgehouden. Ze hóefde hem natuurlijk niet te nemen, zei hij snel. Maar misschien zou ze eens kunnen komen kijken...

Wat moest ze zeggen? Het idee Henri heel vaak te zien, en niet af en toe, alleen als hij hierheen kwam, was heel verleidelijk.

Maar alles was veranderd nadat ze hem had beloofd over een verhuizing naar Parijs na te denken. Ze kon nu echt niet weg, niet voordat Annie en Laurel gevonden waren. En zelfs dan: Henri had altijd nog zijn vrouw en kinderen... Wat ze ook deed, ze trok altijd aan het kortste eind.

Henri zonk naast haar op de sofa neer en sloeg een arm om haar heen. Hij begon zalig haar schouder te kussen. Na Dale had ze gedacht dat ze dit gevoel nooit meer zou hebben.

'Waarom ben jíj op?' vroeg ze.

'Ik droomde van jou,' mompelde hij, en knabbelde aan haar oorlelletje. 'Een heerlijke droom. Toen werd ik wakker en je was er niet meer. Heb je zo gauw genoeg van me?'

Dolly glimlachte en dacht aan hun eerste keer samen, twee jaar geleden in Parijs. Zodra ze in New York terug was, was ze naar Bergdorf's gegaan en had tegen de verkoopster gezegd dat ze 'allerlei verleidelijk ondergoed' wilde hebben. Ze had voor minstens duizend dollar gekocht, maar ze droeg het alleen als Henri er was, en dat was niet vaak genoeg.

Ze keek eens om zich heen. Als ze naar Parijs zou gaan, zou ze deze enorm grote kamers missen. Park Avenue was Dale's keus geweest; zij had liever iets gezelligers in de West Village gehad. Maar toen hij van de olie was overgestapt op scheepvaart (daar zit meer geld in), moesten ze naar New York verhuizen en hij had alleen een dakappartement op Park Avenue willen hebben. Aanvankelijk was het erg donker geweest, met notehouten betimmering en vloeren waaraan na de Tweede Wereldoorlog niets meer was gedaan. De vorige bewoners kwamen uit een familie van oud geld en dan toonde je geen rijkdom. Maar dat was niet háár standpunt.

Dale had een binnenhuisarchitect genomen die alles lichter had gemaakt en de muren met beige linnen had bespannen. Taupekleurige vaste vloerbedekking bedekte het parket en moderne verlichting verving de kroonluchters die meer bij een spookkasteel hoorden.

Haar blik viel op het moderne beeldhouwwerk waar Dale een kapitaal voor had neergeteld, maar Dolly vond het net een verbogen klerenhanger die in een blok beton was vastgezet.

Dale had om de hele inrichting gelachen en gezegd dat het eigenlijk iets voor mannen met een homo-smaak was. Maar toch was hij er trots op geweest als hij er zijn zakenrelaties ontving. Dan zagen ze dat hij, al was hij niet verder gekomen dan de lagere school en pruimde hij tabak, toch oog voor moderne kunst had.

Henri leek in veel opzichten op Dale – ook zoveel energie.

Ze herinnerde zich hoe ze hem voor het eerst had gezien, in de kelder onder de bonbonwinkel, gebogen over een dampende koperen ketel terwijl hij een houten lepel tegen zijn lippen hield. Dolly was voor het eerst aan alle kanten door chocolade omringd – tienpondsblokken banketbakkerschocola in siliconenpapier gewikkeld, dikke plakken chocola die op rekken lagen te drogen, bakken met diverse soorten klompjes, de zachte chocolade-inhoud van truffels die verder omhuld moesten worden. Ze kreeg het gevoel alsof ze dood was en in de hemel rondkeek. En daar stond die man met zijn hoofd te schudden en iets te grommen in het Frans dat hij daarna keurig voor haar vertaalde. 'Denken ze soms mij voor de gek te kunnen houden?'

Henri fluisterde: 'Het bed is zo koud zonder jou. En ik mis je gesnurk.'

'Ik snurk niet,' reageerde ze meteen verontwaardigd.

'Jaja,' grinnikte Henri.

'Mijn opa zei altijd: "Al draagt een aap een gouden ring, het is en blijft een lelijk ding." Ben jij wel eens in het Westen geweest?'

'Toen ik klein was hebben mijn ouders me eens meegenomen naar het Yellowstone Park om er... hoe heet-ie ook weer "Old Reliable" te zien.'

Ze lachte om de verbastering van 'Old Faithful'.

'Weet je wat ik van jou zo fijn vind, *ma poupée*?' vroeg hij. 'Je maakt me aan het lachen. Dat is een eigenschap die maar weinig vrouwen hebben: mannen aan het lachen maken. En dan verder,' zei hij, en kuste haar neus, 'aanbid ik je omdat je zo lief en schattig bent, en zo'n groot hart hebt... en borsten die echt *formidable* zijn.'

Dolly lachte. 'Weet je hoe Dale die noemde? "De Tieten Die Cleveland Opaten." '

'Ik zal eens naar Cleveland toe moeten.' Door de dunne stof van haar nachtjapon voelde ze zijn handen om haar borsten.

Dolly drukte zich tegen hem aan en er ging een schok door haar heen. Ze kreunde. Dit zou dan de derde keer vannacht zijn, en ze was van onderen al een beetje geïrriteerd.

'Nee,' zei ze, en trok zich terug. 'We moeten praten, Henri.'

Hij keek haar bijna angstig aan. Maar hij zei: 'Natuurlijk,' en knikte.

Plotseling wist ze wat ze al had beslist, maar niet had willen weten. Het deed ook zo'n pijn. 'Ik verhuis niet naar Parijs,' zei ze. 'Voorlopig niet, althans. Alles is nog net zo... Je vrouw...' Ze haalde even diep adem, maar toen Henri iets wilde zeggen, hief ze bezwerend haar hand. 'Ik weet dat je niet van Francine houdt, en ik ken de redenen waarom je niet kunt scheiden – je kinderen, je godsdienst, Francine's vader...'

Henri zag er plotseling ouder uit dan zevenenveertig. 'Maar je weet niet hoe ze me veracht. Ik heb alles aan haar vader te danken, zegt ze. Dat is niet zo, maar...' Hij trok met een typisch Frans gebaar zijn schouders op. 'Maar zo lang hij nog in de zaak zit, ben ik van hem afhankelijk.'

Dolly had Henri's vrouw eenmaal gezien. Ze was een grimmige vrouw die zich had aangeleerd te lachen zonder haar lippen te bewegen, leek het. Ze was wel knap – of was dat geweest, en ze was overdreven slank en chic, had een prachtige huid, en een dikke bos donker haar die ze keurig getemd had. Na twintig jaar huwelijk was Francine een soort museum-stuk geworden, niet geschikt voor dagelijks gebruik.

Dolly kreeg een gevoel van afschuw. Hoe kan hij bij Francine blijven als hij van mij houdt? Waarom liet hij papa Girod en de paus niet stikken? Maar zo eenvoudig was het niet. Als hij bij Francine wegliep, zou hij bij Girod's weg moeten. En dat was zijn hele leven. Zijn zoon zat al op de Sorbonne, maar hij was dol op de elfjarige Gabriëlle. En ze waren rooms-katholiek. Francine ging trouw naar de kerk, vaak zelfs naar avondmis-sen. Elke maand biechtte ze en ze werd vast liever weduwe dan dat ze zou gaan scheiden.

Dan maar geen scheiding. Maar al dat heimelijke gedoe was zo afschu-welijk. Voorlopig was er evenwel niets aan te doen.

'Het gaat niet alleen om ons,' zei Dolly. En ze vertelde hem het verhaal van Annie en Laurel. 'Dus ik móet hier blijven, zie je. Ze kunnen me nodig hebben. Afgezien van Val ben ik hun enige familie. Ik moet ze vin-den. Begrijp je dat?'

Henri deed zijn best niet egoïstisch te zijn en niet meer over naar Parijs komen te praten. Toen zei hij: 'Ja, natuurlijk, *ma poupée*. Maar in plaats van overal te zoeken, zou het niet verstandiger zijn gewoon te roepen?'

'Wat bedoel je?'

'Ik dacht aan een advertentie in de dagbladen.'

Dolly dacht even na en het idee stond haar wel aan. Dat kon misschien helpen. Als Annie wist dat ze in New York was en haar wilde bereiken, zou ze niet weten hoe ze dat moest doen. Ze had een geheim telefoon-nummer en stond dus niet in de gids.

Ze omhelsde Henri. Morgen zou ze meteen een advertentie opgeven.

'Je bent een genie. Wat zou ik zonder jou moeten beginnen. Kom, ga gauw mee terug naar bed.'

In Dolly's extra grote bed (op Dale's maat gemaakt) trok Henri voor-zichtig de drie lintjes los die haar peignoir van voren bij elkaar hielden. Toen trok hij hem eerbiedig omlaag en Dolly voelde dat haar borsten uit het strakke lijfje schoten. De koude lucht en Henri's warme handen zorg-den dat haar tepels plotseling bijna pijnlijk stijf werden. In een reflexbe-weging sloeg ze haar armen voor haar borsten.

Henri trok ze zachtjes weg en kuste haar borsten, een voor een.

'Cleveland ziet er vanuit hier fantastisch uit,' mompelde hij.

Ze keek langs hem omlaag en zei glimlachend: 'Old Faithful doet het ook niet gek.'

Even later was hij in haar en Dolly vergat alles. Het leek of ze op een koude dag in een heerlijk warm bad neerzonk. Ze kuste hem en opende haar mond om zoveel mogelijk van hem in zich op te nemen. Zijn ruwe tong en de prikkende snor wonden haar op. Deze man hield van haar en vond haar mooi. Als ze op dit ogenblik zou sterven, zou ze het gevoel hebben echt te hebben geléefd.

Dolly kwam klaar met een gevoel alsof ze door de ruimte viel. Het was heerlijk, en ook wat angstig, alsof ze werkelijk stierf. Alsof ze eeuwig zou ronddolen zonder ooit op aarde terug te komen. En die schat van een Henri beheerste zich tot hij voelde dat zij over haar climax heen was; toen liet hij zich pas gaan.

Naderhand lag ze tevreden naar zijn ademhaling te luisteren. 'Ik houd van je, Henri,' fluisterde ze in zijn nietshorende oor.

Maar ze wist dat liefde niet altijd alles overwint. Dat gebeurde alleen op de film, en daarna werd het donker... dus wie wist hoe het verderging?

'Het ziet er goed uit,' zei Gloria.

'Als het helpt,' zei Dolly en kruiste haar vingers.

Ze had de *Times* open op de advertentiepagina en staarde naar de reclame. Bovenaan waren geselecteerde bonbons te zien, daarna een verhaal over het vijfenzeventigjarig bestaan van de firma en alle prijzen die ze hadden gewonnen. En in het midden een fotootje van Dolly in haar Hollywood-tijd: zwaar opgemaakt, puntborsten, strak truitje – een merkwaardige reclame voor bonbons. Maar ze hoopte dat Annie de reclame zou zien en haar zou herkennen. Met grote letters stond onder de foto DOLLY DRAKE, eigenaresse.

Deze advertentie stond nu al een week lang in de *Times*, de *Post*, de *News*, en de *Voice*. Maar geen reacties.

Het idee van deze reclame met haar foto erbij was bij haar opgekomen toen ze Henri naar het vliegveld had gebracht. Ze had afscheid genomen en gezegd dat de Tieten Die Cleveland Opaten volgende keer weer in New York op hem zouden wachten. En daardoor had ze aan die foto gedacht. Die moest bij de advertentie; dan kon Annie het bijna niet missen.

Het belangrijkste was de meisjes te bereiken voor hun iets overkwam. Ze rilde en trok de losjes om haar schouders liggende sweater dichter om zich heen.

'Als dit niet lukt, verzint u wel wat anders,' zei Gloria. 'Iemand die een manier kon bedenken om al die paaseieren kwijt te raken die ze ons per vergissing stuurden, moet een probleempje met twee meisjes toch in een handomdraai kunnen oplossen.' Ze knipoogde tegen Dolly en ging gauw een vrouw in een bontmantel helpen die was binnengekomen met een zich losrukkende Yorkshire-terriër onder haar arm.

Paaseieren? Ach wat, ze moest iets verzinnen. En snel.

Ze liep naar de etalage en begon die leeg te ruimen. Weg met die hoorn des overvloeds waar vergulde walnoten en appels van marsepein uit stroomden, en truffels, heerlijke brandy-gember, café au lait, cognac en hazelnoten, witte chocolade met Siciliaanse noten, caramels gewenteld in kleine stukjes praline.

Alles weg, maar wat nu? Ze had er nog geen idee van. Toen ze het droge gras weghaalde, wist ze opeens hoe ze die eieren zou gebruiken die ze gestuurd hadden in plaats van de chocolade kalkoenen die ze had besteld. Ze zou in de etalage het echte Fabergé-ei neerzetten dat ze van Dale had gekregen en het met chocolade-eieren omringen. En in die mooie Russische laklijsten die ze laatst bij Gump's in San Francisco had gekocht, zou ze foto's van de tsaar en zijn gezin plaatsen tegen de achtergrond van een antieke geborduurde sjaal. Misschien zette ze er wel een samowar bij. Ze zag het al voor zich. Haar klanten zouden het prachtig vinden. Ze zouden vragen stellen. En dan zeg ik dat vrouwen die zich uitsloven met koken en afwassen en zich kapot werken, iets beters verdienen dan kalkoenkliekjes...

Nou ja, het ging niet helemaal op, maar vaak wel. Henri zou het prachtig vinden. Dolly's humeur werd aanmerkelijk beter.

Ze keek eens om zich heen en zag weer de oude apothekerszaak voor zich die nog nooit gerenoveerd was toen ze hem kocht. Die prachtige oude kast voor de medicijnen. Ze had niets aan de groen-blauwe vloertegels gedaan en eikenhouten etalagekasten aangebracht die nu glansden van het vernis. De koperen handvatten glommen als een spiegel. En overal op de planken had ze Girod's speciale cadeauverpakkingen gezet, en jams uit de boomgaarden van Girod's. Het was een allegaartje van tinnen kandelaars, oude scheerspiegels, en enkele oude poppen, maar het gaf sfeer. Eeuwen geleden, toen ze nog heel zuinig moest leven, had Dolly haar omgeving altijd opgefleurd met koopjes van de vlooienmarkten, en daar ging ze nog steeds heen.

Ondertussen bleef de kwestie van Annie en Laurel haar hinderen. De radio had sneeuw voorspeld. Stel dat ze ergens op een trottoir zaten, boven een ventilatiegat...

Haar hart draaide in haar lijf om. Ze moest iets doen, advertentie of niet. Impulsief pakte ze haar mantel van de haak achter de toonbank en liep naar buiten.

Toen ze bij Grand Central aankwam, sneeuwde het al. Dikke vlokken dansten op het verkeer in Lexington Avenue neer; ze bleven in Dolly's haar en op haar mantel liggen. Ze liep het station in om uit die vreselijke kou weg te komen.

Dit was een middelpunt, maar New York had er zoveel. Aan alle kanten haastten forenzen zich naar de verschillende perrons, en Dolly vroeg zich af waarom ze hierheen was gegaan. Wat dacht ze hier te vinden? Al die mensen hadden maar één gedachte: naar huis. Hoe zouden ze haar kunnen helpen? Bij de ingang zag ze een man en een vrouw in versleten kleren naast elkaar op de grond zitten en bedelend een papieren bekertje ophouden.

Iemand trok aan Dolly's mouw en toen ze zich omdraaide zag ze een tiener in een donkerblauwe jekker die haar smekend aankeek. Zo jong... nog een kind... zou het...?

'Annie?' fluisterde ze.

'Ja,' mompelde het meisje en ze leek opeens jaren ouder. Dolly kreeg het gevoel dat ze zou flauwvallen. 'Als u me een kwartje geeft, mag u me alles noemen: Annie, Frannie, Jannie.' Ze hield een vuile hand op.

Dolly haalde met trillende vingers een bankbiljet uit haar beurs. Het meisje rukte het uit haar handen en rende weg.

Dolly wilde terug naar huis. Dit was onzin. Zelfs al zou ze Annie zien, dan zou ze haar waarschijnlijk toch niet herkennen. Toch liep ze door, naar lager gelegen perrons en ze keek overal naar twee meisjes samen. Daarna liep ze alle wachtkamers af, doodsbang dat ze hen zou vinden... en doodsbang dat ze hen níet zou vinden.

Dit is dwaasheid, hield ze zichzelf voor en ze keek alle gezichten die ze tegenkwam onderzoekend aan. Ik word gek, net als mijn zuster.

Van Grand Central nam ze een taxi naar de Port Authority Bus Termi-nal; nieuwer, helderder verlicht, maar nog griezeliger. Ze nam een lift naar de perrons waar de bussen aankwamen. Ze zag een zwarte man met een lange bontjas aan, ringen aan alle vingers, typisch een pooier op jacht naar nieuw talent. Ze werd misselijk als ze eraan dacht dat de kinderen in handen van zo'n figuur zouden kunnen vallen. Maar misschien wíst hij iets.

Ze tikte hem op zijn schouder. 'Neemt u me niet kwalijk... ik zoek mijn nichtjes.' Ze haalde een oud fotootje uit haar tas en duwde dat onder zijn neus. 'Hebt u hen misschien gezien?'

De man keek, schudde zijn hoofd en liep snel weg, bang dat ze van de politie was en hem van iets wilde beschuldigen.

Dolly zag hem gaan en voelde zich tegelijkertijd wanhopig en opge-lucht.

Ze kwam doodop in de winkel terug, met ijskoude voeten in haar suède laarsjes. Ze wilde alleen nog maar naar huis en een gloeiend heet bad nemen. Daarna een brandy, of misschien twee.

Gloria had al weg moeten zijn, maar was nog bezig. 'Niets gevonden? Tja, u hebt in elk geval iets gedáán.'

Dolly haalde haar schouders op. 'Fijn dat je gewacht hebt. Ga nu maar gauw naar huis.'

Morgen zou ze Pennsylvania Station proberen en de YMCA's aflopen. Ze bleef zoeken, al was het in het wilde weg.

Twee dagen later was er alleen nog een vieze brij over van de sneeuw. Dolly had de moed bijna opgegeven. Ze liep de dagontvangsten na toen het belletje boven de winkeldeur tinkelde. Ze keek op en zag een hoekige jonge vrouw even aarzelen, diep ademhalen en binnenkomen. Het meisje had een dunne mantel aan en schoenen die doorweekt leken. Ze was blootshoofds, had zelfs geen sjaal om.

Dolly wilde haar net aan Gloria overlaten toen iets aan haar haar trof. Die lange hals en hoge jukbeenderen en die opvallend diepblauwe ogen. Het meisje keek Dolly aan en die fluisterde: 'Annie? Schat, ben jij het?'

'Tante Dolly?'

Ze dacht: Als dit de bijbel was, zou er nu een bliksemstraal uit de hemel schieten die me zou doden.

Maar er kwam geen bliksemstraal, alleen een stilte die in de lucht tussen hen bleef hangen, als de geur van ozon voor een onweer.

Even dacht Dolly aan een uitje met Annie naar het strand, jaren geleden. Onderweg waren ze ergens gaan eten en vóór haar iets gevraagd werd, had Annie duidelijk haar order gegeven. Zelfs toen al had Dolly gezien dat het kind ooit een krachtige vrouw zou worden die wist wat ze wilde.

En daar stond ze – vrijwel volwassen. En mooi, zoals Dolly al had verwacht. Misschien wat te mager, maar dat maakte ze wel in orde. Opeens drong het tot haar door: Ze ís er.

'God-nog-toe,' fluisterde Dolly. Ze begon te huilen. 'O, lieverd, ik was zo bang... blijf daar niet staan. Kom hier. Ik wil je omhelzen.' Dolly nam het lange, knappe meisje in haar armen.

Even bleef Annie net zo staan, maar toen gingen haar armen omhoog en met een zucht legde ze haar hoofd tegen Dolly's schouder, als een doodvermoeide reiziger.

'Ik zag uw foto in de krant,' zei Annie glimlachend. 'Nou ja, Laurey zag hem eigenlijk. Maar ik herkende u.'

Duizend vragen kwamen bij Dolly boven, maar ze zei alleen: 'Is alles in orde met jullie, schat?'

'Ja, hoor.'

Annie keek wat angstig om zich heen of ze verwachtte dat iemand op haar toe zou springen en in de boeien slaan.

'Ik bijt niet,' riep Gloria, en kwam achter de toonbank vandaan. Ze gaf Annie een hand. 'Ik ben Gloria. Jullie hebben vast heel wat bij te praten. Ik sluit wel, gaan jullie maar.'

Dolly bracht Annie naar haar kantoor en deed het elektrische kacheltje aan. 'Doe die natte schoenen uit,' zei ze. 'Dan maak ik even een kop thee voor je. Hou je van chocolade?'

Annie knikte en keek rond, nog steeds achterdochtig.

'Goed, want daar heb ik meer dan genoeg van in voorraad. En jij mag wel wat dikker worden. Je hebt het zeker moeilijk gehad?'

'Zeg het alstublieft niet tegen Val,' smeekte Annie. Ze keek Dolly wanhopig aan, maar Dolly zag onder die blik iets anders, een ongewone vastbeslotenheid.

Ze wist niet wat ze moest antwoorden. Ze wilde geen belofte doen die ze niet kon houden, maar ze voelde dat één verkeerd woord genoeg zou zijn voor Annie om ervandoor te gaan. Ze had aldoor al het gevoel gehad dat die zaak met Val niet koosjer was. Ze had hem ook niet gebeld, al wist ze dat de meisjes in New York waren.

'Vertel me eerst alles eens,' zei Dolly. 'Dán neem ik een beslissing. Goed?'

Annie zweeg even, maar zei toen: 'Tja, goed.'

Dolly bracht water aan de kook op een kookplaatje in de voorraadkamer en zette thee die ze Annie in een dikke aardewerken beker aanbood. Annie zette hem op haar knie, dronk niet, maar warmde haar vingers eromheen. Dolly zag dat ze blauw van de kou waren.

Toen begon Annie te vertellen, eerst weifelend, toen vlotter. Ze vertelde Dolly alles over Eve, hoe ze was gestorven, de snelle begrafenis waarbij maar enkele mensen aanwezig waren. Val had in de weken daarna vreemd gedaan... en eindelijk, die avond dat ze was weggelopen...

'Ik kon niet blijven,' zei Annie en haar wangen gloeiden. 'Hij zou me... nou ja, ik wilde er verder niet over nadenken. Ik heb Laurey gepakt en...'

'Hij zegt dat je haar geroofd hebt.'

Het gezicht van haar nichtje werd doodsbleek. 'Dat is niet waar! Laurey wílde met mij mee!' Annie keek haar zo merkwaardig aan dat Dolly enigszins onrustig werd. 'En ik zou nooit naar u toe zijn gekomen. Zelfs als ik geweten had waar u woonde. Pas toen ik volkomen wanhopig was. Ik... ik dacht dat u ons niet zou willen zien.'

Dolly voelde de eerlijkheid van die woorden en het was een slag voor haar. Ja, dacht ze, je bent ook praktisch een vreemde voor haar. Waarom zou ze je vertrouwen na alle vreselijke dingen die Eve haar vermoedelijk heeft verteld.

'Heeft je... heeft je moeder ooit over mij gesproken?' vroeg ze aarzelend.

'Jullie hebben ruzie gehad, hè? Ze heeft nooit gezegd waarom.'

Goddank kent ze het hele verhaal niet, dacht Dolly opgelucht.

'Soms doen – of zeggen – mensen dingen waarvan ze later spijt hebben. En hoe meer je houdt van degene die je pijn hebt gedaan, hoe groter je spijt is.' Ze zuchtte diep.

Annie staarde haar met haar diepblauwe ogen aan en het leek of ze wilde zeggen: bewaart u uw geheimen, dan bewaar ik de mijne.

Kon ze dat beloven? Val was Laurels vader, en ze had zijn versie niet gehoord...

Toen keek ze Annie aan en zei: 'Val hoeft het niet te weten. Laat alles maar aan mij over en drink nu je thee op.'

Hoofdstuk 5

'Annie, waaróm kunnen we Kerstmis niet bij tante Dolly vieren?' Laurel bleef midden op het trottoir staan en keek haar zuster aan.

Hoe vaak moet ik haar dit nog zeggen, dacht Annie geprikkeld. Maar ze beheerste zich. Nee, het was Laurels schuld niet... Waarom wilde ze in hun kale flat blijven terwijl ze een boom en stapels cadeautjes bij Dolly konden hebben?

Annie pakte de hand van haar zusje en kneep er in. 'Laurey, we kunnen niet naar haar toe, want dat zou niet veilig zijn. De mensen zouden ons zien en Val zou het kunnen horen.'

Laurel keek omlaag en zweeg. Annie vroeg zich af of ze liever bij Val in Bel Jardin zou willen zijn. Plotseling voelde ze zich vanbinnen even koud als vanbuiten. Zou ze Laurel de werkelijke reden vertellen waarom ze die nacht op de vlucht was gegaan?

Nee, dat was te vreselijk. Annie wilde er niet meer aan denken. God, hoe kan ik haar vertellen hoe bang ik ben, dacht ze. Ze is nog maar een kind.

'Maar jij werkt voor tante Dolly. Is dat dan wel veilig?' vroeg Laurel.

'Alleen Gloria weet dat ze mijn tante is,' vertelde Annie. 'Maar in haar flat zijn portiers, conciërges, nieuwsgierige buren. Kom nou maar,' en ze stootte haar zusje even aan. 'Anders kom je nog te laat op school.'

Meestal liep Laurel met een klasgenootje naar en van school, maar dat meisje lag met griep op bed. En Annie vond het leuk haar weg te brengen, maar niet nu ze weer over kerstmis begon.

'Dat kan me niet schelen; ik vind het hier vreselijk!' zei ze woedend, maar toen stokte haar stem. '... en met Kerstmis zitten we alleen!'

'En de Grubermans dan?'

'Die vieren geen kerstfeest.' Laurels ogen stonden vol tranen.

Annie keek van haar weg, want ze wilde niet dat Laurel zou zien dat zij zelf ook met tranen kampte. Ze deed alsof ze aandachtig naar de vieze sneeuwbrij staarde. 'Ja, ze geloven niet in Kerstmis,' zei ze peinzend.

'Ze mogen het wóórd zelfs niet zeggen,' barstte Laurel los. 'Dat zei Sarah.' Ze trapte tegen een verkreukeld papieren bekertje dat een eind wegvloog. 'En als wij geen boom hebben, zouden we net zo goed ook joods kunnen zijn.'

Annie wist niet wat te antwoorden. Ze had ook graag een boom gehad. Had ze het geld moeten aannemen dat tante Dolly haar had aangeboden? Ze dacht eraan hoe haar tante haar bijna had gesmeekt een cheque aan te nemen, maar Annie had het niet kunnen doen. Zelfs niet als lening. Ze had het nooit kunnen terugbetalen. En verraadde ze Dearie niet als ze hulp van Dolly aannam? Haar moeder had Dolly eens 'een echte slang' genoemd. Zou ze betrouwbaar zijn?

Ze werkte nu wel voor haar tante en had een klein voorschot op haar salaris geaccepteerd, maar in de afgelopen drie weken had ze niet voldoende kunnen sparen om zelfs maar de helft te kopen van wat ze nodig hadden: warm ondergoed, warme kleren, zware laarzen, borden, lakens, handdoeken... De lijst was oneindig.

Laurel droeg een mantel van het Leger des Heils waarvan de mouwen veel te kort waren. Haar blonde haren kwamen onder haar rode gebreide muts uit, maar haar lippen en het puntje van haar neus waren blauw van de kou. 'Heb je het wel warm genoeg?' vroeg Annie die zelf bibberde in haar te lange mannenregenjas.

'Ja, hoor,' zei Laurel. 'Ik heb er nog een sweater onder aan. Rivka gaf me er een die Chava niet meer paste.'

Vermoedelijk had Rivka gezien dat Laurel er een nodig had en er een opgezocht die Laurel paste. Rivka had haar en Laurel vrijwel in haar grote luidruchtige gezin opgenomen. Ze was zo aardig en Annie was werkelijk dankbaar voor afgedragen kleren, extra dekens, de pasgebakken *koegels* en *challe*-broden die ze hun gaf.

'Fijn,' zei ze en ze liepen Avenue K in.

'Weet je dat Rivka me na schooltijd gaat leren naaien? Als ik het kan, zal ik ook iets voor jou maken,' zei Laurel verrukt. 'Sorry, dat ik zo uitviel. Maar het zou zo leuk zijn om een boompje te hebben.'

'Ja, dat is zo,' antwoordde Annie en ze dwong zich vrolijk te klinken, al voelde ze zich afschuwelijk.

Laurels woede was gemakkelijker te accepteren geweest dan haar aanvaarding. Annie had graag een boom gekocht, maar ze waren zo duur, en de versiersels kostten ook een fortuin. Nee, het ging niet.

Vorig jaar hadden ze Kerstmis nog met Dearie in Bel Jardin gevierd. Haar moeder voelde zich toen toevallig erg goed. Het was heerlijk geweest de boom te versieren en Dearie had kerstliedjes gezongen en daarna had Laurel zelfgemaakte versjes ten beste gegeven. Ze hadden een stal met Maria en Jozef neergezet, en de drie Wijzen, een ezel en wat schapen, en de kleine Jezus natuurlijk. Maar een van de voetjes was afgebroken. Toen had Dearie een tube lijm gepakt en gezegd: 'We zullen je repareren zodat je straks weer op water kunt lopen, mannetje. Je hebt nog tientallen wonderen te verrichten.'

Gebeurde er nu maar een wonder zodat ze een boom kregen.

Verderop staken ze een bevroren grasveld over dat onder hun voeten knarste. Toen zag Annie de school staan en weer viel het haar op hoe grimmig dat gebouw was, met dat zware hek eromheen. Zo anders dan Green Oaks met zijn grasvelden, sportterreinen en tennisbanen. Dit leek wel een gevangenis. Vreselijk voor Laurel.

Annie had Laurel opgegeven en had zenuwachtig gezegd dat zij Laurels voogdes was; haar schoolgegevens waren bij een brand verloren gegaan. Maar ze deden niet achterdochtig, alleen verveeld. Nu wist Annie dat de meeste kinderen hier illegaal waren, met ouders uit Haïti en Nicaragua, zonder verblijfsvergunning.

Laurel moest het hier ellendig vinden, dacht Annie, en weer moest ze tegen haar tranen vechten.

'Vrijdagavond hebben we een klasse-uitvoering van het kerstspel,' zei Laurel vlak voor ze de deur vol graffiti binnenging. 'Ik zorg voor het decor. Het wordt heel leuk.'

'Ik verheug me er al op,' zei Annie zo enthousiast mogelijk.

Laurel was heel kunstzinnig. Annie dacht aan de mooie tekeningen die ze voor Dearie in het ziekenhuis had gemaakt. En ze had zo'n oog voor kleur. Onlangs had ze nog een oude paisley-sjaal, die Rivka wilde weggooien, gered omdat de kleuren zo mooi bij hun oude versleten bank pasten.

'Denk je dat Dolly mee wil?'

'Ik zal het haar vragen. Ze wil vast wel.' Ze dwong zich opgewekt te zijn en stelde voor: 'Zullen wij Dolly met Kerstmis bij ons vragen? We zorgen voor wat hulst en hangen mistletoe op. En dan zingen we kerstliedjes.'

'Dan horen de Grubermans ons,' zei Laurel met een voorzichtig lachje.

'Wat dan nog? Al hoort heel Brooklyn ons!'

'Nee, schatje, dat gaat scheef. Kijk, dat moet je zo doen.'

Rivka zat naast Laurel voor de oude Singer-trapnaaimachine in de volle huiskamer. Het meisje had een stel oefenlapjes op schoot. Rivka liet Laurel zien hoe ze de zoom moest afmeten en met spelden vastzetten, die dan stevig vasthouden onder de naald, terwijl ze met haar voet de machine in beweging bracht.

Laurel probeerde het nog eens en deed erg haar best.

Arm klein *sjeintje*, dacht Rivka, en keek naar de magere armpjes die uit het T-shirt staken. Ze doet zo haar best.

Net als Sarah op die leeftijd die in de keuken deeg wegnam en uitrolde, eieren wilde breken en zelfs aardappels schilde voor de *koegel*. En Laurel zat vol vragen.

'Rivka, waarom gooide je dat ei weg?'

'Er zat bloed in de dooier, schat. En dan is het niet koosjer.'

En gisteren nog: 'Rivka, hoe komt het dat jouw matzeballen zo luchtig zijn en de mijne wel golfballen lijken?'

'Een geheimpje. In plaats van water, meng ik er mineraalwater door. En je moet elke bal heel voorzichtig vormen.'

Nu wilde Laurel leren naaien en ze kreeg het vast onder de knie, dat wist Rivka zeker. Het was een doorzettertje, dat kleintje. Al was ze niet zo'n krachtige figuur als haar oudere zus. Laurel was stil, maar ook knap. Ze had de stille Shmueli uit zijn tent gelokt door hem te vragen haar Hebreeuws te leren lezen. Laurel had gemerkt wat anderen was ontgaan: dat de negenjarige Shmueli tussen de bazige Chaim en de luidruchtige Yakov in, ook graag wilde meetellen.

Laurel hield de zoom op om Rivka te vragen of het zo goed was. 'Beter nu?'

Rivka knikte. 'Prima. Morgen zal ik je leren hoe je iets naar een patroon moet knippen.' Ze tilde Shainey op die aan haar voeten rondkroop. 'Wat heb je nu weer in je mond?' en ze haalde een kletsnat poppetje te voorschijn. 'Yakov! Hoe vaak heb ik je nu al gezegd je speelgoed niet te laten rondslingeren?'

Laurel stak haar armen naar Shainey uit. 'Zal ik haar in haar bedje leggen?'

'Graag, wat ben je toch een goede hulp.' Rivka dacht aan de *sjalet* die ze nog voor morgen moest maken en aan alles wat nog voor *Chanoeka* moest worden gedaan. Dankbaar gaf ze de baby aan Laurel.

Toen Laurel met de baby in haar armen wegliep, keek Rivka haar vertederd na. Wie had ooit kunnen denken dat die kleine *sjikse* binnen een paar weken al een lid van het gezin zou zijn?

Even later was Rivka in de keuken bezig uien te hakken toen Laurel binnenkwam met iets onder haar arm dat op een schetsboek leek.

'De *sjalet*,' legde Rivka het meisje uit, 'moet een nacht in een zacht brandende oven staan, zodat hij op sabbat goed is, want dan mogen we niet koken, zoals je weet.'

'Laat me eens zien hoe je hem maakt, dan kan ik Annie verrassen. Ze vond die gevulde kool heerlijk.' Zachtjes ging ze verder: 'Ik zou het eigenlijk niet moeten zeggen, maar Annie kan niet goed koken. Ze laat alles verbranden. Als zij ons eten moest klaarmaken, zouden we allebei verhongeren.'

Rivka lachte. Niets aan dit blonde meiske met die blauwe ogen verbaasde haar nog. Laurel deed haar schetsboek open en ging aan de keukentafel zitten. 'Rivka, je bent altijd zo lief voor me,' begon ze verlegen. 'Ik wil zo graag iets terug doen. Mag ik je uittekenen? Een soort portret van je maken?'

'Mij uittekenen,' riep Rivka uit. 'Ik kan zelfs niet stilzitten voor een foto.'

'O, je hoeft niet stil te zitten. Doe maar net of ik er niet ben.'

In de kamer ernaast hoorde Rivka de kinderen kibbelen en ze bedacht dat sinds zij als achttienjarige bruid voor de fotograaf had geposeerd, niemand haar meer anders had gezien dan als een paar handen, een warme schoot en een schouder om op uit te huilen. En nu tekende dit meiske haar uit!

Een uur later stonden de uien en tomaten te sudderen en Rivka waste haar handen. Laurel was nog bezig en had niet eens door dat Rivka over haar schouder kwam kijken 'Oj wei!' riep ze opeens zachtjes uit en ze sloeg haar hand voor haar mond.

Laurel had haar precies getroffen, ook haar uitdrukking – gehaast, een paar haren los onder haar sjaal uit, en zelfs een veeg meel op haar wang! En het leek of het beeld bewóóg.

Ze boog zich voorover en kuste Laurel boven op haar hoofd.

'Betekent dat dat je het mooi vindt?' vroeg het meisje.

'Heel mooi.'

'Ik wil artieste worden,' zei ze. 'Mijn schilderijen verkopen en veel geld verdienen zodat Annie niet meer hoeft te werken.'

'Een echte Picasso,' lachte Rivka.

'Zou ik het kunnen?'

'Jij kunt alles wat je écht wilt.'

'Ik wou dat het waar was,' reageerde Laurel.

'Maar word geen *jente* zoals ik,' lachte Rivka, en ze bedacht hoe ze zich had afgevraagd hoe Annie en Laurel, zo jong als ze waren, het zonder ouders zouden kunnen stellen. Maar ze konden het, dat zag ze. Die twee, *Baroech haSjeem*, zouden het wel redden.

Annie controleerde de spullen nog eens met de lijst in haar hand:

2 dozijn praline schildpadjes
1 dozijn donkere chocolade hazelnoot-rumbonbons
1 dozijn witte chocolade espresso's
4 dozijn champagnetruffels
3 pond bittere chocoladebast met amandelen
1 Coquille St. Jacques

Het lag allemaal voor haar op schuimplastic bladen in de grote bruin-met-gouden Girod's doos op de toonbank. Behalve de Coquille St. Jacques – die werd afzonderlijk in een kleinere doos verpakt.

Ze trok hem van de plank onder haar. Behalve op een plaatje had ze nog nooit een Coquille St. Jacques gezien. Het was een specialiteit van Girod's. Voorzichtig haalde ze het deksel van de doos. Wat een heerlijke geur: een mengsel van chocola, vanille, koffie en noten. Voorzichtig haalde ze het vloeipapier weg.

'O!' riep ze zachtjes uit. Het was zo prachtig.

Een schelp van melkchocola in de vorm van een enorme mossel gevuld met kleinere schelpen. Bitterzoete slakken. Gedraaide oesterschelpen. Kleine alikruiken. Gestippelde kaurischelpen. Melkchocolade zeepaardjes. En dan, als iets uit de schat van Ali Baba – een parelsnoer van witte chocoladeparels.

Kon Laurel dat maar eens zien! Annie hoopte dat degene bij wie ze dit moest afleveren, het naar waarde zou schatten, zoals haar zusje ongetwijfeld zou doen.

Ze keek naar de factuur: Joe Daugherty. Het adres was een restaurant, Joe's Place, in Morton Street.

Wat een pech, helemaal naar de Village. En het sneeuwde zo hard. Nou ja, ze kon in ieder geval een warme taxi nemen. En misschien, omdat het al bijna vier uur was, mocht ze van Dolly meteen daarna naar huis.

Ze ging haar mantel halen uit de voorraadkamer en was bezig hem aan te trekken toen ze Dolly hoorde roepen: 'Hemel, jij vat nog kou!'

Dolly kwam binnen en trok Annie de mantel uit haar handen.

'Schatje, met dit weer kun je niet zo'n dunne mantel aandoen,' zei ze vermanend. 'Ik mag geen nieuwe voor je kopen, maar leen er dan in ieder geval een van mij. Ik ga er toch niet meer uit.'

Annie volgde haar blikken naar buiten en zag dat het trottoir en de straat eruitzagen als het glazuur van een cake na een verjaarsfeestje van een vierjarige: vertrapt en vuil.

Dolly nam haar mantel, een prachtige lange Russische sabelbontjas die een vermogen moest hebben gekost. Annie zou zich er afschuwelijk in voelen, als een bedelmeisje dat voor hertogin speelt.

'Nee, laat maar. Stel dat ik er een gat in maak.'

'Onzin. Als ik me om vlekken bezorgd maakte, zou ik naakt moeten rondlopen. Ik vind jouw gezondheid belangrijker. Kom, doe aan!'

Annie wist dat haar tante het goed bedoelde, maar ze voelde zich overrompeld. Dolly moest haar niet aldoor dingen geven, zoals die sjaal vorige week. Ze had er wel een nodig, maar hij had niet van kasjmier hoeven zijn.

Och, maar dit was lenen. Ik ga er niet dood van, en Dolly vindt het fijn, bedacht ze.

Toch wendde Annie zich af en deed of ze bezig was om de bestelling in te pakken. 'Ik kijk het nog even na,' zei ze. 'De opdracht kwam telefonisch en er was zoveel lawaai op de achtergrond. Is alles zo goed?'

Dolly lachte. 'Dat lawaai kwam uit zijn keuken. Ik geloof dat Joe Daugherty er nog geen stap buiten heeft gezet sinds hij dat restaurant heeft overgenomen.'

'Kent u hem zo goed?' vroeg Annie, blij dat ze Dolly's aandacht had afgeleid.

'In hoofdzaak via zijn vader, Marcus Daugherty. Hij en Dale deden wel zaken – Dale heeft eens een kantoorgebouw van hem gekocht. Een vervelende stijve vent – hij was woedend toen zijn zoon zijn rechtenstudie opgaf en een restaurant begon. Maar die jongen heeft er echt iets van gemaakt.' Plotseling begonnen Dolly's ogen te schitteren. 'Jullie zullen het samen vast goed kunnen vinden. Joe is niet veel ouder dan jij. En ziet er leuk uit.'

Annie schudde haar hoofd. Daar zat ze nu net op te wachten, op een ridder met een witte koksmuts op. Met de winkel, haar zorg voor Laura en haar angst voor Val had ze nog geen half uur vrije tijd per week. Een vriendje? Daar had ze geen tijd voor.

'Kom, dan ga ik maar eens,' zei ze, en hoopte weg te komen voordat Dolly haar weer de bontmantel op kon dringen. 'Ik...'

Een koude windvlaag maakte Annie aan het schrikken en een man verkleed als de kerstman wankelde naar binnen.

'HO! HO!HO! Verrrekt goeie Kerrsemis!'

Hij viel tegen de toonbank aan. Zijn adem deed Annie aan haar moeder denken en ze deinsde achteruit. Maar hij keek naar Gloria die Schots geruit linten om pas aangekomen Scotties bond.

'Wasser? Hou je nie van Kerrsemis?' Hij keek haar nijdig aan.

Gloria zette de klos met lint neer en plantte haar handen zo hard voor hem neer dat hij een stap achteruit deed. 'Zo, kerstman! Nu doe ik nog aardig, weet je, maar als je niet meteen verdwijnt, zul je eens wat meemaken!'

Hij keek haar verwijtend aan. 'Ik wilde alleen ie-iedereen vrrolijk Kerrsemis wensen.'

'Als je nog vrolijker wordt, vriend, sluiten ze je op.'

Hij probeerde verontwaardigd te doen, maar zwaaide op zijn benen heen en weer. 'Lluisster nou es effe...'

Toen kwam Dolly snel naar voren, in haar vuurrode bolero en op haar hoge naaldhakken. Annie dacht dat ze de kerstman bij zijn kraag zou pakken en hem eruit gooien.

Maar Dolly sloeg een arm om zijn schouder en zei vleiend: 'Hé, Bill, herken je me nog? Dolly, Dolly Drake. Je moet tegen die hoge pieten bij Macy's zeggen dat ik vind dat je het mieters hebt gedaan. Het moet erg moeilijk zijn uren te luisteren naar kinderen die maar jengelen over Barbie's en soldaatjes.'

Annie schrok. Waarom deed haar tante zo lief tegen die dronkaard?

'Zo'n klein kreng heeft me gebeten! Zo maar.' Bill trok zijn mouw op om de afdruk van de tandjes te laten zien. 'Dat rotkostuum dragen is toch al niet leuk.' Zijn ogen stonden vol tranen.

'Zal ik een taxi voor je bellen?' vroeg Dolly fluisterend.

De kerstman schudde zijn hoofd, zijn baard bleef daarbij achter een knoop vastzitten en er kwam een grijze stoppelkin onder vandaan. Er druppelde een traan langs zijn wang. 'Ik wil alleen wat te drinken. Het is zo koud buiten. Rotsneeuw, overal... in mijn laarzen, in mijn ogen.'

Dolly scheen even na te denken. Toen klopte ze hem op zijn schouders. 'Wacht, Bill, ik weet wat.'

Ze liep snel de achterkamer in en kwam even later terug met een fles Cherry Heering in cadeauverpakking die een klant haar gisteren had gegeven.

'Vrolijk kerstfeest, Bill,' zei ze, en gaf hem de fles. 'En als zo'n lief elfje je weer eens bijt, gewoon terugbijten.'

Annie zag dat hij Dolly dankbaar aankeek en toen naar de deur wankelde. Buiten verdween hij in de neerdwarrelende sneeuw.

'Ként u hem echt?' vroeg Annie.

Dolly haalde haar schouders op. 'Ik zie hem wel eens in de buurt. Hij is werkloos, aardige kerel, maar drinkt te veel.'

'Waarom hebt u hem dan die fles gegeven?'

'Och, het is buiten zo koud, hij heeft gelijk.' Even leek het of ze zou gaan huilen. Toen legde ze haar zachte hand op Annies wang. 'Er bestaan veel zonden in de wereld, lieverd... maar warm willen blijven is géén zonde. Als hij dat drinken op wil geven, doet hij dat wanneer hij denkt dat hij zover is; niet omdat ik het zeg.'

Annie schaamde zich en voelde een nieuw respect voor haar tante. Waarom had Dearie haar zo gehaat? Wat had Dolly gedaan?

Plotseling liep het meisje naar de bontmantel die over een stoel was gegooid. Dolly klapte in haar handen van vreugde en de vonken schoten van de ringen aan haar vingers. 'Kijk eens... je lijkt wel een filmst...' Meteen hield ze zich in, en zei zachtjes: 'Een fotomodel.'

Had ze gelijk, dacht Annie. Leek ze op Dearie?

Maar voor ze eraan kon denken dat ze haar zo miste, omhelsde Dolly haar en zei vrolijk: 'Ga nu maar. En doe Joe de groeten van me.'

Annie keek niet goed uit toen ze uit de taxi stapte en haar voet gleed weg op het bevroren trottoir. Ze viel achterover en belandde met een smak op haar billen, waardoor de boodschappentas met de bonbons wegvloog.

Ze kwam moeizaam overeind en hoopte van ganser harte dat de Coquille niet gebroken zou zijn. Bij het afleveren van bestellingen voelde ze zich altijd al zo stom en nu moest ze zich nog verontschuldigen ook.

Joe's Place was een huis in de stijl die je veel in de Village zag, smal en met een trapje dat naar een betimmerde deur leidde waarin een ovaal stuk geslepen glas zat. Onder een besneeuwde bloemenbak zag Annie een pijl die naar de dienstingang beneden wees.

Toen ze de kleine vestibule binnenstapte, rook ze meteen de geur van vers brood. Achter in een donker gangetje was de deur naar de keuken en ze zag een rij roestvrijstalen en koperen steelpannen hangen boven een enorm fornuis. Er klonk het geluid van veel stemmen, gerammel van pannen en gesis van stoom.

Plotseling het geluid van iets dat kapotviel op de betegelde vloer. 'Verdomme!' brulde een stem. 'Stommerd! Idioot!'

Annie schrok zich een ongeluk. Het leek of de stem uit de keuken voor háár bedoeld was.

Er verscheen een schaduw op de openstaande deur, gevolgd door de eigenaar ervan – een slungelachtige man van begin twintig die zo lang was dat Annie met haar bijna een meter tachtig zich plotseling klein voelde. Hij had een voorschoot vol vlekken aan over een blauwe spijkerbroek en een verschoten gekleurd hemd waarvan de mouwen tot aan de ellebogen waren opgerold. Zijn haren waren vrij lang en zijn ogen waren achter de beslagen brilleglazen nauwelijks te zien. Gelukkig niet zo indrukwekkend.

Annie voelde zich iets minder gespannen, maar er kon toch nog geen lachje af. Hij was vuurrood en woedend.

'En, wat wilt u?' blafte hij.

'Ik...' Even was ze totaal de kluts kwijt. En voor ze woorden vond, zei hij al: 'Ik heb het druk. Straks komen er vierentwintig mensen en een van mijn ovens heeft er net de brui aan gegeven, twee kelners zijn ziek en het ziet er daarbinnen uit alsof er een bom is ontploft. Dus, wat u ook wilt, graag snel een beetje.'

Nu werd Annie ook boos. 'Ik wíl niets,' zei ze zo hooghartig mogelijk, en stak hem de tas toe. 'Als u Joe Daugherty bent, teken die factuur dan even; dan ben ik zo weer weg.'

Zijn brilleglazen waren weer helderder geworden en hij bleek aardige bruine ogen te hebben met wimpers waar menig meisje jaloers op zou zijn. En hij keek berouwvol.

'Neem me niet kwalijk. Kunnen we even opnieuw beginnen?' Hij streek met zijn vingers door zijn bruine haar en lachte wat schaapachtig. 'Ik bén Joe Daugherty en het was een ongelooflijke rotdag. Het werd me even te veel.'

Annie dacht aan die arme kerel – vermoedelijk een bordenwasser die een schijntje verdiende – tegen wie Joe zo had geschreeuwd. Zelfs meneer Dimitriou in het Parthenon zou nooit iemand zo uitschelden. Nee, zij trapte niet in die aardige woorden van deze man.

'Goed,' zei ze, en stak hem de factuur toe. 'Even tekenen.' Toen herinnerde ze zich dat de bonbons beschadigd konden zijn. Ze slikte en zei: 'Wacht, even kijken. Ik ben net bij het uitstappen uitgegleden en gevallen. Misschien zijn sommige... kapot.'

Annie wachtte op een nieuwe woedeuitbarsting, maar hij begon te lachen. Een aardige lach zelfs.

'U hebt dus ook uw dag niet,' zei hij rustig. 'En kijk me niet zo bang aan. Het spijt me echt dat ik zo uitviel. Ik word niet gauw boos, maar áls ik het word...'

'Goed zo. Maar hoe staat het met die arme kerel die u zo uitfoeterde?'

Daugherty keek even verbaasd en begon toen te lachen. 'Ik liet zelf die borden vallen. Ik vloekte mezelf uit. Ik wist niet dat ik getuigen had; anders had ik me wel beheerst.'

Annie wist niet hoe ze moest reageren en begon ook maar te lachen.

'Zullen we even in mijn directiekamer gaan en kijken wat de schade is?' stelde Joe voor terwijl hij een eindje verderop de deur naar een rommelig kantoortje opende. 'Je moet het maar zo zien: je kunt nooit een grotere rommel hebben aangericht dan ik daarnet.'

Hij zette de boodschappentas op een bureau vol papieren en wees Annie een stoel aan tussen een archiefkast en een leeg aquarium vol glazen asbakjes. 'Ik ben Joe Daugherty,' zei hij. 'Maar dat zei ik al, hè?'

'Ik weet het.'

'En jij bent...' Hij keek haar vragend aan.

'Annie,' zei ze zonder erbij na te denken. Bij Girod's gebruikte ze alleen haar tweede naam, May. Waarom had ze nu Annie gezegd?

'Ben je pas bij Dolly?'

'Vorige week begonnen.'

'Gek, ik zou je voor een studente hebben gehouden.'

Annie haalde haar schouders op. 'Nee, hoor.' Ze had dolgraag willen gaan studeren, maar daar was geen sprake meer van.

'Moet je mij horen. Ik heb mijn studie opgegeven en ben hier begonnen. En ik vind het heerlijk. Ondanks alle moeilijkheden. Mijn vader denkt dat ik gek ben geworden. Hij houdt nog steeds een plaatsje voor me vrij op het naambordje op de deur van zijn kantoor. Poth, Van Gelder, Daugherty en Verloren Zoon.'

'Is je vader jurist?' Na Dolly's verhaal had ze gedacht dat hij een soort makelaar was.

'Vroeger. Nu is hij rechter.' Hij nam zijn bril af en poetste de glazen met een punt van zijn voorschoot op. 'Dat is mijn leven. Jij bent niet de enige die weggelopen is.'

Annie verstijfde. Hoe wist hij dat? Had Dolly het hem verteld? Ze dwong zich tot een glimlach. 'Weggelopen? Ik?'

Joe haalde zijn schouders op. 'Lopen we niet allemaal ergens van weg? De meeste mensen in deze stad wel.' Zonder bril zag ze dat zijn ogen niet bruin waren, maar een soort mengeling van bruin en groen.

Hij was net niet knap, maar wel leuk, net een filmster. En toch waren zijn trekken niet zoals ze moesten zijn. Het ene jukbeen was hoger dan het andere, zijn neus was een beetje krom (alsof hij eens gebroken was geweest). Zijn glimlach was niet aldoor van harte. Nee, geen filmster, een rock-idool. Mick Jagger, of zo. Die waren vaak gewoon lelijk, maar toch hadden ze iets...

Annie merkte dat ze hem aanstaarde en keek gauw een andere kant op. 'Tja, dat denk ik ook,' zei ze opgelucht. Hij had het niet over haar persoonlijk gehad. 'Dit is een soort circus, hè?'

Joe lachte. 'Ja, een trapeze. Eén verkeerde beweging en je valt.' Met een zwierige haal tekende hij de factuur. 'Laat die bonbons maar,' zei hij. 'Zelfs al zijn er een stuk of wat kapot, dan is het nog te gemeen weer om er nog eens door te gaan.'

'Toch is het beter om even te kijken,' zei ze. Ze wilde niet te dankbaar doen; misschien was alles in orde. 'Dan kan ik tante Dolly zeggen dat ze de schade van je rekening aftrekt.'

Joe haalde zijn schouders op. 'Zoals je wilt.' De eerste doos was oké, alleen wat amandelbast eraf. Maar toen Joe de doos met de Coquille St. Jacques opende, begon Annie bijna te huilen. Alles was kapot, het parelhalssnoer onherkenbaar.

Joe keek er even naar en zei: '*In arena aedificas*. Dat is Latijn voor: als je je huis op zand bouwt, kun je verwachten dat het wegzakt. Maar mijn staf zal dit erg lekker vinden; het is dus niet weg.'

Ze merkte dat hij haar wilde troosten en lachte even tegen hem.

'Je bent zeker nog niet lang in New York, hè?' vroeg hij.

'Waarom... is dat merkbaar?'

'Je lach... die hoort ten westen van de Mississippi thuis.'

Hij had het dus tóch gemerkt. 'Hoe lachen Newyorkers?'

'Ze lachen niet.'

Ze giechelde. 'Wordt het leven hier ooit gemakkelijker?'

'Nee. Je went er alleen aan. Dat zul je wel merken.'

Annie stond op. 'Ik moet maar weer eens gaan.' Bij de deur bleef ze even staan en zei: 'Hm... bedankt.'

Ze wilde de gang in lopen toen hij riep: 'Wacht eens even!'

Wat nu?

Joe rende langs haar, een trap links op die blijkbaar naar het restaurant leidde. Even later kwam hij met een grote plastic doos terug. Hij bood hem Annie aan alsof het de kroonjuwelen waren.

'Als zoenoffer voor mijn geschreeuw,' zei hij. 'Vrolijk kerstfeest.'

Annie hoorde wat gekrabbel in de doos en keek er even in. Een grote kreeft met vastgebonden poten en scharen scharrelde erin rond, in het beetje water en zeewier dat erin lag. Ze schrok zo dat ze de doos bijna liet vallen.

Ze keek Joe aan. Hij bedoelde het zo goed. Nee, hij hield haar niet voor de gek. Maar wat moest zij met een krééft beginnen? Ze had zelfs geen pan om hem in te koken. Dat was een van de dingen die ze hard nodig hadden.

'Dank je,' zei ze en ze kreeg een kleur. 'Hij zal vast... hm... heerlijk zijn.'

'Met wat boter en citroen.'

'Nogmaals bedankt.'

'Laat maar. En kom nog eens langs.'

Terwijl Annie door de sneeuw naar de ondergrondse in West Fourth liep, vroeg ze zich af hoe ze dit aan Laurel zou vertellen. Zij vond het al erg als ze per ongeluk op een mier trapte. En die kreeft moest lévend gekookt worden. Plotseling zag ze een vrachtauto waarop een man kerstbomen verkocht. Kon ze er maar een kopen. Díe wilde Annie hebben, en het gekke was dat die kreeft veel meer gekost had. Voor dat geld had ze een boom kunnen kopen.

Toen kreeg ze een idee. Ze liep naar de vrachtwagen. De man was gezet, had een baard en droeg een geruit houthakkershemd. Hij was bezig kruisen onder de bomen te timmeren. 'Kan ik u helpen, juffrouw?'

Zeg het nu ronduit, hield ze zich voor.

'Eh... ik vroeg me af... of u misschien... eh... zou willen ruilen. Een van uw bomen voor een...'

'Wat hebt u daar?' vroeg hij, en gooide zijn hamer neer.

Annie opende de doos zodat hij de kreeft kon zien.

De man keek alsof ze hem een plak groene kaas van de maan had aangeboden. Maar nadat hij de kreeft even had aangeraakt om te zien of hij nog leefde, en zij erin had toegestemd zijn kleinste boompje in ruil te nemen – dat hij vermoedelijk toch niet was kwijtgeraakt – hapte hij toe.

Bij West Fourth liep ze de vuile trap af naar beneden en sleepte het boompje achter zich aan. Annie dacht eraan hoe verrukt Laurel zou zijn, ze zouden het boompje versieren met popcorn en papieren slingers en sterren van zilverpapier.

Misschien zou het toch nog een goede Kerstmis worden.

Hoofdstuk 6

Val zwom zijn baantjes in het zwembad en wilde er niet aan denken dat het water koud was en zijn hoofd pijn deed. En ook niet aan de makelaar die met zijn pietluttige, alles afkrakende klanten zijn huis bekeek. Zelfs in L.A. was december koud dit jaar, vond hij.

Hij dacht aan Annie, dat krengetje. Zíj had hem dit aangedaan. En waarom? Wat had hij haar gedaan?

Nou ja, ik had er die avond een paar op. Maar hij kon nooit veel gedaan hebben. En zij had er gewoon om gevraagd. Wat het ook geweest was, ze had hem zo afgetuigd dat hij een wond had opgelopen die vijftien hechtingen nodig had! Vijftien, Christus!

Dat kreng beschuldigde hem ervan Eve te hebben vermoord. Was het soms zíjn schuld dat Eve die pillen in had genomen? Eve had hem wat aangedaan door hem met twee kinderen te laten zitten. Was hij maar niet zo blut. Hij had zelfs geen geld voor een vliegticket naar New York om eens te zien of Dolly er niet meer van wist. Toen hij haar had opgebeld, was ze veel te lief geweest en ze had gedaan of hij een lieve broer was in plaats van een ex-vriend die haar voor haar zuster had laten zitten. Zóu ze misschien weten waar de meisjes waren?

Annie kon hem niet schelen, die kon gaan waarheen ze wilde. Hij had haar alleen even tien minuten nodig om haar te vertellen wat hij van haar dacht.

Met Laurel lag de zaak anders. Als hij haar terug had, kon hij misschien aan het voor haar vastgezette geld komen. Iemand op de karateclub had gezegd dat het misschien kon lukken.

Val zag zich al in een leuk ander huis, niet zo chic als dit, maar toch aardig, Westwood Village of Pacific Palisades. En hij kende iemand met relaties op de beurs die zijn geld zo kon verdubbelen of verdrievoudigen. Maar eerst moest hij Laurel vinden. En dan zou hij zorgen dat Annie Cobb haar nooit meer te zien kreeg. Dat zou haar leren hem te bedriegen.

Vijftig baantjes. Val trok zich aan de ladder omhoog het zwembad uit. Hij haalde zwaar adem en zijn hart bonsde.

'Jezus, hoe kun je in die rommel zwemmen?' hoorde hij iemand vragen. 'Je moet het eens laten schoonmaken.'

Val zag de kleine figuur op een stoel zitten. Niemand zou ooit willen geloven dat Rudy zijn broer was. Hij was minstens dertig centimeter kleiner, vierkant, kalend en lelijk.

In zijn Hawaii-shirt en roze short, met zonnebrandolie op zijn ronde gezicht en korte benen, deed Rudy hem denken aan een geroosterd varken bij een barbecue.

Val pakte een handdoek en viel op een stoel naast Rudy neer. 'Die vrouw van me heeft me niets nagelaten,' zei hij. 'Voor de Alfa en de Lincoln krijg ik maar een schijntje. Zelfs het huis is niets waard. Als ik de hypotheek heb betaald en alle achterstallige belasting en uitstaande rekeningen, is het op. Was Laurel maar hier, dan lag de zaak anders...' Maar nu sprong Rudy overeind en ging voor hem staan.

'Aan dat geld kun je niet komen,' zei hij. 'En al zou het je lukken, dan was dat toch ook zo weer op. Je had alles beter moeten regelen vóór Eve er de brui aan gaf.'

'Hoe had ik dat moeten doen?'

'Er bestaan altijd allerlei manieren. Je had haar dronken kunnen voeren en een papier laten tekenen. "Schatje, teken dit papiertje even!" En je had een machtiging gehad.'

'Eve dronk veel, maar ze was niet gek.'

'Je hebt dus niets opzij gelegd?' Hij keek naar Vals diamanten pinkring. 'Ja, toch. Maar als dat alles is na twaalf jaar, dat en al je pooierspakken.' Hij keek Val aan en pakte hem bij zijn schouder. 'Waarom bemoei ik me eigenlijk nog met je?'

Val maakte zich los. 'Dat begrijp ik ook niet. Waarom rot je niet op?' Rudy beledigde hem, maar misschien had hij wel gelijk.

'Over een paar weken hebben die kinderen geen geld meer en dan komen ze met hangende pootjes terug. Ze zijn veel te verwend om het zelf te kunnen redden.'

'Ik weet het niet.' Val wreef over het litteken op zijn voorhoofd. 'Als ze iemand hebben gevonden die hen helpt, hebben ze misschien geen haast om terug te komen.'

'Wie bedoel je?'

'Dolly, misschien.'

'Denk je dat ze naar haar toe gaan terwijl ze weten hoe Eve over haar dacht?'

'Misschien. Ze deed veel te lief toen ik opbelde. Had ik maar wat geld, dan vloog ik erheen.' Zou hij Rudy om een lening vragen? Maar hij was hem al bijna duizend dollar schuldig. Rudy had heel duidelijk gezegd dat hij geen cent meer kreeg.

Rudy keek afwijzend, alsof hij wist wat Val dacht, en toen zei hij verzoenend: 'Neem een drankje. Zal ik voor ons beiden een Bloody Mary maken?'

Toen ze even later aan de bar zaten, zei Rudy: 'Het spijt me dat ik zo snauwde. Ik ben de laatste tijd nogal gespannen.'

Rudy? Met zijn goedlopende praktijk en al zijn geld?

'Het komt door het geval waarmee ik bezig ben. Luierspelden. Wie denkt er ook aan dat die uitgevonden kunnen worden? Die heeft aan al die babypoep miljoenen verdiend. Drie ex-vrouwen, acht kinderen en nu heeft hij mijn cliënte, vrouw nummer vier, voor een aap van twintig laten zitten. Ze haat hem en ze hebben zelfs nog geen datum voor de zaak kunnen vaststellen. Nog een drankje?'

'Nee, dank je. Ik zou eigenlijk nog een paar baantjes moeten zwemmen.'

Rudy staarde even naar een met algen bedekt vogelbadje en zei, als terloops: 'Ze is net jouw type.'

'Wie?'

'Mijn cliënte. De aanstaande ex nummer vier. Knap. Tieten als watermeloenen.' Hij nam een flinke slok en keek Val aan. 'Én ze is steenrijk. Althans na haar scheiding.'

'Denk je dat ik verdomme alleen om het geld met iemand slaap?'

Rudy zei niets, maar bleef hem aankijken. Toen haalde hij zijn schouders op en zei: 'Wie de schoen past...'

Val dacht aan de gesprekken die ophielden als hij langskwam, aan de manier waarop veel mensen hem aankeken – ik weet wat ze zeggen, dat ik Eve heb uitgemolken – en het leek of er iets in hem knapte. Hij tilde zijn broer aan zijn hemd van de barkruk. Het was net als vroeger toen hij Rudy lichamelijk ook altijd de baas was geweest.

'Neem je woorden terug!' eiste Val.

'Zet me neer! Ik wou je verdomme toch niet beledigen!'

Val liet hem zo bruusk los dat Rudy bijna viel. Rudy's elleboog stootte tegen de rest van de Bloody Mary, die omviel en een grote rode vlek op zijn hemd maakte voordat het glas op de tegels in stukken viel.

Zijn woede ebde weg en hij kreeg spijt dat hij Rudy zo had behandeld. Rudy had misschien – op zijn manier – willen proberen hem te helpen.

Zonder Rudy zou hij nog altijd op een of ander trottoir op zijn handen rondlopen en voor een paar centen zijn kunsten vertonen. Het idee om stuntman in Hollywood te worden was van Rudy afkomstig geweest. Rudy had hen beiden langs de portier bij Universal gepraat en twee uur later Val aan een baan gebabbeld. Tjonge, wat kon die vent praten! Alleen niet tegen vrouwen.

Hun moeder had nooit veel voor Val gedaan. Hij zag haar gewoon voor zich, terwijl ze van daarboven op hem neerkeek en met haar rauwe drankstem zei: Zie je wel? Ik heb toch altijd al gezegd dat er niks van hem terecht zou komen...

Rudy had de hersens. Hij wist alles van bloemen en bomen, en hoe atoombommen werden gemaakt en al die lange woorden die juristen altijd naar je hoofd gooiden. Hij was partner in een prima firma, reed een Mercedes, had een tweede huis in Malibu, maar vrouwen...

Val dacht dat Rudy er altijd voor had moeten betalen. Maar hij had ook geen zelfvertrouwen op dat punt.

Rudy veegde zijn hemd met een servet af. 'Verdomme, je hoeft je niet zo op te winden. Splinternieuw hemd. Het gaat er nooit meer uit.'

'Laat het in melk weken.'

'Hoe weet jij dat?' Rudy staarde hem verbaasd aan.

'Het ziet eruit als dat namaakbloed dat ze altijd bij stunts over mij uitgoten – als je het laat zitten, gaat het er nooit meer uit. Heloise heeft het me geleerd. Weet je wel, van de krant.'

Rudy sputterde, maar het bleek lachen te zijn. 'Weet je, broertje van me, soms verbaas je me. Ik denk dat Roberta en jij het prima zouden kunnen vinden.'

'Roberta?'

'Je doet er goed werk mee. Die man van haar stelt niets voor en ze heeft vermoedelijk sinds de zondvloed niet meer een flinke beurt gehad. En als ze je dan dankbaar is, nou, wat dan nog? Dat is vriendschap: elkaar helpen, op z'n Amerikaans.'

'Goed werk?' Val keek Rudy eens aan en begon al meer voor zijn voorstel te voelen. Misschien kwam er voor de verandering eens iets goeds uit voort. 'Wat heb jij daaraan?'

Rudy probeerde onschuldig te kijken, maar zijn broer kende hem. 'Nou ja, Roberta overweegt zich terug te trekken.'

'Wat bedoel je?'

'Hij heeft haar zo van zijn goddelijke gaven overtuigd, dat ze in staat is elke stomme overeenkomst te tekenen die hij haar voorlegt, en dat betekent een miljoenenverlies.'

'En jouw hoge honorarium, hè?'

Hij haalde zijn schouders op. 'Ik heb veel bedrijfsonkosten.'

Val voelde dat er meer was. Misschien was hij zelf verliefd op die Roberta en dacht hij dat als híj haar niet kon krijgen, ze dan maar naar zijn broer moest. En als Val haar goed aanpakte, zou ze niet zo gauw afstand van een fortuin doen.

Val bekeek zijn pinkring en bedacht dat zijn broer toch wel erg slim was. 'Ik zal erover nadenken,' zei hij. Maar de verleiding was groot. Hij had geld nodig en hoe moest hij er anders aan komen?

'Maak eens kennis met haar terwijl je nadenkt,' drong Rudy aan. 'Dat verplicht je toch tot niets?'

'Verdomme, Rudy.' Val werd weer nijdig. 'Ik heb nog meer aan mijn hoofd.'

'Ja... Denk je echt dat Dolly meer weet?'

'Ik heb zo'n idee.'

'Weet je wat?' zei Rudy losweg. 'Overmorgen moet ik toch naar New York om een cliënt te bezoeken. Een voogdijzaak – de ex-vrouw van mijn cliënt wil niet dat hij het kind bezoekt, omdat hij homo is. Ik moet voor het gerecht bewijzen dat, al draagt hij damesondergoed, hij toch een goede vader is. En dat regel ik vliegensvlug. Naderhand kan ik dan even met Dolly gaan praten.'

Val ging rechtop zitten. 'Wil je dat doen? Fijn.' Hoe had hij aan Rudy kunnen twijfelen? Rudy hielp hem altijd als het erop aankwam. Geroerd voegde hij eraan toe: 'Dank je wel.'

Rudy haalde zijn schouders op. 'Geen moeite. Daar zijn we broers voor.'

Twee dagen later, een uur nadat hij zich bij het Pierre Hotel had laten inschrijven, reed Rudy in een taxi over de gaten in Madison naar de winkel. Zou Dolly meer weten? En waar was Laurel? Hij was bijna ziek van opwinding. En als Dolly nu eens iets verborg? Als wat Val hem had verteld echt alles was? Ondanks alles moest Rudy even lachen omdat hij zijn broer zo fraai had belazerd. Val dacht dat die brave Rudy hem een gunst had bewezen, eerst door hem Roberta toe te spelen – die Val zo goed in bed zou bezighouden dat Val nergens anders meer aan dacht – en toen langs zijn neus weg aanbieden bij Dolly langs te gaan. Het was nooit bij zijn egoïstische broer opgekomen dat Rudy dit niet voor hém deed, maar om Laurel.

Rudy zag zijn nichtje weer in Bel Jardin staan met haar lieve gezichtje en die grote blauwe ogen. Ze was bang voor hem, dat wist hij. Maar dat kon ze niet helpen. Dat waren alle kinderen.

Als hij haar maar bij kon brengen dat hij haar nooit kwaad zou doen. Hij voelde zich zo onhandig in haar nabijheid. Zoals met die dure pop van porselein. Hij had er niet aan gedacht dat die veel te breekbaar was voor een kind. En hij herinnerde zich nog hoe de zesjarige Laurel doodsbang had gekeken toen de pop uit haar handen gleed en op de grond in duizend stukken brak. Ze had vreselijk gehuild.

Hij had haar tranen willen afvegen en haar wel honderd andere poppen willen geven. Maar als hij te dichtbij kwam, zou ze nog harder gaan huilen. En Val had vermoedelijk medelijden met hem. Die zielige Rudy kon nooit een afspraakje met een vrouw maken, laat staan dat hij ooit zelf kinderen zou hebben.

Hij had haar maar laten huilen. En haar sindsdien vanaf een afstand gadegeslagen. En nu was alles veranderd.

Rudy dacht aan Vals wanhopige telefoontje een paar maanden geleden. Hij had gestameld dat 'dat krengetje' hem te pakken had genomen. Zelfs terwijl hij Val suste en zorgde dat zijn wond in het ziekenhuis werd gehecht, was hij ervan overtuigd dat de schuld bij Val lag. Hij had nooit om die meisjes gegeven, zelfs niet om Laurel, zijn eigen dochtertje. En al zei Val dat hij niets had gedaan, als Annie zó van streek was geraakt, had hij wél iets gedaan, en iets ergs ook, als een verwende tiener er daarom midden in de nacht vandoor ging en haar zusje meenam.

Rudy dacht: Hij verdient Laurel niet.

Als hij zijn nichtje kon opsporen, zou alles anders worden. Annie kon doen wat ze wilde; met haar felle ogen en manieren had ze hem altijd op een afstand gehouden, en dat wilde hij ook. Maar Laurel was zo lief. Als hij haar vond, zou hij wel een manier bedenken om haar zelf te houden, en uit de handen van Val, die alleen maar geld wilde zien.

Maar hoe staat het met Laurel zelf? Zal zij blij zijn als ze mij ziet? Of zal ze me weer aankijken alsof ik een soort monster ben?

In het drukke verkeer op Madison Avenue stonden ze nu vrijwel stil. Er klonken woedende stemmen, piepende remmen en geclaxonneer. Rudy hoorde echter niets en dacht aan wat er eeuwen geleden op de middelbare school was gebeurd.

Marlene Kirkland, knap, blond, geliefd. Hoe had hij ooit kunnen denken dat hij enige kans bij haar had? Er liepen altijd leuke jongens achter haar aan. Marlene droeg een gouden enkelbandje en het gerinkel van haar bedelarmbandje in de klas bezorgde hem een brok in zijn keel.

Maar Val had hem opgejut en verteld wat hij moest zeggen. Zo had Rudy Marlene voor het eindbal durven vragen. Hij had heel zelfverzekerd gedaan, al stond hij op zijn verhoogde hakken te sidderen.

'Ik hoorde dat je nog geen afspraak voor het bal hebt,' had hij eruit gegooid en de fraaie woorden van Val was hij vergeten. 'Ga je met mij mee?'

Hij zou nooit de blik op Marlene's knappe gezichtje vergeten. Haar vriendinnetjes begonnen te giechelen. Rudy was onder zijn met Brylcreem vastgeplakte haren vuurrood geworden. Hij merkte dat ze Val een blik toewierp en dacht dat het een grap was.

Marlene keek hem aan en zei: 'Ik eet nog liever een hondendrol op.'

Elk woord leek een gat in zijn hart te boren. Had Val hem bedonderd? Dat zou Rudy nooit te weten komen. Maar één ding wist hij wel zeker: die minachting wilde hij nooit in Laurels ogen zien.

Plotseling bleef de taxi staan. Madison en Seventy-second – Dolly's winkel was een klein stukje verder. Hij betaalde, stapte uit en zette zijn kraag op, want het regende. Het was nog middag, maar de straat was al donker. Hij was vergeten hoe snel het in een stad donker was met al die hoge gebouwen die het licht wegnamen. Hij voelde zich een insekt in een jampotje. Hij liep langs zaken met dure japonnen, hoeden, antiek, juwelen en hij vroeg zich even af of hij bezig was zijn tijd te verknoeien. Zou dit net zo'n vergeefse moeite zijn als in L.A., toen hij Val twee dagen lang naar de meisjes had helpen zoeken?

Eindelijk ontdekte hij Girod's. Voor de winkel was een bloembak, maar zonder bloemen, alleen wat vuile sneeuw erin. Een piepklein kerstboompje met witte lichtjes stond in de etalage, volgehangen met in goudpapier verpakte bonbons. Hij moest denken aan de Kerstmis die hem thuis wachtte – alleen. Het enige dat hij zou doen was lang slapen om de smaak van alle whiskey's kwijt te raken die hij op het kerstfeestje van kantoor zou hebben gedronken.

Rudy's hart bonsde. Waarom moest Val altijd alles hebben en hij niets? Val was bezeten van zichzelf en van geld. Hij had zelfs niet gemerkt dat hij de grootste schat door zijn vingers had laten glippen.

Als Laurel mijn dochter was, dacht hij, zou alles anders zijn.

Maar, ho even, niet zo snel. Rustig aan. Eerst moest hij te weten zien te komen of Dolly iets wist. Daar hing alles van af. Had ze Val de waarheid verteld en wist ze werkelijk niets? Was Val weer eens voor niets achterdochtig geweest?

En áls ze iets wist? Ze zou hem heus niet haar geheimen vertellen. Dat zou, volgens haar, hetzelfde zijn als ze aan Val vertellen.

Als ze loog, zou hij haar wel doorzien. Hij had mensen gauw door. Als een cliënt hem iets verzweeg, zag hij het meestal aan diens gelaatsuitdrukking. Zoals Roberta Silver die had gezworen dat ze tijdens haar huwelijk honderd procent trouw was geweest; hij had haar geloofd zoals hij in de tandenfee geloofde.

Ja, hij zou het merken. Dan zou hij Dolly laten volgen en dan voerde ze hem vroeg of laat wel naar Laurel.

Rudy voelde zich een stuk beter en liep de winkel binnen.

Hoofdstuk 7

Laurel tuurde door een spleet van het toneeldoek. Vanuit de donkere plek waar ze stond, kon ze de hele zaal overzien. Hij leek vol; er leunden zelfs mensen tegen de achterwand.

Maar Annie en tante Dolly waren er nog niet. Het was bijna half zeven en het stuk was al half voorbij! Was hun iets overkomen? Vorige week was er in de buurt ook zo'n vreselijk auto-ongeluk gebeurd. Zouden ze ergens langs de weg liggen te bloeden of misschien wel...

Nee. Ze moest ophouden. Straks moest ze nog overgeven.

'Groep vier,' hoorde ze juffrouw Rodriguez fluisteren. 'Kitty, Laurel, Jesús... jullie zijn de volgenden. Let op het teken dat ik geef.'

Aarzelend voegde Laurel zich bij de anderen en ging naast Jesús staan. *Pft! Pfftt!* Jesús hield een hand in zijn oksel en pompte zijn elleboog op en neer wat een geluid maakte als van een wind.

Laurel had hem wel met haar papier-maché-scepter willen slaan, maar durfde niet. Gisteren had hij bij het spellen een fout gemaakt en toen zij had gewonnen, had hij haar op weg naar haar plaats geprobeerd beentje te lichten. De dag daarvoor had hij haar haar melkgeld afgepakt en haar met een pak slaag gedreigd als ze het zou verklappen.

De onderwijzeres keek nijdig hun kant op. 'Hou op, Jesús. Als ik geluidseffecten nodig heb, vraag ik het je wel.'

Juffrouw Rodriguez was dik en had een lang gezicht; ze leek wel wat op een pony. Maar ze was aardig. Toen ze de eerste schooldag bang was geweest en op de grond van het toilet had overgegeven, had ze alle kinderen buiten gehouden tot het opgeruimd was, zodat ze haar er niet mee konden pesten.

'Denk eraan dat je ouders daar zitten en veel van jullie verwachten. Doe je best. Ze moeten net zo trots op jullie kunnen zijn als ik...'

Terwijl ze doorpraatte, keek Laurel nog eens de zaal in, maar ontdekte Annie noch tante Dolly. Ze werd bang. Zou er toch iets zijn gebeurd? Als Val Annie eens had gevonden? En ze niet weg had kunnen komen?

Plotseling dacht ze aan oom Rudy die haar altijd aankeek alsof hij haar wilde verslinden. Laurel rilde. Zou oom Rudy ook naar haar zoeken? De gedachte alleen al maakte haar doodsbang.

'Mijn moe is er niet,' zei Jesús zachtjes, en Laurel keek om. 'Ze blijft thuis.'

'Misschien is ze alleen wat laat,' zei juffrouw Rodriguez en meteen erachteraan: 'Laurel, wat doe je? Terug naar je plaats.'

'Nee, ze slaapt. Ik mocht haar niet storen,' zei Jesús zo nonchalant als hij kon.

'Ze wist dat je haar voor gek zou zetten,' zei Rupa Bahdreesh en ze gaf Jesús een por met haar kruk. Zij was *Tiny Tim* en had een hemd en een kniebroek aan. Haar lange vlechten waren onder een gebreide muts weggestopt.

'Stil, allemaal. Pedro, zet je kroon recht; hij valt bijna af,' zei juffrouw Rodriguez, en klapte zachtjes in haar handen.

'Maar zo is het veel jofeler,' protesteerde Pedro.

'Geesten hoeven er niet jofel uit te zien. Je bent een kerstfiguur uit het verleden, niet Elvis Presley.'

Laurel zag Andy McAllister die de rol van Scrooge speelde in een nachthemd en met een nachtmuts op over het toneel lopen, net zoals hij tijdens het speelkwartier altijd deed.

Hij kende zijn rol, maar zijn typische Brooklyn-accent met de neusklank maakte dat Laurel bijna begon te lachen. Ze beet op haar lip. Ze moest dadelijk op.

Laurel was de Geest van het huidige Kerstfeest. Ze had een rode chenille peignoir aan die haar te lang was, en een kroon van plastic hulst. Ze moest zestien zinnen opzeggen, maar als ze aldoor aan Annie en tante Dolly moest denken, zou ze zich haar rol dan kunnen herinneren?

Zij had het decor ontworpen. Ook de deurklopper van zilverpapier die ze had vastgeplakt op een stuk karton dat Marta Saucedo's vader had gegeven. Voor de Hoorn des Overvloeds had ze appels, sinaasappels, druiven en zelfs een pompoen vergaard en met goudverf beschilderd. Samen had ze ze in een grote glazen punchpot gedaan. En ook de kostuums: de grote zwarte hoed van Scrooge had ze van meneer Gruberman geleend.

Toen juffrouw Rodriguez had gezegd dat zij het decor mocht ontwerpen, was ze eerst erg onzeker geweest. Maar de juffrouw zei dat ze het best kon. En ze had zich erop verheugd dat Annie zou zien wat ze ervan had gemaakt. Maar Annie was er niet…

En zoiets belangrijks kon ze toch niet vergeten zijn… Er was iets mis, Laurel wist het zeker. Ze werd bijna misselijk van de spanning.

'Naar wie zoek je, Beanie?' fluisterde een stem naast haar. Jesús. Al op haar eerste schooldag had hij haar Snijboon gedoopt en daar later 'Beanie' van gemaakt. 'De president?'

'N-niemand,' stamelde Laurel. Waarom liet hij haar niet met rust?

Hij kwam dicht bij haar staan en rook alsof hij zich in tijden niet had gewassen. 'Komt jouw moeder ook niet?' fluisterde hij. Hij klonk hoopvol, bijna aardig.

'Mijn moeder is dood,' bekende Laurel.

'Ja, de mijne ook. Dat zegt ze altijd in de hoop dat mijn broer en ik haar dan niet lastigvallen. Ze is altijd moe.'

'Hoezo?'

'Van het werk. Overdag in Sal's Pizza en daarna maakt ze schoon in het bejaardentehuis. Mijn vader is een schoft.'

'Wat heeft hij er mee te maken?'

Jesús keek minachtend. 'Jij weet ook niet veel, hè, Beanie?'

Laurel was woedend. Ze was stom als ze aardig tegen Jesús deed.

'Och, schiet toch op.'

Jesús haalde nonchalant zijn schouders op. 'Ja, dat zei zij ook tegen hem. En nou is hij weg en komt niet meer terug.' Hij keek naar de vloer en Laurel besefte opeens dat hij nu niet deed alsof. Anders hield hij zich altijd groot.

Ze raakte even zijn arm aan. 'Hé, gaat het?'

Jesús keek op alsof hij gestoken was. Zijn donkere ogen schitterden. 'Ik ben blij dat hij weg is,' siste hij. 'Ik haat hem.'

Laurel dacht eraan dat ze op de kleuterschool eens een cadeau voor Val had gemaakt voor Valentijnsdag – een sigarendoos die ze bestrooid had met lovertjes en macaroni. Ze had er uren aan besteed, dan zou Val hem mooi vinden en van haar houden.

Hij deed of hij blij was toen ze hem de doos gaf en kuste haar. Maar een paar dagen later vond ze hem achter in een kast, bedolven onder schoenendozen. Ze had hem in de vuilnisbak gegooid. Ze was zo geschokt dat ze zelfs niet had kunnen huilen. Ze had niets tegen Val gezegd en hij had nooit iets gevraagd.

Ja, ze begreep Jesús wel. Maar dat kon ze niet zeggen. Ze gaf hem een duwtje. 'Schiet toch op, jij!'

Hij grijnsde en zei kameraadschappelijk: 'Stik toch.'

'Sstt,' siste de juf tegen hen. Op het toneel ratelde Dickie Dumbrowski zijn verhaal af.

'Een vreemde stem riep hem bij zijn naam en vroeg hem binnen te komen...'

Juffrouw Rodriguez maakte een gebaar naar Laurel. 'Jij moet op!'

Laurel voelde dat haar gezicht een masker werd. Ze had het gevoel dat ze zou gaan huilen. Iedereen keek naar haar. O, God...

'Ziedaar de Geest van de huidige Kerstmis,' kondigde Dickie Dumbrowski met zijn verdraaide stem aan.

'Ziedaar mijn pik,' mompelde Jesús toen Laurel langs hem liep en ze begon te giechelen. De aandrang om te huilen verdween.

Ze ging het toneel op en was bijna dankbaar.

Het geluid van Rudy's stem drong tot haar door. Ze had zich verstopt tussen het bureau en de muur in Dolly's kantoor. Ze kon niet verstaan wat hij zei. Straks kwam hij misschien de trap op, en dan zou hij haar ontdekken. En meteen naar Val gaan en dan kwam die om Laurel weg te halen.

Er kwam een herinnering boven... ze zat in de klas en had Engelse les en keek naar de zon die op het bedauwde grasveld schitterde. Ze luisterde naar een plaat van een of andere Britse acteur die Poe's 'The Tell-Tale Heart' declameerde. Susie Bell had gegiecheld bij de griezelige stukken die in dat mooie lokaal dwaas hadden geklonken.

Maar nu, viereneenhalfduizend kilometer van Bel Air, weggekropen achter het bureau, voelde Annie zich precies als de man in dat verhaal die zijn hart hoorde bonzen... maar nu was het háár hart dat bonsde. Het leek of het bureau en de planken onder haar voeten meetrilden. Rudy hoorde het vast ook.

Misschien zou hij haar toch niet vinden. Goddank dat ze niet in de winkel was geweest toen hij binnenkwam. Ze had op weg naar beneden toen ze de winkelbel had horen gaan en zijn bekende irritante stem hoorde zeggen: 'Dag, Dolly! Fijn je weer eens te zien. Je ziet er prima uit. Zeker verrast me te zien, hè?'

Annie was meteen de trap weer op gelopen en had zich verstopt. Hoe lang zat ze hier al? Ze moest naar het toilet, maar durfde zich niet te bewegen. Waar hádden Dolly en hij het over? Wíst Rudy iets? Had Val hem gestuurd?

In zeker opzicht was Annie banger voor Rudy dan voor Val. Rudy was slimmer en Val luisterde altijd naar hem. Rudy had Val overgehaald om Dearie naar Briarwood te sturen toen ze zo dronk. Na drie maanden was ze er als een spook uitgekomen; ze kon roerloos uren voor zich uit zitten staren. Zes weken later had Annie haar moeder op de vloer in de badkamer gevonden, ijskoud, met een leeg flesje Darvon naast zich. Twee dagen later was ze begraven.

En Rudy keek altijd zo griezelig naar Laurel. Hij zei niet veel, deed niets... alleen maar staren, als een kat naar een muis.

Rudy was veel moeilijker voor de gek te houden dan Val. Zou het Dolly lukken? Was Gloria nou maar niet vroeg naar huis gegaan; zij had Annie op de hoogte kunnen houden van wat er daar beneden gebeurde.

Plotseling kreeg Annie kippevel. Stel dat Dolly haar mond niet kon houden en hem alles had verteld? Ze leek aardig, maar Annie herinnerde zich dat Dearie haar zuster niet had vertrouwd.

Annie rilde en klappertandde. Toch transpireerde ze en haar blouse zat aan haar rug vastgeplakt. Alles eronder was ook nat. Het was net of ze haar kleren over een nat badpak heen aan had getrokken.

Rudy zou vast de trap op komen en dan zou hij proberen uit haar te krijgen waar Laurel was, maar dat zou ze hem nooit vertellen! Al dreigde hij haar met de gevangenis. Want als Rudy het aan Val vertelde, haalde die Laurel weg.

O, God, niet nu... net nu alles goed leek te gaan.

Ze vond het werk bij Girod's leuker dan ze aanvankelijk had gedacht. En Laurel leek het op school te redden. De hele week had ze over niets anders gepraat dan over het kerstspel...

90

O, God, het kerstspel! Als ze niet onmiddellijk gingen, kwamen ze te laat, misten ze het misschien helemaal. Maar ze kon niet naar beneden gaan en Dolly eraan herinneren.

Wat zou Laurel wel denken? Ze zou zo teleurgesteld zijn, en vermoedelijk ook bezorgd.

Ik moet haar laten weten dat er niets met me aan de hand is! Rivka. Zou ze Rivka bellen en vragen op school aan Laurel te gaan zeggen dat ze later kwam? Rivka was altijd zo aardig en dit was echt een noodgeval. Ze zou het vast niet erg vinden.

Maar toen herinnerde Annie zich dat het vrijdag was, sabbat. Ze mochten zelfs geen licht aandoen. Rivka ging op de sabbat alleen naar de synagoge, nergens anders heen. Annie zou haar zelfs niet kunnen bereiken; bij zonsondergang legde Rivka de hoorn van de haak.

Ze dacht aan vorige week vrijdag, toen Laurel en zij de sabbat-maaltijd met de Grubermans hadden gedeeld. Ze zag Rivka de kaarsen aansteken in de zwaar zilveren antieke kandelaars, haar hand voor haar ogen doen en een gebed in het Hebreeuws opzeggen. Annie had er geen woord van begrepen, maar het klonk kalmerend, heilig.

Annie sloot haar ogen en probeerde dat kalme gevoel terug te krijgen dat ze toen had gevoeld en in de gezichten van Rivka's kinderen om haar heen had gezien terwijl ze het gebed mee prevelden. Nu bad Annie ook.

Ze was doodsbang, maar toch blij dat niemand haar zo weggekropen zag. Zou Laurel weten dat dit gevoel haar vaak bekroop? Zou haar zusje haar nog vertrouwen als ze wist dat Annie soms zonder reden midden in de nacht met bonzend hart wakker werd, ervan overtuigd dat er iets vreselijks zou gebeuren? Annie merkte opeens dat Rudy nu zweeg.

Toen hoorde ze Dolly's stem, zacht en lief. Die klonk bijna zoals die van Rivka als ze bad, kalmerend. De kramp in haar buik werd minder.

Ze dwong zich op te staan. Ze was helemaal verkrampt. Alles tintelde. Nog trillend pakte ze de telefoon van het bureautje en nam hem mee het toilet in, waar Dolly altijd telefoneerde als Henri uit Parijs opbelde – alsof zij en Gloria niet alles al wisten.

Ja, er was iemand behalve Rivka die ze kon bellen, al kende ze hem nauwelijks. Maar hij maakte zo'n betrouwbare indruk… Ze dacht aan Joe Daugherty's hartelijke glimlach toen hij gisteren even was langsgekomen. Annie was doodsbang geweest dat hij over de gebroken bonbons zou beginnen, maar hij zei er niets over. En toen had hij haar mee uit lunchen genomen. Waarom? Ze hadden in elk geval heerlijk gegeten en ruim een uur zitten praten en lachen. Ze had gevoeld dat ze er nu een vriend bij had.

Was het dwaas te denken dat hij haar nu kon helpen?

Toen dacht ze eraan hoe hij haar bij hun eerste ontmoeting had afgesnauwd. Als hij eens echt nijdig werd omdat ze hem lastigviel… vlak voor het diner? En waarom zou hij het doen? Hij was haar niets verplicht. Maar toch…

Annie vond het nummer op Dolly's Rolodex en draaide het voor ze zich kon bedenken. Aan de andere kant hoorde ze de telefoon overgaan. Misschien was hij er niet.

Toen klonk er een stem van een vrouw die het druk had, die zei: 'Joe's Place.' Op de achtergrond klonken stemmen en tinkelden glazen.

Zo kalm mogelijk vroeg Annie naar Joe. 'Een ogenblikje,' zei de stem. Het duurde even en Annie's hart begon weer te bonzen.

Toen hoorde ze Joe's stem. Het leek of hij hard had gelopen. 'Hallo? Met Joe.' Hij klonk niet boos, alleen gehaast.

'Met Annie. Annie Cobb. Joe, het klinkt gek, maar... maar ik heb je hulp nodig.'

Ze haalde diep adem en vertelde hem genoeg om te maken dat hij haar wanhoop begreep. Ze vond het griezelig hem haar geheim toe te vertrouwen, maar ze had geen keus. Het bleef even stil en opeens was Annie bang dat hij zou zeggen dat hij het te druk had. Of haar aan zou raden met Rudy te praten. God, waarom zei hij niets? De hoorn gleed bijna uit haar bezwete handen en ze werd wanhopig van die stilte.

Toen zei Joe snel: 'Je boft. Al mijn mensen zijn vanavond verschenen en we zijn klaar met onze voorbereidingen. Over een half uur ben ik bij de school van je zusje als ik nergens onder loop. Ik zal haar naar jullie flat brengen en daar met haar wachten tot jij thuiskomt.'

Ze gaf hem aanwijzingen en hing op.

Annie begon te snikken en trok haar trui voor haar gezicht, zodat Rudy haar niet zou horen. Ze waren er nog niet, maar alleen al het feit dat Joe hielp, gaf haar een veel rustiger gevoel.

Laurel boog, dankend voor het applaus, en haar lange blonde haren vielen voor haar gezicht. Zo kon niemand zien dat ze huilde.

Het spel was niet goed gegaan, maar er werd toch hard en lang geklapt. Niemand scheen het erg te vinden dat Jesús een groot deel van zijn tekst was vergeten of dat Mary Driscoll de papier-maché kerstgans had laten vallen zodat hij bij iemand op de eerste rij op schoot was gerold. Al die familieleden hadden genoten.

Laurel kon nu niemand meer onderscheiden, maar ze wíst dat Annie er niet was.

Jesús wachtte niet op het eind van het applaus, maar rende weg. Hij had het ook naar gevonden van zijn moeder, maar dat zou hij nooit laten merken, voor geen prijs. Laurel had hem achterna willen lopen en zeggen dat ze begreep hoe hij zich voelde, maar ook dat zou hij niet willen.

Alle vaders en moeders en grootouders hadden nu camera's te voorschijn gehaald en namen foto's. Door de lichtflitsen leek alles opeens vaag.

Laurel liep struikelend het trapje naar de zaal af. De andere zesdeklassers holden naar hun familie en overal weerklonken gelukwensen, maar niemand omhelsde haar of wilde van haar een foto nemen. Laurel zag Mary's ouders, beiden even dik en koffiekleurig als zij, haar zo stevig omhelzen dat het leek of ze haar ogen uit haar gezicht zouden drukken.

Laurel veegde haar vochtige ogen en loopneus af met haar mouw. Ze sloop de gang in en hoopte de meisjes-w.c. te halen voor iemand zag hoe ellendig ze zich voelde. Plotseling greep een grote hand haar bij haar schouder. Ze draaide zich om en zag een lange man met een verschoten spijkerbroek aan. Hij had een bril op die bijna van zijn neus gleed, en hij was jong. Ze zag dat hij glimlachte.

'Laurel?' vroeg hij.

Laurel knikte, op haar hoede. Was hij een onderwijzer? Misschien. Maar zelfs kleine kinderen wisten dat je nooit met vreemden mocht praten.

Ze wilde weglopen, maar de man hield haar niet vast. Hij glimlachte. 'Ik ben Joe. Je zus zei dat ik moest uitkijken naar het mooiste meisje op het toneel en dat was jij.'

Wat jokte hij! Ze zag er vreselijk uit, dat wist ze. Maar hij deed zijn best haar op te fleuren. Hij had zeker gezien dat ze huilde. Ze snoof nog eens luidruchtig.

'Alsjeblieft,' zei hij, en haalde een keurig opgevouwen zakdoek uit zijn zak en stak haar die toe.

'Dank je,' zei ze, en snoot haar neus.

'Kunnen we ergens gaan zitten? Annie heeft me gestuurd om je te zeggen dat haar niets mankeert, en Dolly ook niet. Ze legt het je allemaal uit als ze thuiskomt.'

Nee, die man was geen vreemde. Je zag zo dat hij niet slecht kon zijn. Toen klikte er iets in haar hoofd: Joe... de man van de kreeft? Ja, dat moest hij zijn, met die bril en dat golvende blondbruine haar dat eruitzag alsof hij er constant zijn vingers doorheen haalde. Hij was net zoals Annie hem had beschreven.

Ze werd rustiger, maar tegelijkertijd voelde ze zich doodmoe. 'Annie heeft echt niets?' vroeg ze. 'En tante Dolly ook niet?' Ze moest moeite doen niet te geeuwen.

'Alles is in orde. Ze zijn alleen... opgehouden. Annie zei dat ze gauw thuiskwam. Ik zal je thuisbrengen en dan wachten we samen op haar. Wat denk je daarvan?'

'Oké.' Laurel geeuwde toch. 'Dan kun je ons kerstboompje zien. Het boompje dat jij ons hebt gegeven.'

'Boompje... wat voor boompje?'

'Dat boompje dat Annie voor de kreeft heeft geruild.'

Joe begon te lachen. 'O ja?' zei hij, en schudde zijn hoofd. 'Die zus van je is me er een.' Hij ging op zijn hurken zitten zodat hij haar in de ogen kon kijken en legde zijn handen op haar schouders. 'Ze heeft me verteld... nou ja, dat jullie zijn weggelopen. Ik vind jullie allebei erg dapper.'

Laurel verstarde. Hij wíst het? Behalve tante Dolly mocht toch niemand het weten?

'Zul je het niet verder vertellen?' fluisterde ze.

Joe bleef haar aankijken, heel ernstig, net zoals juffrouw Rodriguez wanneer ze voor de klas stond en de Eed van Trouw aflegde.

'Nee,' zei hij. 'Ik vertel het aan niemand.'

En ze geloofde hem.

Hij stond weer op. Laurel moest erg naar hem opkijken. Hij stak zijn hand uit en Laurel pakte hem meteen. Hij was groot, warm en droog en zijn vingers om de hare gaven haar een veilig gevoel.

Ze dacht aan de kerstman van wie ze altijd had gedacht dat hij echt was. Nu bedacht ze dat áls hij echt was, hij niet dik, klein en rond zou zijn. Niet oud met wit haar en een lange baard. Hij zou vast een lange jonge man zijn, niet veel ouder dan Annie – met een verschoten spijkerbroek aan en een blauw polohemd dat zo vaak was gewassen dat het bijna wit was, met een bril die van zijn neus gleed en ogen die in de hoeken rimpeltjes kregen als hij lachte.

Toen Rudy naar de deur liep, dacht Dolly: gelooft hij me? Ze voelde zich licht in haar hoofd en leunde tegen de toonbank, opgelucht maar toch bezorgd. Had ze het goed gedaan? Was ze niet te behulpzaam geweest? Had ze zo moeten uitweiden over alle plaatsen waar ze kónden zijn nadat ze hem had gezegd dat ze er geen idee van had waar haar nichtjes zaten? Was hij achterdochtig geworden? Ze had Rudy nooit gemogen... en vroeger nooit erg haar best gedaan om dat te verbergen.

Er kwam iets bij haar boven. Ze was eens met Val naar een feestje geweest in Beverly Hills. Toen Val haar daar aan die kleine lelijke dwerg had voorgesteld en zei dat die zijn broer was, had ze gedacht dat hij haar voor de gek hield. Later had Rudy haar ergens opzij getrokken waar ze een schuilplaats zocht tegen al die kerels die op haar afkwamen. Hij had te veel gedronken, maar hij meende wat hij zei: 'Je verdoet je tijd met Val... hij houdt van een ander.'

Ze had gebloosd en onwillekeurig gevraagd: 'Van wie dan?'

Rudy had gegrijnsd en zijn glas leeggedronken. 'Van zichzelf. Van wie anders? En daar kun je nooit mee concurreren. Neem dat maar van mij aan.'

Terwijl ze daar in haar winkel stond bij te komen, dacht Dolly: Hij is onhebbelijk, maar zeker niet dom. Heeft Val hem daarom gestuurd? Ze had Val horen zeggen dat Rudy fantastisch was als hij voor de rechtbank getuigen een kruisverhoor afnam. Hij probeerde hen zover te krijgen dat ze zichzelf tegenspraken en dingen toegaven die ze anders zouden hebben verzwegen.

Had zij te veel gezegd? Of misschien had hij haar blikken naar de trap gezien waar een doodsbange Annie elk ogenblik kon verschijnen.

Nee, dacht ze, ik was voorzichtig. Ik ben toch actrice geweest? En zelfs een mislukte tweederangs actrice zoals zij kon toch nog wel doen alsof ze niet wist waar een paar tienermeisjes uithingen die ze al in jaren niet meer had gezien? Natuurlijk wel, natuurlijk kon ze dat.

Ze ging rechtop staan en liep naar de trap om Annie te halen, toen er opeens iets tot haar doordrong: Rudy had niet gezegd *indien* je iets van hen hoort... hij had gezegd *wanneer*.

Een vergissing? Of betekende het iets?

Hoe dan ook, dacht ze, voordat die slimme advocaat Rudy en zijn verwaande en verwende broer iets uit haar loskregen, zouden eerst de kalveren met sint-juttemis op het ijs moeten dansen.

Hoofdstuk 8

Joe staarde woedend naar de sauspan waarin de mornaysaus weer was geklonterd. Holt had hem weer door laten koken. Had dat joch dan niets geleerd tijdens zijn opleiding?

Was Rafael er maar. Maar die was uitgerekend nu opeens naar Portorico gegaan omdat een van zijn pitbulls ziek was; Joe had er geen idee van wat Rafy en zijn broers met die honden deden behalve ze fokken. Maar als er culinaire hoogstandjes nodig waren, was Rafael niet te overtreffen.

Nu had hij zelfs meer dan Rafaels kunst nodig, want op dit ogenblik doopte boven Nan Weatherby haar lepel in de Navajo-soep van zoete aardappels.

Hij had de criticus van *Metropolitan* herkend toen hij Marla was gaan helpen een groep van acht personen een plaats te geven die niet had gereserveerd; die bulkende lach van haar was onmiskenbaar. Hij had haar jaren geleden meegemaakt toen ze zijn vader had geïnterviewd voor een artikel over rechters van het Hooggerechtshof. Ze had hem zelfs nog gekiekt, samen met zijn vader. Zíj zou zich hem niet herinneren; hij was een jaar of twaalf geweest. Nu kon ze hem met één zin ruïneren, en dan zouden alle waarschuwingen van zijn vader uitkomen.

Joe kreeg een bittere smaak in zijn mond. Christus, kalm aan, hè? Ik ben een prima kok. Als alles maar wat beter liep, Holt wat meer zijn best deed, en Burke en Marla samen de tafelverdeling konden doen zonder Nunzio, die ziek was. Als, als...

Maar ja, misschien, heel misschien redde hij het nog. Het moest. Eerst die mornay. La Weatherby had zalm als hoofdgerecht besteld. Ze moesten maar een nieuwe saus maken.

Joe pakte de pan met de bedorven saus en brandde zijn hand aan de steel. Hij liet hem bijna vallen, maar kon hem nog net op het roestvrijstalen aanrecht zetten voor hij zijn hand onder stromend koud water hield. Toen pakte hij een doosje eieren uit de kast en nam die mee naar de middelste werkplek. Terwijl hij de eieren brak en wit en dooier scheidde, moest hij denken aan Cloetta, hun kokkin thuis zo lang hij zich kon herinneren. Zij had hem de handigheid bijgebracht. Ja, Cloetta had in hem geloofd, hoe vaak de dingen ook misgingen. En mettertijd had hij het geleerd. Heerlijke zuidelijke gerechten, pittige eend die naar kruidnagelen smaakte en geglazuurd was met een honingkleurige marmelade, en nog een hele lijst meer.

En alles ging bij haar zonder recept, want ze kon lezen noch schrijven. Dus was alles wat ze Joe bijbracht des te kostbaarder: hoe je met je ogen moest meten, luchtig zijn in je aanpak, en precies weten wanneer een saus goed was.

Terwijl hij dooiers klopte, hoopte Joe op een fantastische toekomst. Drie sterren van Nan Weatherby, zelfs twee (niet hebberig worden!) en hij zou het druk krijgen. Hij had het bij anderen gezien.

Over twee weken moest hij vierduizend huur dokken, en als het goed ging, hield hij misschien nog een paar duizend over.

Even was hij opgewonden. Tot hij zich herinnerde dat Nan Weatherby restaurants meestal afkraakte. Ze had venijn over Le Marais uitgegoten: Het licht deed begrafenisachtig aan hetgeen vermoedelijk een weldaad was gezien de verwelkte sla en de afschuwelijke béarnaise die een in ontbinding verkerende forel probeerde te bedekken...

Acht weken later was de goed florerende Le Marais failliet.

Hij hoorde zijn vaders woorden in zijn hoofd weerklinken: Ik kan je niet tegenhouden, Joseph. Je grootmoeder heeft jou het geld nagelaten. Maar ik wil één ding zeggen – het lukt je nooit. Binnen een jaar ben je failliet. Ik raad het niet, dat ís zo. Dan stel je ons en jezelf teleur, net zoals je dat arme meisje op Yale hebt teleurgesteld, en zo nodeloos.

Caryn.

Hij had de hele dag aan haar moeten denken en opeens wist hij waarom: vandaag zou ze vierentwintig zijn geworden...

Joe sloot even zijn ogen en voelde de pijn van de gebrande hand omhoog trekken.

Nee, hij moest nu niet aan Caryn denken. Geen tijd. Hij griste een steelpan van de haak en deed er gesmolten boter in met een paar lepels bloem. Daarna goot hij er hete visbouillon bij uit de grote aluminium pan achter op het fornuis. Toen alles begon te pruttelen voegde hij nog wat bouillon toe. Nu kwam het moeilijkste – snel handelen en afwachten.

Hij roerde en keek de keuken rond. Die was lang en smal, net een treinwagon. De oude stenen muren hadden de kleur van tomaten, de witzwarte tegels waren uitgesleten en het plafond begon af te bladderen. Toen zijn vader dit alles had gezien, had hij gezegd: Het enige dat je hier nodig hebt, is een sloopbedrijf. Joe was even in elkaar gekrompen, maar hij was al verliefd geworden op het enorme fornuis met acht pitten, en de diepe emaille wasbakken.

Je hebt het mis, pap, dacht hij. Ik ga niet failliet. En als het zou gebeuren, gaat dat alleen mij aan. Ik zal nooit bij je komen bedelen.

Hij dacht aan Annie Cobb die hem een week geleden had opgebeld en de waardige manier waarop ze hem om hulp had gevraagd. Een oven had het niet gedaan en het restaurant zat stampvol, en toch had hij alles aan anderen overgelaten om een meisje dat hij nauwelijks kende te helpen. Er was iets in Annie dat hem ontroerde. Die grote ogen van haar deden hem denken aan een halfverhongerde zwerfkat – taai, onafhankelijk en toch zielig.

Annie en haar zusje vonden hem nu een held. Nou, held, hij bofte als hij zijn hoofd boven water kon houden.

Joe werd tot de werkelijkheid teruggeroepen door de lompe Holt die binnenkwam. Even kreeg Joe zelfs medelijden met de jongen. Holt Stetson, een naam als van een filmcowboy en belachelijk onhandig. 'Wat dacht je hiermee te doen, Holt?' vroeg hij, en wees op de geklonterde mornay. 'Behangen? God, man, ik heb tien minuten om een wonder voor Nan Weatherby te bewerken en dan loop jij weg!'

'Sorry, Joe, ik...'

'Hier.' Joe duwde hem de garde in zijn handen. 'Roer door terwijl ik de zalm ga grillen. En vergeet het citroensap niet.'

'Joe, de afwasmachine maakt weer zo'n gek lawaai,' schreeuwde Julio. 'Heeft die vent hem echt gemaakt?'

Ja, hij hoorde het geluid ook. Verrek. Maar vóór hij kon gaan kijken, kwam Marla binnenvliegen.

'Ik doe het niet meer! Ik neem ontslag!'

Ze zette het bord dat ze in haar handen had met een smak neer op het slagersblok; het voedsel was onaangeroerd en ze balde haar vuist naar het plafond. 'Die rotzak! Elke keer als ik in zijn buurt was, begon hij aan me te friemelen. Hij zei dat hij zijn biefstuk doorbakken wilde hebben en toen ik die zo bracht, moest hij nog rood zijn van binnen. Kan iemand biefstuk van zijn gezicht maken?' Haar gezicht was vuurrood en haar geblondeerde haar stond in een vreemde krans uit.

Dat kon er nog net bij. Joe had haar graag door elkaar willen rammelen. Maar hij beheerste zich.

'Even rust.' Hij pakte haar kalm bij haar schouders. 'Moet ik die vent even in elkaar slaan? Op Yale liepen kerels weg als ik hen de hand wilde schudden.'

Marla keek hem verrukt aan. 'Was je echt een worstelaar?'

'Bij de ploeg, in negentiendrieënzestig toen we wonnen. Maar met roeien.'

'Bah!' Ze was teleurgesteld.

'Ik meen het. Zoek een roeispaan voor me en ik ransel die vent af. Of ik bind hem aan de mast vast en gesel hem. Nog beter!'

Ze lachte bijna. Toen maakte ze zich los. 'Bah, studenten,' mompelde ze, maar haar kleur werd weer normaal.

Joe haalde diep adem, liep naar de koelkast en haalde er een zalmfilet uit die in een marinade van citroen en knoflook lag. Hij liep naar een kant van de oven waar het vuur niet te heet was, net genoeg om de buitenkant dicht te schroeien en het binnenste vochtig en roze te houden.

'Wat drinkt die vent die je zo irriteerde?' vroeg hij aan Marla terwijl hij een nieuwe biefstuk pakte.

'Manhattan. Hij is aan zijn derde toe en al halfzat.'

'Breng hem er nog een, met onze complimenten. Als we boffen is hij tegen de tijd dat de nieuwe biefstuk komt zo ver heen dat hij die niet meer van een gebraden rat kan onderscheiden. En noteer zijn naam als hij betaalt, Marla. Als hij dan nog eens belt, zeggen we dat we de eerstvolgende tien jaar vol zitten.'

Marla grijnsde. 'Oké.' Ze rende de keuken uit.

Even later liet Joe de zalm zachtjes op een voorverwarmd bord glijden en lepelde de nieuwe mornaysaus eromheen. Hij voegde nog wat in knoflook gebakken stukjes brood toe en Santa Fe pudding van fijn wit maïsmeel met stukjes peper, cheddar met een mooi korstje eroverheen. Nans metgezel had een stoofpot van hertevlees besteld die hij in een speciaal schaaltje boven op een bord lepelde en afwerkte met kleine gemberworteltjes en stukjes maïsbrood.

Marla noch Burke was te bekennen. Fraai. Als hij op hen moest wachten waren de schotels lauw voor ze bij Nan kwamen. Verdomme. Wacht. Hij bracht ze zelf wel. Dan kon hij ook Weatherby's gezicht zien als ze de eerste hap nam – en al vast weten of hij zou overleven of niet.

Seconden later was Joe boven in zijn Vroeg-Quaker eetzaal – geboende vurehouten vloer, houten tafeltjes en banken bekleed met vrolijk katoen. Boven het reserveringsbureau hing een antiek wandkleed dat hij op een verkoping op de kop had getikt. Aan de gewitte muren hingen een kinderslee en ingelijste merklappen. En in plaats van kaarsen stonden er olielampjes op de tafels. Eenvoudig, ongecompliceerd – was zijn leven maar net zo.

Hij zag de blond gelakte helm van haar van La Weatherby die eruitzag alsof die zelfs een atoombom zou overleven. Tegenover haar zat een man van middelbare leeftijd met een dikke buik en een gezicht alsof hij net iets had gegeten dat verkeerd was gevallen. Joe voelde een kramp in zijn maag.

Hij dwong zich tot een glimlach en zette de borden op de handgeweven placemats. Hij deed een stap achteruit en keek rond of hij hier of daar soms ongerechtigheden zag, zoals een gevallen vork of zo. Maar zijn ogen kwamen bij Weatherby terug toen ze de eerste hap zalm in haar mond stak.

Hij had haar willen zien glimlachen, nooit had hij iets vuriger gewenst dan dat. Nans vork bleef even hangen voor hij tussen haar lippen verdween.

Joe hield zijn adem in. Het bloed ruiste in zijn oren. Verrek. Ze lachte niet. Ze reageerde helemáál niet. Hij zette zijn tanden op elkaar en verdreef zijn wanhoop.

Toen dacht hij aan wat Cloetta altijd zei: In deze wereld bestaat geen wit en zwart, behalve de kleur van onze huid, Joey.

Dus niet zwart. Ze at het op, nietwaar. Ze stuurde het niet terug. Misschien moest hij met één ster genoegen nemen. Dan haalde hij het ook wel, en moest hij maar op mond-tot-mondreclame hopen. Die had hem tot nu toe elke avond meer dan de helft aan volle tafels bezorgd.

Over een paar weken wist hij het. En nu gauw terug naar de keuken; hij moest het van zich afzetten. Terwijl hij terugliep moest hij weer aan Annie denken, die zijn kreeft had ingeruild voor een kerstboompje. Overmorgen was het Kerstmis. Zouden zij en Laurel die in Brooklyn doorbrengen – alleen? Naar voor Laurel. Het zag er niet naar uit dat de kerstman een uitgebreid bezoek bij hen af zou leggen.

Hij dacht eraan hoe hij met haar in dat piepkleine flatje de thuiskomst van haar zuster had afgewacht. Eerst was ze nog van streek, maar daarna had ze honderduit gepraat. Na een tijdje had ze hem zelfs tot een spelletje gin rummy overgehaald, en dat wurm had hem nog verslagen ook.

Morgenavond, kerstavond, bleef hij dicht. Misschien kon hij Laurel ergens mee naartoe nemen, naar de etalages van Saks of zo. De oude Dodge rammelde wel, maar deed het nog goed. Ja, dat zou ze leuk vinden. Of hij kon hen even opzoeken. Ja, dat zou hij doen. Voor grote broer spelen, en zo Caryn uit zijn hoofd zetten.

De herinnering bleef hem echter plagen. Hij bleef onder aan de trap even staan en hoorde Caryns toonloze stem weer door de telefoon. Hij was meteen York Street door gerend, langs verschillende afdelingen van Yale, en zijn hart bonsde. Toen hij bij het gebouw kwam waar zij een kleine studio had, was hij de trap met drie treden tegelijk op gesprongen.

Ze lag op de grond en haar lichaam was nog niet koud, maar ze was blauwbleek en overal lagen bloedplassen, tot in haar haren toe. Ze had haar polsen doorgesneden.

Toen kwam de ambulance, en de politie, en hij zag weer de geschrokken gezichten van Caryns buren. En steeds weer klonken hem haar laatste woorden door de telefoon in de oren: Ik heb er iets op gevonden. Maak je niet bezorgd, Joe.

Abortus! Dat zou toch iedereen gedacht hebben? Ze hadden er uitvoerig over gepraat, en ja, ze was niet direct dol van het idee geweest, maar hij had gedacht... nou ja, na een tijdje zou ze er wel aan wennen.

Ze was er niet aan gewend, en ze had er iets op gevonden wat te ver ging.

Hij was doodsbang geweest. Waarom had hij niet beter naar haar geluisterd? Ze was zo leuk, knap en sexy. Hij was dol op haar. Maar een huwelijk, kinderen, een huis in een van de voorsteden op zijn twintigste jaar... Dat leek hem te dwaas om aan te denken.

Joe herinnerde zich dat ze hem had verteld dat ze zwanger was. Ze had gehuild, haar ogen waren opgezet en haar wangen rood.

'God, Joe, wat moeten we doen?'

En wat had hij gedaan? Hij had stom zitten lachen. Ze had er zo jong uitgezien in haar marineblauwe korte broek en witte blouse; hoe kon ze nu zwanger zijn? Het was een vergissing. Maar ze meende het, drong het tot hem door. Nu hij erop terugkeek, besefte Joe dat hij zich toen onbewust van haar had teruggetrokken. Maar op het moment zelf wist hij niet wat hij moest doen. Pas toen ze begon te huilen, was hij naast haar gaan zitten. 'We vinden er wel wat op,' had hij geruststellend gezegd. Maar ze had hem doorzien en geweten dat hij geen raad wist.

'Is dat alles wat je kunt zeggen?' vroeg ze beschuldigend.

'Luister eens, ik wil me er niet van afmaken, als je dat soms denkt.'

'Nee, dat dacht ik niet. Maar ik dacht... nou ja, laat maar.'

'Wat wil je doen?' had hij vriendelijk gevraagd.

'Heb ik enige keus?'

Hij merkte dat ze wachtte totdat hij iets zou zeggen, iets zou doen. Maar wat? 'Je denkt er toch niet over... om het te laten komen?' Hij dacht aan luiers en brullende baby's terwijl hij probeerde te studeren. Jezus!

Caryn had haar blik afgewend en met haar hand haar ogen tegen de zon beschermd. Maar er lagen tranen op haar wangen en hij had zijn armen om haar heen willen slaan. Hij voelde zich echter in een val en het leek of de zon hem als een zware hand neerdrukte.

'Ik geloof niet... onder deze omstandigheden...' Opeens leek het alsof hij zijn vader hoorde preken en hij begon opnieuw. 'Ik bedoel dat ik wel wil trouwen, maar niet zó. Jezus, Caryn, ik weet nog niet precies wat ik wil als ik klaar ben. En hoe moet het dan met jou... en een baby?' Daar. Het was eruit.

Caryn stond op, streek haar broekje glad en ging rechtop staan. Ze leek wel een standbeeld; haar haren hingen nu voor haar gezicht.

'Caryn...' Hij stak zijn hand naar haar uit, maar ze ontweek hem, alsof hij haar had willen slaan.

'Jij vindt dat ik het moet vermoorden, hè?'

Hij was te veel van streek om te liegen of het prettiger onder woorden te brengen. 'Ja... ja, dat vind ik wel.'

Het leek alsof iets wat hen had verbonden nu afknapte.

De hele week erna had hij geprobeerd haar te bellen, op verschillende tijden, was bij haar langsgegaan, had geprobeerd haar bij colleges tegen te komen. Maar geen Caryn. Nergens. Niemand had haar gezien. Joe had zelfs haar ouders in Plainview gebeld.

Hij was nooit te weten gekomen waar ze die week was geweest en hoe ze was teruggekomen. Alleen dat telefoontje: Ik heb er iets op gevonden.

Later had hij van haar ouders gehoord dat ze bij een psychiater in behandeling was en dat ze op de middelbare school al eens een zenuwinzinking had gehad. Hij kon allerlei excuses voor zichzelf bedenken, maar hij wíst dat als hij de zaak beter had aangepakt, Caryn nu nog zou leven.

In het trappenhuis van zijn restaurant bleef hij even staan en streek met een trillende hand over zijn ogen, alsof hij verblind was. Toen haalde hij diep adem, beheerste zich en stortte zich weer de keuken in.

'Hé, makker, hoe staat het leven?' vroeg Wayne, en grinnikte, zoals gewoonlijk.

Joe lachte ook terwijl hij de hoorn tussen zijn oor en schouder geklemd hield. Het koord stond strak tussen de plek waar hij nu stond, bij zijn werkbank om deeg te kneden, en de plaats waar de telefoon was aangesloten. Het was een leuke verrassing weer eens iets van zijn oude vriend te horen. Ze hadden elkaar in lange tijd niet gezien, maar Wayne, die bureauredacteur bij de *Metropolitan* was, wist met welke moeilijkheden Joe te kampen had. Hij had zelf vaak gezien dat beginnende restaurants door mensen als La Weatherby de grond in werden geboord. Zou Joe's Place het volgende slachtoffer zijn? Het was nu al twee weken geleden dat ze bij hem was komen eten. Als er een artikel over werd gepubliceerd, zou het in het nummer van deze week moeten verschijnen. Belde Wayne hem daarom soms op; wilde hij hem condoleren?

'Zoals gewoonlijk,' antwoordde hij, en hield zijn toon luchtig, hoewel hij het plotseling benauwd kreeg. 'Ik probeer het kadaver uit de snavels van de gieren te redden.'

'Zouden ze er van smullen of erdoor verhongeren?'

'Het is maar hoe je het bekijkt.'

'Luister, daarom bel ik je. Weatherby is bij je wezen dineren. Het staat in het nummer van deze week dat nu juist wordt verzonden. Vandaag of morgen is het overal te koop.'

'Was het...' probeerde hij te vragen, maar de druk op zijn keel en stem werd hem te veel. Hij kon niets uitbrengen.

'Of ze je heeft afgekraakt? Tjee, ik hoop van niet. Ik heb het artikel nog niet gezien... hoorde alleen net dat het erin stond. Ik vond dat ik jou het plezier moest laten het zelf te lezen.'

'Dank je,' dwong Joe zich te zeggen.

'Volgende keer laten ze mij misschien over jouw restaurant schrijven. Dan zal ik zeggen dat je me nog nooit hebt vergiftigd.' Wayne grinnikte weer, maar dit keer glimlachte Joe zelfs niet eens.

'Ja, nou... nog wel bedankt.'

'Laat maar zitten. We zijn toch vrienden?'

Terwijl hij neerlegde, tolden Joe's gedachten door zijn hoofd rond. Hij zou meteen naar meneer Shamik in de kiosk gaan, drie deuren verderop; hopelijk had hij de *Metropolitan* al ontvangen. Als hij vandaag te laat was, zou hij Annie vragen of zij onderweg naar huis een exemplaar wilde kopen. Dan kon ze het meenemen als ze Laurel kwam ophalen die hij tijdens de vakantie in tijdelijke dienst had genomen om menu's voor hem te schrijven.

Terwijl zijn deeg rees, riep Joe Rafy die net uit Portorico was teruggekeerd, en vroeg hem om even op het restaurant te passen. Hij rende naar buiten, de ijskoude regen in, naar de kiosk waar meneer Shamik hem zei, na de distributeur gebeld te hebben, dat de *Metropolitan* pas na vier uur zou worden afgeleverd. Het duurde nog uren! Zo lang kon hij niet wachten. Nou ja, hij zou wel móeten. En misschien – als hij het artikel eenmaal had gelezen – zou hij wensen dat hij het nooit onder ogen had gekregen.

Joe liep weer naar binnen, naar de eetzaal, waar Laurel bezig was. Ze zat aan een tafeltje apart ergens achterin, precies op dezelfde plek waar hij haar een paar uur geleden had neergezet. Ze zat over het tafeltje gebogen en naast haar lag een stapeltje met menukaarten die klaar waren. Met één oogopslag zag Joe al dat ze er iets heel bijzonders van had gemaakt. Het was zijn bedoeling geweest dat ze alleen maar een keurig geschreven lijst zou maken van de aperitiefjes, voorgerechten en desserts, met de prijzen erbij. Maar dit...

Hij nam een menukaart op van het stapeltje dat ze klaar had en zag dat alle hoeken en alle open plekjes waren opgevuld met tere, prachtige pentekeningetjes. De ranken van winde slingerden zich langs de randen. Er was een vogelnestje te zien met daarin bestippelde eitjes. Een lepel met een wapentje waar een muis met een hoge hoed op mee at. Joe kon zijn ogen nauwelijks geloven; het was zo teer en fijn getekend.

Jaren geleden, toen hij met zijn vriend Neal een voettocht door Mexico had gemaakt, hadden ze in een kroegje langs de weg ergens een koud biertje gedronken en terwijl ze probeerden de vliegen van zich af te houden, was er een kreupel jongetje met een gitaar bij hen komen staan. Het kind kon hoogstens twaalf zijn geweest en het was nog blind ook. Terwijl Joe en Neal daar zaten was hij begonnen te spelen en hij deed het op een manier zoals Joe nog nooit had gehoord: 'La Malagueña', Villa-Lobos, zelfs muziek van Vivaldi, en het had plotseling geleken alsof er geen hitte, stof en vliegen meer waren. Joe had het jongetje nooit vergeten; hij hoorde nog steeds zijn fantastische muziek in zijn hoofd.

En nu hoorde hij die weer.

Hij nam de ene menukaart na de andere in zijn handen en kwam zo onder de indruk dat hij de *Metropolitan* bijna vergat. Allemensen, had Laurel dat gedaan? En ze was nog maar een kind. Haar werk leek op dat van Tenniel of Beatrix Potter. Elke kaart was uniek – een mand vol veldbloemen, onze-lieve-heersbeestjes die aan het picknicken waren, koalaberen die ondeugend om een gordijn van eucalyptusbladeren heen keken, een rij gevleugelde elfjes die boven op een zonnebloem danste, aapjes die zich zodanig verwrongen dat ze verschillende letters uit het alfabet vormden, een ijsbeer die een Eskimofamilie op zijn rug droeg.

Had ze er enig idee van dat ze zoveel talent had?

Haar tekeningen deden hem aan Kerstmis denken. Vroeger thuis bij zijn vader en moeder waar ze eens per jaar bij elkaar kwamen. Dan was het de gewoonte dat zijn moeder in haar diva-kaftan vrolijk en opgewekt deed, terwijl zijn vader de gebruikelijke eindeloze flauwe moppen tapte voor zogenaamde vrienden, buren, en een neef die hij nauwelijks kende. Pap maakte alle cadeaus open, behalve het kunstboek over Van Gogh dat Joe voor hem had gekocht. Op dat ogenblik zag Joe dat Sammy, hun chauffeur, het overhemd aan had dat Joe vorig jaar Kerstmis aan zijn vader had gegeven, en vóór Joe iets kon zeggen of doen waar hij later spijt van zou krijgen, had hij een verontschuldiging gemompeld en was weggegaan; zijn mooi verpakte cadeautje voor zijn vader had hij meegenomen. Zijn vader merkte niet eens dat hij vertrok.

Dit jaar had Joe de ondergrondse bij Bloomingdale's genomen en was naar Brooklyn gegaan; hij was van plan geweest Annie en Laurel te verrassen. Maar hij was degene die verrast werd. Toen hij die kale huiskamer binnenging, had hij een heerlijk gevoel gekregen; hier hing de echte kerstsfeer. Dolly was er al, met haar armen vol cadeautjes. Te oordelen naar de manier waarop Laurel hem had aangekeken toen hij haar de boodschappentas vol presentjes gaf die hij had meegebracht, leek het alsof hij haar de maan op een zilveren schaal aanbood. Hij had niet meer aan het kunstboek gedacht dat hij in de tas had gegooid bij het parfum voor Annie en een monopoliespel voor Laurel, maar toen het meisje het papier van het boek haalde, was ze in de wolken geweest. Met schitterende ogen van opwinding had ze erin zitten bladeren totdat ze bij 'Sterrenhemel' was gekomen, een schilderij dat hij zelf ook zo bewonderde.

'Wat is dit prachtig,' had ze gezegd op een toon alsof ze haar ogen niet kon geloven. Ze zocht het tussen alle andere uit alsof ze aan het winkelen was en de mooiste mantel of jurk had gevonden.

Toen had Joe de blik van Annie ontmoet en daarin had hij iets heel anders gezien dan in de ogen van Laurel. Dankbaarheid, dat wel. Maar ook een soort geamuseerde vermoeidheid. Alsof ze hem had willen vragen of hij, als hij toch zoveel geld uitgaf, Laurel niet iets praktischer had kunnen geven. Toen Joe rondkeek in de pijnlijk kale kamer met de totaal versleten sofa en één kapotte stoel – het vertrek werd alleen opgefleurd door het kerstboompje, versierd met slingers van tekenpapier, popcorn en sterren van zilverpapier – voelde hij zich wat dom. Wat had je aan Van Gogh als je winterhandschoenen, dikke dekens, lakens en handdoeken nodig had?

Maar toen hij weer naar Laurel keek, die helemaal opging in het boek met Van Goghs werk, wist hij dat voor haar deze kleurige reprodukties belangrijker waren dan allerlei praktische zaken die ze wellicht harder nodig had.

Joe keek naar haar zoals ze daar roerloos zat; niets bewoog behalve haar tekenpen. Wat was ze toch aantrekkelijk. Een straal zonlicht die door een raam hoog boven haar hoofd naar binnen viel, wierp een zilveren licht op haar en maakte dat Laurels huid bijna doorschijnend leek.

'Laurey,' zei hij zachtjes, Annie's roepnaam gebruikend. Ze keek naar hem op en knipperde met haar ogen. Het leek of ze uit een diepe slaap wakker werd en haar blauwe ogen schitterden, haar wangen waren vuur-rood. Joe hield een menukaart omhoog. 'Wat schitterend. Dat méén ik. Wie heeft je zo leren tekenen?'

Laurel bloosde, maar hij zag dat ze van zijn compliment genoot. 'Ik heb het mezelf geleerd. Ik teken eigenlijk wat ik in gedachten zie.'

'Dan heb je een vérgaande fantasie.'

Ze werd nog roder. 'Annie zegt dat ik te veel droom. Ze zegt dat ik waarschijnlijk allemaal negens en tienen zou halen als ik net zoveel tijd aan mijn studie zou besteden als aan tekenen.'

Joe dacht even na en zei toen: 'Misschien wel... maar ik geloof dat dro-men ook belangrijk is. Toen Van Gogh die "Sterrenhemel" schilderde, heeft hij er vast niet aan gedacht hoeveel zes maal zevenentachtig is.'

'Weet je, ik kan nog meer dan tekenen,' zei ze snel. 'Ik leer nu ook hoe ik moet naaien. Ik heb deze zelf gemaakt.' Trots streek ze de voorkant van de geplooide overgooier die ze droeg glad.

Hij floot zachtjes. 'Ik ben diep onder de indruk. Heeft je zus je dat geleerd?'

'Annie?' Laurel lachte en sloeg haar ogen ten hemel. 'De enige keer dat zij eens probeerde iets in elkaar te zetten, heeft ze zich hartstikke diep in haar vinger geprikt en alles zat onder het bloed. Ze zegt dat ze er het ge-duld niet voor heeft.'

Joe dacht eraan dat Annie altijd zo rusteloos leek – zelfs als ze ergens zat, kon ze niet stil blijven zitten. Dan gebaarde ze met haar handen, sloeg haar benen over elkaar en deed ze weer van elkaar, wipte met haar voeten. En dan die katteogen van haar, als een zwerfpoes die werd opge-jaagd...

'Dat verbaast me niets,' zei hij glimlachend. Hij tikte op het stapeltje menukaarten dat al klaar was. 'Deze dingen zouden in een boek moeten worden gebonden, of ingelijst aan een muur worden opgehangen. Als menukaarten zijn ze veel te mooi, vind ik.'

Laurel sloeg haar ogen neer. Haar lange wimpers maakten schaduwen op haar wangen – hij had nog nooit iemand met zulke lange wimpers ge-zien. Jezus, over een paar jaar zou dit kind een schoonheid zijn.

'Dank je voor je compliment,' zei ze keurig, alsof ze haar manieren uit een boek over etiquette had geleerd. Toen daalde haar stem tot een ge-fluister. 'Maar ik doe het omdat ik het leuk vind, heus. Ik krabbel maar wat. Als juffrouw Rodriguez tijdens de les merkt dat ik weer zit te teke-nen, is ze woedend op me en laat dat ook duidelijk horen. Ze denkt dat ik niet oplet. Maar weet je...' Ze keek hem met haar grote diepblauwe ogen aan. '... ik kan beter denken als ik ondertussen teken. Begrijp je dat, Joe?'

'Natuurlijk. Ik voel me net zo als ik een omelet bak.'

'Heus?'

'Niet zomaar een omelet. Ik heb het over de heel speciale Omelette à la mode de Joe. Kom, ga mee naar de keuken, dan zal ik het je eens laten zien. Heb je honger, meisje?'

Laurel aarzelde. 'Annie zei dat ik je niet in de weg mocht lopen.'

'We hebben het niet over lege magen – het is belangrijk te weten hoe je een omelet moet máken. Stel dat je ooit eens op een onbewoond eiland aan zou spoelen, helemaal alleen?'

Laurel giechelde. 'Doe niet zo gek.'

Joe trok een ernstig gezicht, zorgde dat zijn mond een streep werd en zette zijn bril recht. 'Heb je nog nooit eieren van een zeemeeuw gegeten? En wist je dat je met een enkel struisvogelei een omelet kunt bakken waar tien mensen zich aan vol kunnen eten?'

Ze lachte hem stralend toe en het gaf hem een warm gevoel.

Beneden in de keuken van baksteen waar het lekker warm was, liet Joe haar zien hoe je met één hand eieren kon breken zonder dat er stukjes eierschaal in de kom vielen. Terwijl Rafy en Holt bezig waren Maryland-krabben klaar te maken voor een vissoep, stond Joe bij het slagersblok en keek toe hoe Laurel deskundig de eieren klopte.

Bij het zien van haar enthousiaste gezichtje kon hij bijna – bijna, maar niet helemaal, verdomme – vergeten dat zijn carrière als restauranthouder misschien binnenkort ten einde zou komen.

Plotseling hoorde hij de bel bij de dienstingang overgaan; het geluid overstemde het eier kloppen.

Joe liep naar de deur om open te doen en een lange figuur in een klets-natte regenmantel viel naar binnen en kwam bijna met hem in botsing. Annie. Hoe kwam het dat ze al zo vroeg met haar werk klaar was?

'Joe, je gelóóft het nooit! Het is ongelooflijk! O, ik ben helemaal buiten adem. Het regent pijpestelen. En ik heb een heel eind hard gelopen zonder een keer te blijven staan.' Ze schudde haar natte haren uit waardoor haar gezicht vol ijskoude regendruppels kwam te zitten.

Hij wachtte totdat ze weer wat op adem was gekomen en intussen bonsde zijn eigen hart van ongeduld; hij snakte naar adem alsof híj net een heel eind hard had gelopen. Was het goed nieuws? Het moest wel… anders zou ze er niet zo vrolijk uitzien.

Annies gezicht was rood en nat van het transpireren. Ze trok aan de knopen van haar oude kletsnatte mantel. Eronder droeg ze een rok en blouse, lage schoenen en kniekousen die tot op haar enkels waren afge-zakt. Haar benen waren rood van de ijzige regen. Hij zag dat ze het tijd-schrift opgerold onder haar arm had en zijn hart sloeg een slag over.

Hij had het wel uit haar handen willen rukken, maar hij wachtte.

'Drie sterren!' riep ze eindelijk uit, en sloeg haar armen om hem heen. Hij rook een vleug vochtige wollucht vermengd met de geur van chocola-de. 'O, Joe, ik ben zo blij voor je! Is het niet geweldig?' Ze deed een stap achteruit en bladerde even in het tijdschrift. 'Moet je horen: "Zodra je de deur opendoet, krijg je het gevoel dat je een gezellig plattelandseethuis binnenloopt en ze hebben verrukkelijke hartige maaltijden die er precies bij passen... de Oesters Rockefeller, al zijn ze wat cliché, waren volmaakt toebereid, de gegrillde zalm en pittige wildstoofpot waren prachtige voorbeelden van hoe streekgerechten kunnen worden verheven tot het niveau van *haute...*'"

Joe kon zich niet bewegen en geen woord uitbrengen. Toen drong het opeens tot hem door wat dit zou betekenen en hij werd er duizelig van: de huur, de salarissen, en alle onbetaalde rekeningen; hij zou alles kunnen betalen! En misschien zou hij zelfs nog eens een andere vloer aan kunnen laten leggen en...

Het leek of er allerlei klokken in zijn hoofd luidden.

'Joe!' Annie trok hem aan zijn arm om hem terug op aarde te brengen. 'Je telefoon. Je telefoon gaat!'

Joe holde zijn kantoortje in en pakte de hoorn van de haak. Misschien zijn eerste reservering als gevolg van dit artikel. Jezus, dat ging snel!

'Joseph? Ben jij dat?' Alleen zijn moeder noemde hem Joseph.

Joe voelde dat hij gespannen werd, zoals een kruidje-roer-me-niet zich opkrult als je het aanraakt.

'Lieverd!' Ze ging meteen door zonder te wachten of hij iets wilde zeggen. 'Papa en ik hebben het net gelezen. Het is fantastisch, hè? Hartelijk gefeliciteerd. En weet je wie me net heeft opgebeld... ik leg net de hoorn neer. Frank Shellburne. Je weet dat Frank altijd aan het uitkijken is of hij niet een manier kan vinden om onder de belastingen uit te komen. Nou, toen hij dat artikel las, wilde hij onmiddellijk weten of je misschien overwoog het restaurant te verkopen. Ik heb gezegd dat ik het je zou vragen en misschien kunnen jullie eens een afspraak maken. Joseph... luister je wel?'

'Ja, moeder, ik ben er nog.' Maar zijn opwinding was weg. Hij had het gevoel of iemand hem met een steen een harde klap op zijn hoofd had gegeven en nu gevoelloos om hem stond te lachen. 'Ik ben er nog,' herhaalde hij effen.

'Beloof me dat je er in elk geval over wilt dénken,' zei ze. 'Papa zegt dat hij er wel voor kan zorgen dat je het volgende semester weer naar Yale kunt. Dan praat hij even met...'

'Moeder, ik moet nu neerleggen,' zei Joe. Hij moest zijn best doen beleefd te blijven.

Het kwam allemaal weer bij hem boven, die afschuwelijke scène na de dood van Caryn toen hij zijn ouders had verteld dat hij ophield met studeren. Hij was van Yale weggelopen. Zijn vader had opgespeeld en zijn moeder had gehuild. Hoe kun je dat doen na alles wat we voor jou hebben gedaan? Het draaide alleen maar om hen; zíj waren het middelpunt, zoals altijd bij alles wat hij deed. Hij had zich steeds naar hen gevoegd, toegegeven aan hun wensen, zoals die keer – hij was een jaar of elf geweest – toen hij Cloetta een gouden kruisje voor haar verjaardag had willen geven. Hij had maanden gespaard om het geld bij elkaar te krijgen, maar hij moest het van zijn moeder naar de winkel terugbrengen. Ze zei dat het veel te duur was, het zou Cloetta alleen maar verlegen maken. Toen hij met zijn studie ophield, had hij zijn vader ervan beschuldigd dat hij alleen een zoon wilde om mee te pronken tegenover zijn vrienden. Hij was woedend de kamer uitgegaan en had per ongeluk zijn moeders lievelingsleeuw van Staffordshire-porselein omvergelopen en gebroken.

Hij dwong zich rustig te spreken, zelfs beleefd. 'Hoor eens, wilt u dat ik voor u en papa een tafeltje reserveer voor deze week? Als u hier eens kwam eten, zou u verbaasd opkijken. Verdomme, u zou het misschien nog lekker vinden ook.'

'Joseph, je hoeft niet grof te worden.' Hij zág haar voor zich, haar rode lippen opgetrokken en met een afkeurende plooi getrokken tussen de volmaakte wenkbrauwbogen.

Joe moest zijn best doen niet in hoongelach uit te barsten. 'Ik zal een rozenkrans bidden, als boetedoening,' zei hij. 'En een extra weesgegroetje. Dan kan de grote man boven ook weer gerust zijn. Doe in elk geval maar een goed woordje voor me als u hem weer eens aan de lijn hebt.'

'Joseph! Als je vader je kon horen! Het doet hem pijn, weet je, dat gespot van jou. En je hoeft heus niet te doen alsof je niet je best doet hem te irriteren.' Hij hoorde tranen in haar stem, klaar om vergoten te worden. 'Je moet eens wat meer aan je vaders hartkwaal denken, maar ik neem aan dat je het veel te druk hebt met dat zaakje van je om ooit eens aan hem of mij te denken. Weet je, je kunt zo af en toe bijzonder egoïstisch zijn.'

'Dat weet ik,' zei hij zachtjes. 'Moeder, ik moet nu echt neerleggen. Tot horens.'

Langzaam en precies legde hij de hoorn op de haak. Terwijl hij daar in zijn rommelige kantoortje stond, keek hij door het getraliede raampje dat precies op dezelfde hoogte was als het trottoir buiten en zag een vrouw op naaldhakken voorbij wankelen.

Vreemd genoeg moest hij opeens aan Caryn denken. Hij vroeg zich af wat er gebeurd zou zijn als zij in leven was gebleven, als ze die baby had gekregen. Hij – als het een jongen was geweest – zou nu bijna vijf jaar zijn geweest, oud genoeg om het een en ander te begrijpen. Ook oud genoeg, misschien, om te hebben ontdekt dat moeders en vaders soms verschrikkelijk konden zijn. Jezus, wat een vreselijke gedachte.

Hij voelde iets tegen zich aan en sprong van schrik op. Het was Laurel. Ze liet haar handje in de zijne glijden en keek naar hem op alsof ze precies wist hoe hij zich voelde. Maar hoe kon zij dat weten? Was het zo duidelijk?

Joe was geroerd... en een beetje in paniek. Hij voelde de neiging hard weg te lopen, ver weg van die grote blauwe ogen vol vertrouwen en die dunne tere vingertjes die zich tussen de zijne vlochten. Hij hoorde Annie de keuken in gaan en Rafy en Holt groeten. Er ging iets versterkends, iets opwekkends van haar stem uit.

Hij had nu Laurel in zijn leven toegelaten. Hij had haar zover gekregen dat ze hem een warm gevoel gaf. Maar nu werd Joe plotseling door een ijzige angst bevangen. Zou hij haar uiteindelijk ook teleurstellen? Zou het daar op uitdraaien? Nog niet direct, nog niet vandaag of morgen, maar... over een tijdje? Zou zij te weten komen wat Caryn had ontdekt – dat je nooit op Joe Daugherty kon rekenen?

Hoofdstuk 9

'Acht... negen... tien.' Annie hield even op met tellen en keek op van de bladen met bonbons die op de toonbank in Dolly's voorraadkamertje stonden. 'Dolly, hoe krijgen we dit alles in hemelsnaam nog op tijd klaar?'

Ze pakte een bonbon op – melkchocolade met een vulling van toffee-crème, speciaal besteld voor David Levy's bar mitswa; elke bonbon moest in een doosje van zilverpapier worden verpakt. Maar de drukker had de zaak bedorven en in plaats van 'Mazel Tov, David!' had hij twee-honderdtweeëntachtig doosjes van vijf centimeter in het vierkant ge-stuurd die nog in model moesten worden gevouwen en er stond op: 'Voor eeuwig, Jan en Jeff'. En het was vrijdagmiddag, te laat om nog nieuwe te laten drukken – morgen was de bar mitswa.

'We moeten iets vinden om ze in te verpakken,' zei Dolly. 'Hoe heeft dit nu kúnnen gebeuren?' Ze friemelde aan de paarsrode sjaal om haar hals en voor het eerst sedert ze twee maanden geleden bij Girod's was komen werken, zag Annie dat haar tante enigszins in paniek was. 'Wacht even... wikkel ze elk apart in een vloeipapiertje en bind er een strikje omheen. Nee, dat is te gewoon. En de Levy's krijgen een beroerte van schrik. Ik heb ze iets heel bijzonders beloofd.'

'Zilverpapier eromheen?'

'Dat zie je al zo vaak. Nee, het moet bijzónder zijn. Herinner je je nog die in rood papier gewikkelde bonbons die we aan zilveren koordjes heb-ben opgehangen voor het huwelijk van Nancy Everson?'

'Met een foto van de bruid en bruidegom erop? Nou, en of!'

'De mensen herinneren zich zoiets. Sedertdien hebben al vier gasten me gebeld en me opdrachten voor hun feesten gegeven.' Dolly keek door de open deur de winkel in waar Gloria bezig was een grijsharige dame in een regenmantel te helpen. 'Mensen die zomaar binnenkomen – dat is leuk, maar je verdient het meest aan feesten en opdrachten van hotels.'

'Net als met grammofoonplaten,' overpeinsde Annie.

'Wát zeg je?'

'Ik bedacht dat je hetzelfde wijsje steeds opnieuw kunt zingen, maar je wordt er pas rijk van als ze het op een plaat zetten en die met duizenden verkopen.'

'Zo is het. Maar daar hebben we nu niet veel aan.' Dolly keek naar de bladen met bonbons die Annie net had uitgepakt.

Plotseling moest Annie aan iets denken: het fantastische verjaarsfeest dat Dearie eens voor haar had gegeven toen ze zeven of acht werd – heel kleine sandwiches zonder korst, cake in de vorm van een clownsgezicht en... En een piñata – een felgekleurd ezeltje van papier-maché gevuld met snoep en opgehangen aan het plafond. Je werd geblinddoekt en moest met een lange stok naar de piñata slaan. Eerst miste je hem natuurlijk aldoor, maar als je eindelijk raak sloeg, viel het dier en brak open. Dan mocht je je blinddoek afdoen en met de anderen proberen zo veel mogelijk snoepjes te veroveren. Ze had het fantastisch gevonden.

'Ik heb een idee,' zei Annie opgewonden. 'We kunnen deze bonbons in zilverpapier of iets dergelijks wikkelen... en ze in drie of vier piñata's stoppen. De kinderen vinden het machtig die dingen open te breken... en de volwassenen genieten van het kijken ernaar.'

Zodra ze uitgesproken was, bedacht Annie dat ze haar idee misschien beter had moeten uitwerken voordat ze haar mond opendeed. Mexicaanse piñata's bij een bar mitswa? Een paar weken geleden had ze ook iets voorgesteld voor dat fondsenwervingsdiner: mosselschelpen – die ze voor niets op de vismarkt had opgeraapt en met niet-vergiftige goudverf had beschilderd. In elk ervan hadden ze een exotische Lapsang Souchong truffel gedaan die in doorschijnend cellofaan was verpakt en met een dun gouden koordje was vastgebonden.

Dit keer was haar tante echter niet overtuigd. Dolly fronste haar voorhoofd en tikte met haar wijsvinger op haar kin. Probeerde ze een beleefde manier te bedenken om te zeggen dat het een idee van niets was?

'Piñata's,' herhaalde Dolly, alsof ze hardop dacht. Ze begon te giechelen en lachte toen uit volle borst. Annie voelde dat ze een kleur kreeg. Goed, dan wás het een stom idee. Ze had haar mond moeten houden.

Maar Dolly veegde zich de tranen uit haar ogen en riep: 'Enig! Fantastisch!' Even fronste ze haar voorhoofd weer. 'Maar waar halen we zo op het laatste moment piñata's vandaan?'

Annie wist het meteen. 'Ik weet zeker dat Laurey ze kan maken. Ze heeft eens een papier-maché-masker van een leeuwekop gemaakt. Maar, we kunnen elk dier nemen dat we willen.'

'Prachtig! Maar laat ik even mevrouw Levy bellen of ze het goedvindt.' Dolly holde naar haar kantoortje waar ze haar dikke klantenlijst bewaarde.

Toen ze terugkwam was ze net zo opgewonden als Annie was geweest. 'Eerst stond ze er sceptisch tegenover... maar toen ik haar vertelde dat jij altijd zulke goede ideeën had, net als met die vergulde mosselschelpen, vond ze opeens dat die piñata's heel origineel zouden zijn. Hoe ter wereld is het mogelijk dat je zoiets bedenkt?'

Annie keek haar strak aan. 'Dít kwam door Dearie. Toen ik klein was, heeft ze eens een feestje met piñata's voor me gegeven.'

Ze slikte moeizaam, want de herinneringen werden haar bijna te machtig. Ze was weer klein en hield zich vast aan een hand vol goedkope ringen en keek op naar het glimlachende gezicht met de felrode mond van tante Dolly. 'Dolly,' zei ze opeens, 'wat is er toch tussen jou en mijn moeder voorgevallen?'

Dolly zuchtte diep – het klonk meer alsof er een band of een ballon leegliep. Tegelijkertijd scheen ze zelf kleiner te worden, haar gezicht kreeg rimpels die er net nog niet waren geweest, haar schouders zakten omlaag en haar armbanden rinkelden niet meer nu ze zo stilstond.

Annie zag dat haar tante een vinger met een vuurrode nagel tegen haar slaap duwde alsof ze een knop in haar schedel had die de afschuwelijke herinnering kon verdrijven die bij haar boven was gekomen.

'Hemel, het is allemaal zo lang geleden.' Ze probeerde te glimlachen, maar de lach was al verdwenen voordat die zich over haar gezicht had verspreid. 'Je moeder en ik... tja, we hadden onenigheid.'

'Dát weet ik. Maar waar ging het om?'

'Het is allemaal begonnen met Val. Hoewel, als ik er nú over nadenk, heeft je moeder me misschien een grote dienst bewezen door hem van mij af te pakken.'

'Val?' riep Annie uit en staarde Dolly geschrokken aan. 'Jij en Val?'

'Och...' Ze legde haar hand even op haar boezem en speelde het dit keer klaar om te lachen. 'Het is allemaal al zo lang geleden, dat zei ik al. Ik weet echt niet meer wát ik eigenlijk voor hem voelde.' Ze ging rechtop staan en beheerste zich, maar het scheen haar veel moeite te kosten. 'Nou, wat die piñata's betreft, bel je zusje even op en vraag of zij die dingen kan maken.'

Annie had het idee dat er nog meer tussen haar moeder en Dolly was voorgevallen dan alleen het afpakken van Val – het móest wel als Dolly nu nog zo reageerde – maar ze hield niet aan. Het was er blijkbaar niet het ogenblik voor. Bovendien begon ze Dolly net een beetje beter te leren kennen. En ze wilde eigenlijk niet het risico lopen iets te horen waardoor ze niet meer van haar tante zou kunnen houden.

Annie keek op haar polshorloge: half vier. Laurel zou nu wel uit school zijn. Annie belde vanuit de voorraadkamer en vroeg haar zusje of zij de piñata's kon maken. Laurel vond het een enig idee en zei dat ze het graag wilde doen. Ze gaf Annie een lijstje op van dingen die ze ervoor nodig had en die ze op weg naar huis moest kopen.

Annie pakte haar mantel en was al op weg naar de deur toen ze bleef staan en even terugliep om Dolly nog gauw te omhelzen. Toen ze opkeek zag ze dat haar tante tranen in haar ogen had.

'Dank je,' mompelde Annie.

'Waarvoor?' Dolly scheen echt niet te weten wat Annie nu ging zeggen.

'Voor...' Ze had willen zeggen: omdat je hier bent, omdat je me deze baan hebt gegeven en zo lief voor Laurey en mij bent, maar het enige dat ze uitbracht was '... voor alles.'

Iemand volgde haar.

Toen Annie om zes uur de winkel uitging en naar huis wilde, had ze hem voor het eerst gezien. Het was een gezette man met een verkreukelde kaki regenjas aan die bij de brievenbus rondhing. En nu ze achteromkeek terwijl ze Lexington overstak op weg naar de ondergrondse bij Seventy-seventh, zag ze dat hij ook overstak – hij had haar dus al een heel eind gevolgd. Waarom? Wat zou hij willen?

Annie kreeg koude rillingen van angst.

Doe niet zo dwaas, hield ze zich voor. Tientallen mensen verdrongen zich op de trottoirs op weg naar de ondergrondse. Waarom moest die ene man haar nu achtervolgen? En zelfs al was het zo, dan was het vermoedelijk gewoon zo'n gek die graag achter meisjes aan liep. Hij zou er gauw genoeg van krijgen. En anders zou ze wel zorgen dat ze hem kwijtraakte.

Maar in haar hart wist ze dat ze probeerde zichzelf voor de gek te houden. Ik ben gek aan het worden, dacht ze, net als Dearie. Sinds die avond dat Rudy in New York was opgedoken, was Annie erg schrikachtig geworden – ze schrok van onverwachte geluiden en keek steeds achterom. Maar het was onzin, dacht ze dan weer. Val was duizenden kilometers weg, en Rudy intussen ook weer. Dolly scheen er zeker van te zijn dat ze hen beiden had overtuigd dat zij niets van de verblijfplaats van de meisjes af wist.

Maar als ze zich nu eens vergiste?

Annie zag een warenhuis vlakbij en liep naar binnen. Heel langzaam verzamelde ze de dingen die op Laurels lijst stonden: ballonnen, crêpepapier, plakkaatverf. In de kruidenierswinkel op Avenue J zou ze de stijfsel en bloem kopen die haar zusje nodig had om het papier-maché te maken.

Terwijl ze in de rij bij de kassa stond, probeerde ze de man te vergeten. Als ze weer buiten kwam, zou hij wel weg zijn. Waarom deed ze toch zo belachelijk bang? Onder het felle licht van de T.L.-buizen, kijkend naar planken met snoep en wenskaarten – gewone dingen die door gewone mensen als postboden en onderwijzers werden gekocht – voelde ze zich dom. Hoe kwam ze op het idee dat zij door een duistere figuur werd gevolgd, net als je op de t.v. zag?

Waarom zou Val of Rudy haar laten volgen? Laurel en zij waren nu al drie maanden in New York, en ook Rudy's bezoek was al weer een maand geleden. Sindsdien had Dolly niets meer van een van beiden gehoord, zelfs geen telefoontje.

Toch nam Annie de tijd en telde bij de kassa het bedrag in kleingeld uit.

Buiten zag ze geen spoor meer van de man. Toen, plotseling, zag ze hem een eindje verderop bij een kiosk staan. Hij deed alsof hij de krantenkoppen las. Het was al vrij donker en hij had de rand van zijn hoed over zijn voorhoofd omlaag getrokken zodat ze zijn gezicht niet kon onderscheiden. Maar ze herkende de regenjas. Hij had het absoluut op haar voorzien.

Annie voelde dat het bloed haar naar het hoofd steeg en haar knieën begonnen te knikken. Bijna liep ze tegen een vrouw op die een zware tas droeg.

Bij het passeren van de kiosk durfde Annie niet achterom te kijken; ze was bang dat ze dan geen stap meer zou durven verzetten. Maar hij stond er. Ze wíst het. Ze kreeg kippevel.

Toen ze de trap naar de ondergrondse afliep, moest ze zich aan de leuning vasthouden om niet te struikelen. Ze was duizelig.

Hij moest iets met Val of Rudy te maken hebben. Vermoedelijk een privé-detective. Waarom zou hij haar anders volgen?

Plotseling dacht ze aan Laurel die alleen thuis was. Als hij haar eens tot hun flat zou volgen, wat dan? Dan zouden ze onmiddellijk moeten verhuizen, voordat Rudy en Val kwamen opdagen om Laurel weg te halen.

Bij het vooruitzicht weg te moeten bij Dolly, en weg van Joe en Rivka, kreeg Annie het te kwaad. Dan moesten ze weer helemaal opnieuw beginnen en in een of ander afschuwelijk hotelletje gaan zitten tot ze een ander adres hadden gevonden...

Onder aan de trap gekomen moest Annie al haar krachten inspannen om gewoon door te lopen.

Ze zag dat het station vol was. Misschien kon ze hem hier kwijtraken. Alle forensen verdrongen zich op het spitsuur voor de draaihekjes en kwamen in stromen het perron op. Er was net een trein aangekomen. Als ze daar nu eens insprong vlak voor de deuren dichtgingen, dan kon hij haar niet volgen.

Achteromkijkend zag ze hem onder aan de trap, midden in een groep mensen. Maar ook voor haar stonden de nodige reizigers. Ze haalde die trein nooit, tenzij hij wachtte en dat deden ze bijna nooit.

Impulsief drong Annie zich naar voren. Ze klemde haar pakjes en tas onder één arm en werkte zich over de ijzeren leuning heen, rechts van de draaihekjes. Haar rok bleef ergens aan vastzitten en ze voelde hem scheuren. Verdraaid, die is bedorven. Maar ze voelde zich zo opgejaagd dat ze naar de trein toe rende voordat de deuren sloten.

'Hé! Hé, jij daar... sta stil!' hoorde ze een man schreeuwen. Help, hij had het tegen háár. In een flits zag ze een man in het donkerblauw bij de vuile witbetegelde muur staan: een man van de spoorwegpolitie. Zijn insigne glom in het licht dat erop viel.

Ze verstijfde. Je moest doen wat de politie zei. Ze herinnerde zich een bezoek aan het politiebureau in Beverly Hills dat ze daar met de hele vijfde klas hadden gebracht. Een vriendelijke agent met wit haar en een keurig blauw uniform had hun na afloop van de rondleiding allemaal een lolly gegeven.

Nee, dacht Annie. Als hij me te pakken krijgt, mis ik de trein. En als hij ontdekt wie ik ben, en me arresteert... en... en... o, God...

Annie rende naar de trein en bereikte hem toen de deuren net dichtsloegen. Ze had willen gillen en met haar vuisten op het glas hameren. Het was gemeen!

Ze keek achterom en zag dat de politieman vanaf de andere kant van het perron op haar toestormde en zich behendig door de mensenmenigte werkte. En achter haar kwam de man in de regenjas door het draaihekje. Ze zat in de val. Het ging er maar om wie het eerst bij haar was. Ze had het gevoel dat ze zou gaan flauwvallen.

Toen gebeurde er een wonder.

De portieren van de trein gingen met een schok weer open en ze hoorde de conducteur schreeuwen: 'Binnen blijven! Blokkeer de uitgangen niet! De trein vertrekt pas als iedereen binnen is!'

In dat onderdeel van een seconde gooide Annie zich in de trein en kwam tegen een solide muur van mensen terecht die er al stonden, op elkaar geperst. De portieren gingen weer dicht.

Ze voelde de trein schudden, zich toen met een schok in beweging zetten en naarmate hij verder de tunnel in reed, begon hij meer snelheid te krijgen. Met haar schouder tegen het glas van het portier gedrukt zag ze het perron als een nachtmerrie wegrollen. De man in kaki stond op de rand van het perron; hij had haar net gemist. Ze zag even een glimp van zijn gezicht onder de rand van de hoed – lichtblauwe ogen, een rossig snorretje en dunne, slappe lippen.

Toen was hij verdwenen en de trein reed hard door de tunnel die zo donker was als een kolenmijn; het felle licht van de treinwagons werd op de muren weerkaatst. Er welde een snik in haar keel op, maar ze smoorde hem door heel diep adem te halen.

Annie duwde haar voorhoofd tegen de beslagen ruit en sloot haar ogen. Ze was bijna blij met al die mensen die om haar heen op elkaar gedrukt stonden. Ze rook de vochtige wollen sjaals, en zag alle hoeden, pakjes en tassen die met elke plotselinge zwaai van de trein tegen haar aangedrukt werden. Het leek of ze daardoor omhoog werd gehouden, of ze erop voortdreef.

Plotseling moest ze aan Joe denken en ze wenste dat hij nu bij haar was. Hij zou wel weten hoe hij haar zou moeten opvrolijken. Net zoals het afgelopen weekend toen hij Laurel en haar had meegenomen om bij het Rockefeller Center te schaatsen. Ze had toegekeken toen hij Laurel heel geduldig leerde hoe ze het moest doen; met een arm stevig om haar middel had hij haar langzaam over het ijs geloodst. Annie, die ook niet zo'n goede schaatsster was, had niemand gehad die haar hielp en dus viel ze steeds maar weer, en dan moest ze maar zien dat ze overeind kwam. Eén val was heel vervelend geweest. Ze had haar heup bezeerd en kon nauwelijks opstaan – haar benen gleden aldoor onder haar weg en haar schaatsen wilden een andere kant op dan zij wilde, maar ze had geen hulp gevraagd. Ze was liever gestorven dan zich zo te vernederen. En net op dat ogenblik, alsof de hand van God haar uit het niets kwam helpen, had ze gevoeld dat ze werd opgetild, op haar voeten werd gezet en opeens vloog ze als een veertje over het ijs terwijl Joe haar met één arm stevig vasthield en zijn wollen sjaal af en toe tegen haar wang streek. Voor het eerst sinds Dearies dood had Annie zich heerlijk beschermd gevoeld. En ook een beetje bang, want als je een kind was, betekende dat dat je niet zelf beslissingen kon nemen; je kon niet zelf uitmaken wat er wel en niet moest worden gedaan.

Maar alleen-zijn was nog moeilijker. Natuurlijk had ze Laurel, maar dat maakte het in zeker opzicht alleen maar erger, want Laurel was nog zo afhankelijk van haar. En als je het goed bekeek, was Laurel de enige reden voor al dit geheimhouden en zich verstoppen en achternagezeten worden.

Niet dat ze iets tegen haar zusje had. Absoluut niet. Maar soms... zoals nu... Annie moest er onwillekeurig aan denken hoeveel eenvoudiger het leven zonder haar zou zijn.

Onmiddellijk kreeg ze schuldgevoelens. God, waar dacht ze aan? Zonder Laurel zou ze zich ellendig eenzaam voelen. Dan had ze niemand om van te houden, en dan was er niemand die van haar hield.

Toen dacht ze aan Dolly en Rivka... en Joe. Misschien was het niet helemaal hetzelfde met hem, maar ze hielden wel van haar.

Ze zag Joe's gezicht voor zich opdoemen, zijn knappe onregelmatige gezicht, die lichtbruine ogen. Ook hij wist wat verdriet was. Ze had het meer dan eens in zijn ogen gelezen. Bij Joe had ze soms hetzelfde gevoel als bij Dearie; ze wist dat haar moeder het heel moeilijk met zichzelf had, ondanks al haar grapjes en onverschillige manier van doen. Maar in tegenstelling tot Dearie dacht ze dat Joe het uiteindelijk wel zou redden.

Misschien voelde ze zich daarom zo tot hem aangetrokken, door de gedachte dat ze zich samen ergens doorheen vochten, net zoals vroeger Nancy Drew en Ned Nickerson in haar lievelingsboeken. Die kropen samen in het donker over het kerkhof rond en beschenen alles met hun zaklantaarns. Maar wat het ook was dat Joe zo hinderde, het had niets te maken met slechte mannen die ergens rondzwierven of politieagenten die hem achternazaten.

Annie deed haar ogen open en zag de graffiti die in het metaal van de treinwagon gegrift waren: Dolores Cristo houdt van Ramon de Vega, 1964. Het leek wel een grafschrift, dacht ze. Waar waren ze nu, die twee? Waren Dolores en Ramon jong getrouwd en hadden ze al een paar kinderen? Of keken ze de andere kant op als ze elkaar op school of op straat tegenkwamen? Om de een of andere reden hoopte ze dat ze nog samen waren. Ze werd droevig bij de gedachte dat het enige spoor dat hun liefde had achtergelaten deze krassen in het treinstel waren.

Als ik verliefd word, is dat voor eeuwig, dacht ze.

Toen beheerste Annie zich. Belachelijk om over liefde te fantaseren terwijl je door een vreemde man achterna werd gezeten en bijna door een agent was gearresteerd. Ze was gek. Dat soort gevoelens moest ze maar aan Nancy en Ned overlaten.

Maar terwijl de trein door de tunnel vloog, begon Annie weer aan Joe te denken. Ze stelde zich voor dat haar naam in de wand van de trein gegrift stond, naast de zijne.

'O, ik ben zo blij dat je thuis bent, Annie. Ik heb zulk goed nieuws; wacht maar tot je het hoort!' Rivka keek Annie stralend aan terwijl ze in de deuropening van haar flat stond.

Annie keek in de kleine volle huiskamer en zag dat er iets was veranderd. Sarah was net achttien jaar geworden en stond nu midden op het vloerkleed, met mooie kleren aan: een flanellen plooirok die tot even onder de knie kwam en een roze trui met een col en lange mouwen. En het was donderdagavond en geen joodse feestdag voorzover Annie wist. Sarah had ook een kleur en had haar handen voor haar blozende gezicht geslagen. Aan één vinger fonkelde een kleine diamant.

'Sarah gaat trouwen!' zei Rivka verrukt, en sloeg een arm om Sarah's schouders. 'Het is vandaag net in orde gekomen. Kun je je dat voorstellen? Onze kleine Sarah wordt de bruid! Vind je het niet fantastisch?'

Annie staarde Sarah verbaasd aan. Sarah was maar iets ouder dan zij! Nog een tiener! En wie was de jongen? Niemand had ooit met een woord over een jongen gesproken. Die bescheiden stille Sarah! Voor je het wist, had ze straks zelf een huis vol kinderen. Zij en Rivka zagen er beiden erg gelukkig uit, maar voor Annie was het een hele schok.

Ze dwong zich te proberen er ook verrukt uit te zien, en misschien voelde ze zich dat straks ook, als ze even tijd had gehad om aan het idee te wennen. Maar nu voelde ze zich erg gespannen.

Annie liep op Sarah toe en omhelsde haar. Wat was het toch veel gemakkelijker om aardig tegen Rivka's dochters te doen dan tegen haar zoons. Jongens mochten geen vrouw aanraken, zelfs geen hand geven. Rivka had haar uitgelegd dat dit zo was omdat de vrouw misschien kon menstrueren en dan was ze volgens hun riten onrein. Annie wist nog hoe ze dat de eerste dag op pijnlijke wijze had geleerd toen ze haar hand naar meneer Gruberman had uitgestoken. Hij was achteruitgedeinsd alsof ze lepra had.

'Wat heerlijk voor je,' zei ze tegen Sarah en ze wenste haar geluk. 'Wie is het? Ik geloof niet dat ik hem hier ooit heb ontmoet, is het wel?'

Sarah giechelde verlegen en Rivka antwoordde: 'Ze hebben elkaar pas een paar weken geleden leren kennen. Maar ze konden het direct goed met elkaar vinden, en de volgende maand gaat Yitzak naar Israël om onder een beroemde rabbijn de talmoed te bestuderen... en dus willen ze niet te lang wachten.'

'Bedoel je... zomaar opeens. Jullie hebben elkaar leren kennen en... en nou ga je trouwen?'

'We hebben elkaar al bijna een maand lang geregeld ontmoet,' zei Sarah, alsof dat ruim voldoende tijd was om een besluit te nemen. 'En Yitzak is een echte *choochemerd*. Hij gaat *pilpel* studeren en zijn *rabboniem* zeggen dat hij heel bijzonder is.' Geen woord over dat hij leuk was, of dat hij haar bloemen had gebracht, of zelfs over de romantiek toen hij haar ten huwelijk had gevraagd.

Rivka haalde haar schouders op en bukte zich om Shainey op te tillen die probeerde uit haar box te klimmen. 'Het ging niet zo snel als het lijkt. Vóór hem zijn er nog twee anderen geweest.'

'Twee anderen?' Annies hersens werkten op volle toeren en ze probeerde het allemaal te verwerken. Het idee dat die gewone, verlegen, zachtpratende Sarah met een heel stel mannen uit was geweest... het leek gewoon niet mogelijk.

'Ik zal even de kopjes halen,' bood Sarah aan.

Toen Annie thuiskwam, was Laurel ook net bij Rivka. Nu bleef ze in de huiskamer om op Shainey te letten en de vijf jaar oude Yonkel te helpen met de *dreidls* te spelen die hij voor *Chanoeka* had gekregen. Op de naaitafel in de hoek lag een stuk roodbruine stof waar een patroon op was vastgespeld, een jurk die Laurel aan het maken was en waarmee Rivka haar hielp.

'Hier, dat moet je zo doen, dan gaat het sneller,' hoorde Annie Laurels lieve stemmetje boven het gebabbel van de jongere kinderen uit. Ze was altijd zo geduldig en lief met Rivka's kinderen. Ze wordt vast nog eens een goede moeder, dacht Annie.

Het was ook Laurel die het meeste huishoudelijke werk in hun flat deed. Ze kookte niet alleen; ze nam ook elke zaterdag al hun kleren mee naar de wasserette op de hoek van J en Sixteenth. Nu had ze boven al kranten tot repen papier geknipt die ze in een mengsel van bloem, stijfsel en water zou dopen en dan over de ballonnen plakken die Annie had gekocht. Ze bracht net zoveel lagen aan als de piñata's nodig hadden om de juiste stevigheid te verkrijgen.

Terwijl Rivka bedrijvig bezig was om de ketel te vullen en een schotel met eigengemaakt speciaal joods gebak neer te zetten, kwam Sarah met de kopjes en schoteltjes aan. Ze bewoog zich overwogen en handig, alsof ze nu al meer zelfvertrouwen had en zichzelf al meer als getrouwde vrouw dan als tienerdochter zag. Annie sloeg haar nauwlettend gade en hoopte iets in haar gezicht of bewegingen te zien waardoor ze zich van andere meisjes van haar leeftijd onderscheidde. Maar er was niets – ze had net zo goed een of ander meisje kunnen zijn dat zich klaarmaakte voor haar eerste bal, of dat naar de universiteit zou vertrekken. Of...

Zij zou mij kunnen zijn. En ik haar!

Die gedachte maakte Annie zo in de war dat ze bijna de thee op haar schoteltje morste die Rivka net in haar kopje had geschonken. Nee, ik zou echt niet nu al willen trouwen, dacht ze. Nu nog niet. Misschien over tien jaar. En misschien wel nooit.

'De eerste twee, en Yitzak ook, werden ons door de *sjadchen* gestuurd,' legde Rivka uit, en ze viel zwaar neer op de stoel die tegenover Annie stond. Intussen haastte Sarah zich weg om naar de kleinste te kijken die in een van de slaapkamers verderop in de gang lag te huilen. Rivka grinnikte. 'Ik merk dat je het woord *sjadchen* nog nooit hebt gehoord.'

Rivka droeg vanavond een gebloemde hemdjurk waarin haar nu weer slanke figuur goed uitkwam, en in plaats van een sjaal over haar haren, droeg ze haar *sjeitel*, een korte bruine pruik die keurig hoog was opgemaakt. Rivka had verklaard dat een orthodox meisje haar haren met een pruik bedekte nadat ze was getrouwd, en ze nam hem alleen af als ze alleen was met haar man, zodat hij de enige was die haar op haar mooist zag. Maar hoe mooi zou je haar zijn nadat het de hele dag onder een pruik weggestopt had gezeten? vroeg Annie zich af.

'Een huwelijksmakelaar,' verklaarde Rivka. 'Esther Greenbaum organiseert dat soort dingen. Ze laat foto's zien en stelt gegadigden aan elkaar voor. En Sarah heeft er zo'n drukte van gemaakt toen ze gefotografeerd moest worden! Je zou denken dat die foto naar de Miss America-verkiezing moest worden gestuurd! Geen jongen zou zo'n gezichtje afwijzen, hoe slecht de foto ook was!'

Annie moest onwillekeurig lachen. 'En wat gebeurde er toen? Vond ze die eerste twee jongens niet leuk?'

'Bij de eerste keek ze heel even naar zijn foto en toen barstte ze in tranen uit. Je had hem moeten zien – zúlke vooruitstaande tanden. Esther bezwoer bij hoog en laag dat hij een fantastische man voor een meisje zou zijn, maar Sarah wilde zelfs niet meer naar zijn foto kijken. En ik kan het haar niet kwalijk nemen! Stel dat ik een kleinzoon had gekregen die op een ezel leek?' Rivka boog zich voorover en hief haar vinger tot voor haar gezicht om de zaak de nodige nadruk te geven. 'Die andere zag er niet zo slecht uit. Maar hij heeft nog geen twee woorden tegen Sarah gezegd toen ze elkaar ontmoetten. En Sarah is ook al geen grote praatster. Met die twee samen dacht ik: ha, voordat mijn eerste kleinkind komt, ben ik vast al dood en begraven!'

'En nu die…?' Annie aarzelde en probeerde zich zijn naam te herinneren.

'Yitzak,' vulde Sarah zachtjes aan.

Rivka ging rechtop zitten en er verspreidde zich een verrukte lach op haar gezicht. 'Yitzak zal vast een goede man voor Sarah zijn. Solide en betrouwbaar, en een *masmid* zoals ze al zei, heel geleerd. Hij zal haar tot bloei brengen. En je kan je geen eerbiediger mens wensen. Zijn vader is rabbijn, weet je. Een heel geleerd man.'

Annie had Sarah willen vragen wat ze dacht toen ze zijn foto zag, maar dat leek onbeleefd. Gelukkig begon Rivka daar al uit zichzelf over.

Ze boog zich voorover en fluisterde: 'En ik kan je wel zeggen – maar het moet onder ons blijven – Yitzak is helemaal niet onknap. Een goede vangst. Maar ja, Sarah is ook een meisje dat er wezen mag.' Rivka propte een stuk koek in haar mond, leunde achterover en keek vol trots naar Sarah die op de drempel stond en een in een deken gewikkeld bundeltje op de arm droeg, Rivka's jongste kind. Toen ze haar mond leeg had, zei Rivka: 'En hoe staat het met jou, Annie? Je moet ook eens aan trouwen gaan denken. Het is niet goed als een meisje zomaar zonder familie en zonder echtgenoot voortleeft.'

Annie lachte. 'Ik denk niet dat ik, zonder huwelijksmakelaar, zo gauw iemand vind. En bovendien ben ik nog helemaal niet aan een huwelijk toe.'

'En die jonge man dan? Die jou en Laurel zo af en toe opzoekt? Wat is hij dan? Helemaal niets?'

'Joe?' Annies stem piepte even toen ze de naam uitsprak en zo verraadde ze zichzelf. Ze voelde dat ze bloosde. 'Och, hij is... hij is gewoon een vriend. Hij komt in hoofdzaak voor Laurey. Een soort grote broer.'

Rivka keek haar strak aan en hield haar hoofd wat achterover. Misschien leidde ze een beperkt leven, maar ze wist alles van de wereld en mannen en vrouwen af, en ze voelde dat Annies woorden niet het hele verhaal weergaven.

Toen Annie eenmaal had ingezien dat ze Rivka kon vertrouwen, had ze haar alles over Val verteld, zodat áls hij zich hier ooit zou vertonen, Rivka haar kon waarschuwen. Nu verlangde Annie ernaar Rivka te vertellen wat er vanavond gebeurd was toen ze van haar werk naar huis kwam, over die man met de regenjas. Maar ze wilde Laurel niet bang maken of een schaduw over het geluk van Rivka werpen. Het was beter als ze het maar stilhield.

'Moet je mij horen,' lachte Rivka. 'Ik steek weer overal mijn neus in, als een echte *jente*. Wil je nog thee? Dan schenk ik nog een kopje in. Hier, neem nog een koekje. Ze komen zo uit de oven.'

Toen hoorde Annie meneer Gruberman bij de voordeur; hij kwam terug uit de *sjoel*. Rivka holde weg om hem te begroeten. Annie nam nog een slokje van haar thee in Rivka's grote warme keuken en luisterde naar de opgewonden stemmen in de kamer ernaast. Ze voelde zich veilig en warm.

Vermoedelijk had de man met de kaki regenjas zich enkel gehaast om de trein te halen, en de teleurstelling die ze op zijn gezicht had gezien kwam alleen maar omdat hij hem gemist had. Ze haalde zich waarschijnlijk veel te veel in haar hoofd, hield ze zichzelf voor.

En ze geloofde het ook.

Bijna.

120

Hoofdstuk 10

Dolly zat in de bioscoop voor oude films in de East Village en had een gevoel alsof haar maag in de knoop zat. Ze had haar handen zo stevig tot vuisten gebald dat haar nagels zich in haar handpalmen boorden.

Ze tuurde in het donker op haar horloge. Het was bijna middernacht en de film liep ten einde.

Zat hij hier ergens in de buurt, vroeg ze zich af, of meer vooraan? Toen ze binnenkwam had ze hem nergens kunnen ontdekken, maar hij was vermoedelijk gekomen nadat de film was begonnen.

Ze moest hem na afloop in de lobby treffen, had hij gezegd. Vreemd dat hij haar speciaal hier wilde ontmoeten. Wat had hij? Een aanval van heimwee soms?

Ze rekte haar hals uit en zag dat de bioscoop niet erg vol was. Dolly wilde niet herkend worden als de al ouder wordende ster van de film die werd gedraaid en was op een rij achteraan gaan zitten, dicht bij de uitgang. Daar zou ze niet worden opgemerkt. Maar waarom was ze zo op van de zenuwen? Die kinderen hier droegen vast allemaal nog luiers toen zij *Dames in Chains* maakte. En te oordelen naar hoe ze er nu uitzag, kon ze doorgaan voor de moeder van dat knappe ding met de grote ogen op het witte doek.

Wat een onzin om een film een klassieke culturele vertoning te noemen. Het betekende alleen maar dat hij in de loop van de tijd belachelijk was geworden. Eerst had Dolly gedacht dat ze háár uitlachten toen ze hoorde hoe ze allemaal lachten om de zinnen die ze jaren geleden regelrecht uit haar hart had laten komen. Maar na een tijdje was ze de humor van het geheel gaan inzien en ze moest nu zelf ook af en toe lachen. Sommige dingen wáren ook erg gek.

Op dit ogenblik keek ze naar een drie meter hoog beeld van zichzelf in een nauw korset; ze boog zich voorover en liet haar tieten vrijwel in de schoot van haar advocaat vallen terwijl ze snikte: 'Hoe ben ik in deze toestand verzeild geraakt?'

Ze lachte en voelde zich weer prima. Ze had ongeveer net zoveel met die vrouw op het doek gemeen als een groene tomaat met een beo. Ja, haar manier van acteren was belachelijk, maar sindsdien was er veel in haar leven gebeurd.

Haar gedachten vlogen nu naar het werk dat voor haar lag – Valentijnsdag binnenkort en volgende maand nu al twee bruiloften en dat fondsenwervingsdiner in het Metropolitan Museum. En net vandaag had een neef van mevrouw Levy die aanwezig was geweest bij de bar mitswa van dat jongetje Levy vorige week – ze waren een grote traiteursfamilie op Long Island – opgebeld. Hij was zo onder de indruk geweest van Laurels piñata's dat hij Dolly had gemachtigd de bonbons voor al zijn opdrachten te leveren.

Nu rolden de namen over het doek van iedereen die aan de film had meegewerkt en de lichten gingen aan. De mensen kwamen overeind, staken hun armen in hun mantelmouwen en liepen achter elkaar naar de uitgang.

Dolly verroerde zich niet. Ze was bang, doodsbenauwd voor de man die waarschijnlijk in de lobby op haar wachtte.

Rudy Carrera.

Wat zou hij willen? Ze had hem toch alles al verteld wat ze wist en gezegd dat ze in jaren niets meer van Eve en de meisjes had gehoord? Waarom nu dit derdegraads verhoor? Ze huiverde als ze aan zijn telefoontje van gisteravond dacht. Er was iets in zijn stem geweest... iets wat ze niet kon thuisbrengen... nee, niet íets, maar er míste iets. Hij had niet bijzonder nieuwsgierig geleken, noch was hij erg gespannen geweest – nee, juist niet. Het was alsof... alsof hij alles al wist.

Dolly voelde haar hart bonzen van angst.

Eerst had ze geprobeerd zich van een ontmoeting af te maken. Maar hij had aangedrongen, net een hond die eindelijk eens een lekker bot had ontdekt. En uiteindelijk vond ze dat ze het haar nichtjes verplicht was te ontdekken of Rudy iets wist, en wat. Misschien was het allemaal heel onschuldig. Dan konden ze tenminste weer rustig ademhalen.

Ze pakte haar mantel op, stond op en voelde zich stijf. Dolly vroeg zich af hoe ze het had klaargespeeld twee films achter elkaar te bekijken. *Storm Alley*. Die had ze in jaren niet meer gezien. Wat was het destijds spannend geweest, maar ook schokkend, om Eve op het doek te zien, vrolijk, geestig en opwindend, helemaal de ster die ze was. Toen had ze nog totaal niets van het zielige uitgedoofde wezen dat ze later was geworden.

En dat gedeelte waar Eve, de slet-met-het-gouden-hart, Maxie Maguire, wraak neemt op Gino door hem te vertellen dat ze aan kanker gaat sterven, en hem op die manier overhaalt haar op te hemelen zodat hij uiteindelijk beticht wordt van een moordaanslag. Hemel, wat sentimenteel. Niemand anders dan Eve had dit kunnen klaarspelen en kunnen zorgen dat het allemaal nog heel natuurlijk leek ook. Tegen het eind had Dolly heel wat mensen om haar heen horen snuffen en in hun zakdoek horen snuiten. Zijzelf ook. Maar misschien had zij een andere reden.

Dolly keek de zaal rond: aftandse pluchen stoelen, versleten gordijnen en afbladderend Egyptisch-deco verguldsel. Eve – de oorspronkelijke Eve – had zich een ongeluk gelachen als ze had meegemaakt dat haar ster- status nu nog dienstdeed in een 'gouwe ouwe'.

Ze herinnerde zich dat ze in de *Times* deze hervertoningen aangekondigd had zien staan als: 'Zusters van het Witte Doek'. Zes dubbele vertoningen van films waarin beroemde (of, in haar geval, niet zo beroemde) Hollywood-zusters de hoofdrol speelden. Olivia de Havilland in *Hold Back the Dawn*, samen met Joan Fontaine in *Suspicion*. En twee echte oude met Lillian en Dorothy Gish. Daarna háár naam met die van Eve.

Een voorteken. Een slécht voorteken, had ze gedacht. En toen kwam, zo maar uit het niets, Rudy Carrera opzetten. Het ging vast om geld. Waarom zou hij haar anders hebben opgebeld? Want als hij al wist waar Annie en Laurel zaten, dan had hij háár toch niet hoeven te bellen?

Terwijl Dolly rondkeek, zag ze dat ze niet alleen was overgebleven. Een eindje verderop, op de eerste rij, zat een man die ook geen haast scheen te hebben. Nu kwam hij overeind en liep naar het gangpad, maar hij hield zijn hoofd zo voorovergebogen dat ze zijn gezicht niet kon zien. Maar die dwergachtige figuur had iets bekends, die hier-kom-ik-manier van lopen van hem; ze kreeg het er koud van.

'Rudy.' Ze stikte bijna in het woord.

Hij bleef staan en hief zijn hoofd op om haar aan te kijken. 'Dag, Dolly, leuk je weer eens te zien.'

Hij grijnsde. Hij zag eruit als een kat die net een schoteltje room heeft leeggelikt zonder ontdekt te worden. Als iemand die langer was dan hij de kleren had gedragen die Rudy aan had, had hij er modern uitgezien: een lichtgekleurde broek, schoenen in twee kleuren en een geruit sporthemd van een luchtige stof waarvan de bovenste knopen niet waren dichtgemaakt. Zijn jas had hij over zijn arm. Maar Rudy was zo klein – zelfs op zijn verhoogde hakken kwam de bovenkant van zijn hoofd nog niet bij haar kin – en daardoor deden die kleren op zijn lichaam komisch aan. Hij deed haar denken aan Mickey Rooney die altijd liep te pronken alsof hij minstens twee meter lang was.

Maar aan Rudy was niets aardigs te bekennen. Dolly voelde even iets van medelijden met het veelgeplaagde jongetje dat hij vast was geweest. Het moest moeilijk voor hem zijn geweest op te groeien naast die knappe jongere broer.

'Weet je, ik heb *Dames in Chains* vroeger nooit gezien,' zei hij, en keek haar kalm en – naar het leek – geamuseerd aan.

'Niet zoveel mensen hebben de film toen gezien.'

'Jammer. Je was er fantastisch in.'

'Dank je. Ben je daarom hierheen gekomen? Om te zien hoe ik er vroeger uitzag?'

'Niet bepaald. Maar het heeft er wel wat mee te maken.' Hij viste in het borstzakje van zijn overhemd en haalde er een reepje vruchtenkauwgom uit waar hij het papiertje vanaf haalde, waarna hij het dubbelvouwde om het in zijn mond te stoppen. 'Je bent actrice geweest,' ging hij door en hij kauwde ijverig. 'En een heel goede. Een ding dat mijn broer blijkbaar was vergeten toen hij met je telefoneerde.' Ondanks de keurige manier van spreken van een advocaat die hij zich aan had geleerd, was zijn platte uitspraak toch af en toe te horen.

Dolly voelde zich betrapt. Ze moest tot de aanval overgaan, en snel ook.

'Hou op met die onzin,' snauwde ze. 'Wat wil je?'

Rudy keek om zich heen. Er stond een portier bij de deur die probeerde hen weg te kijken zodat hij kon afsluiten en vertrekken. Het was bijna middernacht. 'Laten we eerst maar hier weggaan,' zei Rudy. 'Weet jij hier in de buurt een gelegenheid waar we rustig kunnen praten?'

Een eind verder in de straat was een snackbar die de hele nacht open bleef en Rudy bestelde koffie en een broodje met gekruide ham. Terwijl hij stond te wachten, stak hij een sigaret op, leunde achterover en keek haar met half dichtgeknepen ogen door de rook heen aan.

'Ik heb hen gevonden,' zei hij.

Dolly had het gevoel dat ze haar vinger in een stopcontact had gestoken en een elektrische schok kreeg. Ze had haar opleiding als actrice nu hard nodig om hem rustig te blijven aankijken. Maar ze drukte haar handpalmen tegen de onderkant van het tafeltje om niet zo te beven.

'Waar heb je het over?' vroeg ze ontwijkend.

'Kom nou, laten we er niet omheen draaien. Ik wíst de vorige keer dat je tegen me loog, en dat weet jij ook. Ik heb Annie laten volgen door een vriend van me die detective is. Ze is een slimme meid. De eerste keer is het haar gelukt hem kwijt te raken. Maar daarna heeft hij beter opgepast.' Rudy klopte tegen zijn borstzakje. 'Hier heb ik het adres. East Fourteenth. In de wijk Midwood in Brooklyn. Geen slecht adres voor een paar weglopertjes, zei mijn mannetje.'

Dolly had het liefst die zelfvoldane uitdrukking van zijn gezicht willen slaan. Het bloed steeg haar naar het hoofd en haar schedel begon te prikken. Nou ja, dan moest ze maar ophouden de onschuldige te spelen en hem regelrecht aanvallen.

'Wat wil je nu?' snauwde ze.

Voor hij kon antwoorden, kwam de serveerster met hun koffie en een belachelijk dikke sandwich met ham. Hij beet er enthousiast in, scheurde er met zijn tanden een stuk af en kauwde daar vervolgens zo lang op dat het wel een uur leek. Eindelijk slikte hij het brood door, trok een papieren servetje uit de houder op tafel en veegde daar zijn mond mee af. Hij staarde haar aan en zijn varkensoogjes boorden zich in haar ogen.

'Ik wil niets,' zei hij. '*Nada*, helemaal niets.'

Meende hij dat nou? Waar wilde hij heen? Ze was best bereid hem te betalen, maar daar moest ze maar niet al te gauw mee aankomen.

'Kijk eens,' hield ze aan. 'Zeg me wat je wilt... iets redelijks. Als ik het voor elkaar kan krijgen, krijg je je zin.' Hij moest een groot inkomen uit zijn advocatenpraktijk hebben, maar misschien had hij speelschulden, of had hij een paar verkeerde investeringen gedaan.

'Je belde me niet voor niets op,' zei ze en keek hem vorsend aan. 'Wat wil je nu eigenlijk?'

'En dat zaakje met je zuster,' ging Rudy door, bijna alsof ze niets had gezegd. 'Wat heb jij haar te pakken genomen... Tjongejonge, daar was moed voor nodig. Ik moet het je nageven, Dolly. Ik zei destijds tegen mezelf dat je maar het beste kon zorgen een vrouw als jij niet tegen je te hebben.'

Dolly kreeg neiging het broodje in zijn keel te duwen totdat hij erin zou stikken.

'Hoe... hoe komt het dat jij daar iets van af weet?' Ze móest die woorden zeggen, anders was zij degene die zou stikken.

'Val heeft het allemaal van je zuster gehoord. Ja, hij was er goed nijdig over, maar Eve zei dat hij zijn mond moest houden. Ze wilde niet dat iedereen te weten kwam dat haar eigen lieve zuster haar had aangebracht. Ze schaamde zich, denk ik. Ze was vermoedelijk bang dat de mensen zouden denken dat zij wel erg slecht zou zijn als haar eigen vlees en bloed haar zoiets aandeed.' Hij zweeg lang genoeg om zijn woorden te laten bezinken. 'Val kwam vlak na Eve's dood bij me in de hoop dat er nog een manier bestond om de hele zaak in zijn voordeel te regelen. Bijvoorbeeld door jou een proces aan te doen waardoor je misschien bereid zou zijn hem een groot bedrag te betalen om alles onderhands te regelen. Maar ik heb hem gezegd dat dat nooit zou lukken. Hij had te lang gewacht. De termijn om hier iets aan te doen was al lang verstreken.'

Dolly trilde zo heftig dat ze zelfs haar koffiekopje niet durfde op te tillen. 'Kom, Rudy, voor de dag ermee. Waar wil je heen? Wat wil je van me?'

'Wat ik van je wil?' Hij liet zijn hoofd in zijn nek zakken en keek haar met halfgesloten ogen strak aan. 'Alleen wat medewerking, dat is alles. Regel een ontmoeting voor me met Vals dochtertje, met Laurel. Ik wil haar niet aan het schrikken maken door plotseling voor haar neus te staan.'

Dolly voelde dat ze te snel ademhaalde, dat haar borst werd samengedrukt. Het was alsof ze weer dat nauwe korset aan had dat ze in *Dames in Chains* had moeten dragen. Hij maakte haar nu echt bang.

Het duurde een ogenblik voor ze zich beheerste en weer normaal kon ademhalen. 'Waarom zou ik dat doen?'

'Omdat ik weet dat je van haar houdt en het beste voor haar wenst, daarom.' Hij liet zijn hoofd op zijn borst vallen en keek haar aan met een blik die haar het afschuwelijke gevoel gaf dat ze in een bos brandnetels was gevallen. 'Want gezien jouw reacties neem ik aan dat je je nog altijd schuldig voelt voor wat je Eve hebt aangedaan. Je wilt het tegenover haar kinderen goedmaken, nietwaar? Je wilt graag dat alles voor hen goed verloopt... en natuurlijk voor jezelf.' Hij blies een grote rookwolk uit. 'Heb ik het bij het goede eind?'

Dolly had het gevoel dat hij haar spiernaakt had uitgekleed, alle omhulsels van haar had afgestroopt. Ze wilde weg, weg bij die griezel en hem nooit in haar leven terugzien. Maar ze dwong zich om doodstil te blijven zitten. Ze wist dat ze dat móest doen. Voor Annie en Laurel, niet voor haarzelf.

'En hoe staat het met Val?' vroeg ze. 'Waarom is hij niet hier?'

'Hier heeft Val niets mee te maken.' Rudy nam geen notitie van het asbakje dat naast hem stond, maar drukte zijn sigaret uit op het schoteltje van zijn kop koffie.

Er liepen rillingen over Dolly's rug. Wat was die engerd van plan? Zou het iets... nou ja, iets víes zijn? Zoals destijds in Clemscott toen de oude Farraday betrapt werd in de achterkamer van zijn drogisterij terwijl hij probeerde de kleine Nancy Underwood te verkrachten? Ze was het liefst opgesprongen om haar handen om zijn dikke roze nek samen te knijpen.

'Luister, beste jongen, haal je maar geen perverse ideetjes in je hoofd over...'

'Hé, hé, wacht eens even.' Tussen de dikke wallen aan weerskanten van zijn platgedrukte neus tuurden zijn oogjes haar verwijtend aan. 'Denk je dat ik er zo eentje ben? Vergeet het dan maar. Ik wil het kind alleen zíen. Met haar praten, haar een beetje leren kennen. Ze is ook míjn nichtje, weet je.'

'Waarom nu opeens? Ik heb nooit gehoord dat je je vroeger iets van haar of Annie hebt aangetrokken.'

'Vroeger.' Hij verwerkte dit even. 'Vroeger waren veel dingen anders. Nu is nu.'

Hij keek dromerig weg naar de toonbank waar een meisje in een roze uniform bezig was een stuk citroentaart af te snijden.

'En hoe staat het met Val?' informeerde Dolly.

Rudy's ogen kwamen terug van welke donkere plek ze ook maar geweest waren. 'Laat Val nu maar met rust. Hij heeft hier niets mee te maken. Hij weet er ook niets van af. En dat wil ik zo houden.'

'Ik begrijp het niet. En ik zie helemáál niet in waarom ík je zou moeten helpen.'

'Luister eens, laten we de zaak even rechtzetten.' Hij keek haar strak aan. 'Ik heb jou niet nodig. Ik doe dit alleen ter wille van háár. Ik dacht dat jij het gemakkelijker voor het kind kon maken, de situatie wat toelichten zodat ze geen angstaanval krijgt als ze me ziet.'

'Hoe kun je zeker weten dat ik hen niet waarschuw? Morgen om deze tijd kunnen ze al in een andere stad zijn, of zelfs het land uit.'

Hij glimlachte. 'Ik weet dat je dat niet zult laten gebeuren. Omdat jij wilt wat ik wil. Omdat jij en ik in zeker opzicht niet zó verschillend zijn.'

Dolly huiverde. Toch kon ze het niet absoluut ontkennen. Ja, ze was egoïstisch. Ze wilde Annie en Laurel bij zich in de buurt hebben, een soort moeder voor hen zijn. Was dat zo slecht?

Goed, dan was wat Rudy wilde misschien ook niet zo slecht. Toch kreeg ze kippevel als ze eraan dacht dat Laurel hier of daar met hem rond- liep, al was het maar in het park.

Ik moet zorgen dat hij naar L.A. teruggaat, dacht ze, en haar met rust laat.

Maar ze begreep dat Rudy niet zo was als Val. Van hem kwam je niet af door de hoorn op de haak te smijten. Ze moest hem maar rechtstreeks aanvallen.

'Wat is je prijs?' vroeg ze. 'Kom nou. Ik weet dat je dit niet om het geld doet. Maar voor wat ik je wil geven, zou je een leuk vrouwtje kunnen nemen dat je lekker verwent, zoals dat heet, en je twee keer per dag ver- telt dat je haar zo aan Paul Newman doet denken.'

Rudy begon nijdig te kijken en balde zijn vuisten. Even dacht ze dat hij haar te lijf zou gaan. Toen ging hij rechtop zitten, beheerste zich en grin- nikte. 'Wat ik op het oog heb, is iets heel anders. Jouw zwijgen voor het mijne. Gelijk oversteken.'

'W-w-wat?' stamelde ze.

'Als ik met Laurel praat, zou jij het niet leuk vinden als ik zo terloops liet vallen dat jíj haar moeder aan senator McCarthy hebt verraden, niet- waar? En in ruil vertrouw ik erop dat jij met geen woord tegenover Annie rept over ons... hm... afspraakje.'

Dolly kreeg het gevoel of alles om haar heen begon te draaien.

'Schoft die je bent.' Het was moeilijk om haar lipppen te bewegen. 'Je doet dit om op de een of andere manier wraak op Val te nemen, hè? Daar gaat het om?'

'Nee, dan denk je verkeerd. Daar gaat het helemaal niet om.' Hij boog zich voorover en er verscheen een beetje kleur op zijn vale wangen. Er klonk iets fels in zijn stem toen hij zei: 'Ik wil geen wraak op Val. Maar ik wil hem dit afnemen.'

'En hoe staat het met Annie? Hoe denk je dit voor haar te kunnen ver- zwijgen?'

'Laat dat maar aan mij over. Ik heb een ideetje.'

Dolly wist wanneer ze verloren had; en dat ze opnieuw betrokken zou worden bij leugens en bedrog. Ze zou tegen Annie moeten liegen en Ru- dy's ontmoeting met Laurel achter Annies rug om moeten regelen. Want als Annie dit ontdekte, ging ze er onmiddellijk vandoor. Ze zou Laurel meenemen en weer op de loop gaan. Dolly had het liefst haar hoofd op tafel gelegd en een potje gaan janken.

Nee, ze kón Annie niet de waarheid vertellen. Henri was ver weg in Parijs, en er was geen kans op een echtscheiding. Ze moest er niet aan denken dat ze haar nichtjes ook niet meer zou zien.

Ik heb mijn zuster verraden, dacht Dolly, en ze had het gevoel dat haar hart in stukken werd gescheurd, en nu bedrieg ik mijn zusters kind.

'Waarom moet het een geheim blijven?'

Laurel tuurde in het vreemde halfdonker naar haar oom Rudy. Het aquarium op Coney Island leek een vreemde ontmoetingsplaats. Maar tante Dolly, die haar vaak op zaterdag ergens mee naartoe nam, had gezegd dat het niet veel anders was dan dat ze met hem naar de dierentuin of het park zou gaan. Op weg hierheen, in de limousine met de chauffeur van haar tante, had Laurels tante haar verteld dat oom Rudy haar niets zou doen of haar zou verraden – hij wilde haar alleen maar zien en vaststellen dat het goed met haar ging. Maar als dat alles was, waarom had haar tante dan zulke rode opgezwollen ogen gehad alsof ze urenlang had gehuild? En waarom liet oom Rudy haar nu beloven dit geheim te houden, zelfs voor Annie?

Laurel wenste dat Dolly bij haar was. Maar haar tante was in de auto gebleven en had gezegd dat ze haar over een uur zou komen halen. Eerst was Laurel bang geweest, maar oom Rudy was gewoon aardig tegen haar. Hij liep met haar door de schemergroene gangen met aan de zijkanten reservoirs en hij had haar allerlei soorten vissen aangewezen. Hij had naar haar school gevraagd, en naar Brooklyn, en zelfs naar de Grubermans. Hij had niet geprobeerd haar te knuffelen, of zelfs maar haar hand vast te houden – dat zou ze ook vréselijk hebben gevonden. En hij had het met geen woord gehad over het feit dat Annie en zij waren weggelopen... nóg niet.

'Vertrouw me maar,' zei hij tegen haar. 'Zo is het beter.'

'Maar als tante Dolly het weet, waarom mag Annie het dan níet weten?' vroeg ze fluisterend, hoewel er zo vroeg 's morgens geen mens in de buurt was die hen kon horen.

'Je zuster... zij zou het niet begrijpen,' zei hij, en keek van haar weg. Hij had die blik die volwassenen vaak hebben wanneer ze je niet alles vertellen, wanneer ze denken dat je misschien nog te jong bent om dit of dat te horen.

Ze werd weer een beetje bang, staarde hem aan. Zijn rubberachtige gezicht met het bolle voorhoofd deed haar denken aan de vormloze zeekoeien die achter het dikke glas voor haar rondzwommen. Tot nu toe had ze nooit zo veel over haar oom nagedacht. Hij was alleen maar een gek mannetje dat Val zo nu en dan kwam opzoeken en hij schonk nooit veel aandacht aan haar. Hij staarde wel vaak naar haar en dat vond ze griezelig. Pas nu sprák hij echt met haar en hij scheen echt in haar geïnteresseerd te zijn, dus misschien was hij zo gek nog niet.

'Als ik het haar nu vertelde... en haar uitlegde dat u...'

'Luister eens,' viel hij haar in de rede, 'je bent nu een groot meisje en ik kan dus ronduit met je praten.' Hij boog zich naar haar toe – ze waren bijna even groot – en zijn dikke nek leek uit de kraag van zijn verkreukelde regenjas op te rijzen, zijn oogjes waren erg donker. 'Val... je vader... die avond dat jullie zijn weggelopen... tja, toen was hij er niet best aan toe. Tegen de tijd dat ik hem in het ziekenhuis had, was het voorbij. Ik weet niet waarmee Annie hem heeft geslagen, maar zijn hersens waren beschadigd. De doktoren hebben alles gedaan wat ze konden, maar hij...' Rudy keek nu strak naar de zeekoe die lui in kringen achter het groene glas ronddraaide. 'Hij heeft het niet gehaald.'

Dood? Mijn vader dood? Laurel voelde zich opeens warm en duizelig worden en de hot dog die ze op weg hierheen bij Nathan had gekocht, kwam weer boven; hij leek helemaal op te zwellen en haar keel dicht te drukken. Toen herinnerde ze zich iets: tante Dolly had gezegd dat zij telefonisch met Val had gesproken. Hoe kon hij dan dood zijn?

'Dat is niet waar!' riep ze uit. 'Hij ís niet dood. Dan zou tante Dolly het gezegd hebben.'

'Je tante Dolly is een goed mens. En ze wil graag voor jou en je zuster zorgen... net als ik. Ze weet wat er zou gebeuren als zoiets als dit bekend zou worden. Als de politie wist dat Annie...' Zijn stem stierf weg.

Laurel rilde en dacht aan al het bloed op Dearies Oscar en haar dekentje. 'Annie heeft dat niet gewild. Ik weet dat ze dat nooit gewild heeft!' Ze huilde bijna en haar ademhaling ging heel moeizaam.

'Natuurlijk weet ík dat ook.' Nu klopte hij haar onhandig op haar schouder. 'Dat heb ik ook tegen de artsen gezegd, en tegen de politie die kwam rondneuzen... dat het een ongeluk was, dat hij moest zijn uitgegleden en gevallen en met zijn hoofd tegen de tafel gestoten, of zoiets.'

'U hebt ze niet verteld over...'

'Annie? Natuurlijk niet. Luister, meiske, dat probeer ik je al de hele tijd aan het verstand te brengen. Ik sta achter je. Van nu af aan zal ik voor je zorgen. Wanneer ik in New York ben, kom ik je opzoeken en als je ooit iets nodig hebt... wat dan ook... hoef je me maar te bellen. Op mijn rekening. Maar het moet ons geheimpje blijven. *Capisce*?'

Laurel slikte haar tranen weg. De halfdonkere gang met het vreemde rimpelige licht gaf haar het gevoel dat ze onder water was, naar adem snakte en bijna verdronk.

'Maar waarom... waarom mag Annie niets weten?' hield ze aan.

'Wil je dat zij weet dat ze een moordenares is? Luister, ik weet dat Val niet gemakkelijk was om mee te leven, maar zelfs je zuster zou nooit hebben gewild... nou ja, wat er gebeurd is.'

'Maar...'

'Je houdt van je zuster, hè?' Zijn stem klonk fluisterend. Ze voelde zijn adem tegen haar gezicht en die rook warm, naar kauwgom en sigaretten. 'Je wilt haar toch niet van streek maken? Zoiets kan iemand geweldig dwarszitten... en misschien zou ze er iets van krijgen.'

Net als Dearie. Hij bedoelt dat ze zo'n berouw kan krijgen over wat ze gedaan heeft, dat ze misschien... Nee, dacht ze, néé, zo was Annie niet. Ze zou nooit zelfmoord plegen. Maar misschien maakte ze zichzelf wel zo van streek dat ze ziek werd.

Laurel voelde de tranen langs haar wangen stromen. Het leek of de zeekoe die vlakbij achter het glas zwom, haar aanstaarde met zijn grote, bedroefde en bijna griezelig menselijke ogen.

Ze dacht eraan dat ze zo graag iets belangrijks had willen doen om te helpen – iets anders dan koken en de was doen. En nu was er iets en wilde ze niet... ze wilde dit afschuwelijke geheim niet bewaren.

Maar als ze Annie vertelde wat er met Val was gebeurd, dan zou Annie zich afschuwelijk voelen. En misschien vergeten dat het een ongeluk was en beginnen te geloven dat zij het zo had gewild... En dan... tja, misschien had Rudy toch gelijk. Misschien zou het haar zo dwarszitten dat ze... net zo werd als Dearie.

Ze dacht aan Annies nagels die ze tot op het leven had afgebeten. En als ze soms midden in de nacht wakker werd, gebeurde het wel dat Annie rechtop in bed strak voor zich uit zat te kijken.

'Ik zal niets zeggen,' zei ze en haar stem was slechts een zacht gefluister.

Ze voelde zich niet meer zo duizelig en het vage licht in de gangen leek nu anders; ze was eraan gewend en ze kon weer gewoon ademhalen. Ze begon het allemaal eigenlijk wel interessant te vinden. Annie wist er niets van, en zíj, Laurel, wist het wel. Zij zou weten dat ze iets belangrijks deed, dat ze geen stom kind was dat haar zuster tot last was. Ze zou weten dat ze in zeker opzicht voor Annie zorgde, net zoals Annie altijd voor haar had gezorgd.

Deel twee

1972

De koningin was doodsbang en beloofde het mannetje alle rijkdommen uit het koninkrijk als hij haar het kind wilde laten houden. Maar het mannetje zei: 'Nee, ik heb liever iets levends dan alle schatten ter wereld.'

Uit: *Repelsteeltje*

Hoofdstuk 11

'Dat wordt een valpartij.'

Annie keek naar het meisje naast haar op de achterbank van de limousine. In het naar binnen vallende licht zag ze er jonger uit dan negentien, en ze was bang.

'Ach, welnee,' zei Annie. 'Je hebt me verteld dat je die aria wel honderd keer gezongen hebt. En je hoeft hem niet helemaal te zingen, net genoeg om meneer Donato een idee te geven.'

'Dát bedoel ik niet.' Het meisje – Suzanne heette ze toch? – draaide met haar ogen. 'Ik bedoel deze japón... hij is zo lang. Ik weet zeker dat ik zal struikelen. God, hoe hebben vrouwen toch ooit gewoon in deze dingen kunnen rondlopen?' Ze trok aan het zware wijnkleurige fluweel dat in een hoop aan haar voeten lag.

Struikelen? Het zou waarschijnlijk iets veel ergers worden. Annies blikken gingen omhoog naar het lijfje – een handbreedte stof bedekte de borst van de studente van Juilliard en daarboven was een groot deel van haar boezem te zien – en ze kreeg even een afschuwelijk beeld van Suzanne die diep ademhaalde om de aria te beginnen en dan sprongen die enorme borsten van haar opeens naar buiten, uit de jurk.

God, wat een scène; Donato en de andere mannen op het feest zouden hun ogen uitkijken en de vrouwen zouden blozen en geshockeerd zijn – en die lieden waren de belangrijkste grossiers en distributeurs van de voedingsindustrie. Als dat gebeurde, en Donato ontdekte wie die overvloedig ontwikkelde zangeres naar binnen had gesmokkeld, stond het er met Girod's niet best voor.

Nee, dit moest lukken. Donato, een filiaal van de beroemde Donato in Milaan met zijn marmeren vloeren en al die fresco's op de plafonds, zou de meest elitaire levensmiddelenzaak aan de East Side zijn, zelfs in de hele stad, wanneer ze deze herfst hun deuren openden op Madison Avenue in de Sixties. En Annie wilde dat Girod's een van de weinige met zorg uitgezochte chocoladeleveranciers zou zijn waarvan daar produkten werden verkocht. Dat had ze zich vast voorgenomen.

Ze had natuurlijk de gebruikelijke weg kunnen bewandelen door monsters te sturen aan de inkoper van Donato en daarna een paar keer kunnen bellen, maar dat zouden alle leveranciers al doen. Ze wilde zich niet tevredenstellen met slechts een uit velen te zijn.

Nee... ze moest maar iets wagen. Ze wilde iets proberen dat de aandacht van Donato zou wekken. Als het haar lukte, zou de levensmiddelengigant zich Girod's tot zijn dood toe herinneren.

Een piepend wiel krijgt het vet. Dat zei Dolly toch altijd? En in de zes jaren die ze nu bij Girod's werkte, had ze dat steeds weer bewezen. Annie dacht aan de gezette Nathan Christiansen met zijn baard, die ze maanden achterna had gelopen. Hij was de levensmiddelen- en drankinkoper van het Carlyle Hotel. Ze had hem opgebeld, brieven gestuurd en hem zelfs op lunches getrakteerd. En Nate, joviaal, vriendelijk, lachte hartelijk om al haar grappen, flirtte zelfs, gaf de nodige wenken, maar nooit, nee nooit had ze hem zo ver gekregen dat hij een echte toezegging deed. Het enige dat hij eens een keer had gezegd, was dat hij dol was op G.K. Chesterton. En wat was het een bof geweest dat zij, nadat ze eerst allerlei tweedehands boekwinkels had afgestroopt, een eerste uitgave was tegengekomen van een 'Father Brown'-mysterie met een handtekening van de schrijver erin. Ze had het boek in mooi gebloemd papier verpakt en het aan Christiansen gestuurd mét een pond gesorteerde truffels van Girod's. Een week later was ze zíjn gast voor de lunch en waren ze bezig een overeenkomst op te stellen die Girod's het recht gaf het hotel alle bonbons te leveren die ze altijd als nachtgroet op de kussens van de gasten lieten leggen.

Waarom zou dit dus ook niet werken? Het meisje, Suzanne McBride, studerend aan Juilliard, had een stem als een engel. Ze zag er ook engelachtig uit met haar perzikhuidje en dat prerafaëlitische rode haar. En ze had gehoord dat Donato terwijl hij nog bezig was zijn zaak in New York op poten te zetten, niet één maar zelfs twee seizoenabonnementen voor de Metropolitan Opera had genomen. Hoe zou ze beter zijn aandacht kunnen opeisen dan door onverwachts een mooie jonge vrouw binnen te loodsen en hem een serenade te laten brengen met de balkon-aria uit Romeo en Julia?

'Maak je maar niet bezorgd,' zei Annie en klopte het meisje op de hand die vochtig en koud aanvoelde. 'Het gaat vast prima. Vergeet alleen niet je sleep op te tillen.'

De japon was te lang voor haar, maar er was geen tijd voor veranderingen geweest en het was ook maar een geleende japon. Een vriendin van Gloria, die op een verhuurkantoor voor toneelkleding op Broadway werkte, had hem voor hen gevonden en Annie had beloofd de japon morgen terug te brengen.

Nu draaide de limousine – Dolly's Lincoln – Fifty-seventh Street uit en reed Sutton Place op, waar hij zachtjes voor een mooi, oud met klimop begroeid stenen huis stopte. Annie stapte uit en hielp Suzanne het trottoir op terwijl ze de zoom van haar japon aan de achterkant omhooghield zodat hij niet over de grond zou slepen terwijl zij het trapje naar de voordeur op ging. In haar andere hand droeg Annie een zilveren boodschappentas van Girod's.

Ze nam geen notitie van de rijkversierde koperen klopper midden op de zware deur, maar trok aan de bel.

Annie huiverde in de koele avondlucht en wachtte totdat de deur zou worden geopend. Intussen voelde ze hoe haar hart bonsde. Ze begon aan een nagel te knabbelen. Stel je voor dat ze zou worden weggestuurd, na alle moeite die ze zich had getroost? Of als Suzanne tegenover al die vreemde mensen plankenkoorts kreeg en geen noot kon uitbrengen? Annie haalde diep adem en streek haar japon glad. Het was een eenvoudige zwarte jersey japon, elegant genoeg voor dit feest, maar hij kon natuurlijk niet in de schaduw staan van het opvallende kostuum van de sopraan.

Ik ben degene die straks struikelt... en dan kan ik wel vergeten dat ik naar Parijs mag, dacht Annie. Eén heerlijk ogenblik veroorloofde ze het zich te denken aan Dolly's belofte om met Henri te praten over een leertijd. Drie hele maanden in Parijs waar ze pas goed zou leren hoe bonbons werden gemaakt... God, als dat eens kon! Het werk voor Dolly was nooit saai, maar ze had praktisch alles geleerd wat er te weten was over het leiden van een zaak, etaleren, verpakken en inkopers overhalen. Waar ze van droomde, was het openen van een eigen zaak. En hoe kon ze beter leren hoe ze haar eigen chocolaatjes en bonbons moest maken dan onder leiding van Henri's monsieur Pompeau, die in Zwitserland was opgeleid en die al langer dan vijftig jaar de heerlijkste chocolade en bonbons voor Girod's vervaardigde?

Dit móest dus lukken. Als Donato haar verrassing leuk vond en Girod's het contract gaf, zou Henri vast onder de indruk van haar zijn – een klant als Donato zou Girod's omzet in Amerika kunnen verdubbelen. Dat ze het nichtje van Dolly was, legde niet veel gewicht in de schaal, had hij haar eens gezegd. Gegadigden voor een leerperiode werden uitsluitend op hun eigen verdiensten uitgezocht en gekozen.

Annies gedachtengang werd verstoord toen de deur voor haar neus openging. Er stond een jongeman in een donker pak met een gestreepte zijden das voor hen. Hij zag er te netjes uit om de butler te zijn, en met die donkere ogen was hij vast...

'Goedenavond,' zei hij. 'Ik ben Roberto... Roberto Donato.' Zijn blik gleed even over Suzannes japon en één zware wenkbrauw werd hoog opgetrokken.

'Ik ben Annie,' zei ze. Ze aarzelde voor ze naar binnen stapte. Ze was bang dat hij naar hun uitnodigingskaarten zou vragen, of – wat nog erger was – zou vragen waarom Suzanne die belachelijke japon droeg. Toen, snel, voordat hij iets kon zeggen, voegde ze eraan toe: 'We zijn een beetje laat.'

Maar de jongeman, die vermoedelijk door zijn ouders was gedwongen te helpen, keek alleen maar alsof hij zich dood verveelde en liet hen binnen. 'Ze zijn allemaal boven,' zei hij. 'U hebt net mijn vaders grote toespraak gemist.'

'Dat hindert niet,' antwoordde Annie snel en ze lachte hem vriendelijk toe. 'We zijn hier voor een *encore*.'

Ze hield Suzannes klamme hand stevig in de hare en trok haar mee de marmeren vestibule door, een ronde ruimte in waar de aandacht onmiddellijk werd getrokken door een levensgroot bronzen naakt dat onder aan de wenteltrap stond. Ze hoorde stemmen, gelach en muziek op de verdieping boven hen. Even keek ze opzij naar Suzanne die nóg bleker was geworden dan ze onderweg al was. Ze kneep in haar hand en dacht: laat me niet in de steek. Heb het hart niet me in de steek te laten.

Boven aan de trap stond een dubbele deur open die toegang gaf tot een grote kamer vol elegant geklede mannen en vrouwen. Hun gepraat overstemde het zachte geluid van pianomuziek. Annie voelde dat Suzanne wilde blijven staan.

'Ik wist niet... O, kijk eens wat een mensen...' De stem van het meisje daalde tot een paniekerig gefluister. 'Ik bedoel, op school zing ik ook wel voor mensen, maar dit is anders. Ik had er geen idee van...'

Annie liet Suzannes hand los en pakte haar stevig bij de elleboog terwijl ze fluisterde: 'Het gaat vast prachtig. Onthoud wat ik je vertelde... Donato is die lange grijze man daar, met die zware snor.' Ze wees hem aan, want ze had hem ogenblikkelijk herkend van een foto die ze op de financiële pagina van de *Times* had gezien. Hij stond bij de zwarte marmeren schoorsteenmantel met een groepje mannen te praten. Een van hen herkende Annie als Stanley Zabar; hij had een wereldberoemde zaak op Broadway en zij leverde hem regelmatig truffels en vruchtjes van marsepein.

Ze vond het merkwaardig dat haar stem zo kalm klonk... veel kalmer dan ze zich voelde. Want al had ze haar avondeten overgeslagen, toch deed haar maag vreemd, alsof ze te veel kaascanapés had gegeten. Maar toen dwong ze zich eraan te denken hoe heerlijk Dolly en Henri het zouden vinden als ze Donato als klant kon krijgen.

Annie legde haar hand onder op Suzannes rug en gaf haar een duwtje. Tegelijkertijd moest ze aan Laurel denken die over drie dagen achttien zou worden, bijna even oud als dit meisje. Laurel was ook verlegen, maar ze kon ook heel vasthoudend zijn. Annie dacht aan Laurel toen die zeven jaar was en leerde rolschaatsen. Ze was zo vaak gevallen dat haar benen bont en blauw waren, maar steeds stond ze weer op en dwong zich om door te gaan. Als Laurel hier zou staan in plaats van Suzanne, zou ze Annie nooit teleurstellen.

Maar nu liep Suzanne, goddank, langzaam door, al wankelde ze enigszins onder het gewicht van het zware fluwelen kostuum. Toen ze de kamer doorliep, hielden de mensen op met praten en staarden. Ze maakten plaats voor haar zodat ze regelrecht op Donato toe kon lopen. Er klonk gefluister en mensen vroegen elkaar wie dat zou zijn, dat meisje dat eruitzag als een prinses uit de renaissancetijd.

Ze bleef op ongeveer een meter afstand voor Donato staan en daar opende de jonge sopraan haar mond. Eerst kwam er geen geluid uit en Annie kreeg bijna een hartaanval. Toen verhief zich de lieve, mooie en ongelooflijk pure sopraan van het meisje.

'*Ah, tu sais que la nuit te cache mon visage...*'

Donato staarde haar aan en zijn mond – klein en roze onder die enorme snor – viel open van verbazing.

Annie werd wat rustiger; haar hart sloeg weer normaal. Misschien liep het toch zoals ze gewenst had – Suzanne was goed. Maar nadat hij van zijn aanvankelijke verrassing was bekomen, zou Donato het dan nog mooi vinden... of alleen maar woedend zijn om deze verstoring?

Suzanne zong het klaaglijk eind van de aria en toen hing er een bijna tastbare stilte in het vertrek. Annie had het gevoel dat ze gewichtloos ronddreef. De grond leek omhoog te komen en de fraaie kamer met zijn bewerkte plafond, zijn met zijde bespannen wanden en antieke tafels en stoelen, alle in de kleur van oude port, scheen te bewegen. Ze zag dat Donato niet glimlachte; zijn gezicht stond onbewogen.

Toen kwam het applaus, de gesmoorde kreten van verrukking... en toen klapte Donato ook terwijl de uiteinden van zijn snor omhoog kwamen: hij lachte. Annie merkte dat de kamer zich weer als een normaal vertrek gedroeg en ze voelde ook de grond onder haar voeten weer. Ze haalde diep adem, deed een stap naar voren en liep op Donato toe.

Ze haalde een mooie Wedgwood soepterrine uit haar boodschappentas – een van Dolly's schatten van de vlooienmarkt – gevuld met truffels en bonbons.

Glimlachend overhandigde ze die aan Donato, vergezeld van een kaartje. 'Met de complimenten van Girod's.'

Toen draaide ze zich snel en zo waardig mogelijk om en liep met Suzanne achter zich aan het vertrek uit.

Annie had zich opgekruld in de heerlijke fauteuil in Joe's huiskamer en keek naar Laurel die het verjaardagscadeau uitpakte dat ze van haar zuster had gekregen: een prachtige gelakte doos met waterverf en een stel fijne penselen.

'Het is Japans,' vertelde Annie haar. Ze dacht aan het piepkleine winkeltje met oosterse produkten in Barrow Street waar ze de doos had ontdekt en aan de oudere Chinees die haar had geholpen. Toen ze hem had gezegd dat het voor haar zuster was die achttien jaar werd, had hij er een stapeltje met de hand gemaakt rijstpapier bijgedaan.

'O!' Laurel slaakte een zucht van opwinding en staarde naar de doos terwijl ze met haar vinger over het parelmoer op het deksel streek. 'Het is... o, Annie... ik vind het zó prachtig!'

Ze zat met gekruiste benen op de grond bij de bank waar Joe zat en haar schouder raakte bijna zijn knie aan. Nu draaide ze zich om en keek hem aan zodat ze hem bijna recht in het gezicht kon zien en hield de doos omhoog alsof ze dit cadeau van Annie aan hém aanbood. 'Joe, vind je hem niet beeldig?'

'Heel mooi,' vond Joe. En toen zag Annie dat hij niet naar de doos, maar naar Laurel keek.

Laurel zag er in haar verschoten spijkerbroek, blootsvoets en met een geborduurde Mexicaanse blouse, terwijl haar glanzende haren tot op haar schouders hingen, zo stralend, zo verrukkelijk uit dat Annie opeens een steek van jaloezie voelde. En opeens drong het tot haar door: ze is verliefd op hem.

Het leek of de kamer plotseling helder verlicht werd – de eikehouten sofa en stoelen in kloosterstijl, het Navajo-vloerkleed en de smeedijzeren kandelaars op de mooie tafel van Californisch redwood met de knoesten er nog in. Het leek of ze het hele tafereel opeens door een telescoop zag. Dolly in een felgroene japon met een wild patroon, en schoenen van zilverlamé met hoge hakken leek een vrolijk gekleurde papegaai die op de rand van de stoel bij de radiator zat. Rivka had naast Joe op de sofa plaatsgenomen en glimlachte sereen. Ze droeg een nieuwe asblonde *sjeitel* en leek veel te jong om moeder van negen kinderen te zijn. Joe droeg een marineblauwe pullover en een lichtblauwe ribfluwelen broek die zo vaak gewassen was dat hij bijna wit leek; hij grinnikte nu tegen Laurel en boog zich voorover terwijl hij met zijn ellebogen op zijn knieën leunde.

'Ik dacht dat je die wel kon gebruiken,' zei Annie, schraapte even haar keel en voegde eraan toe: 'Ik vind het fijn dat je hem zo mooi vindt.' Ze keek gauw weer naar beneden en concentreerde zich op het vloerkleed, op een zwarte bliksemschicht – of iets wat daar erg veel op leek – die zigzaggend onder een van de poten van haar stoel vandaan scheen te komen. Ze wist dat als ze weer naar haar zuster zou kijken, ze de duistere gedachten die in haar waren opgekomen niet zou kunnen verbergen.

'Móói vinden? Ik vind hem práchtig!' Laurel keek Annie stralend aan. 'Jij kiest altijd precies wat ik hebben wil... en ik kan hem zo goed gebruiken.'

'Daar heb je nou een zuster voor,' merkte Dolly op. 'Tantes geven je vaak prachtige maar núttteloze dingen die je nooit van je leven zelf zou kopen. Alsjeblieft.' Ze duwde Laurel een klein doosje in de handen dat de blauwe kleur van een roodborstjesei had en was dichtgemaakt met een lint in dezelfde kleur – van Tiffany's, zag Annie onmiddellijk. 'Een heerlijke achttiende verjaardag.'

Annie glimlachte en dacht aan de kleine blauwe doosjes die er net zo uitzagen als dit en die in de lade van haar kast lagen. Zes – een voor elke verjaardag sinds ze naar New York was gekomen. Er zaten zilveren spelden of armbanden in, een hanger of een paar oorbellen. Ze zag hoe Laurel het lint losmaakte en het doosje opende. Er lag een blauw flanellen zakje in dat met een trekkoordje gesloten werd, en daarin zat een gouden medaillon in de vorm van een hartje met een diamantje erop. Heel mooi, dacht Annie, maar toch wat te lief, te veel voor nog zo'n klein meisje.

Laurel moest hetzelfde hebben gedacht, want al bleef ze glimlachen, toch was die lach niet zo stralend meer. 'U hebt volkomen gelijk' – ze lachte – 'ik zou het nooit zelf hebben gekocht, want ik had het niet kunnen betalen. Maar ik vind het mooi. En het is heel lief van u dat u eraan gedacht hebt.'

Annie zag dat haar zusje opstond en Dolly omhelsde. Ze bedacht dat Laurel toch wel erg goed komedie kon spelen – Dolly zou geen ogenblik het idee krijgen dat ze het niet fantastisch vond. Kon ik in dat opzicht maar meer als Laurel zijn, dacht Annie. Niet zo bot en wat eleganter... en wat opener als het erop aankwam genegenheid te tonen. Vooral tegenover Dolly kon Annie zich nog altijd niet honderd procent laten gaan – er was altijd een kern van achterdocht diep in haar verborgen, het gevoel dat Dolly haar niet álles had verteld wat er tussen haar en Dearie was voorgevallen. En op de een of andere manier tastte dat toch alles enigszins aan wat zij voor hen had gedaan, leek het.

'Mijn Sarah heeft ook zo'n medaillon,' zei Rivka. 'Met een fotootje van haar man, Yitzak, erin.' Ze keek Laurel veelbetekenend aan. Als Laurel Rivka's dochter was, dacht Annie, zou ze niet naar Syracuse teruggaan om haar tweede semester te voltooien... dan zou ze trouwen, een eigen gezin stichten. Annie, met haar vierentwintig jaar, was praktisch gesproken al een oude vrijster.

Het leek of Rivka Annies gedachten had gelezen. Ze zuchtte diep en zei: 'Ik kan er nog steeds niet aan wennen dat jullie tweeën tegenwoordig zo ver weg wonen.'

Annie lachte. 'Je doet alsof Manhattan op een ander continent ligt.'

'Dat is voor jullie misschien niet zo. Maar als ik mijn twee Californische *sjeintjes* wil zien, moet ik meer dan een uur met de ondergrondse reizen.'

Annie miste Rivka ook. Ze zagen elkaar nog wel, maar niet zo vaak als toen zij en Laurel nog in Brooklyn woonden. De afgelopen vijf jaar hadden ze een flat gehuurd in dit gebouw, een klein flatje met maar één slaapkamer, dat twee etages hoger lag dan Joe's woning.

'Volgende keer kom ik naar jou toe,' beloofde ze.

'En de volgende keer dat ik naar Manhattan kom,' zei Rivka plagend, en hief haar vinger tegen Annie op, 'is het om op jouw bruiloft te dansen.'

Annie voelde dat ze bloosde en vocht tegen de verzoeking Joe aan te kijken. Ze keek hoe Rivka van de sofa opstond, wat onzichtbare roos van haar blouse met hoge col veegde en haar stijlvolle pied-de-poule rok die tot onder haar knieën kwam rechtstreek. 'Nou... wie wil er cake?' Ze had hem zelf gemaakt, koosjer natuurlijk en ze had hem de hele weg hierheen, in de D-trein van Avenue J, in een hoededoos meegedragen.

'Mag ik eerst de kaarsjes uitblazen?' vroeg Laurel.

'Pas nadat je mijn cadeau hebt opengemaakt,' zei Joe. Hij stond op en liep de slaapkamer in; even later kwam hij terug met een klein vierkant pakje in z'n hand. Het was in vloeipapier verpakt en met een grove draad rood garen dichtgebonden.

Laurel maakte het langzaam open en er kwam een klein met de hand geschilderd houten doosje te voorschijn. Daarin zat een gevlochten zilveren armband.

'De Indianen in Mexico maken die dingen,' verklaarde Joe. 'Ze noemen ze vriendschapsringen.'

Laurel zat er zwijgend naar te staren en rolde het cadeautje tussen haar duim en wijsvinger; het leek alsof ze gebiologeerd werd door het licht dat de armband weerkaatste. Ze hield haar hoofd gebogen en haar haren vielen als een gordijn voor haar gezicht; Annie kon haar uitdrukking niet zien.

Toen keek Laurel op, heel snel – voordat ze haar blikken weer neersloeg en Annie zag waarom ze niet was opgesprongen om Joe te omhelzen, of tenminste de moeite had genomen om hem te zeggen hoe mooi ze de armband vond; in haar ogen schitterden tranen en haar wangen waren vuurrood. Het leek of ze op het punt stond in huilen uit te barsten.

Pas na wat een eeuwigheid leek, zag Annie Laurel opstaan en met vreemd stijve bewegingen naar Joe toe lopen. Ze boog zich voorover en kuste hem, niet op de wang, maar op de mond, voorzichtig maar weloverwogen en haar lippen bleven even langer op de zijne rusten dan voor de beleefdheid nodig was.

'Dank je, Joe,' mompelde ze.

Joe keek tevreden, zag Annie, maar was er een tikkeltje verlegen mee. Had zij het zich maar verbeeld dat het leek of hij Laurels kus beantwoordde?

Plotseling werd ze overvallen door gedachten die ze al tijden verdrong, niet alleen vanavond, maar al sinds lang voordat Laurel ging studeren. In gedachten zag ze allerlei beelden. Laurel als een mager twaalfjarig meisje dat over het trottoir holde en probeerde Joe in te halen. Laurel in de keuken in Joe's Place terwijl ze naast hem brooddeeg stond te kneden. Laurel die zich op deze bank tegen Joe aan had genesteld terwijl ze samen keken naar *Invasion of the Body Snatchers* op de televisie. Als het griezelig werd, had ze haar gezicht tegen zijn schouder verborgen.

Toen zag ze haar zusje – dertien, met heel lange benen waar ze duidelijk geen raad mee wist – uitglijden in de modder in Prospect Park waardoor ze een enorme snee in haar knie opliep. Ze zat onder het bloed, haar kous was er kletsnat van, zelfs haar schoen en het gras waren rood. Joe had haar opgetild en hij en Annie waren naar de straat gehold. Daar hadden ze staan wachten terwijl Annie wanhopig probeerde een taxi aan te houden. Maar toen de chauffeur al dat bloed zag, trok hij op en wilde gewoon weer wegrijden. Maar in een soort reflex pakte Joe de man bij zijn kraag en sleurde hem half naar buiten.

'Dat kind is pas dertien. Ze is gewond.' Hij sprak zachtjes en vlak. 'Jij brengt ons naar Kings County. Nu. Ik betaal je wel wat een eventuele schoonmaak kost. Nog bezwaren, meneer?'

De geschrokken chauffeur was doodsbleek geworden en had zijn hoofd geschud. Toen, zonder een woord te zeggen, was hij in vliegende vaart naar de ingang van de eerste-hulpafdeling van Kings County gereden waar de wond met achttien hechtingen was dichtgemaakt, terwijl Laurel wanhopig haar best deed haar tranen in te houden.

Maar wat Annie het duidelijkst van die vreselijke dag bij was gebleven was niet het bloed of de hechtingen... het was de manier waarop Laurel naderhand naar Joe had gekeken – alsof hij honderd draken had verslagen en over een toren zo hoog als het Empire State Building was gesprongen om haar te redden.

Ze is verliefd op hem. Die gedachte kwam weer bij Annie boven, steeds maar weer, net zoals een of ander vervelend reclamewijsje dat ze maar niet kwijt kon maken. Ze had het toch altijd al geweten? Het enige verschil was dat Laurel nu geen jeugdig veulen in de wei meer was... en Annie kon zichzelf niet langer wijsmaken dat het enkel kalverliefde was.

Maar dat hinderde haar niet echt, zag ze nu in. Wat haar hart zo aan het bonzen maakte, was dat het plotseling bij haar was opgekomen dat Joe misschien ook wel verliefd op Laurel was! En waarom ook niet? Op haar achttiende leek Laurel ouder dan de meeste meisjes van die leeftijd. Misschien droomde ze af en toe nog, maar ze was heel sierlijk, en had een goede houding, en ze was heel handig in alles wat ze deed – zoals haar tekeningen – en ze kon zelfs haar eigen kleren maken. Jazeker, ik heb voor haar gezorgd, maar ze heeft ook vaak alles zelf moeten doen. 'Mijn vrouwtje', had Rivka haar altijd genoemd. En wat deed het ertoe dat Joe eenendertig was? Heel veel mannen werden verliefd op jongere vrouwen. En de laatste tijd had Joe het steeds vaker gehad over het feit dat hij een vrouw moest zoeken en een gezin stichten; als grap zei hij altijd dat hij minstens zes kinderen wilde.

Hou op, hield ze zichzelf voor, je bent belachelijk bezig. Natuurlijk houdt Joe van Laurel, maar niet zoals jij denkt. Hij houdt van haar zoals hij van een jonger zusje zou houden. Zoals hij van jou houdt.

Annie voelde een scherpe steek in haar borst, alsof er een spier verkrampte. Zág Joe haar zo? Alleen maar als een goede vriendin, een zuster?

Ze dacht aan de dag, aan het ogenblik waarop ze voor het eerst had begrepen dat ze van Joe hield, verliefd op hem was. Dat was vier maanden geleden, toen ze met Steve Hogan na de bioscoop naar huis wandelde. Toen was er opeens een idioot op een fiets verschenen die haar omver had gereden toen ze vóór Steve van het trottoir was gestapt. Ze was gevallen en had haar hoofd en knieën pijn gedaan. Het ergste was echter niet de pijn, of het feit dat de idioot op de fiets niet eens stopte. Nee, het ergste was dat ze niet meer kon ophouden met lachen.

Joe zou haar stevig hebben vastgepakt, dacht ze, haar warm hebben gehouden, voor hulp hebben gezorgd. Zoals met Laurel toen ze haar knie openhaalde. Hij zou hebben geweten dat ze een shock had, bijna hysterisch was. Maar Steve, knap van uiterlijk en heel intelligent, de eerste van de klas bij de rechtenstudie op de Universiteit van New York, met wie ze al bijna een jaar geregeld uitging – ze had zelfs overwogen met hem te trouwen – was naast haar op het trottoir neergehurkt, en had haar op haar rug geklopt alsof hij een baby probeerde een boertje te laten doen. Op dat ogenblik had ze geweten – alsof die fiets op de een of andere manier die gedachte had losgemaakt – dat de enige man die ze wilde hebben, toen en voor eeuwig, Joe was.

Maar ze had niet de moed hem dat te vertellen, nog niet. Dat had de tijd. Misschien over een paar dagen, na de paasvakantie wanneer Laurel weer naar school terugging...

'Happy birthday to you!' Het was Dolly's luide alt die haar gedachten onderbrak. En nu viel Joe haar bij. En Rivka ook, met een trillende sopraan. Haar ronde gezicht glansde in de gloed van de flakkerende kaarsjes die op de taart stonden die ze vanuit de keuken naar binnen bracht. Met z'n allen zongen ze het lied uit volle borst uit.

Annie zag hoe Laurel diep ademhaalde en met haar ogen op Joe gevestigd de kaarsjes op de taart uitblies.

Ik heb geen kristallen bol nodig om te weten wat zij wenst, dacht Annie. Ze voelde zich schuldig dat ze hetzelfde wenste, maar verdorie, waarom zou Laurel meer recht op Joe hebben dan zij? En Laurel kwam wel over haar verliefdheid heen. In Syracuse waren vast tientallen jongens van haar eigen leeftijd die achter haar aan zaten. Straks werd ze op een van hen verliefd en zou Joe opnieuw alleen maar de grote broer zijn.

Rivka sneed de heerlijke kokostaart en Laurel deelde de punten rond; Annie ging nu naast Joe zitten. 'Hoe is het gisteravond gegaan?' vroeg ze. 'Met dat feest, bedoel ik?'

Joe's Place was nu ook cateringbedrijf en ze wist dat hij nog met aanloopmoeilijkheden kampte. Het restaurant liep inmiddels als een trein en zat elke avond vol. In de afgelopen zes jaar was het een instituut geworden in de Village.

'Niet slecht,' zei hij. 'Afgezien van het feit dat de oven van die mevrouw het op een gegeven ogenblik af liet weten en Rafy een buurvrouw moest overhalen ons haar oven te laten gebruiken. Het verliep prima, behalve dat die dwaze buurvrouw zich – in haar spijkerbroek en op sportschoenen – bij het deftige feest binnendrong, alsof zij en haar oven onafscheidelijk verbonden waren. Verder ging het goed.'

Annie lachte. 'Ik begrijp wat je bedoelt.'

'Ja, heus?'

'Gisteren bood ik een monsterbonbon aan aan een inkoper die me had gewaarschuwd dat hij allergisch is voor noten. Ik zei dat hij zich niet bezorgd hoefde te maken, want ik wist zeker dat die frambozentruffel geen noten bevatte. Hij neemt een hapje en wordt doodsbleek; en meteen holde hij weg naar het toilet.'

'Tjongejonge.' Joe kromp in elkaar. 'Dat was een misser.'

'Nee, ik had het bij het juiste eind wat de frambozentruffel betreft, maar ik gaf hem een verkeerde truffel. Ik gaf hem per ongeluk een rumpraline.'

Annie wist nog hoe ze zich had uitgeput in verontschuldigingen, maar nu, met Joe, kon ze erom lachen. Als ze hem dingen vertelde die haar op haar werk van streek hadden gemaakt, leken ze achteraf niet zo erg meer.

'Wil je nog steeds graag een eigen zaak beginnen?' Zijn ogen achter de ronde brilleglazen die de vroegere vierkante hadden vervangen, stonden enigszins uitdagend.

'Ik zou het graag willen... als het me ooit lukt. Weet je, er zijn nog wat onoplosbare details, zoals hoe je chocolade maakt, en hoe je genoeg geld bij elkaar krijgt.' Ze probeerde haar toon luchtig te houden, want ze wilde niet dat hij – of wie dan ook – te weten zou komen hoe wanhopig graag ze het wilde. Stel dat Henri haar leertijd in Parijs niet goedkeurde? Zelfs na haar triomf bij Donato (die net vanmiddag had opgebeld om een afspraak met haar te maken) kon dat. En zelfs al kreeg ze die opleiding wél, hoe stond het dan met het geld uit Dearies legaat waarop ze rekende om haar eigen zaak mee te beginnen? Stel dat het verdwenen was, gestolen door Val? Zijn stilzwijgen al die jaren vond ze minstens even onheilspellend als destijds zijn griezelige avances.

'Om jou maak ik me niet bezorgd,' zei Joe. 'Als jij iets echt wilt, zorg je ook dat je het krijgt.'

Toen ze Joe in de ogen keek, die lichtbruine vrolijke ogen, voelde ze een heerlijke warmte door zich heen stromen. Ze had haar armen om hem heen willen slaan, haar hoofd in zijn raglan trui begraven en naar zijn hart luisteren om na te gaan of dat net zo bonsde als het hare nu. O, Joe, dacht ze, als je wist wat ik nu wenste, zou je dan nog zo zeker weten dat ik het zou krijgen?

Ze móest hem vertellen hoe ze zich voelde en ophouden met dit kinderachtig gedweep. Zelfs als hij niet dezelfde gevoelens koesterde, dan zou ze dat tenminste weten. En dan wist ze wat ze moest doen.

Ik zal het hem vertellen, dacht ze. Overmorgen, als Laurel weg is, als ik hem weer helemaal voor mezelf heb.

En als hij mij wil hebben... tja, dan moet Laurel dat maar begrijpen. Ze is volwassen, ze komt er wel overheen. Ik heb haar toch altijd alles gegeven? Verdien ik het niet om nu eens eerst te komen?

'Waar zitten jullie zo over te fluisteren?' Annie keek op en zag Laurel bij hen staan met een bordje met taart in elke hand. Ze glimlachte, maar Annie zag dat haar ogen een klein beetje dichtgeknepen waren.

'Over jou, natuurlijk,' plaagde Joe. 'Ik vroeg me af – nu je achttien hele jaren bent – of je ons nu eindelijk eens aan die geheimzinnige vriend van je gaat voorstellen.'

'Welke vriend?' Ze keek hem woedend aan en gaf hun hun schoteltjes.

'Degene met wie je altijd stiekem afspraakjes hebt.'

'Ik weet niet waar jullie het over hebben!' Laurel probeerde te lachen, maar ze bloosde en dat verried haar.

Die geheimzinnige buien van haar waren niet nieuw, maar Annie vroeg zich voor de zoveelste keer af: wat verbergt ze? Al die avonden dat ze was thuisgekomen en Laurel niet thuis had aangetroffen, en dan was ze evenmin bij Rivka. Laurel zei altijd dat ze bij een vriendin huiswerk was gaan maken, of lang in de bibliotheek was gebleven, maar ze had haar ogen afgewend wanneer ze dat soort dingen zei, en ze bloosde er altijd bij.

Toen Annie het aan Dolly vertelde, had die gezegd dat het misschien een manier van Laurel was om haar onafhankelijkheid te tonen. Vermoedelijk wás ze ook bij een vriendin, zei Dolly, maar wilde ze Annie alleen maar laten zien dat ze te groot was om als een klein kind aan het handje te worden gehouden.

Jaren geleden was Joe al begonnen Laurel met haar 'geheimzinnige vriend' te plagen en Laurel had altijd gedaan alsof ze niet wist waar hij het over had, maar Annie dacht dat ze het stilletjes fijn vond dat Joe genoeg om haar gaf om door haar houding geïntrigeerd te zijn.

'Hoe komt het dan dat je zo bloost?' plaagde Joe haar nu, en zijn ogen daagden haar uit.

'Ik bloos niet!' Laurels handen vlogen naar haar rode wangen. Maar haar lach was gedwongen en ze keek op een vreemde manier en angstig naar Annie.

Wat verbergt ze?

Joe voelde vermoedelijk dat hij te ver was gegaan, en probeerde nu de rimpels glad te strijken. 'Goed dan. Laat maar zitten.' Hij trok zijn wenkbrauwen op en zei met een gemaakt verleidelijke stem: 'Misschien ben ik alleen maar jaloers. Misschien wil ik je helemaal voor mezelf houden.'

Annie voelde dat ze gloeiend heet werd, brandend heet – en opeens daarna ijskoud. Maar waarom raakte ze zo van streek? Joe plaagde maar wat, dat had hij altijd gedaan met Laurel... Waarom zou het nu anders zijn?

Je wéét het, hield ze zichzelf voor, zelfs al weigert Joe het onder ogen te zien. Het moest nu afgelopen zijn. Ze moest hem vertellen wat ze voelde voordat Laurel echt gekwetst zou worden.

Vanavond. Zodra Laurel naar boven was. Ze zou zelfs niet wachten totdat haar zuster weer naar Syracuse was vertrokken.

Nu keek ze naar Dolly die opstond en haar tas pakte. 'Ik zou jullie graag iets willen vertellen,' zei ze, en keek Annie strak aan. Ze glimlachte en haar roze gezicht stond verwachtingsvol, net een kind dat een heerlijk geheimpje gaat prijsgeven. 'Ik weet dat het vandaag Laurey's grote dag is, maar schatje, ik heb ook iets voor jou.' Ze greep in haar grote tas van hagedisseleer en haalde er een envelop uit die ze aan Annie gaf. 'Kom, maak maar open,' zei ze.

In de envelop zat een vliegbiljet, zag Annie – naar Parijs.

Ze staarde ernaar, bijna verlamd van schrik.

'Ik heb met Henri gepraat,' begon Dolly opgewonden. 'En het is allemaal voor elkaar. Je zult onder monsieur Pompeau werken. Hij is een oude gek, daar moet ik je wel voor waarschuwen, maar hij weet zoveel over het maken van chocolade dat hij er boeken mee zou kunnen vullen.'

Annie zag de datum op het biljet: vandaag over een week!

'Het is… is zo gauw,' kon ze nog net uitbrengen.

'Sorry dat ik je niet meer tijd kon geven, maar de andere leerling die ook gaat, begint volgende week, en Pompeau wil jullie samen hebben.'

Nu verdween haar verlamming en ze kreeg weer enig gevoel. Wat heerlijk, Parijs! Eindelijk kreeg ze de kans een échte fabrikant van chocolade te worden, niet enkel een assistente in een winkel.

Toen verminderde haar vreugde. Drieëneenhalve maand zonder Joe! Het leek een eeuwigheid.

Nu deed het er niet toe of ze hem haar gevoelens vertelde. Ze zouden hoe dan ook, eindeloos ver van elkaar verwijderd zijn. En Laurel, nou ja… Syracuse was wel veel dichterbij dan Parijs. Zij zou Joe zien tijdens de vakanties en de lange weekends. En misschien, als Annie weg was, zouden hij en Laurel…

'Nou, zég eens iets, kom nou!' Dolly keek haar aan. 'Als ik de beste bedrijfsleider moet missen die ik ooit heb gehad, dan is het minste dat je kunt doen daar toch wel blij mee zijn.'

'Ik… ik… weet niet wat ik moet zeggen… Het is zo…' Annie stond op en omhelsde haar tante. 'Ik weet niet hoe ik u moet bedanken.'

Annie wás ook dankbaar, maar tegelijkertijd moest ze onwillekeurig vaststellen dat Dolly wel het slechtst mogelijke ogenblik had gekozen om voor goede fee te spelen.

Annie kreeg haar instapkaart bij de balie van Air France en hoorde dat haar vlucht werd afgeroepen. Ze wendde zich tot Joe. 'Ik moest maar eens gaan.' Ze bukte zich om haar handbagage op te pakken, maar Joe had die al opgetild.

'Ik breng je wel naar de gate,' zei hij.

'Dat hoeft niet, hoor.'

Ze voelde zich zo onhandig zoals ze daar met Joe midden in de vertrekhal stond. Beiden waren ze van streek en deden alsof ze vreemden waren die elkaar net hadden ontmoet, in plaats van oude vrienden. Ze kreeg plotseling aandrang hem beet te pakken, waar iedereen bij was, en te schreeuwen: ik houd van je, verdorie! Waarom zie je dat toch niet?

Maar natuurlijk deed ze dat niet. In plaats daarvan liep ze netjes naast hem voort en keek hem af en toe van ter zijde aan. Hij was netter gekleed dan meestal het geval was, en droeg een geperste flanellen broek, een button-down overhemd en een enigszins versleten vliegerjack. Zijn haar zat keurig, alsof hij het net gekamd had; onder de T.L.-buizen boven hen kon ze nog de vochtige sporen van zijn kam zien. Maar zijn bril stond enigszins scheef, de ene poot zat niet helemaal achter zijn oor.

Ze had een hol gevoel in haar hart; het was alsof alles daarbinnen verdroogd was door de hitte van haar verlangen. Waarom zéi hij niets? Wat dan ook, om haar te laten weten wat zijn gevoelens waren, dat hij haar zou missen?

Maar hij zei geen woord totdat ze bij de gate waren. Hij zette haar koffertje neer op een van de plastic stoeltjes die daar in lange rijen aan de grond geschroefd stonden en raakte haar wang aan. Zijn vingers voelden koel en luchtig aan. 'Ik beloof je niet dat ik zal schrijven, want dan zou ik je vast teleurstellen. Ik ben een bijzonder slechte briefschrijver.'

'Och, ik zal het vermoedelijk toch te druk hebben om terug te schrijven.' Ze keek omlaag zodat hij niet zou zien hoe teleurgesteld ze was.

'Annie.' Hij stak zijn vinger onder haar kin en tilde haar hoofd achterover zodat ze hem moest aankijken. Ze voelde dat ze warm werd, haar huid prikte onder haar trui met colkraag en de nieuwe tweed rok die Laurel voor haar had gemaakt. 'Maar dat betekent niet dat ik je niet zal missen.'

'Heus?' Wat stom om zoiets te zeggen, dacht ze meteen.

'Wie moet me nu 's zondagsmorgens wekken door op mijn deur te bonzen en te schreeuwen: "Extra editie! Extra editie! Lees alles in deze krant!" '

'Als ik jouw *Times* niet haalde, zou meneer Abdullah ze al allemaal kwijt zijn voordat jij eindelijk eens je bed uitkwam.'

'Ik geloof dat jij het leuk vindt mij in mijn ondergoed naar de deur te zien stommelen.'

Ze lachte en voelde zich wat meer ontspannen nu ze weer, als vanouds, gekheid konden maken. 'Vlei jezelf niet te zeer. Ik heb wel fraaiere lichamen gezien, op reclameborden.'

'Annie, ik zal je héus missen.' Zijn scheve glimlach verdween nu en zijn ogen stonden ernstig.

'Joe, ik...' Ze voelde dat er een snik in haar keel wrong, alsof een duim op haar adamsappel werd gedrukt.

Boven hen klonk de stem die vermanend zei dat dit de laatste aankondiging was dat de passagiers voor de Air France-vlucht naar Parijs in moesten stappen. Toen Annie om zich heen keek, zag ze dat de vertrekhal nu bijna leeg was.

Ze wilde zich net omdraaien toen hij haar in zijn armen nam en haar tegen zich aan drukte – zo dicht dat ze hem bijna kon proeven. Het was een duidelijke sensatie achter in haar keel, alsof ze in een groene appel beet, pittig en zoet tegelijkertijd. Haar mond liep vol speeksel en haar ogen begonnen te tranen.

Hij kuste haar. Op haar mond, een hartstochtelijke kus die tot in haar hart leek door te dringen. Zijn lippen waren zacht, en ze kon het puntje van zijn tong voelen, én de rand van zijn tanden. Ze ademde zijn heerlijke geur in – een geur die haar deed denken aan zich zalig nestelen in zo'n ruime trui van hem die ze zo vaak leende. Zijn armen leken harder te worden en hij drukte haar nu nog steviger en dichter tegen zich aan.

O God, lieve God, gebeurde dit echt?

Er schoot een verlammend gevoel van geluk door haar heen dat haar voeten zwaar maakte en de toppen van haar vingers prikkelde. Ze werd ook duizelig. Er kwam een uitdrukking bij haar op: een appelflauwte krijgen. Net als een heldin uit zo'n Victoriaanse roman dreigde ze gewoonweg flauw te vallen.

Annie trok zich een eindje terug en keek Joe strak in zijn ogen, die lichtbruine ogen die zo rustig en stil achter de glazen van zijn bril stonden; ze voelde dat Joe, onder dat kalme uiterlijk, evenzeer van streek was als zij.

Zeg dan iets, probeerde ze haar wil op hem over te brengen. Zeg dat je van me houdt. Dat je me wilt.

Maar het enige dat hij zei, was: 'Tot ziens, meiske.'

Annie liep weg, naar het vliegtuig en haatte hem bijna om het feit dat hij haar had gekust, maar haar wel naar Parijs liet vertrekken. Daar zou ze wekenlang over die kus dromen en nooit precies weten wat hij daar nu mee bedoeld had.

Hoofdstuk 12

Laurel staarde naar de naakte man die voor haar lag. Zijn donkere haren hingen tot op zijn schouders, een bandana was op zijn voorhoofd vastgeknoopt en zijn magere gespierde torso was net een tint lichter dan het gebrande sienna kleurkrijt dat zij gebruikte om een schets van hem te maken. En... daarbeneden... zijn... nou ja, ze had nog nooit een man gezien die zo... maar wat wist zij er eigenlijk van? Hoeveel naakte mannen had ze ooit van dichtbij bekeken? Mannelijke modellen, dat wel, maar de laatste die ze bij tekenen naar levend model hadden gehad was vrij mager geweest, en bleek, zijn rozeachtig grijze penis had als een paddestoel genesteld gelegen in het donsachtige mos tussen zijn benen.

Maar deze knaap – hij leek ongeveer van haar leeftijd – had iets bijzonders... hij was gespannen... als een kabel die te strak was aangetrokken. Ze schetste verwoed door en zette duidelijke lijnen neer. Zo, nu begon het erop te lijken. Daar nog iets wat duidelijker accentueren... en een ietsje meer schaduw daar...

Laurel dacht plotseling aan Joe en stelde zich voor dat ze Joe aan het uittekenen was, dat ze nu de schaduwachtige welving van zíjn ribbenkast met haar duim vervaagde. Binnen het uur, zodra deze les voorbij was, zou ze naar de stad gaan en dan zat ze al op de bus naar huis. En nu Annie in Parijs zat, zou Laurel voor het eerst de flat helemaal tot haar beschikking hebben... en Joe... helemaal voor haar alleen. Toen ze hem gisteravond had opgebeld om te vertellen dat ze kwam, had hij niet opgenomen – hij had vermoedelijk tot heel laat gewerkt – en nu bad ze maar dat hij vanavond, als zij thuiskwam, er zou zijn.

Ze voelde dat haar keel enigszins werd dichtgeknepen. Zou hun verhouding nu anders zijn? Zou hij haar in een nieuw licht gaan zien? Daar zal ik voor zorgen, dacht ze. Ik zal hem tonen hoeveel ik van hem houd, dat ik precies geschikt voor hem ben.

Terwijl ze bedacht hóe ze dat moest bereiken, voelde Laurel dat ze het warm kreeg, zelfs haar wangen werden vuurrood. Ze dwong zich te concentreren op de tekening die op haar ezel was bevestigd, en op het model. Hij lag daar lang uitgestrekt op zijn zij op een met een laken bedekte bank in het midden van het lokaal, met zijn hoofd op een elleboog steunend, en had één knie opgetrokken, terwijl zijn voet op de bank bleef rusten. Hij

deed haar denken aan Tarzan die op een rots lag te zonnen. Of Tonto...
Hi-ho, Silver!

Laurel onderdrukte een giechelbui, drukte te hard op het papier en voelde hoe haar kleurkrijt met een duidelijk hoorbare krak afbrak. In de stilte die in het lokaal heerste keken enkele van haar medestudenten van hun ezel op. Laurel kreeg een kleur en toen ze weer naar het model keek, zag ze dat hij ook naar haar keek; zijn theekleurige Apache-ogen boorden zich in de hare.

Op de een of andere manier kwam hij haar bekend voor, maar ze wist niet waarvan. Die ogen. Was hij ook een leerling? Hij zat niet in haar jaar, maar misschien had ze hem wel eens ergens op de campus gezien.

Toen herinnerde ze het zich, ja, ze hád hem gezien... de vorige week had hij voor het studentencentrum gestaan om pamfletten voor een anti-oorlogsdemonstratie uit te delen. Maar als hij ook een student was, waarom speelde hij dan nu voor model? Misschien om dezelfde reden als zij tweemaal per week lesgaf aan de plaatselijke middelbare school: om wat extra geld te verdienen.

Na de les, toen ze bezig was haar potloden en kleurkrijt in haar doos op te bergen, kwam de jongen naar haar toe slenteren.

'Niet slecht.' Hij gooide zijn haren met een hoofdbeweging naar achteren en staarde naar de schets die ze van hem had gemaakt.

'Dank je.' Laurel was opgelucht toen ze zag dat hij wat kleren had aangeschoten – een verstelde spijkerbroek en een donkerblauw T-shirt. Toch gaf het haar een vreemd gevoel zo dicht bij hem te staan en met hem te babbelen nadat ze drie kwartier had staan staren naar zijn... nou ja, naar álles van hem... En ze kon nog steeds het gevoel niet kwijtraken dat ze hem ergens van kende, en niet alleen van die keer dat ze hem met die pamfletten had gezien.

'Je probeert je te herinneren waar je me van kent, hè? Maar je weet het nog steeds niet, denk ik.'

Laurel keek geschrokken naar hem op. Hij keek haar even brutaal aan als zojuist. Hoe had hij dat geweten?

'Twee keer raden... Beanie.' Zijn volle lippen vormden nu een glimlach en hij wierp zijn hoofd achterover zodat het enige dat ze van zijn halfdichte zwarte ogen zag een plagende uitdrukking was.

Beanie... haar vroegere bijnaam op de lagere school. Opeens wist ze het: het jongetje in de zesde klas bij juffrouw Rodriguez die haar het leven zo zuur had gemaakt. 'Jesús!' riep ze uit. 'God, geen wonder dat ik je niet herkende. De laatste keer dat ik je heb gezien, was je hooguit een meter vijftig, en... en...'

'En had ik kleren aan.' Zijn glimlach verbreedde zich tot een grijns die de spot met haar leek te drijven. Alsof hij wist dat zijn onbezorgde naaktheid haar onrustig had gemaakt.

Ze staarde Jesús aan en dacht aan het kerstspel en hoe ze daarna goede vrienden waren geworden... min of meer. Eigenlijk was het meer een wapenstilstand geweest. Jesús sprak nauwelijks tegen haar, maar zat haar niet meer op allerlei manieren dwars... hij deed zelfs zijn best de andere jongens te beletten haar te plagen. Maar toen was zijn moeder gestorven en was hij verhuisd. Naar een pleeggezin, had iemand haar verteld.

'Hoe...?'

'Tegenwoordig heet ik Jess, geen Jesús meer,' antwoordde hij voor ze iets kon vragen. 'Jess Gordon.'

'Ik hoorde dat je naar een pleeggezin was gegaan.'

'Dat was ook zo – mijn pleegouders, de Gordons, wilden me adopteren. Vraag me niet waarom, want in die dagen was ik verschrikkelijk. Nijdig op de hele wereld en alle mensen.'

'Ja, dat weet ik.'

'Jij had het goed, Beanie. Ik vond je echt aardig.' Hij lachte voluit. 'Man, wat geinig om jou zo tegen het lijf te lopen.'

'Ja, nou, ik ben blij dat alles met jou goed is gekomen.'

'Ik ook. Mijn vader... je zou hem echt aardig vinden. Hij is nu met pensioen, maar hij gaf vroeger Engelse les aan een kleine middelbare school in Newburgh, waar we woonden. Hij heeft het er allemaal bij me ingeslagen, spellen en zo... weet je nog hoe jij mij altijd de baas was bij de speltests?'

'Dat was niet zo moeilijk,' herinnerde ze zich. 'Jij zou altijd de eerste zijn geweest als je de anderen niet gedreigd had ze een pak rammel te verkopen als ze niet met opzet elk woord verkeerd spelden.'

'Jíj was niet bang voor me.'

Ze haalde haar schouders op en wuifde tegen een vriendinnetje, de kleine Shari McAuliffe met haar kroeshaar die net de deur uitliep met een grote, zwarte portfolio onder haar magere arm. Het ding was bijna even groot als zijzelf. Laurel keek snel even op haar horloge. Tien voor vier – ze moest voortmaken als ze nog op tijd bij het Greyhound-station wilde zijn om de volgende bus naar Manhattan te halen. Maar Jess, met zijn theekleurige ogen en spottende glimlach, hield haar op de een of andere wijze op.

'Ik denk dat ik toen grotere zorgen had,' zei ze.

Ze dacht aan oom Rudy... en het geheim dat ze nu al jaren voor Annie verborgen had gehouden. Het was begonnen met Val... maar nu was oom Rudy op zichzelf een soort geheim geworden, haar 'geheimzinnige vriendje'.

Dat hele eerste jaar en daarna tijdens haar begintijd op de middelbare school en de kunstacademie verscheen Rudy altijd bij haar school, de drie of vier keer per jaar dat hij in New York was, en dan nam hij haar mee voor een ritje in zijn limousine met chauffeur. Hij vroeg naar al haar leraren, wie haar goede vrienden waren en aan wie ze een hekel had, wat voor rockgroepen ze leuk vond en zelfs wat haar lievelings televisieprogramma was. Als het een mooie dag was gingen ze naar Riverside Park bij het jachthaventje en dan gingen ze op een bank broodkruimels zitten gooien naar de duiven en pinda's naar de eekhoorntjes. Oom Rudy sprak nooit over zichzelf. Dat was wel vreemd, hij wilde alleen alles over háár weten. En soms... nou ja, dan merkte ze opeens dat hij haar strak aankeek, op de manier waarop je naar het bord keek als je probeerde te onthouden welk huiswerk daar stond opgeschreven. Dan begon ze zich wat onrustig te voelen. Maar hij raakte haar nooit aan, hij knuffelde haar niet, hield zelfs haar hand niet vast. Het was altijd: 'Hallo, kind,' en dan duwde hij het autoportier zo ver open dat ze kon instappen.

Dit jaar had hij haar voor haar verjaardag een prachtig madonnabeeld-je gegeven, helemaal uit ivoor gesneden. Het was oud en vermoedelijk erg duur geweest. Het was vreemd dat oom Rudy, die zo grof leek, zoiets fijns had uitgezocht. Misschien was hij heimelijk godsdienstig, of dacht hij dat zij het was. Hoe dan ook, het had haar ontroerd. Maar toen ze hem vluchtig op de wang had gekust, had Rudy eruitgezien alsof zij hém iets kostbaars had gegeven.

'Je was zo'n dapper klein ding, dat herinner ik me nog wel.'

De woorden van Jess maakten dat ze het zware stuk tekenpapier dat ze aan het oprollen was, op de grond liet vallen. Het viel op de versleten linoleum vloer en rolde onmiddellijk weer open. Ze pakte het op, keek hem aan, enigszins verbijsterd en dacht dat hij het over iemand anders moest hebben.

'Ik? Ik was doodsbang in die tijd!'

'Ja, nou ja, er zijn veel soorten van angst en moed.'

'Dat zal wel.' Hij deed haar denken aan Annie, die altijd alles voor hen beiden regelde, 's avonds heel vaak tot laat werkte in de winkel van tante Dolly, zorgvuldig een budget opstelde van hun geld (wat Laurel met ba-bysitten verdiende, kon nauwelijks meetellen, maar Annie had het altijd over 'ons' geld), en op de een of andere manier altijd geld genoeg had voor haar – voor haar kleren die ze niet zelf kon maken, voor schoenen, voor tekenbenodigdheden, zelfs zo af en toe voor een bioscoopje met vriendinnen.

Laurel werd plotseling overvallen door een gevoel van tederheid voor haar zuster die zo goed en zo dapper was... dapperder dan zij ooit zou kunnen zijn.

'Luister eens,' zei Jess, 'ik en nog wat anderen zijn bezig met de organi-satie van die anti-oorlogsdemonstratie volgende week – je hebt er mis-schien wel van gehoord?'

'Ik geloof dat ik een poster heb gezien.'

'Ben je geïnteresseerd?'

'Misschien.'

Ze was tégen de oorlog, maar het enige dat ze op dit moment wilde was naar huis, naar Joe. Goddank dat Joe's bijziendheid had gezorgd dat híj was afgekeurd.

Jess stond met één heup een beetje naar voren, zijn duim in een gerafelde lus voor zijn riem, zijn ogen namen haar schattend op. 'Heb je even tijd? Dan kunnen we een kopje koffie drinken en er over praten.'

'Ik zou het graag willen, Jesú... Jess. Maar ik heb toevallig nogal haast.' Ze zag dat het lokaal bijna leeg was; alleen een paar achterblijvers waren nog bezig hun tekenspullen en hun tekeningen in te pakken. Hun leraar, meneer Hanson, stond bij de deur in zijn met verf bespatte katoenen broek en verkreukelde overhemd. Hij stond met Amy Lee te praten, een verlegen Chinees meisje dat opvallend kleurige tekeningen en doeken maakte die volkomen in tegenspraak waren met haar voorkomen.

Vermoedelijk leek zij in dat opzicht wel een beetje op Amy – heel anders vanbuiten dan vanbinnen. Kon Joe dat ook maar eens inzien.

Laurel dacht opeens aan wat vóór haar lag. Ze stelde zich voor dat Joe verbaasd zou kijken als ze zo verscheen. Ze zou heel rustig blijven en zeggen dat ze was gekomen voor die prerafaëlitische tentoonstelling in het Met. Ze wist dat hij de woensdagen vrij had en ze zou voorstellen dat hij met haar meeging naar de tentoonstelling... en misschien gingen ze dan daarna wel samen eten, naar een film, en...

Laurel zag dat Jess haar aanstaarde en zijn donkere ogen halfgesloten had. Ze zag zijn uitstekende jukbeenderen en zijn olieachtige zwarte haar dat met die verschoten rode bandana uit zijn gezicht werd gehouden. Ze huiverde en voelde zich plotseling bang worden.

Voor Jess?

Misschien was het niet Jess die haar bang maakte, misschien was het Joe, de gedachte aan wat hij misschien zou doen of zeggen als zij... als zij...

God, zou ze dat durven? Kon ze er werkelijk voor zorgen dat het gebeurde? Kon ze zorgen dat Joe op díe manier van haar ging houden?

Nu haalde Jess zijn schouders op, greep achter zich en pakte een haveloze rugzak achter een stoel vandaan. 'Laat maar,' zei hij, en knipoogde haar ondeugend toe alsof hij haar gedachten had gelezen. 'Het komt nog wel eens. Kom me maar eens opzoeken, Beanie. Ik loop niet weg!'

'Laurey! Wat doe jij hier?'

Joe staarde haar aan. Ze had een soort Indiaanse losse jurk aan, gemaakt van gekreukt framboeskleurig katoen. Kleine ronde spiegeltjes waren op het gesmokte lijfje genaaid en die glinsterden in het felle licht van het peertje op de overloop.

'Joe!' Ze omhelsde hem en kuste hem op de wang, zo luchtig dat zijn zinnen nauwelijks tijd hadden erop te reageren. 'Verrast?'

'Laten we zeggen dat ik je niet had verwacht.'

'Betekent dat dat je me niet vraagt binnen te komen?'

'Om je de waarheid te zeggen stond ik op het punt weg te gaan.' Hij zag hoe teleurgesteld ze keek en verklaarde: 'Ik wilde naar mijn moeder. Ik heb beloofd haar in SoHo bij een opening te ontmoeten, bij een artistieke vriend van haar die zijn eerste show geeft. Heb je zin mee te gaan?'

'Heel graag.' Hij zag hoe verrukt ze keek, en voelde even een scheut in zijn borst.

Hij kende die blik, had hem eigenlijk al lange tijd geprobeerd te vermijden. Maanden-, ja, zelfs jarenlang had hij gedaan alsof het niet was wat hij dacht. Hij had zichzelf wijsgemaakt dat hij niet wist wat het betekende... en wat hij eraan moest doen. En nu stond ze daar. Was het echt zo'n verrassing? Ze had hem niet gezegd dat ze vanavond zou komen, maar hij had diep in zijn hart geweten dat ze zou komen opdagen – zo niet nu, dan toch een andere keer. Hij zou het onder ogen moeten zien, en waarschijnlijk sneller dan hij gedacht had.

Lafaard, zei hij beschuldigend tegen zichzelf. Je probeert eronderuit te komen, net zoals je dat bij Caryn hebt gedaan.

Maar Laurel was Caryn niet, beslist niet. Ze praatte zacht, soms zelfs dromerig... maar ze wist wat ze wilde. Ze was niet zo fel als Annie, maar op haar eigen rustige manier kon ze even vastbesloten zijn als haar zuster. Hij wist dat ze dit idee niet zou loslaten... pas als... hij er iets aan zou doen.

Maar wat moest hij er verdorie aan doen? Wat kon hij zeggen dat niet haar hart zou breken, zou maken dat ze hem ging haten? En dat wilde hij niet. Hij moest er niet aan denken dat Laurel hem zou haten.

'Ik dacht dat jij niet goed met je ouders kon opschieten,' zei Laurel terwijl ze samen over Twenty-second liepen, op weg naar Seventh Avenue waar ze een taxi naar de stad zouden kunnen nemen. Een zacht regentje maakte dat zijn bril vochtig werd, waardoor hij alles onscherp zag; de straatlantaarns hadden sprookjesachtige ringen om zich heen. Hij was zich zo fel van Laurels aanwezigheid bewust, zoals ze nu aan zijn arm hing met een oud ribfluwelen jasje van hem aan over haar Indiaanse jurk heen. 'Het betekent toch iets, dat je moeder wilt dat je daarheen komt.'

'Laten we er niet te veel van denken,' antwoordde hij. 'Maar ja, het ziet er inderdaad naar uit alsof de zaken wat minder scherp aan het worden zijn. Verleden week heeft mijn moeder zich zelfs verwaardigd om met de grote Marcus Daugherty in mijn restaurant te komen eten. Ik denk erover een koperen plaat te laten maken met een opschrift over haar komst erop, en die laat ik dan aanbrengen boven het tafeltje waar ze hebben gezeten.'

'Maak er geen grapjes over, Joe. Ik vind het leuk dat ze zijn gekomen.'

Het was vreemd, maar nu klonk ze ook een beetje zoals Rivka. Hij en Annie hadden altijd gelachen om de manier waarop Laurel hem standjes gaf en bemoederde, alsof hij niet elf jaar ouder was dan zij. Elf. Dat is nogal wat, beste jongen. Maar nu lachte hij niet. De laatste tijd moest hij zichzelf er steeds aan herinneren hoeveel ze in leeftijd verschilden.

'Ik ook wel.' Hij was blij... of misschien alleen maar opgelucht. De strijd tussen hem en zijn ouders had nu al zo lang geduurd dat hij zich niet meer voldaan voelde over het feit dat hij gewonnen had... áls hij al gewonnen had. Hij was alleen maar blij dat het allemaal voorbij was. Hij voelde dat zijn vader er net zo over dacht. Na een kop koffie en een paar armagnacs had Marcus bijna... joviaal geleken. Misschien was zijn stemming wat verzacht. Misschien hijzelf ook. 'Ik zou het alleen veel prettiger hebben gevonden als hij eraan had gedacht een fooi achter te laten. Nu moest ik Marla uit míjn zak betalen.'

'Hij heeft het vermoedelijk gewoon vergeten.'

'Mijn vader? Vast niet. Dat was zo zijn manier om te zeggen: "Denk maar niet, jongeman, dat het feit dat ik hier ben betekent dat ik me bij de situatie heb neergelegd." Ik denk dat hij daardoor me er ook aan wilde herinneren dat bedrijfsjuristen heel wat meer verdienen dan restauranthouders.'

Laurel lachte. 'Ik vind je vader aardig. Hij heeft... karakter.'

'Karakter hebben wij, Daugherty's, altijd wel gehad. En hoe!'

Bij de hoek aangekomen keek Joe naar de corpulente maar zich soepel bewegende De Martini die bezig was een kist sinaasappels uit te pakken en op op straat uit te stallen. Ze zagen er mooi en sappig uit. Joe bedacht plotseling dat Laurel, als ze regelrecht van het busstation naar hem toe was gekomen, misschien wel honger zou hebben en hij vroeg: 'Heb je al gegeten? Misschien is er wijn op die opening, maar ik vrees dat er weinig eetbaars zal zijn.'

'Het geeft niet,' zei ze. 'Ik heb in de bus een broodje gegeten. Ik heb niet zo'n honger.'

'Toe nou, na die lange rit moet je vergaan van de honger. Het is bijna zeven uur.'

'Heus niet, Joe. Ik...'

Hij liet haar op het trottoir staan en dook bij De Martini naar binnen, pakte een tros blauwe druiven en een handjevol wrange zoetzure Chinese vruchten waarvan hij wist dat ze er dol op was. Impulsief pakte hij een gele roos uit een emmer op de grond, vlak bij de kassa. Toen hij bij Laurel terugkwam met het zakje vruchten en de roos, zag hij dat ze verrukt haar ogen wijd opensperde.

Ze hapte in een vrucht en hij keek naar haar terwijl hij dacht: verdomme, wat is ze mooi. Die blauwe ogen van haar met die dikke zwarte wimpers, en die prachtige rechte neus. En die lippen...

Hij voelde opeens dat hij haar zou willen kussen. Heel graag wilde kussen. Ik ben gek aan het worden, dacht hij.

'Waarom heb je me niet opgebeld om te zeggen dat je kwam?' vroeg hij, want hij wilde de illusie houden dat dit bezoek van haar iets was wat ze plotseling besloten had.

'Dat heb ik geprobeerd. Gisteravond. Maar je was niet thuis.'

Joe herinnerde het zich. Ja, het was stil geweest en hij had een avond vrij genomen. Een oude vriend van Exeter, Curtis French, was langsgekomen en ze waren samen naar St. Mark's Place gegaan om een dubbele voorstelling in zo'n bioscoop voor oude films te zien; in beide was Eve Dearfield de ster geweest.

Toen hij daar al een tijdje zat, was het plotseling bij hem bovengekomen: 'Ik ben hierheen gegaan om Annie'. Zou hij Annie herkennen in het gezicht en de stem van Eve Dearfield? Toen hij klein was, had hij al die oude films op de televisie gezien, maar sinds hij Eve's dochters kende, had hij ze nooit meer gezien. En tegenwoordig was hij tegen de tijd dat hij uit het restaurant thuiskwam zelfs te moe om de televisie maar aan te zetten.

En het vreemde was dat hij het gevoel had gekregen inderdaad Annie te zien. Het was vreemd, zelfs wat griezelig. Het was geen absolute gelijkenis, maar vooral de bewegingen en de gebaren, bijvoorbeeld zoals Eve haar hoofd achterovergooide als ze sprak en één schouder een eindje liet zakken als ze ergens op uit was. De manier waarop één mondhoek omlaag ging als ze huilde, alsof een deel van haar zich van al die ellende terugtrok en haar bespotte. En dat fantastische ogenblik toen ze tegen Stewart Granger zei dat hij naar de hel kon lopen, en toen haar sigaret in zijn champagne uitdrukte. Dat was precies Annie; zoiets zou zij ook kunnen doen.

Annie. Hij hield van haar... hij miste haar... en verdomme, ja, hij begeerde haar. Alles aan haar wilde hij, zelfs haar voortvarendheid, haar scherpe kanten die hem altijd het gevoel gaven van een overhemd waarvan de boord te zwaar gesteven was. Maanden-, ja, jarenlang had hij het uitgesteld om haar te vertellen wat zijn gevoelens voor haar waren. Hij hield zich steeds voor dat het te snel was. Hij was nog niet klaar voor een serieuze verhouding. Het restaurant begon nu net goed te lopen en hij werkte zich een ongeluk om de eindjes aan elkaar te knopen. Maar langzamerhand, toen zijn leven in een rustiger tempo begon te verlopen, toen de gedachte aan een vrouw en kinderen niet langer iets was dat in de verre toekomst thuishoorde, begon hij Annie met andere ogen te bekijken en zich af te vragen hoe zij zou reageren. Hield ze van hem? Misschien. Maar hij wist dat er voor Annie geen halve maatregelen bestonden – en was ze werkelijk klaar voor een echtgenoot, een huis en kinderen náást haar verlangen om een eigen zaak te beginnen? Nee – ze stond in vuur en vlam en wilde op de een of andere manier zichzelf iets bewijzen – alsof ze dat al niet had gedaan. Wacht, dacht hij, wacht totdat ze klaar is... totdat zíj het wil, het écht wil, net als jij.

Maar hoe kwam het dan als hij van Annie hield, dat hij zich nu tot Laurel aangetrokken voelde? Wat had zij dat maakte dat hij haar in zijn armen zou willen sluiten, naast haar wilde gaan liggen, in haar wegzinken alsof hij in koel, stil water dook?

Beheers je alsjeblieft, hield hij zichzelf voor, dit is geen film. Dit is werkelijkheid. Je zou iemand kunnen kwetsen. Heel erg kwetsen.

Het was slechts een paar uur later, nadat ze terug waren gekomen van de opening – die zo vol en druk was geweest dat hij vermoedde dat zijn moeder nauwelijks had gemerkt dat hij er was, al had ze even verstrooid zijn kant op gewuifd – dat Joe besefte dat een van de mensen die gekwetst zouden kunnen worden, hijzelf was.

Hij was van plan geweest de avond af te sluiten met een vluchtige goedenachtkus op haar wang en de belofte dat ze morgen samen iets zouden gaan doen. Maar toen hij zijn flat wilde binnengaan, klemde Laurel zich aan hem vast en fluisterde: 'Laat me vannacht bij je blijven, Joe.' Haar stem was rustig, beheerst, maar toch hoorde hij er een trilling in. Hij kende haar zo goed; hij wist dat ze, juist als ze bang was, heel nonchalant deed. In dat opzicht waren Annie en zij echte zusters.

Hij voelde zich alsof iemand hem een stomp in zijn maag had gegeven. Had hij haar goed verstaan? 'Laurey, ik...' Zijn stem begaf het. Hij schraapte zijn keel en nam haar hand, die kurkdroog aanvoelde. Annies hand was altijd enigszins vochtig als hij die vasthield. 'Kijk, ik heb zo'n gevoel dat wat ik ook zeg, het er verkeerd uitkomt, en ik...' Ik ben verliefd op je zuster. Wilde en kon hij dat zeggen? Maar was dat zelfs wel waar? Hoe kon hij verliefd op Annie zijn als hij zich zo aangetrokken voelde tot Laurel?

'... Ik wil je niet kwetsen,' besloot hij, en hij voelde zich slap en een lafaard. Hij hoorde voetstappen de trap beneden opkomen, en trok haar zachtjes mee naar binnen, in zijn kleine vestibule; daarna sloot hij de deur. Het was er donker, maar hij draaide het licht niet aan.

'Je houdt niet van me,' zei ze en maakte een geluid dat zowel een snik als een lach kon zijn. Ze hield haar hoofd achterover en in het zwakke licht dat onder de deur door kwam, zag hij tranen glinsteren. 'O, dat weet ik.'

'Ik...'

'Je houdt van me, maar je bent niet verlíefd op me. Is het dat?'

Ze deed zo haar best dapper en werelds te lijken, dat hij zich nog verscheurder voelde. Als ze in tranen was weggesmolten, of als een echte tiener overdreven in huilen was losgebarsten, zou het veel gemakkelijker zijn geweest om haar te kalmeren. Om haar op haar rug te kloppen en te zeggen dat hij zich heel vereerd voelde, en dat ze er wel overheen zou komen. Maar Laurel was op de een of andere manier volwassen geworden toen hij even niet had gekeken.

'Ik zou tegen je kunnen zeggen dat alles anders zou kunnen zijn als we tien jaar verder waren en ik je dan voor het eerst ontmoette,' zei hij zachtjes en weloverwogen. Hij glimlachte. 'Maar dan ben ik al van middelbare leeftijd, word al een beetje kaal en' – hij dacht aan zijn vader – 'dan rook ik sigaren en lees aandachtig de *Wall Street Journal*. En jij... tja, je zou me vermoedelijk niet eens willen kennen.'

'Jij zult nooit aandacht voor de *Wall Street Journal* hebben.' Ze zei het met een bibberlachje, maar voegde er toen meteen fel aan toe: 'Joe, dit is geen schoolmeisjesverliefdheid. Ik hou echt van je. Ik heb altijd al van je gehouden.' Haar ogen leken in de nauwelijks verlichte vestibule zachte grijze lichtbronnen.

Vóór hij haar kon tegenhouden, of zichzelf, sloeg ze haar armen om zijn hals en trok hem naar zich toe. Hij voelde haar vlees tegen het zijne, koel en zijdeachtig, en haar lippen smaakten naar de druiven die ze op de terugweg naar huis had opgegeten. Nu werden haar lippen nog zachter. Allemensen. Hij wilde zich losscheuren, hiermee ophouden... haar ervan weerhouden hem in de verkeerde richting mee te sleuren... maar, Jezus... O, help, haar mond... haar heerlijke mond...

Ze is nog maar een kind, probeerde hij zich in te prenten. Maar hij wist dat het niet waar was. Laurel was geen kind en was dat ook nooit geweest. Niet zolang hij haar kende. Soms lachte ze, soms was ze ernstig, maar ze was altijd een klein vrouwtje. Het was Laurel die er 's zomers aan dacht zakjes met cederkrullen tussen de truien van haar en Annie te leggen. En die 's winters zaad voor de vogeltjes op de vensterbank uitstrooide. Gewone dingen... maar zij was helemaal niet gewoon. Niet met die verbeeldingskracht van haar, en de wilde, fantastische dingen die regelrecht vanuit haar hoofd op het papier terechtkwamen als ze tekende.

Hij moest hiermee ophouden. Er nú mee ophouden. Vóór het te laat was. Voor hij een pad insloeg dat hem voor eeuwig weg van Annie zou leiden.

Joe trok zich terug; een knoop van zijn mouw bleef hangen aan een spiegeltje van haar jurk. Het sprong eraf. Hij voelde hoe hij rilde en op het punt stond iets te doen waarvan hij ongetwijfeld ernstig berouw zou krijgen. Hij moest ophouden. Nu. Snel.

'Laurel, dit is niet... dit zijn wij niet. Het is alleen maar, nou ja, alles is nu anders...'

'Je bedoelt Annie.' Haar stem trilde en hij hoorde er tranen in. 'Je denkt dat het er iets mee te maken heeft dat Annie weg is. Dat ik op de een of andere manier... dat doordat wij nu allebei op onszelf zijn aangewezen... dat ik te fel reageer.'

'Nee, dit heeft niets met Annie te maken.' Hij zag aan de manier waarop ze hem aankeek, dat ze hem niet geloofde.

'Goed dan.' Ze haalde diep adem en pakte de deurknop beet die ze resoluut naar beneden drukte. 'Goed.' Ze dwong zich tot een glimlach die iets onwezenlijks had, en zei: 'Nou, welterusten dan.'

Ze deed de deur open en liep naar buiten, de gang in. Haar schoenen tikten op de treden met harde, snelle geluidjes en Joe, die haar zag gaan, voelde een steek in zijn hart. Hij had haar dolgraag willen terugroepen. Haar meenemen naar zijn bed, zich om haar heen draperen en haar beminnen. Maar als hij dat deed, zou hij haar dan niet nog erger kwetsen?

Hoofdstuk 13

Parijs

Annie keek toe terwijl de kleine monsieur Pompeau met zijn witte haren de pot met couverture taxeerde waarin zij had staan roeren. Met de achterkant van zijn vingers – die volgens hem gevoeliger waren dan de vingertoppen – raakte hij even de gesmolten chocolade aan en voelde welke temperatuur die had.

Ze hield haar adem in en haar hart bonsde. Zou het goed zijn? Het leek zoiets eenvoudigs, maar na twee weken bij Girod's had ze nog altijd problemen met het smelten van chocolade zonder dat deze zich aan de bodem vastzette, aanbrandde of zonder dat de cacaoboter zich van de rest afscheidde en er klonten verschenen.

Was het water in de bodem van de dubbele kookpot te heet? Het mocht niet warmer dan negenentachtig graden zijn, had Pompeau gezegd. Maar het meten van de temperatuur was het moeilijkste van alles. Hij geloofde niet in thermometers; hij beweerde dat die niet accuraat genoeg waren.

Tot nu toe zag de chocolade – of couverture, zoals hij genoemd werd – er goed uit: donkerbruin en satijnachtig. Toch keek ze gespannen toe hoe Pompeau een roestvrijstalen lepel met een lang handvat in de pot doopte en naar zijn lippen bracht. Het proeven was pas de eerste test, voordat ze de warme room toevoegde die het geheel van substantie zou doen veranderen in de zachte vulling van de truffel. Maar in wezen was zij degene die op de proef werd gesteld. Ze wist dat Pompeau die middag, wanneer Henri Baptiste uit Marseille terugkwam, hem rapport over haar zou uitbrengen – of ze enige belofte als chocoladefabrikant inhield... of niet.

Zou zíj ook worden weggestuurd, net als die twee voor haar waarover Thierry haar het een en ander verteld had? De een was een verstrooide Italiaan geweest die kastanjepuree in plaats van amandelen in marsepeincrèmes deed, en Cointreau in plaats van cognac in de Escargots Noirs. En dan was er dat Franse meisje dat zo onhandig was en altijd alles liet vallen. Een opleiding bij Girod's was goud waard en de wachtlijst eindeloos. Als je na twee weken niet aantoonde dat je bereid was hard te werken en aanleg had, werd je absoluut vervangen. Als Pompeau een slecht rapport over haar uitbracht, zou Henri haar moeten ontslaan. Zelfs het feit dat ze Dolly's nichtje was, zou haar dan niet helpen.

Annie begon aan een vingernagel te kluiven. O, God, toe, ze móest blijven, ze móest leren. Anders zou de hele fantastische carrière waarvan ze gedroomd had de mist ingaan. Hoe zou ze Joe dan ooit weer onder ogen durven komen? Dan was ze al mislukt vóór ze goed en wel begonnen was. Dan zou hij tot de slotsom komen dat ze niet verstandig genoeg was, of niet genoeg talent had om hem te helpen.

Maar als dit wél lukte, zou ze haar eigen zaak kunnen openen – en binnenkort haar eigen chocolaatjes en bonbons vervaardigen. Over een klein jaar zou ze het geld krijgen dat Dearie haar had vermaakt. Dat was genoeg om een lege winkel te huren en een keukentje te installeren, ergens waar de huur niet zo hoog was. Maar eerst hing alles af van...

Pompeau trok zijn gerimpelde gezicht in nóg meer plooien en concentreerde zich terwijl hij met veel plechtig vertoon de couverture proefde. Annie kreeg het gevoel dat ze enige hoop mocht koesteren. Zoiets eenvoudigs; hoe kon dat misgaan?

Op wel honderd manieren, bedacht ze. Duizend. Elke dag weer. Pompeau hield haar scherp in de gaten en bekritiseerde al haar bewegingen. Niets was ooit helemaal goed. De vulling was niet slecht, maar toch niet helemaal zoals die moest zijn – te veel likeur, niet genoeg room. Of de couverture – die na afkoeling de buitenkant van de truffel moest vormen – was niet stevig genoeg. Voor de marrons glacés moest ze de kastanjes fijner pureren. Voor de bladvormige melkchocolade feuille had ze de verkeerde vormen gebruikt. Gisteren, toen ze de hete vulling op een roestvrijstalen blad schepte om af te koelen, had hij tegen haar gegild: 'Wat doe je nou? Ben je cement aan het gieten?'

Steeds weer had ze de neiging gehad – en bestreden – om terug te snauwen dat ze haar best deed. Maar misschien was haar best doen niet voldoende. Er waren wel meer firma's waar ze in de leer kon gaan... maar niet een ervan kon een goede fabrikant van je maken als je geen aanleg had. Nee, hield ze zich voor, ze moest zorgen dat dít lukte.

Henri Baptiste, die ze niet meer gezien had nadat ze twee weken geleden in Parijs was aangekomen, zou vandaag terugkomen van een bezoek aan Girod's in Marseille. Daar werden de cacaobonen van de Antilliaanse plantages van de familie gebrand, gemalen en tot kant-en-klare couverture gevormd en dan – behalve de hoeveelheid die Girod's hier zelf nodig had – naar een grossier in Holland verstuurd. Henri was erheen geweest om het bouwen van een nieuwe opslagruimte te controleren.

Annie verlangde ernaar hem te zien. Ze herinnerde zich Henri van zijn bezoeken aan New York als hartelijk, met veel handgebaren en een luide lach. Maar hoe zou hij reageren als hem werd verteld dat ze, nu ja, niet voldeed? Ze had in de keuken van Girod's gehoord hoe veeleisend hij kon zijn. Dolly had haar eens verteld dat hij een leerling had ontslagen omdat hij vuile nagels had. Die jongen had evenveel kans om een goede fabrikant te worden als een mijnwerker om een Cartier te worden. O, stel je voor dat hij háár ook zou ontslaan?

Annie zag hoe Pompeau zijn tong als een kat uitstak om een druppeltje gesmolten chocolade op te vangen van het eind van zijn lepel.

'Nee, nee, *c'est gâtée*,' verklaarde hij bedroefd. 'Het bouquet is weg.' Ze was als verlamd. Het leek of haar hoofd leegliep. En opeens stond ze weer in de keuken van dat vettige Griekse restaurant en werd opnieuw door meneer Dimitriou ontslagen. Het leek of al die jaren die ze voor Dolly had gewerkt opeens weg waren gevallen.

Ze keek de grote keuken rond en verwachtte min of meer dat iedereen net zo verbijsterd was als zij. Maar nee, al die figuren in gesteven witte uniformen liepen druk rond en in de glanzende, blauwbetegelde wanden was steeds hun spiegelbeeld weer te zien. Er weerklonk gerammel van potten en pannen, het gezoem van de machine die de op een lopende band aangevoerde klompjes vulling in couverture wikkelde, en stemmen die elkaar dingen in het Frans toeriepen. Het licht schitterde in de koperen ketels, op de marmeren aanrechten en in de roestvrijstalen deuren van de enorme koelkasten.

'Je liet er stoom boven ontstaan, zie je wel? En nu lijkt het meer op modder. *Regardez cela!*'

Annie had geen keus en moest wel in de enorme dubbele kookpot kijken die op de pit voor haar stond. Onmiddellijk zag ze dat hij gelijk had. Er dropen nu druppels langs de binnenkant omlaag en het meer van zijdeachtige donkerbruine chocolade dat halverwege begon, begon klontjes te krijgen.

'O, sorry,' zei ze, en deed haar best niet in huilen uit te barsten. 'Ik dacht dat ik het had gedaan op de manier die u...'

Pompeau legde haar met een handbeweging het zwijgen op. 'Nee, nee. Ik zeg je dat woorden, woorden in een boek, alleen maar woorden zijn. Je moet hier wéten dat de chocolade goed is.' Hij klopte op zijn borst. 'En hier.' Eén vinger ging naar zijn slaap. In zijn roze apegezicht schitterden zijn blauwe ogen.

'Ik zal het nog eens doen. Deze keer gaat het vast goed. Ik...'

Weer sneed hij haar de pas af, ditmaal door zijn witte voorschoot die al vol chocolade zat, te laten opwaaien. Hij leek haar te willen wegjagen, alsof ze een binnengedrongen zwerfkat was.

Annies wangen brandden. Aan het andere eind van de lange rij kookpitten ving ze Emmetts blikken op; hij lachte haar bemoedigend toe. God, wat was ze blij met Emmett. Hij monterde haar altijd weer op. Te midden van al dat koude staal en die blauwe tegels vlamde zijn koperkleurige haar zo vrolijk op. Zijn Texaanse dialect klonk altijd zo rustig, zo vol zelfvertrouwen, terwijl hij alle schoonheden van Parijs besprak – de prachtige Monet-waterlelies in de Orangerie, een straatviolist in Les Halles die Mozart speelde als een engel, een winkeltje in de Passage des Princes dat alleen maar meerschuimen pijpen verkocht die de hoofden van de wereldleiders voorstelden.

Ze zag dat hij een koffiepot opnam en twee dikke witte koppen volschonk. Koffiepauze. Pompeau schonk hun om half tien daarvoor goedgunstig tien minuten. Ze zag dat Emmett haar een seintje gaf. Was het al zo laat? Ze was om zes uur begonnen en dat leek pas een uur geleden. Opeens voelde Annie zich doodmoe en het leek of onzichtbare zandzakken haar polsen en enkels zwaar maakten. Ze keek naar de koperen scheepsklok boven de deur naar de trap. Ze zouden zich moeten haasten, zodat de sudderende nogastroop op de kachel niet ging koken.

Annie volgde Emmett een kleine voorraadruimte in, rechts van de rij roestvrijstalen koelkasten. Hij liep met flinke passen, ondanks het feit dat hij een beetje mank was. In elk van zijn vierkante bruine handen had hij een kop, zijn vingers gekruld om het oortje. Hij had een rode trui aan die over zijn brede borst spande, en een verschoten spijkerbroek. Verder droeg hij een paar cowboylaarzen met stompe neuzen die op de betegelde vloer een geluid maakten of hij aan het tapdansen was. Als hij haar niet had verteld dat zijn ene voet verminkt was, zou ze hebben gedacht dat hij misschien zijn enkel had verzwikt. Als je hem ernaar vroeg, kreeg je een brede glimlach te zien en antwoordde hij: 'Mijn enige handicap zijn mijn sproeten. Ik heb vast eens achter een hordeur gestaan toen de zon er fel doorheen scheen.'

Annie was dol op Emmetts sproeten. Ze vond alles aan Emmett aardig, zelfs de manier waarop hij sprak – zijn typische Texas-accent dat hij overdreef als hij ergens de spot mee dreef en al die zelfverzonnen uitdrukkingen die haar aan Dearie deden denken, en aan Dolly. Toch was hij een mysterie, ondanks al zijn openheid.

Toen ze hem de eerste keer vroeg waar hij vandaan kwam, had hij gezegd: 'Zo'n beetje overal vandaan.' Naderhand had ze gehoord dat hij in Texas was opgegroeid, waar zijn moeder, na het overlijden van zijn vader, met haar tweede man was gaan wonen toen Emmett nog klein was. Nadat hij het huis was uitgegaan, was hij overal geweest: hij had op een boerderij in El Paso gewerkt waar koeien voor de slacht werden gefokt, in Oklahoma had hij op een olieveld gewerkt, in Louisiana naar garnalen gevist, boten gebouwd en hij was kok aan boord van een koopvaardijschip geweest. Als je hem hoorde, zou je denken dat hij minstens vijftig moest zijn in plaats van nog maar vijfentwintig. Maar toen ze hem vroeg of hij in Vietnam zijn voetblessure had opgelopen, had hij alleen even geglimlacht en gezegd: 'Heb je wel eens gehoord dat kaaimannen niet bijten, maar alleen krokodillen? Geloof dat nooit.'

Ze wist nooit wat hij in ernst zei of waar hij de spot mee dreef. Sinds ze hier was gekomen werkten ze naast elkaar... en ondanks alle verhalen die ze had gehoord, had ze het idee dat hij toch iets verzweeg. In tegenstelling tot Joe, die een diepe stroom leek met hier en daar draaikolken, leek Emmett op een circus met drie pistes. Je zag maar één piste en wist niet wat er in de twee andere plaatsvond. Bijvoorbeeld hoe hij bij Girod's terecht was gekomen, waar tientallen kandidaten werden afgewezen, sommigen met ervaring in deftige restaurants of met dure opleidingen. Hij had haar alles over het vangen van kreeften verteld, hoe de val moest worden gebouwd, hoe het aas erin moest worden vastgebonden, maar niets over zijn komst bij Girod's.

Ze lieten zich op een paar oude rieten stoelen vallen bij een houten tafel die eruitzag alsof hij al bij de bestorming van de Bastille aanwezig was geweest. Langs de wanden waren moderne metalen stellingen vol tienponds plakken couverture, in alle soorten, naast gietijzeren vormen, zakken ongepelde noten, vanillepeulen, koffie en grote kannen met likeur, oranjebloesemwater en hele kastanjes in siroop.

Emmett hees zijn slechte been op een van de overgebleven stoelen en trok even een pijnlijk gezicht. Ze wist dat hij vaak pijn had, maar hij liet het nooit merken.

'Wat zie je er somber uit,' zei hij. 'Kop op, Cobb. De oude Pompeau valt best mee... hij ziet er alleen zo dreigend uit. Hij drinkt vast warme melk voor hij naar bed gaat en slaapt met een nachtlichtje aan. Een doodgewoon mannetje.'

'Hij lijkt mij meer een vroegere concentratiekampbewaker.'

Emmett lachte. 'Pompeau is geen probleem. Het probleem ben jij zelf. Ik denk dat degene die jou dwarszit minstens twee keer zo lang als die ouwe is, en tien keer zo knap om te zien. Zeker een vriendje in New York, hè?'

'Ben je altijd zo nieuwsgierig?'

'Helaas wel.' Hij grinnikte.

'Nou, dan vind je het zeker niet erg als ik ook nieuwsgierig ben naar jou.'

'Kom maar op.'

'Je hebt me nooit verteld hoe je hier terecht bent gekomen. Bij een chocoladefabrikant.'

Hij haalde zijn schouders op. 'Het is prettiger dan garnalen vissen.'

'Daar doe je het alweer,' zuchtte ze. 'Je vertelt me met opzet niet de waarheid.'

Emmett trok een wenkbrauw omhoog. 'Ik? Sommige mensen zeggen dat ik Van Gogh zijn andere oor van het hoofd zou kunnen praten.'

'Dát bedoel ik niet.' Ze glimlachte en nam een slokje koffie, die heerlijk was, veel beter dan in Amerika. 'Je praat veel, maar je hebt me nog nooit iets over jezelf verteld.'

'Om te beginnen ben ik in North Carolina geboren. In Fort Bragg. Soldatenkind. Na de oorlog gingen we naar Osaka, maar toen lag ik nog in de luiers.'

'Heus?'

'Ik geloof dat kolonel Cameron de eer had de laatste Amerikaanse officier te zijn die door de Japanners werd gedood. Doodgestoken bij een ruzie in een theehuis, of beter gezegd een bordeel.'

'O... dat spijt me.'

'Laat maar zitten. Mijn moeder heeft in de loop der jaren de schoft zo ongeveer heilig verklaard. Als hij nu terugkwam, zou ze hem in lichtgevende verf laten dopen en op haar dashboard plakken. Volgens Rydell is hij als een held gestorven om de waarheid, rechtvaardigheid en de Amerikaanse levensopvatting te verdedigen.'

'Rydell?'

'Geboren in Atlanta en genoemd naar haar betovergrootvader, een grote held van de Zuidelijke troepen.'

'Maar je hebt me nog steeds niet verteld hoe je hier terecht bent gekomen.'

'O... dat.' Hij trok zijn schouders op. 'Gewoon. Ik werkte als assistentchef patissier in "Commander's Palace"... ooit van gehoord?'

'In New Orleans, hè? 't Is nogal bekend.' Joe had de naam wel eens genoemd.

'Ja. En Prudhomme en Baptiste blijken oude vrienden te zijn. Een paar maanden geleden kwam Baptiste op een conventie van de Amerikaanse Culinaire Federatie en die beste Paul doet een goed woordje voor me, en even later zing ik de Marseillaise en ontbijt met croissants.'

'Dat kan niet tegelijkertijd.'

Hij lachte. 'Een kreupele als ik. Ik kan tegelijkertijd op kauwgom kauwen, sterke cocktails maken en dan nog over een rechte streep lopen. Weet je wel, zoals in die reclame: "We zijn op één na de beste en daarom doen we meer ons best." '

'Emmett, ik... ik bedoelde niet...'

'Als mensen dát zeggen, is het meestal juist wat ze wél bedoelen.'

'Ik had het niet over je voet. Maar nu jij erover begint: hoe is dat gekomen?'

'Heb je wel eens iets gehoord over slapende honden die je niet moet wakker maken?'

'Ik wilde niet nieuwsgierig doen,' verklaarde ze. 'Het interesseert me alleen. Ik ben in jóu geïnteresseerd.' Zodra Annie zichzelf die woorden hoorde zeggen, schrok ze. Zó had ze het niet bedoeld. Waarom zei ze toch altijd alles verkeerd?

Emmett deed zijn ogen halfdicht en glimlachte spottend alsof hij wilde zeggen: ik weet wat je bedoelde, maar ik plaag je gewoon een beetje.

Maar hij zei alleen: 'Laten we het erop houden dat ik iemand een lesje wilde geven.' Ze zag dat hij somberder keek. 'Stommerd dat hij was. Het was me ook wel gelukt... maar hij had iets stevigers in z'n hand dan ik. Van staal. En hij schoot me in mijn voet.'

Annie keek Emmett aan en dacht: wat het ook was, je zou het onmiddellijk weer doen.

Ondanks al zijn grappen was Emmett Cameron geen man om de spot mee te drijven. 'Je moeder zal wel erg van streek zijn geweest... na wat je vader was overkomen.'

Hij keek van haar weg en zij nam hem even goed op. Eigenlijk had ze sproeten nooit mooi gevonden, evenmin als flaporen en een slappe kin... maar ze pasten bij Emmett. Zo leek hij een kruising tussen Huck Finn en James Dean. Ze zag hem al tegen een omheining geleund staan en in de verte staren met zijn felblauwe ogen, de bemodderde hak van een cowboylaars op de onderste plank van de afzetting.

'Nogal,' zei hij, en dronk zijn koffiekop in één teug leeg. Ze zag dat hij zelfs sproeten op zijn hals had, en een grote adamsappel. Zijn haren leken te vlammen in het felle licht.

'Ja... ze was van streek.' Een verre blik. 'Bang dat ik dood zou zijn voor een of andere Vietcong me te pakken kreeg. Mijn broertje, Dean, ging er in '69 heen, net achttien jaar. Hij leek op mijn vader, maar Dean stierf aan dysenterie. Maar zoals Rydell het beschrijft, zou je zeggen dat hij bij een fel gevecht was gesneuveld.' Emmetts ogen stonden even vol tranen en hij schaamde zich niet die weg te vegen. 'Arme Dean,' zei hij.

Er viel een stilte en Annie hoorde allerlei geluiden die ze anders buitensloot: het gezoem van de elektrische machines in de kamer ernaast, het geluid van de koelkasten, het geratel van een metalen koelrek dat over de betegelde vloer werd weggereden.

'Ik begrijp het toch nog niet helemaal,' zei ze.

'Wat begrijp je niet?'

'Het lijkt mij toe dat je allerlei kanten op kon gaan. Waarom heb je dit gekozen? En hier?'

Emmett trok zijn schouders op en glimlachte. 'Ik was van plan, net als jij, om te zijner tijd voor mezelf te beginnen.'

'Je klinkt alsof je je bedacht hebt.'

'Misschien. Na twee weken kun je natuurlijk nog niet veel zeggen, maar ik heb het idee dat dit toch niets voor mij is.'

'Waarom ga je dan niet weg?'

'Och, het bevalt me nog wel – voorlopig.'

'En daarna?'

Hij zette zijn zware speciale laars op de grond en leunde zo dicht naar haar toe dat ze zijn adem, die naar bittere chocolade rook, duidelijk voelde. Hij hield haar blik vast, spreidde zijn grote vereelte handen uit en sprak zo fel dat het haar verbaasde. 'Land. Vastgoed. Gebouwen. Mijn ouwe heer bezat niets en dat maakte hem niets uit. Daarom beviel het hem zo goed in het leger. Zodra hij en Rydell ergens zaten, moesten ze alweer plannen voor de volgende verhuizing maken. Met mijn stiefvader was het anders, maar het kwam op hetzelfde neer. Newt was eigenaar van het huis in El Paso, dat dachten wij tenminste... tot hij stierf en de belasting het inpikte.' Zijn ogen flikkerden bijna koortsachtig. 'Als ik me ergens ga vestigen – en dat doe ik op een goede dag – dan graaf ik mijn wortels zo ver de grond in dat ze er in China pas weer uitkomen.'

'Maar iets bezitten is geen manier van leven, niet iets wat je elke dag doet, geen werk,' hield Annie vol. Maar ze moest plotseling aan Bel Jardin denken en ze voelde zo'n verlangen naar het huis waar ze haar jeugd had doorgebracht, dat het pijn deed.

'Iets bezitten,' herhaalde Emmett en het leek of hij het woord van alle kanten belichtte. 'Zoals ik dat zie is het zo, dat hoe meer je bezit, hoe meer het je werk belet jou te bezitten.'

Annie begreep hem. Geborgenheid was iets wat ze nooit had gekend. Zelfs niet als kind. Ze had altijd het gevoel gehad dat zíj de teugels in handen moest nemen. Alsof ze zelfs op Dearies liefde niet kon rekenen. Misschien kwam het daardoor dat ze het zo moeilijk vond te geloven dat Joe van haar zou kunnen houden. Dat liefde iets was wat iedereen kon hebben, iets wat voor het grijpen lag, zoals je een appel van een boom plukte.

Toen bedacht ze hoe Joe haar gekust had en hoe heerlijk dat was geweest; ze was er helemaal warm van geworden. Tja, dacht ze, misschien ís liefde wel eenvoudig. Het is alleen zo moeilijk iemand te vertróuwen. Misschien zeiden de mensen niet altijd de waarheid als ze zeiden dat ze elkaar vertrouwden. Misschien was iedereen in z'n binnenste net zo bang als zij, dat ze iemand anders te véél nodig zouden hebben.

Annie voelde dat ze koud werd. Als Joe nu eens een ander leerde kennen terwijl zij weg was? Of als zij te veel betekenis aan die ene kus toekende? Als hij nu eens verder niets met haar te maken wilde hebben?

Annie merkte dat Emmett zweeg en haar aankeek.

'En jij? Wat doe jij hier?'

Voor ze kon antwoorden werden ze door Pompeaus schelle stem gestoord die haar riep: 'Noga! Noga!'

Annie holde naar hem toe met Emmett vlak achter zich aan en kwam aan net toen Pompeau de ketel met hete caramel en noten op de tafel uitgoot, een lang rechthoekig stuk marmer op dikke metalen poten dat in het midden van de keuken stond.

'*Allons*!' schreeuwde Pompeau, en zwaaide met de lepel alsof het een dirigeerstok was, ten teken dat de mannen zich moesten haasten. Hij keek heel even naar Annie, alsof hij haar niet zag; dit was mánnenwerk.

Jij ouwe gek, dacht ze. Ik zou twee keer zoveel als jij kunnen doen zonder me er zo over op te winden.

Maar Annie moest opzij stappen voor Emmett, die naar de tafel toe holde samen met twee assistenten in vaste dienst, de magere Thierry met zijn paardestaart, en Maurice die er altijd uitzag alsof hij nog half sliep (en dat was geen wonder, want hij moest elke ochtend voor het licht werd opstaan en de vruchten inkopen die ze die dag nodig zouden hebben. Vandaag waren dat pasgeplukte kersen en frambozen, en wilde aardbeien die zo zoet als suiker moesten zijn). De mannen gingen de vijver hete noga te lijf met platte metalen lepels. Ze sloegen er hard op om die plat te slaan voordat de substantie afkoelde en te breekbaar werd om te bewerken; het klonk alsof ze met roeispanen op het water sloegen. De geur van noten en caramel deed bij Annie herinneringen bovenkomen aan kermissen en kermisnoga.

Ze zag hoe Emmett de warme platgeslagen noga in gelijke vierkantjes begon te verdelen met de 'gitaar' – een instrument met metalen snaren dat eruitzag als een veel te grote eiersnijder.

Plotseling voelde ze dat Pompeau haar met zijn kleine, harde, blauwe oogjes aanstaarde. Ze kreeg weer dat gevoel van wanhoop dat maakte dat haar maag samenkromp.

Waarom leek ze toch niet wat meer op Laurel, die even gemakkelijk kookte en bakte als dat ze water uit de kraan nam? Annie had haar schort wel willen afrukken en wegrennen van die kritische ogen. Maar iets in haar maakte dat ze zich verzette. Ze ging rechterop staan en liep op de oude man toe terwijl ze zich voorhield: het is niet helemáál zijn schuld. Ik moet zorgen dat ik hem en mijzelf overtuig dat ik dit kán, en góed kan.

'Laat me eens zien hoe het moet,' zei ze met vaste stem en ze keek de oude man aan. 'Nog één keer. Ik wil het ook leren.'

Verbaasd merkte ze dat Pompeau zich niet afwendde. Hij haalde alleen zijn schouders op, trok zijn wenkbrauwen omhoog en zijn mondhoeken omlaag – een uitdrukking die typisch Frans was, had ze gemerkt.

'C'est facile,' zei hij kalm. 'Kom, ik zal het je nog eens voordoen. Soms moet je eerst iets fout hebben gedaan voordat je het goed begrijpt.'

Ze liep met hem naar de rij gaspitten onder een glimmende roestvrijstalen kap. Terwijl Pompeau bezig was en stukken chocolade zo groot als bakstenen in de bovenste pan op de pit liet vallen, verklaarde hij dat die langzaam verwarmd moest worden, even voorzichtig als je een baby'tje baadde. Als slechts één druppeltje stoom uit de onderste pan in aanraking kwam met de gesmolten chocolade, zou de cacaoboter zich afscheiden en zou alles gaan klonteren.

Nu kwam de room, altijd uit de Elzas. Daar stond hij op, want die bevatte minder vet en gaf dus een zachter mengsel. Hij goot de room in een andere pan en liet die langzaam warm worden. Toen die bijna begon te koken, liet hij de substantie door een soort metalen vergiet in de gesmolten chocolade lopen. En nu, zei hij, terwijl hij een stukje boter van een groot blok afsneed dat hij uit de ijskast had gehaald, nu die heerlijke *beurre des Charentes*, een beetje maar, meer voor de geur dan voor de smaak.

De oude man roerde voorzichtig in het mengsel totdat het effen was en de kleur van mokka had. Vervolgens nam hij de zware koperen pot uit de iets grotere pot met zacht kokend water waar hij in stond, en het leek alsof hij geen gewicht had. Hij droeg hem naar de houten deuren aan het andere eind van de keuken, die horizontaal op metalen poten waren gelegd, met steeds enkele centimeters tussenruimte.

'Monsieur Henri heeft dit ontdekt,' zei Pompeau stralend. 'Knap, hè? We konden geen bladen vinden die groot genoeg waren en toen hebben we deuren uit afgebroken gebouwen genomen.'

Annie luisterde en deed alsof het haar nog nooit was mislukt. Ze begon weer vanaf het begin. Ze zag zich op een verlaten strand wandelen waar haar voeten afdrukken in het zachte natte zand maakten. Ze wist alles al wat Pompeau haar liet zien, maar dat telde niet mee. Vandaag was vandaag, en ze deed alsof ze het voor het eerst hoorde en zag.

Pompeau goot nu de ganache als een donkere, zijden rivier op de bovenste deur die bedekt was met papier dat met siliconen was behandeld. Met een spatel streek hij het oppervlak glad en smeerde het naar de rand van het papier uit.

Toen deed hij een stap terug. '*Voilà*. Zie je wel? Geen korrels, geen klonten. *Parfait*. Nadat het is afgekoeld, zullen we er een omhulsel voor maken.'

Op de andere deuren lagen andere smaken ganache, of vulling, af te koelen. Die zouden het midden gaan vormen van Girod's wereldberoemde truffels – bitterzoete chocolade met een vulling van zachte mokka-champagne. Verder was er Grand Marnier en donkere chocolade met stukjes versuikerde sinaasappelschil; puree van verse frambozen met een beetje frambozenlikeur in melkchocolade ganache; bourbon en bitterzoet met zoete amandelen uit de Provence; witte chocolade en vers geraspte kokos bestoven met gemalen pistaches uit Sicilië. Haar eigen voorkeur ging uit naar bitterzoet en *crème fraîche*, waardoor een heel klein beetje Lapsang Souchong-thee zat.

Maar zou ze dit alles ooit in haar eentje kunnen doen? Zou ze ooit in staat zijn zulke wonderen te verrichten?

Er kwam een idee bij haar op, nog in de kiem, een manier waarop ze het zou kunnen redden. Maar voordat het tot haar door kon dringen, pakte de oude man haar bij de arm en bracht haar naar de hoek waar de tempereermachine stond als een enorme Rube Goldberg Mixmaster.

'Nu gaan we de couverture tempereren,' onderwees Pompeau. 'Dat is een heel belangrijk onderdeel. Zonder een perfect omhulsel is de truffel maar een zielig lelijk kindje met een hart van goud. En wie zou er dan met haar willen trouwen?'

Annie lachte om zijn grapje en deed of ze het leuk vond, ondanks het feit dat ze die woorden al tientallen keren had gehoord. Ze werd wat rustiger. Dit was eenvoudiger, want de machine deed het werk voor je. Er werd in roestvrijstalen kuipen pure caraque chocolade gesmolten – zonder room, boter of likeur – en onderworpen aan een reeks temperatuurveranderingen die de machine uitvoerde.

'Zie je, het is nodig dat de couverture eerst wordt afgekoeld, tot negenentwintig graden – centigraden, bedoel ik – en dan heel langzaam weer wordt opgewarmd tot drieëndertig graden, zodat de juiste kristallen worden gevormd. Dat is van het allergrootste belang. Als de kristallen niet worden gevormd, krijgen de truffels witte strepen... en dat is rampzalig.' Zijn stem trilde en hij keek getroffen bij de gedachte dat een truffel zoiets zou overkomen.

Het tempereerproces, verklaarde hij verder, zou zorgen dat elke truffel een glanzende donkere kleur kreeg en ook niet zou smelten bij kamertemperatuur. De getempereerde couverture werd dan naar de machine gebracht die voor het aanbrengen van de omhulsels zorgde en waar de klompjes ganache die op een lopende band langskwamen, werden begoten.

Annie zag hoe elektrisch voortgedreven lepels zo groot als roeiriemen in kuipen met couverture rondroerden, en ze dacht aan het idee dat ze zojuist had gekregen. Als ik eens een heel nieuwe smaak kon ontwikkelen, één waar Pompeau zelfs nooit aan gedacht heeft? En als ik dat dan zo volmaakt deed dat zelfs Henri onder de indruk kwam?

Ze bleef het idee van alle kanten bekijken en het leek een prachtige vondst. Het kon lukken. Maar misschien ook verkeerde gevolgen hebben. En wat dan? Dan maakte ze een vreselijk stomme indruk en Henri zou haar dan misschien werkelijk naar huis terugsturen.

Maar ze had toch wel meer risico genomen? Achter in haar hoofd hoorde ze Dearies stem, zwak en versleten, als een van haar oude 78-toeren plaatjes, en die stem zei flink: Niks je best doen en voorzichtig met één voet voelen. Je springt er met beide voeten tegelijk in zodat het water om je oren spat; anders is het de moeite niet waard.

Annie dacht diep na. Ze dacht aan de kleine bistro in de rue de Buci waar zij en Emmett laatst hadden gegeten. Ze hadden peren genomen. Na hun cassoulet had de ober een mand peren gebracht – ze had nog nooit een peer gegeten die zó lekker was. Ze was al verzadigd, maar had toch nog twee peren genomen en het had haar zelfs niet kunnen schelen dat het sap over haar kin droop alsof ze nog een klein kind was.

Zouden chocola en peren een goede combinatie zijn? Misschien. En als ze nu eens in plaats van verse peren de chocolade combineerde met Poire William? Ze had eens zo'n likeur gezien en er had een hele peer in gezeten. Zo groeiden ze, had ze gehoord; de fles werd op de tak aangebracht terwijl de vrucht nog klein en groen was. Een wonder op zichzelf. En dat zou dit ook worden; áls ze het voor elkaar kreeg.

Natuurlijk zou ze het aan Pompeau moeten vragen. Maar hoe? Dat doet er niet toe, bedacht ze. Doe het. Nú, of je doet het nooit. Haar keel was zo samengeknepen dat het leek of er geen opening meer was waar haar stem door kon, maar toen vertelde ze het hem toch. Ze was ervan overtuigd dat hij haar voorstel zou afwijzen of, wat nog erger was, haar zou uitlachen. Maar hij tikte lange tijd met zijn wijsvinger tegen zijn onderlip en keek haar aan alsof ze een renpaard was waarop hij misschien wilde wedden. Toen knikte hij.

'*Bien*,' zei hij. 'Maar een nieuwe smaak maken is moeilijker dan je denkt. Maar op deze manier begrijp je dat misschien.'

Ja, dat ik dit nooit goed zal beheersen, dacht ze. Hij hoopt dat het mislukt. Ze zag het in zijn ogen, heel even maar: medelijden. Hij wilde haar niet ontslaan. Het was beter als ze zelf tot de ontdekking kwam dat ze een mislukkeling was. En misschien was ze dat ook wel.

Annie maakte de banden van haar schort los en trok ze toen nog steviger aan; ze legde er een knoop in die bijna in haar vlees drong, waardoor ze nog rechterop moest gaan staan, waardoor ze meer zelfrespect kreeg.

Ik ben Annie May Cobb. Misschien ben ik geen genie, maar God heeft me hersens en een ruggegraat gegeven. Als ik die niet gebruik, wat heeft het dan nog voor zin om door te gaan?

Ze voelde zich wat beter, ondanks de paniek die ze tot in haar ingesnoerde maag voelde. Toen liep ze naar de voorraadkamer om de chocolade te halen die ze nodig had.

Emmett, die bij de tempereermachine bezig was, zag Annie de keuken door zeilen als een galjoen op weg om de Nieuwe Wereld te ontdekken. 'Goed zo, Annie Cobb,' mompelde hij binnensmonds. Ze redt het wel, dacht hij. Die koppige vrouw heeft niet voldoende zelfvertrouwen, maar wel doorzettingsvermogen om te bereiken wat ze zo graag wil. Zoals Lindbergh de eerste wilde zijn die over de Atlantische Oceaan vloog. Zoals ik sommige dingen wil – een huis met wat land, misschien zelfs een wolkenkrabber. En waarom zou ik niet? Waarom zouden we niet beiden kunnen bereiken wat we wensen?

Toen dacht hij aan Atlanta en aan al die zwarten die opmarcheerden om te bereiken wat zíj wensten. Ze probeerden het Georgia State Capitol te bestormen en zongen: 'Julian Bond! Julian Bond!' Enkele politici hadden Bond weggewerkt en zij eisten nu dat hij weer zou worden toegelaten. De mensen duwden en gilden met van woede vertrokken gezichten. En de lucht leek net een natte warme deken die naar benzine, cordiet en haat rook. Er steeg damp op van het plaveisel en van de motorkappen van de geparkeerde auto's rondom het Capitol. Het had gemaakt dat hij plotseling naar de kurkdroge hitte van El Paso terugverlangde.

Er waren ook veel blanken aanwezig. Ouderen, jonge mensen, mannen, vrouwen, tieners, en waarachtig ook kínderen, en allen duwden tegen de politiebarricaden. Ze scholden, gooiden met stenen en flessen, met alles wat ze te pakken konden krijgen. Negers! Vuile nikkers! Ga terug naar waar jullie vandaan komen! Jullie kunnen verdomme nog niet eens je eigen naam schrijven en willen nu een stem hebben in wat er in de wereld gebeurt!

En die grimmige zwarte gezichten, en ook een paar blanke, keken trots in het rond, ondanks hun angst.

Hij wist nog dat hij zijn ogen had willen dichtdoen, zich omkeren, zijn handen tegen zijn oren slaan om het vreselijke lawaai niet te horen. Hij wilde er niets mee te maken hebben. Hij wóónde niet eens in Atlanta. Hier had zijn moeder altijd gewoond, het was haar geboorteplaats waar naartoe ze was teruggegaan toen Newt was overleden. Hij had vanaf zijn vijftiende niet meer bij haar gewoond. Toen was hij gaan werken op een olieveld en moest met stukken gereedschap sjouwen die bijna even zwaar waren als hijzelf. Hij had zachte handen gehad, maar die dag – hij was toen vierentwintig – waren ze zo hard als zeildoek dat was opgedroogd vol zout water.

En ook ín hem waren dingen waar hij liever zijn ogen voor sloot. Zijn hele leven had Rydell hem het familieverhaal voorgekauwd, en dan sprak ze met zachte en eerbiedige stem over zijn vaders heldendaden, over zijn God-zegene-Amerika-erfdeel. En dat terwijl Dean op Arlington in zijn graf lag en zogenaamd aan dysenterie was gestorven, maar in werkelijkheid was Rydell de schuldige – zij had alle waarheden uit hem weggezogen en hem vol leugens gestopt.

Tijdens dit bezoek probeerde ze hetzelfde met hem te doen. Ze zaagde hem steeds door over zijn plicht jegens onze vlag, tegenover die goede jongens in Vietnam, jegens de nagedachtenis van zijn vader en broer. Het was niet voldoende dat ze al één zoon had geofferd; ze wilde ook zíjn bloed. Twee graven, naast elkaar, als trofeeën, net als de paartjes bronzen babyschoentjes op de schoorsteenmantel.

Hij wist dat de tijd was gekomen om haar te zeggen dat ze aan een ándere zoon dacht, een jongen die eruitzag als hij en ook zo sprak, maar hij wás het niet. En die dag, op die plek, voelde hij geen verbondenheid met een van de groepen, zwart of blank. Hij wilde gewoon zijn eigen gang gaan, zijn eigen plekje vinden, en uiteindelijk zich ergens vestigen, maar niet bij Rydell in de buurt.

Op dat ogenblik echter, te midden van al die schreeuwende mensen en gillende sirenes, terwijl flessen op het plaveisel aan scherven sloegen, kon Emmett niet doen alsof hij ergens anders was.

Rydell, bijna een meter zeventig en wat figuur betrof bijna een stoomwals, klemde zich als een tere invalide aan zijn arm vast. Als ze alleen was geweest, zou ze zich ongetwijfeld rechtop een weg door de menigte hebben gebaand en haar handtas als wapen hebben gebruikt. Haar fraai opgemaakte rode haren glansden in de zon als de helm van een ridder en haar zachte blanke gezicht was naar hem toegewend, terwijl haar mond in honing verpakte waanzin tegen hem uitspuwde:

'Dit geeft geen pas, absoluut niet. Die mensen hier zijn maar een stelletje arme blanken, arbeiders. Goedgesitueerden weten hoe ze kleurlingen moeten behandelen. Dat is altijd zo geweest, al vóór de oorlog. Behandel ze goed, zei mijn pappie altijd, en dan gedragen ze zich ook goed. Dat hebben wij ook altijd gedaan, weet je. Clovis was praktisch een lid van onze familie! En Ruby – je herinnert je Ruby toch nog wel, jongen? – zij heeft zo gehuild toen opa werd begraven. Ze huilde alsof haar eigen vader in die kist lag.'

Toen zag hij iets waardoor hij zijn moeder vergat; zijn maag keerde zich bijna om. Daar lag een zwart kind van hoogstens dertien jaar op de stoep en werd vastgehouden door een man die minstens twee keer zo groot was en die hem met de kolf van zijn jachtgeweer bewerkte. En op geen meter afstand stonden twee politieagenten en keken weloverwogen de andere kant op.

Pas toen Emmett zijn moeders greep op zijn arm voelde verstevigen, werd hij zich bewust dat hij die richting op wilde. Het gaat jou niet aan, jongen. Blijf ervandaan. Het is jouw zaak niet, zei ze. Jezus, volgens haar was zijn hele leven zijn zaak niet.

Opeens werd het hem duidelijk waaróm hij nergens om gaf. Hij wilde weg om niet onder ogen te hoeven zien wat hem dwarszat: dat hij zijn moeder haatte. Alles wat ze vertegenwoordigde en waarmee ze hem zijn hele leven al had volgestopt. En vooral omdat ze zijn broer had weggestuurd, de dood in.

Nee, hij wilde niet worden zoals zij. En hij bleef niet staan toekijken terwijl dat kind werd platgeslagen. Hij rukte zich los en stortte zich op de man.

Bloed. Hij wist nog dat hij eerst op zijn mond werd geslagen en zijn eigen bloed proefde, warm, zoutachtig, enigszins naar metaal smakend. Toen waren ze overal om en op hem, blanke handen – zonder lichaam leek het – die aan zijn overhemd trokken, en nagels die zich in hem zetten en vurige strepen op zijn rug en armen achterlieten. Die man met het geweer leek wel een stier, zonder hals en met een kop die gewoon op een paar dikke schouders stond.

Het kind had meer weg van een weggegooide pop: een vuile spijkerbroek en een klein gezichtje met de kleur van asfalt. Behalve al dat bloed.

Bloed op zijn T-shirt en op zijn armen. Wat was dat voor een man die zoiets deed? Dit had niets met ras en kleur te maken; dit was een reus van een kerel die een weerloos kind platsloeg.

'Schóft die je bent!' hoorde Emmett zichzelf brullen toen hij zich op de kerel wierp. Het leek of zijn vuisten op een stenen muur terechtkwamen; hij was de enige die pijn had. Toen werd zijn hoofd in een stalen greep genomen, en leek te worden platgedrukt.

Zonlicht glinsterde op staal, een enorme klap en plotseling had hij geen gevoel meer in zijn voet. Hij hoorde een vrouw schreeuwen. Zijn moeder? Al het andere leek weg te vallen.

Hij moest zijn flauwgevallen, want het volgende dat hij zich herinnerde was een ziekenhuisbed en zijn moeders gezicht boven zich, keurig opgemaakt.

'... je halve enkel is weggesneden. En drie tenen. Ook enkele spieren en zenuwen... maar de doktoren zeggen dat je wel weer zult kunnen lopen.' Ze deed alsof hij alleen maar een enkel verstuikt had. 'Maar het leger neemt je nu niet meer.' Haar handen had ze gevouwen, alsof ze bad. 'Heer, wat heb ik gedaan om dit te verdienen. Ik heb getracht een goede moeder voor mijn zoons te zijn, hun vader hoog te houden als een voorbeeld, maar deze zoon doet altijd alles anders dan ik zeg... en kijk nu eens...'

Emmett werd uit zijn droom gerukt doordat Annie haar hand op zijn arm legde. Haar magere gezichtje was net niet mooi omdat ze zulke opvallende botten had; het was wel sterk, met grote blauwe ogen en zonder make-up; die had ze niet nodig. Ze was broodmager en droeg een oude spijkerbroek en een zwarte coltrui, zoals in de jaren vijftig. Geen wijde broeken of minirokjes voor Annie.

'Zal ik je even helpen?' vroeg ze en pakte een handvat van de zware kuip vast die hij wilde optillen.

Medelijden? Help die stakker even? Emmett begon nijdig te worden, maar beheerste zich. Nee, zo had ze het vast niet bedoeld.

Hij lachte even. 'Dank je, het gaat wel. Maar bied me niet je voet aan... zo'n aanbod zou ik kunnen aanvaarden.'

'Je bent niet leuk.' Toch vertrok haar gezichtje even.

Ze liep niet weg, maar bleef zo dichtbij staan dat hij haar parfum rook, iets oosters. Ze had een veeg chocolade op haar ene wang; hij had die best willen aflikken.

Jezus.

Emmett werd door paniek bevangen. Wat had hij? Hij was toch geen hitsige tiener; hij had haar niet nodig. Hij had vrouwen genoeg gehad... voor en na dat gedoe met zijn voet. Hij dacht aan de getrouwde vrouw in Neuilly die zijn voet juist opwindend scheen te vinden. Maar zij was slechts afleiding voor hem, net als hij voor haar.

Plotseling begreep Emmett zijn paniek. Er was niet veel voor nodig of hij zou verliefd op Annie worden. En als dat gebeurde zou het wel eens ernst kunnen worden. Ook zij verlangde vurig ergens naar... maar niet naar een manke zwerver. Waar ze ook naar op zoek was, het was meer dan een man haar kon bieden. Ze was op zoek naar haar eigen ziel en er bestonden geen gidsen die je daarbij konden helpen.

Ze volgde hem naar de kamer ernaast en keek toe terwijl hij langzaam de verse couverture in een roestvrijstalen trog goot die heel langzaam een zijdeachtig donkerbruin straaltje over de zich traag voortbewegende lopende band uitstortte. Een eindje verderop gingen klompjes vulling met een glinsterend vers laagje omhulsel eromheen onder de infrarode lamp door en langs de droger waar Thierry klaarstond om de nu gereed zijnde truffels op brede plastic lakens over te brengen.

'Gaan we vanavond samen eten?' fluisterde ze tegen hem. 'Ik heb een cafeetje ontdekt vlak bij de rue de Seine. Ze maken er een zalige omelet van aardappels. Goedkoop is het er ook. En als je echt arm bent én muzikaal, laten ze je spelen voor je maaltijd, heb ik gehoord. Zeg alsjeblieft ja, Em... het lijkt me zo leuk!'

Haar ogen glansden, maar hij wist dat het niet door hem kwam. Ze was in haar schik over haar ontdekking en het nieuwe idee dat hij haar met Pompeau had horen bespreken; ze wilde dat met iemand delen.

Toon het haar niet, dacht hij. Laat haar niet weten dat je echt zo stom bent als je voorwendt. 'Natuurlijk,' zei hij, en lachte haar stralend toe. 'Ik zal zelfs mijn harmonica meebrengen.'

Annie staarde naar het metalen doosje dat ze vasthield. Er zat een enkele truffel in en de glanzend zwarte deklaag was bestoven met geroosterde fijngemalen bittere amandelen.

Was hij lekker? Annie dacht aan de afgelopen week en de veertien porties van haar peer-ganache, en alle mensen hier die haar Poire William-truffel hadden geproefd, en hadden gezegd dat hij zalig was. Maar Emmett, Thierry en Maurice zeiden dat vermoedelijk alleen maar omdat ze goede vrienden van haar waren.

Zíj vond de truffel heerlijk, maar ze had zo vaak geproefd, dat ze onmogelijk kon zeggen dat deze láátste het nu echt was. Emmett had geproefd en in extase zijn ogen ten hemel geslagen, maar toen ze het hem vroeg, bleek dat hij geen verschil had geproefd tussen deze reeks en de vorige. Goddank had Pompeau beloofd nog niets over haar experiment tegen Henri te zeggen vóór hij haar bonbon had geproefd. Hij zou de opperrechter zijn... de enige die belangrijk was.

Annie liep de smalle trap van de keuken naar de winkel op. Zij droeg de gekoelde metalen doos met daarin haar Poire William-truffel. Haar handen trilden, maar ze dwong zich flink naar boven te lopen. Ze hoorde Henri's stem al en ze moest zich beheersen om gewoon te doen.

En als hij hem nu eens niet lekker vindt? Als het nu eens helemaal niets bijzonders is? Ze raakte bijna in paniek. Nee, alsjeblieft, dat niet... Een absolute mislukking kon ze verwerken. Dat zou haar overtuigen dat hij het niet begreep, of gewoon een slechte dag had. Want de truffel wás goed. Maar als hij zei: gewóón, dan was dat misschien wel waar. Toch moest ze het niet zo hoog opnemen. Dat mócht ze niet doen.

Boven aan de trap liep ze naar links, de pakkamer in waar de stevige Marie-Claire met haar rode wangen en een smetteloos wit schort voor, een gazen kapje op en witte handschoenen aan, de gereedgekomen chocolaatjes behandelde die haar in gekoelde metalen dozen gebracht waren, in dozen zoals Annie er nu één droeg. Haar tengere vingers waren als een schim terwijl ze razendsnel de truffels in de bekende bruin-met-gouden Girod's dozen verpakte, waarbij ze in afzonderlijke geplooide papieren bakjes werden geplaatst. Boven het hoofd van Marie-Claire lagen de planken vol met nog te vouwen dozen, meters satijnen lint in alle mogelijke kleuren, dikke rollen verguld cadeaupapier, vellen gouden stickers met Girod's donkerbruine letters erop, en eenvoudige bruine kartonnen dozen, bedoeld om de produkten in te verzenden. Annie knikte Marie-Claire even toe. De Française knikte terug, maar haar vingers gingen intussen snel door met hun taak.

Annie liep door de smalle deur de zaak in. Op de drempel bleef ze, als gewoonlijk, even staan, altijd weer even verbijsterd. Girod's was niet zomaar een bonbonwinkel – zelfs de zaak van Dolly kon hier niet aan tippen. Het zag er hier uit als in een museum, een kamer uit de negentiende eeuw: een zacht oosters tapijt, goud gemarmerd behang boven notehouten panelen en langs één wand glazen platen waarop het werk van kunstenaars was tentoongesteld – een gegraveerde albasten vaas, een stel Lalique zeemeermin-kandelaars, een oud jade paardje uit China en een negentiende-eeuws Sèvres-bord ter herinnering aan Napoleons kroning.

Daarboven stonden de platen vol met handbeschilderde dozen. Henri had een artiest opdracht gegeven op alle deksels iets anders te schilderen: boeketten bloemen, schalen met fruit, trossen druiven, vogels, spelende kinderen. Annies lievelingsdoos was een dorpsscène van een vrouw die ganzen verjoeg van haar stoep voor een met theerozen begroeid huisje met een rieten dak. Marie-Claire had haar verteld dat klanten voor duizend francs hun bonbons konden laten verpakken in een van die unieke dozen, die dan werden vastgebonden met een satijnen lint in een passende kleur.

Maar Annie was het meest op de bonbons zelf gesteld. Ze lagen overal om haar heen op zilveren schalen als kostbare juwelen, in antiek rieten manden en in prachtige kristallen glazen. In de etalage in de erker stond een pièce de milieu met vele lagen waarop truffels lagen, en bonbons uit een antieke vorm die paarden moesten voorstellen, druiventrossen, bladeren en engeltjes. Daaromheen lagen de koekjes die monsier Pompeau zelf bakte. Ze deden Annie denken aan prachtige juwelendoosjes, zoals ze versierd waren met versuikerde viooltjes, zilveren klokjes en gouden blaadjes.

Op dit ogenblik had Annie echter alleen aandacht voor Henri. Hij stond met Cécile te praten, een lange slanke vrouw die zo'n dunne hals had dat hij te teer leek om het zware grijzende haar te dragen. Als Henri er niet was, nam zij de winkel waar. Ze had een zachte stem, was beschaafd en onberispelijk gekleed in zachtgrijs wollen jersey met maar één zware gouden ketting. Cécile zag eruit alsof ze thuishoorde in een haute couture-zaak in de avenue Montaigne. Zíj was degene die de regel had vastgesteld dat je nooit moest vragen of een doos bonbons een cadeau was; álles wat je bij Girod's kocht was een cadeau – al was het maar voor jezelf.

In vergelijking met haar zag Henri er verkreukeld uit; hij leek meer een slordige wijsgeer dan de directeur van deze chique zaak. Zijn haren zaten vaak in de war en hij had rode wangen alsof hij een eind had gefietst. Hij was niet direct knap; zijn krachtige brede trekken deden Annie denken aan een aardappelboer van Van Gogh. En te oordelen naar wat ze van Dolly had gehoord, wist ze dat Henri niet zou aarzelen zijn mouwen op te rollen en te helpen, hoe vuil het werk ook was. Toch begreep ze wel wat Dolly in hem had aangetrokken, getrouwd of niet.

Henri zag haar en grinnikte, waarbij zijn snor een eindje omhoog werd getrokken. 'Ha, Annie, hoe gaat het?' riep hij, en keek achter haar. 'En Bernard, hoe komt het dat jij ons de eer aandoet om midden op de dag de trap op te komen?'

Annie begreep dat Pompeau haar was gevolgd; ze had hem niet gehoord. Natuurlijk moest die bemoeial erbij zijn als zij straks voor gek stond. Haar wangen brandden en het liefst had ze zich omgekeerd, maar ze gunde het hem niet haar zo nerveus te zien. Ze keek naar Cécile die weer bezig was mandjes te verplaatsen. De bel ging over toen er een klant binnenkwam, een zware vrouw die er zo verlegen uitzag alsof ze geen stap verder durfde te zetten in deze deftige winkel. Cécile lachte haar geruststellend toe.

Annie hoorde Pompeau achter zich grinniken. 'Misschien ben ik al oud, maar ik ben zo sterk als een paard. Over een paar weken ga ik kuren in Baden-Baden en dan voel ik me weer een jonge god. En jij?'

Henri zuchtte en keek een ogenblik somber. Annie zag nu pas hoe vermoeid hij was. Niet alleen maar moe... hij leek... tja, bijna verschrompeld, veel ouder dan ze zich hem herinnerde.

Hij miste Dolly, begreep ze. Ze wist het, want ze had zo vaak diezelfde treurige uitdrukking van verlangen op Dolly's gezicht gezien. Ze zagen elkaar maar eens in de twee maanden en de brieven en telefoontjes daartussendoor waren niet genoeg.

Maar Henri wilde zijn droefheid niet laten blijken. Toen Pompeau langs Annie liep, kwam Henri op hem toe en gaf de oude man een klapje op de gebogen schouder. Toen kuste hij Annie op beide wangen en deed alsof hij haar in geen jaren in plaats van maanden gezien had.

'Monsieur Henri,' vroeg Pompeau, 'is alles in Marseille goed verlopen?'

'In Marseille wel.' Hij zuchtte en voegde eraan toe: 'Maar ik heb net gehoord dat er moeilijkheden op de plantage in Grenada zijn.'

'Toch niets ernstigs, hoop ik?'

'Gebroken ruiten, brand in een pakhuis. Agitatoren, hoorde ik. We kregen een rapport dat zei dat ze door communisten worden geleid. En de regering – als je die zo kunt noemen – wil ook alleen maar last veroorzaken. Het schijnt dat ik zelf de schade moet gaan opnemen en zien of de situatie echt zo slecht is als ze zeggen. Monsieur Girod denkt dat we zullen moeten verkopen!' Henri schudde zijn hoofd en drukte een dikke vinger tegen de onderste knoop van zijn jasje, alsof hij maagpijn had die hij zo wilde verzachten.

Hij leek zich in zichzelf terug te trekken; maar toen maakte hij zich los van zijn sombere gedachten en keek Annie opgewekt en nieuwsgierig aan. 'Sorry, hoe gaat het met jou? Wil je me ergens over spreken? Monsieur Pompeau heeft je toch niets aangedaan, hè? Iets waardoor je nu je stem kwijt bent?' Zijn grijze ogen keken haar goedig aan. Annie voelde dat haar nervositeit verminderde. Henri was Pompeau niet. Zelfs als hij vond dat ze moest gaan, zou hij niet wreed zijn. Nee, Henri zou haar gewoon laten gaan, zonder meer. Maar was dat beter? Stel je voor dat hij medelijden kreeg. Dat zou vreselijk zijn!

Het ergste was dat hij zich blijkbaar niet goed voelde. Hoe zou hij op zo'n ogenblik kunnen zeggen of een truffel lekker smaakte, welke truffel dan ook?

'Monsieur Henri, ik wil uw tijd niet te lang in beslag nemen,' begon Pompeau zonder Annie aan te kijken. 'Maar mademoiselle Cobb...'

'We hebben een nieuwe smaak,' viel Annie hem in de rede, 'en we willen graag uw oordeel.' Als Henri de truffel vreselijk vond, zou zij wel de schuld op zich nemen... ze wilde niet dat hij bevooroordeeld werd door haar gebrek aan ervaring.

Henri trok een rimpel in zijn voorhoofd en het hart zonk Annie in de schoenen. Opeens zag ze zichzelf door Henri's ogen: een spijkerbroek en coltrui (waarom had ze geen japon aangetrokken?), vochtig en slordig haar na een ochtend boven de hete ovens, zonder make-up, zelfs zonder lippenstift. Hij nam haar vast niet serieus.

Met bonzend hart gaf ze hem de doos. Henri keek lange tijd naar de eenzame truffel, bestudeerde hem met een onderzoekende blik zoals een dokter een wrat bekijkt. Annie voelde een druppel koud zweet tussen haar borsten omlaagglijden.

Emmett had gezegd dat hij heerlijk was – maar misschien had hij overdreven. En Pompeau had geweigerd ook maar een klein stukje te proeven, want hij zei dat hij Henri's oordeel niet wilde beïnvloeden.

Eerst nam Henri een hapje van de stevige deklaag met het fijngemalen amandelpoeder. Had ze een andere nootsoort moeten nemen, hazelnoot of pecan? Nee, die had ze geprobeerd... en ze smaakten beide goed bij de Poire, maar de bittere amandelen waren beter.

Ze keek en wachtte en al haar zenuwen waren gespannen toen Henri de truffel in zijn mond stopte en aandachtig kauwde. Net toen ze dacht de spanning niet meer te kunnen verdragen, glimlachte Henri.

'*Formidable!*' verklaarde hij. 'Hij heeft een goede samenstelling, en de smaak... subliem. Bernard, mijn complimenten. Dit is een prestatie. En ik weet zeker dat onze klanten verrukt zullen zijn.'

Pompeau! Hij dacht dat de oude man de truffel had gemaakt! Ze werd bijna misselijk. Wat moest ze nu doen? Hoe kon het nu zo zijn gelopen? 'Ik... zie je... het was...' Ze zag hoe Pompeau vuurrood werd en begon te stotteren. Ze haalde wat gemakkelijker adem. Hij was een harde leermeester, maar geen bedrieger; hij zou Henri de waarheid zeggen.

Toen kwam er een gedachte bij Annie op. Misschien zou het haar meer helpen als ze hem de eer liet.

Er zijn meer wegen die naar Rome leiden, hoorde ze Dearie bijna zeggen.

'Monsieur Pompeau heeft een talent dat slechts weinigen is gegeven,' zei ze snel. Niet ronduit een leugen. 'Het is zo'n voorrecht voor mij om met hem te mogen werken.' Of leg ik het er nu te dik bovenop? Was ze te ver gegaan? Toen zag ze dat de oude man een hoge borst opzette van trots. Hij keek haar verrukt aan. Goed zo, ze had de juiste keus gedaan. Als ze had gezegd dat zíj de truffel had bedacht – nadat Henri hem voor een maaksel van Pompeau had gehouden – zou ze de oude man in verlegenheid hebben gebracht en had hij zijn woede vermoedelijk op haar botgevierd. Ze had elke dag met Pompeau te maken, niet met Henri. En als Pompeau besloot haar te waarderen, haar onder zijn vleugels te willen nemen, dan kon ze echt van hem léren, alles dat hij wist, en niet alleen op dit ogenblik een compliment verdienen.

Er stroomde een geluksgevoel door Annie dat alles om haar heen leek te verlichten. Er scheen een oranje zon vlak onder haar borstbeen en die verwarmde haar vanbinnen tot in haar vingertoppen. Niets kon haar nu nog tegenhouden. Ja, er waren meer wegen die naar Rome leidden.

Hoofdstuk 14

'Je vindt het niet mooi,' fluisterde Emmett in de duisternis.

Annie voelde zich schuldig. Hun fijne avondje uit naar een concert van kamermuziek in de Sainte Chapelle was zij voor Emmett aan het bederven. Boven haar en overal om haar heen glinsterden de beroemde glas-in-loodramen van de gotische kapel in het halfdonker, als een kroon van donkere robijnen. En onder de schijnwerper, voor de dubbele rij vouwstoeltjes, speelde de cellist Mozart; in deze grote ruimte weerklonk de muziek helderder dan ze ooit had gehoord. Maar ze kon zich niet concentreren, ze moest steeds aan Joe denken...

Twee maanden, dacht Annie. Twee maanden en elf dagen, om precies te zijn – zo lang had hij erover gedaan voor hij op haar brief en ansichtkaarten antwoordde. Zelfs geen telefoontje. En toen, eindelijk, had ze hem vanochtend tussen de post zien liggen die madame Begbeder, haar hospita, in een stapeltje op het wrakke haltafeltje bij de voordeur had gelegd: een dunne blauwe luchtpostenvelop die in Joe's flinke handschrift aan haar was geadresseerd.

Annie dacht eraan hoe ze in haar haast om de brief te openen een hoek van het velletje binnenin had afgescheurd. Haar hart had gebonsd toen ze eerst snel de velletjes doorlas. Hij schreef dat hij blij was dat ze bij Girod's zoveel kon leren en dat ze het naar haar zin had. Vond ze Parijs in de lente ook zo mooi? Was ze al naar de Jeu de Paume geweest? Had ze de groentekraampjes in Les Halles al gezien?

Hij repte met geen woord over dat hij haar miste, of maar nauwelijks kon wachten tot ze terugkwam. Geen woord over hemzelf, alleen dat hij het druk had in zijn restaurant en met zijn catering. En, o ja – dat die arme Rafael lelijk door een van zijn honden was gebeten.

Annie was zo teleurgesteld geweest dat ze het liefst in huilen was uitgebarsten.

Zelfs nu, in het gezelschap van Emmett, die zo leuk was en die meestal zorgde dat ze haar heimwee vergat, voelde ze zich eenzaam en wel zo erg dat het pijn deed tot in haar maag. Het moest ook aan de omgeving hier liggen en aan die prachtige muziek – het was té mooi, dacht Annie, en dat kon evengoed je hart breken als lelijke dingen. Vooral als je je al zo ellendig voelde als zij.

'Is het te merken?' fluisterde ze terug.

'We hoeven niet te blijven.'

'Maar...'

Voor ze hem eraan kon herinneren hoeveel geld hij aan de kaartjes had uitgegeven, voelde ze dat hij haar overeind trok. Samen glipten ze het smalle gangpad naast hun rij stoelen in. In het halfdonker struikelde Annie op de oude, oneffen vloer en zou zijn gevallen als Emmett haar niet had opgevangen. Ze voelde nu zijn arm, stevig en betrouwbaar, onder de hare en werd zo overeind gehouden en gerustgesteld. Zelfs zijn geur – een geur die haar deed denken aan kampvuren en knisperende herfstbladeren en oud leer dat tot glad worden toe was gedragen – troostte haar al.

Buiten op het stenen voorplein, vlak voor de ingang, wendde Annie zich tot hem en zei: 'Em, het is absoluut niet nodig dat jij om mij dat concert mist. Ik kan best alleen thuiskomen.'

'Luister eens, Cobb, ik heb een veel beter plan.' Hij knipoogde tegen haar en sloeg zijn arm om haar schouders. 'Ik weet een cafeetje hier vlakbij. Als je je rot voelt is een Pernod en een schouder om op uit te huilen veel beter dan Mozart.'

'Wees toch niet zo lief. Dan maak je dat ik me nog veel schuldiger voel.'

'In dat geval zal ik jou voor onze drankjes laten betalen.'

'Goed,' lachte ze. 'Afgesproken.'

Terwijl ze in de milde zomeravondlucht langs de dikke stenen muren van het Palais de Justice liepen, voelde Annie zich niet alleen egoïstisch, maar zelfs enigszins belachelijk. Ze maakte vermoedelijk van een mug een olifant. Deed het er nu echt veel toe wát Joe had geschreven? Het belangrijkste was dát hij had geschreven. En haar brief aan hem was ook niet erg hartstochtelijk geweest.

Annie keek tersluiks naar Emmett. Hij droeg een keurige grijze broek en een lichtbruine blazer over een wit overhemd. Hij zag er toch wel knap uit, vond ze; hij had zo voor een jonge jurist of makelaar kunnen doorgaan – afgezien van zijn laarzen. Annie had hem nog nooit zonder die oude cowboylaarzen gezien; glanzend gepoetst donkerbruin leer waarvan de tenen bijna wit waren afgesleten en de hielen rond van het vele dragen. Daardoor had hij iets speciaals dat ze erg leuk vond, maar ze verschaften hem ook een zeker air van gereserveerdheid. Met die laarzen scheen hij te zeggen: 'Ik ben een rondreizend man, hecht je dus maar niet te veel aan mij.'

Ze voelde een opwelling van dankbaarheid voor Emmett omdat hij haar vriend was – en haar toch niet onder enige romantische druk zette. Na weken nauw samenwerken en alle maaltijden die zij in rokerige bistro's hadden gedeeld, had hij haar zelfs nog nooit gekust bij het afscheid. Voelde hij zich wel tot haar aangetrokken? Soms dacht ze dat er iets tussen hen bestond... een soort energie... een soort hitte... en dan weer kreeg ze opeens het idee dat ze absoluut niet wist wat hij voor haar voelde en dat hij het misschien alleen maar prettig vond met haar uit te gaan.

Bij de Pont St.-Michel staken ze de Seine over. Een oude man die daar ansichten stond te verkopen floot bewonderend toen ze langskwamen; Annie vroeg zich af hoe het zou zijn als Emmett haar zou kussen. Plotseling was ze zich erg bewust van het gewicht van zijn arm om haar schouders. God, wat heb ik, vroeg ze zich af. Ik dacht dat ik op Joe verliefd was, niet op Emmett.

Het cafeetje was dicht bij de brug, op de Place St.-Michel, en de tafeltjes en stoeltjes stonden vlak naast elkaar onder een groen-met-roze gestreept zonnescherm. De mensen zaten daardoor dicht naast elkaar te praten en te gesticuleren, waardoor het leek alsof het een luidruchtig feestje was waarop iedereen welkom was. Annie en Emmett wachtten even totdat ze een paartje zagen vertrekken en gingen toen snel op de nog warme stoelen zitten.

'Voel je je al wat beter?' vroeg Emmett.

'Ja, hoor,' zei ze, en merkte dat het nog waar was ook.

'Wil je erover praten?'

'Eigenlijk niet,' zei ze.

'Is het zo erg?'

'Nee, het is... och, het is dwaas. Eigenlijk is er niets om over te praten.'

'Mag ik eens raden – lang, donker en knap?'

Hoewel het vrij koel was, voelde Annie dat ze bloosde. Ze knikte en keek naar een paartje tegenover hen, waarvan de man zich over de tafel boog om de vrouw een vuurtje te geven waarbij hun blikken op elkaar gericht bleven. De vrouw hief haar hand op om zijn hand stil te houden toen hij de lucifer naar haar sigaret toebracht.

'Er zijn maar twee dingen die harder zijn dan ruw ijzer: de wil van een vrouw en het hart van een man,' merkte Emmett op, en hij imiteerde Will Rogers, zoals hij altijd deed als hij haar aan het lachen wilde maken.

Annie keek hem aan en zag dat hij tegen haar lachte terwijl zijn blauwe ogen haar opnamen alsof hij probeerde na te gaan wat er in haar omging. Ze voelde echter medeleven in die glimlach en ze merkte dat ze zich naar hem over boog alsof ze zijn warmte in zich wilde opnemen.

'Er bestaat geen reden... absoluut geen enkele reden dat hij sentimenteel moet doen omdat ik hier ben en hij daar is,' flapte ze eruit en ze sprak flink, meer om zichzelf dan Emmett te overtuigen. 'We zijn alleen maar vrienden, goede vrienden. Waarom zou hij me dan opeens liefdesbrieven moeten gaan schrijven terwijl hij niet eens verliefd op me is?'

'Maar jij bent wel verliefd op hem.' Het was geen vraag en Emmett keek haar bijna uitdagend aan.

'Nee! Ik bedoel... tja, misschien. Tja, ik weet het niet meer. Hoe lang kun je verliefd op iemand blijven die dat niet op jou is?'

Hij kneep zijn ogen halfdicht alsof hij in de felle zon keek. 'Heel lang, denk ik.'

Annie wist dat hij het niet alleen over haar had, maar voor ze het kon navragen verscheen er een gehaaste ober en Emmett bestelde hun drankjes. Annie luisterde en bewonderde als altijd zijn vloeiende Frans. Hij had het niet op school geleerd, had hij haar verteld, maar had het her en der opgepikt. In hoofdzaak onder de Cajuns, met wie hij in New Orleans was opgetrokken. En zij, met haar vier jaar chique school-Frans, kon nauwelijks een croissant bestellen zonder over haar tong te struikelen.

Maar zo was Emmett, had ze gemerkt. Hij wende gauw aan dingen en mensen. Bijvoorbeeld met die duivenmevrouw in de Tuilerieën die ze onlangs waren tegengekomen – binnen enkele minuten had Emmett haar hele levensgeschiedenis te horen gekregen, over haar man die tijdens de oorlog in het verzet had gezeten en aan een tetanusvergiftiging was gestorven; over de drie zonen die al allemaal dood waren; over haar reumatiek die haar op koude avonden parten speelde; over de duiven die ze elke ochtend voerde – haar lievelingsduiven had ze naar Frankrijks grootste generaals genoemd. Annie herinnerde zich hoe de oude dame met haar zwarte sjaal om ontroerd was geweest door Emmetts belangstelling. Ze had een duif aangewezen die er heel ongewoon uitzag, met veren die dofrood en terracottakleurig waren, en ze had gezegd: '*Pour vous*' met de bedoeling dat zij die duif naar hem zou noemen.

Op de terugweg had Emmett gelachen en gezegd: 'Ik kan me ergere dingen voorstellen dan een duif zijn.'

Annie voelde zich door de Pernod enigszins licht in haar hoofd en zei opeens: 'Ik jokte tegen je toen ik zei dat ik niet zeker wist of ik van Joe hield. Ik houd wel van hem. Waarom is het zo moeilijk dat te bekennen? Waarom heb ik het gevoel dat ik een vreselijke misdaad beken?' Ze was bijna in tranen, maar verdrong ze.

'Omdat je bang bent je belachelijk te maken,' zei hij. 'Daar sta je niet alleen in, Cobb. De meeste mensen worden liever door een bus overreden dan voor gek te staan. Vooral in de liefde.'

'Wíst ik maar wat hij voelde... dan kon ik...' Ze haalde haar schouders op en merkte dat haar mond zich tot een vertrokken glimlachje plooide. 'Nou ja, dan hoefde jíj hier niet te zitten luisteren hoe ik me aanstel.'

'Weet je zeker dat híj zich niet helemaal geeft? Of ben jij dat misschien?' Hij keek haar vragend aan en wreef onderhand met zijn brede vereelte duim over de steel van zijn glas.

Annie begreep wat hij bedoelde en staarde in haar glas – opeens voelde ze dat ze een tikkeltje dronken was. God, moest ze zich nu werkelijk zó aanstellen?

'Ik geloof dat we maar beter naar huis kunnen gaan,' zei ze. 'Ik weet niet hoe jij erover denkt, maar dat elke ochtend om vijf uur opstaan, maakt dat ik 's avonds om tien uur óp ben.'

Hij lachte. 'Nu je daarover begint... ja, ik begrijp je.'

Even later staken ze de Seine weer over, nu over de Pont au Change, en

Annie bedacht dat ze over een paar weken terug zou zijn in New York. En Emmett... waar zou hij zijn? Misschien zouden ze elkaar nooit meer zien. Ze voelde een steek door haar hart, maar ze verdrong die gedachte onmiddellijk. Nú was hij er en dat vond ze fijn. Ze was hem dankbaar voor zijn vriendschap en voor zijn geduldig luisteren naar een meisje dat zich gedroeg als een verliefde tiener. Toen ze stilstonden om naar een schuit te kijken die sprookjesachtig verlicht onder de brug doorgleed, boog Annie zich impulsief naar Emmett toe en kuste hem luchtig op zijn mond.

Onverwachts kuste Emmett haar terug. Niet aarzelend of terughoudend, maar vol en hard. Hij deed haar bijna pijn en zijn mond smaakte naar het anijs uit de Pernod. Met een arm om haar middel, zodat ze zelfs áls ze het gewild had niet weg had kunnen komen – mensen, waar ben ik nu mee bezig, dacht ze – legde hij zijn hand op haar achterhoofd, maar met een gebaar zo teder alsof hij een pasgeboren baby vasthield.

Annie voelde een steek onder in haar buik. Het leek of al het bloed uit haar hoofd wegtrok. Ze werd warm, overal. God... hoe kon ze dit doen... hoe kon ze nu toch zo'n fijn gevoel krijgen, terwijl ze toch alleen maar Joe wilde, en niet Emmett?

En wilde Emmett háár echt hebben? Misschien wachtte er in Amerika iemand op hem van wie zij niets af wist.

Emmett trok zich terug, wankelde even en ze vroeg zich af of hij ook een beetje dronken was. Zou dit zijn gebeurd als ze nuchter waren geweest? Ze keek naar zijn gezicht vlak bij het hare en ze voelde zijn warme adem op haar wang. Plotseling vroeg ze zich af of ze dit gewild had, het nódig had, misschien zelfs al heel lang. Zocht ze geruststelling... iets wat Joe haar niet gaf? Een bewijs dat ze het waard was om bemind te worden, zelfs begeerlijk was?

'Jezus,' mompelde hij, keek haar aan en wreef over zijn kaak. 'En wat nu?'

'Niet naar mij toe.' Ze lachte even, nog buiten adem. 'Madame Begbeder zou ons eruit gooien,' zei ze, en ze voelde zich roekeloos worden. Wat doe je nu eigenlijk, vroeg ze zich af.

'Dan blijft er niet veel over, hè?' Hij deed een stap achteruit en pakte haar hand waar hij hard in kneep. Voor ze verder kon denken, zaten ze in een taxi en reden over de boulevard St.-Germain naar de Place Victor Hugo, waar Emmett woonde. Annie voelde zich opgewonden en was vreemd berustend... alsof ze op een roetsjbaan zat en het nu maar moest zien uit te houden.

Eerst stonden ze voor een zware houten deur, daarna kwamen ze op een binnenplein terecht, en toen in een vestibule die naar schoon wasgoed rook. Ze liepen de trap op en op elke overloop drukte Emmett op een knop waardoor de trap omhoog even werd verlicht.

'Tijdknoppen,' verklaarde hij, want hij wist dat ze die niet hadden in het privé-huis waar zij een kamertje had gehuurd. 'Zo kun je ze nooit laten branden. Slim, hè? Alleen wij, Amerikanen, doen met elektriciteit, gas en olie alsof de voorraden onuitputtelijk zijn.'

Hoe kon hij zo kalm zijn? Haar benen trilden en haar hart bonsde zo hard dat ze nauwelijks de trap op kon komen. Ik moet dit eigenlijk niet doen. Ik moet me nu omdraaien... nú, dacht ze. Maar ze liep door en toen gingen ze door de grote deur met de koperen knop en stonden in een smalle salon met een hoog plafond. Annie dacht dat de bewoonster zou hebben gelachen als ze had gezien hoe Emmett met zijn cowboylaarzen doorliep tussen de mollige met satijn beklede sofa's en de tere Empire-stoeltjes, het ronde tafeltje waar een sjaal met franje op lag en dat vol stond met Sèvres-figuurtjes en in zilveren lijsten gevatte familieportretten.

Mank als hij was, was Emmett toch verrassend handig. Hij trok zich van al die spulletjes niets aan en zette zelfs even een portret recht dat te schuin stond. Ze bedacht opeens hoe behulpzaam hij de duivenmevrouw van de bank had helpen opstaan.

Maar nog steeds vroeg ze zich af: wat doe ik hier? Ik ben niet verliefd op hem. Toch voelde ze zich tot hem aangetrokken en het gevoel in haar buik dat ze op de brug had gekregen toen ze hem kuste, verspreidde nog steeds warmte door haar hele lijf. Hoe zou het zijn, dacht ze, als Emmett haar uitkleedde en haar overal zou kussen en ze zijn handen, ruw en warm, op haar huid zou voelen? Nee, ze was niet verliefd op hem... maar, verdraaid, ze begéérde hem wel. Nu, hier ongeacht alles wat er daarna zou kunnen gebeuren – net zoals iemand die honger heeft en per se wil eten.

Maar kon ze het ook?

Emmett scheen haar verwarring te merken, kwam naar haar toe en sloeg zijn armen losjes om haar schouders terwijl hij haar op haar voorhoofd kuste. Toen ze zich terugtrok, zag ze dat hij glimlachte, bijna alsof hij zich amuseerde... misschien vond hij haar kinderachtig.

Annie werd er verlegen door, zelfs enigszins geprikkeld, zowel om zichzelf als om Emmett. 'Emmett, ik had niet mee moeten gaan. Dit is... gekkenwerk. Ik ben niet verliefd op je. En jij niet op mij.'

'En jij... jij bent niet het soort meisje dat alleen om het plezier met een man naar bed gaat, hè?' Nu dreef hij de spot met haar; ze wist het vrijwel zeker.

'Niet als we vrienden willen blijven.'

'Maak je je nu bezorgd om óns of om die knaap van je in Amerika?'

'Joe.' Als een schild hield ze Joe's naam voor zich; er viel een stilte waarin alleen een tikkende klok hoorbaar was. 'Nee,' loog ze, 'het heeft niets met Joe te maken.'

Hij haalde zijn schouders op en deed grinnikend een stap achteruit. 'Kom nou, Cobb, je kunt zo weglopen als je wilt en ik beloof je dat ik dan niet boos zal zijn.'

'Em...'

'Aan de andere kant,' voegde hij er plechtig aan toe en legde een harde werkvinger onder haar kin,' als je blijft, kan ik je iets veel beters beloven.' Toen hij haar weer kuste, had Annie het gevoel of ze door de bliksem werd getroffen. In de hitte die volgde, dacht ze: Joe, en ze voelde zich vreemd triomfantelijk. Ik heb Joe niet nodig.

Daarna bracht Emmett haar naar de slaapkamer. Een enorm hoofdeinde, rijk versierd, leek de hele kamer te overheersen. Annie ging liggen en kreeg het gevoel dat ze droomde. Ze liet zich door Emmett uitkleden, waarbij ze weer voelde dat zijn vereelte vingers hard waren... maar verrassend teder en handig. Geen gefriemel met knoopjes of haken en ogen; hij scheen precies te weten wat hij moest doen, waar hij haar moest aanraken. Hij kuste haar op haar lippen, haar slaap, keel, en nu – terwijl hij haar beha uittrok – op elk van haar borsten waardoor ze begon te huiveren en kippevel kreeg. Ze was al eens eerder uitgekleed – door Steve, en door Craig Henry, nog op school – maar het was nooit zo opwindend geweest als nu. Annie voelde hoe snel haar hart klopte, net alsof ze vlak bij een afgrond kwam. Ze zag dat Emmett op de rand van het bed ging zitten en zijn laarzen uittrok; hoe zou het zijn als ze zijn verminkte voet zag, vroeg ze zich af.

Toen ze hem zag – het vuurrode samengetrokken vlees en de verwrongen vorm – werd ze door een gevoel van tederheid overvallen. Ze raakte het eventjes aan. 'Doet dat pijn?'

'Alleen als ik ergens loop waar dat eigenlijk niet kan,' zei hij met een scheef lachje.

'Zoals nu?'

Hij haalde zijn schouders op. 'Ja, goed, ik ben ook een beetje bang. Zullen we het licht maar aan laten, goed?'

Hij gleed met zijn vinger over haar buik en zijn ruwe huid voelde kriebelig aan. Ze huiverder weer, maar toen boog hij zich voorover en voelde ze zijn warme tong op haar huid, lager en lager. God, dacht ze, dat moet hij niet doen; dat heeft nog nooit iemand gedaan... maar o, wat is het heerlijk. De uiteinden van zijn stugge haar, dat veel en veel zachter was dan ze gedacht had, kriebelde tegen de binnenkant van haar dijen. En nu zijn tong, snel, vederlicht...

Ze verbrandde bijna. Ze stierf door die hitte. Ze stierf, want ze wilde hem hebben. Toe, o, toe... ik kan er niet meer tegen. Ik word gek.

Toen stond Emmett op en deed zijn overhemd en broek uit. Het leek of hij helemaal geen haast had, al zag ze dat hij heel opgewonden was. Verrast zag ze dat zijn borstharen en het haar daar beneden niet rood, maar donkerbruin waren. Zijn spieren waren breed en dik en op zijn buik had hij ook sproeten. Hij zag eruit alsof hij veel in de buitenlucht was geweest en zijn onderarmen waren donkerder dan de rest. Maar wat haar het meeste opviel, was dat hij absoluut niet verlegen leek, alsof hij en zij dagelijks naakt tegenover elkaar stonden.

Toen hij echter naast haar ging liggen, voelde ze toch dat hij gespannen was, hoezeer hij haar begeerde; het leek of zijn hele lichaam zich samentrok, bijna trilde.

Hij bleef haar met zijn tong bewerken, wond haar op en ontdekte zelfs plekjes waarvan ze nooit had geweten dat ze zo gevoelig waren: het halvemaantje onder haar borsten, de achterkanten van haar knieën en de plekjes tussen haar vingers. Ze had het warm, maar huiverde toch; ze had haar knieën tegen haar borst op willen trekken om zich tegen deze pijn van begeerte te beschermen. Maar Emmett streelde haar nu zachtjes, sussend, en ze voelde dat ze zich voor hem opende, zich als een boog omhoog spande om hem in zich op te nemen. Ja... o, ja...

Toen voelde ze alleen zijn gewicht op zich dat haar neerdrukte. Over zijn schouder heen zag ze maanlicht op de muur, een lichtplek die groter en groter leek te worden en nu de hele wand omvatte, totdat zij een deel van dat licht werd, er binnenín was, en zijn gloeiende hitte haar verbrandde...

'O!' Annie wist nauwelijks meer wat ze deed en beet Emmett in zijn schouder. Ze kreeg een zoutachtige smaak in haar mond en hoorde hem iets uitroepen; toen duwde hij heel diep in haar door, een paar keer en heel heftig.

Naderhand klemde ze zich aan hem vast en het zweet op hun beider lichamen begon op te drogen. Emmett hield zijn gezicht in de holte van haar hals verborgen en fluisterde: 'Annie.'

Annie. Sinds haar eerste dag bij Girod's had hij haar nooit anders genoemd dan Cobb. Maar nu zei hij Annie. Wat betekende dat? Wat wilde hij van haar?

Annie rilde en voelde zich gedesoriënteerd, alsof de roetsjbaan waarop ze zich had bevonden, niet stilstond, maar haar over de rand van de wereld had gemikt. En hoe moest het nu met Joe? Nou ja, ze was hem niets schuldig. Toch had ze het gevoel dat ze hem bedrogen had. Hoe kon dat nu?

Nu was het haar beurt om te mompelen: 'O, Emmett, wat nu? Wat moet er gebeuren?'

Hij streelde haar haren en haar hals die nog een beetje pijn deed omdat zijn wangen zo ruw waren. Toen zei hij zachtjes: 'Er hoeft niets te gebeuren, Annie. We zijn er nu.'

Hoofdstuk 15

Dolly voelde dat het vliegtuig in de bocht begon over te hellen. Toen ze naar beneden keek, ving ze de eerste glimp op van het eiland. Wat was het groen! Ze kon geen wegen of gebouwen zien... het leek of er geen levende ziel woonde. Niet zoals Bermuda, waar Dale haar mee naartoe had genomen op hun huwelijksreis. Ze herinnerde zich dat Bermuda er min of meer had uitgezien als een tropisch stuk Engels platteland, met keurige stenen muurtjes, goed geschoren golfcourses en grasvelden en netjes bijgehouden heggen van kleurige hibiscus. Het had er niet zo weelderig en primitief uitgezien als dit eiland.

Ze vroeg zich af of de Hof van Eden net zo iets was geweest als Grenada. Ze rekte zich wat uit op haar stoel en dacht aan Henri – vier hele dagen in het paradijs! – en kreeg een verzaligd gevoel. Toen bedacht ze dat dit wel eens de laatste keer zou kunnen zijn dat ze samen waren, en ze kreeg een hol gevoel vanbinnen, alsof het vliegtuig opeens een paar honderd meter omlaag viel.

Ik moet het hem zeggen, dacht ze. Ik kan niet meer. Ik kan zo niet verdergaan – stiekem achter de rug van zijn vrouw om en hem maar vijf of zes weken per jaar bij me hebben. Daarvoor houd ik te veel van hem.

Dolly zette het afschuwelijke vooruitzicht om Henri dit nieuws mee te delen van zich af. In plaats daarvan stelde ze zich zijn verrassing voor als ze opeens op de plantage opdook. Hij zou het heerlijk vinden. En, nou ja, misschien zou hij ook een beetje boos op haar zijn. Hij had haar toch gewaarschuwd niet te komen? Dolly ging in gedachten hun telefoongesprek van de vorige week na. Henri had haar verteld dat hij naar Grenada moest om de zaken op de plantage in het reine te brengen. Zij had meteen de kans willen waarnemen om samen een lang weekend in de tropen door te brengen. Maar hoewel Henri wel in de verleiding kwam, dat merkte ze, had hij toch geweigerd. De regering van Grenada was vreselijk chaotisch en linkse benden probeerden onrust te stoken. Het kon gevaarlijk zijn.

Lichamelijk gevaar? Nee, daarom klopte Dolly's hart nu niet zo snel en waren haar handen ijskoud. Ze gaf geen steek om communisten of bendes... wat haar angst aanjoeg was het vooruitzicht Henri te zullen verliezen. Hoe kon ze dat aan? Hoe kon ze een bestaan zonder hem leiden? Maar daartegenover stond: hoe kon ze het hem níet vertellen? Hoe konden ze op deze manier doorgaan?

Dolly hoorde iets kraken en keek naar het lege plastic glas in haar hand. Ze had zo hard geknepen dat het kapot was. Koude druppels van de smeltende ijsblokjes vielen op haar schoot en doorweekten haar citroenkleurige rok.

Je hoeft het hem niet meteen te zeggen, hield ze zich voor en liet alleen gedachten toe over de zalige dagen die voor haar lagen, terwijl ze zich op het groene paradijs onder zich concentreerde.

Grenada... een eiland... een andere wereld... waar ze samen konden zijn zonder Girod's, of haar nichtjes, of Francine, of Henri's kinderen. Een veilige plek, misschien zelfs een betoverde plek, waar ze een paar dagen alle andere mensen op de wereld konden vergeten. En waar ze de verschrikkelijke verklaring die ze straks zou moeten afleggen nog even kon uitstellen.

Ze keek op haar horloge. Vier minuten over twee. Over een paar minuten zouden ze landen. Het leek of het honderd jaar geleden was dat ze hem voor het laatst had gezien. Het was drieëneenhalve maand sinds de banketbakkerstentoonstelling in Montreal, en toen was het maar één nacht geweest – een paar uur tussen bezoeken aan stands door, tussen ontmoetingen met klanten en mogelijke kopers en het bespreken van nieuwe produkten.

Door de telefoon in de zaak was het altijd hetzelfde met hem: praten over welke zaken het beste verkochten, koersfluctuaties, nieuwe hotelcontracten, de voor- en nadelen van deze of gene verscheper... nooit over hoezeer ze elkaar misten. Zelfs wanneer hij haar thuis opbelde, meestal laat in de avond, had ze het gevoel alsof ze een ingewikkelde ouderwetse menuet uitvoerde. Ze vertelde hem hoezeer ze hem miste, hoeveel ze van hem hield, maar danste steeds om de zaak heen die haar het meest hinderde: dat na acht jaar, Henri er nog niet aan toe was om te scheiden. En zíj werd er niet jonger op.

Terwijl het vliegtuig aan de landing begon, zag Dolly gebouwen, wegen, startbanen en daarna de golfplaatdaken van hutten, een grote hoop rommel die van een helling naar beneden kwam. Welkom in het paradijs, dacht ze spijtig.

Vlak na de ruwe landing stapte ze in de stromende regen het vliegveld op. Toen liep ze de benauwde Quonset-hut binnen die als stationsgebouw dienstdeed. Intussen was ze kletsnat van de regen. Ze toonde haar paspoort aan een magere, zwarte douanebeambte die het achterdochtig bekeek, heel lang leek het, voor hij er eindelijk een stempel in zette. In het stationsgebouw riep ze een kruier aan die haar bagage ophaalde en naar buiten bracht, waar enkele taxi's stonden. Ze koos degene met de minste deuken.

'L'Anse aux Epines,' zei ze tegen de chauffeur en ze hoopte dat ze het goed uitsprak. 'Specerijenbaai.'

Toen plasten ze door de stromende regen naar haar hotel over wegen die zo smal waren en zo vol gaten zaten dat Dolly ervan overtuigd was dat ze in een greppel terecht zouden komen. Ze maakte een plekje schoon op het beslagen raampje van haar portier en zag dicht gebladerte, palmbomen die op telefoonpalen met groene petticoats leken, roze en geel gepleisterde huizen naast hutten die niet veel groter leken dan een w.c. Hier en daar, onder rieten afdakjes, werden langs de weg kokosnoten en kammen bananen te koop aangeboden door donkere kooplieden die in elkaar gedoken het eind van de regenbui zaten af te wachten.

Nu zou ze gauw bij Henri zijn. Over een uur zou Bartholomew, Henri's opzichter, haar bij het hotel ophalen. Ze had hem van tevoren gebeld en gezegd dat ze van plan was Henri te verrassen. Ze wilde niet riskeren in de jungle te verdwalen door zélf te proberen de weg naar de plantage te zoeken. Bartholomew had erin toegestemd haar af te halen en haar geheim te bewaren.

Over een uur, dacht ze. Nog tijd genoeg om die natte kleren uit te trekken, een koele douche te nemen en zich mooi te maken voor Henri.

Dolly voelde haar hart bonzen. Hoe kwam het dat na al die jaren en al die duizenden kilometers die hen meestal scheidden, de gedachte aan Henri haar nog steeds duizelig kon maken?

En als ze zich al zo opgewonden voelde vóór ze hem zelfs nog maar had gezien, hoe ter wereld zou het dan mogelijk zijn kracht genoeg te verzamelen om Henri aan te kijken en hem te zeggen dat alles voorbij was?

Dolly voelde dat de jeep met een schok tot stilstand kwam. Ze deed de handen voor haar ogen weg, die ze bedekt had om die angstwekkende haarspeldbochten van de bergweg niet te zien. Het bleek dat ze boven op de top van een steile heuvel stonden. Onder hen was de wildernis omgehakt en strekten zich eindeloze rijen bananebomen uit.

'We zijn er, mevrouw.' De grootvaderlijke Grenadaanse opzichter die haar had gebracht, klonk opgewekt en rustig, alsof moeizaam omhoog zwoegen over een smalle weg vol bochten met een oppervlakte zo ribbelig als een wasbord terwijl vrachtauto's en bestelwagens van de andere kant op je af kwamen vliegen, iets was wat bij het dagelijks leven hoorde, en geen enkel gevaar opleverde.

Ze keek weer naar de bananenaanplant en zette haar zonnebril op – grote glazen in een schildpadmontuur bezet met rijnsteentjes – om haar ogen te beschermen tegen het geschitter van de zonnestralen op de regendruppels op de bladeren.

Ze zag slierten damp omhoog rijzen uit de modderige rode aarde. De lucht was vervuld van een heerlijke geur, de geur van warme, gekruide cider. Dat kwam door de specerijen die hier werden verbouwd, had de oude Bartholomew haar verteld. In elk dorp waar ze doorheen reden en waar ze moesten afremmen voor honden, kippen of geiten, kwam onmiddellijk een oude vrouw of een troepje kinderen om de jeep heen staan om

te proberen hun specerijen te verkopen. Bruine handen hielden zelfge-
weven mandjes omhoog vol zakjes glanzende bruine muskaatnoten, lau-
rierbladeren, oranje bloempjes van gedroogde foelie, kaneelstokjes,
kruidnagels en in elkaar gedrukte ballen cacao. Maar hier zag ze alleen
bananen.

'Waar zijn de cacaobomen?'

Bartholomew grijnsde en zijn gerimpelde zwarte gezicht vertoonde
daarbij weer een heel ander vouwenpatroon. Met zijn witte haren, dun en
gekroesd, en met zijn slordige short en verschoten gele overhemd dat los
om hem heen hing, leek hij even oud als de wildernis zelf. Henri had haar
eens verteld dat er zonder Bartholomew geen plantage zou zijn. De oude
opzichter kende elke greppel en elk weggetje hier. Als de weg onbegaan-
baar was, slaagde hij er toch in vrachten te verschepen en als de arbeiders
niet verschenen, had Bartholomew blijkbaar een eindeloos aantal nich-
ten, neven en kleinzoons die kwamen helpen. Op weg naar boven in de
oude jeep had Bartholomew haar trots verteld dat hij vijf vrouwen had
overleefd en achttien kinderen en tweeënveertig kleinkinderen had.

Sneeuw op zijn dak, dat wel, maar nog vuur genoeg in het fornuis daarbinnen, dacht ze.

'De bananen beschutten de cacaobomen,' vertelde hij wijs.

Dolly keek nog eens, en ja, tussen het groen zag ze hakmessen glinsteren; de zon scheen op het staal. Dit was het oogstseizoen, had Henri haar
verteld. Nu werden de bonen binnengehaald.

Henri. Hij was nu echt dichtbij!

Dolly stapte uit de jeep om alles beter te kunnen bekijken en voelde dat
haar knieën knikten. Haar maag deed vreemd en ze zag sterretjes. De
hitte leek wel dik schuim dat zich aan haar vasthechtte, waardoor haar
donkerblauwe katoenen japon met stippen tegen haar kuiten plakte en
zwaar en vochtig aanvoelde, alsof hij te drogen hing. Het rook hier naar
pas omgespitte aarde en rottende bladeren. Ze zette de rand van haar
hoed zo dat hij haar ogen beter beschutte; het was een donkerblauw soort
wagenwiel met een breed stippellint dat tot tussen haar schouderbladen
afhing. Al was de hitte drukkend, zij had toch ook een prettige uitwerking
op haar: ze voelde zich zwaar en opgezwollen van verlangen en wilde dat
ze maar gauw alleen met Henri kon zijn.

Ze sloot haar ogen even tegen de zon die zelfs door de zonnebril heen
nog fel was, en dacht weer: Heer, hoe kan ik hem ooit opgeven?

Bartholomew raakte haar arm aan. 'Zullen we nu naar beneden gaan,
mevrouw?'

Al gauw ratelden ze weer over een modderig pad vol karresporen. Het
sloeg van de hoofdweg af en voerde hen door een verwarde hoop onkruid
en klimplanten die naast de keurige rijen bananebomen groeiden. Er
stond ook een eenzame broodboom – ze herkende hem, want Bartholomew had er al eerder een aangewezen – die aangaf waar de weg eindigde.

Daarvandaan leidde een nog smaller voetpad naar de rijen cacao- en bananebomen verderop. Er hing een heerlijke geur boven het pas omgehakte kreupelhout.

'Die bloemen ruiken zoet.' Bartholomew remde en wees met een knokige vinger naar een felle kleurenpracht tussen het groen.

'Ik geloof niet dat ik die geur ken,' zei Dolly. 'Hoe heet die bloem?'

'Spring-op-me-en-kus-me,' grinnikte de oude man ondeugend en zijn gouden tanden glinsterden in de zon.

Dolly bloosde en knipoogde toen om hem te laten weten dat ze het waardeerde dat hij haar bezoek geheim had gehouden.

Toen zag ze dat Bartholomew omlaag wees en zijn oude gezicht afkeurend plooide. Hij schudde zijn hoofd en deed zijn best niet te lachen. Natuurlijk! Haar schoenen. Die waren helemaal verkeerd. Ze keek naar zijn gemakkelijke touwschoenen waarvan de zolen al vol modder zaten. Waarom had ze niet iets praktisch aangetrokken?

Toen ze uit de jeep stapte, voelde ze dat de modder aan haar voeten zoog. Ze volgde Bartholomew het voetpad af en gleed bijna uit; ze had onmiddellijk haar evenwicht terug, maar ze voelde zich belachelijk.

Het voetpad eindigde en waaierde uit in lange rijen gekweekte bananebomen. Hun brede bladeren verrezen als glinsterende pluimen uit stevige, afgeknotte stammen. Van de bomen hingen grote trossen groene bananen die wel iets op kroonluchters leken. De cacao werd daarmee tegen de verschroeiende hitte van de zon beschut; hij was in rijen rode aarde geplant. Sommige bomen waren even groot als zijzelf, andere twee of drie keer zo groot als een volwassen man. Ze zagen er niet opvallend uit, afgezien van de paarsachtige bonen – net voetballen – die op de tak ontsproten en soms zelfs uit de stam.

Dolly stond stil om naar een arbeider te kijken: een eilandbewoner met bloot bovenlijf en een short aan; hij hakte de peulen af die hij met zijn hakmes kon bereiken, waarna hij ze op een handkar opstapelde die naast hem stond.

Ze wees op een peul en vroeg: 'Komen daar de bonen uit?'

Als antwoord liep Bartholomew erheen, pakte er een uit de emmer en instrueerde de arbeider in zijn snelle dialect om de peul met zijn hakmes te openen. Hij liet Dolly de twee helften zien, een in elke hand. Rondom elk witachtig middenstuk bevond zich een ring van bleke zaden. Er steeg een bloemengeur uit op. De oude man haalde er met zijn vinger een zaadje uit en liet het haar zien.

'Er zijn heel veel zaadjes nodig om een beetje chocolade te maken,' zei hij, en liet de peul weer in de emmer vallen. 'Ik zal het u laten zien.'

Hij ging haar voor door een eindeloos lijkende vore, waar op regelmatige afstanden arbeiders stonden, sommigen met hakmessen, anderen gebruikten lange palen met messen bovenaan waarmee ze de hoogste takken konden bereiken. Er klonk geritsel van bladeren, en staal flikkerde op tussen de weelderig groeiende planten. Stemmen riepen elkaar dingen toe in het dialect van het eiland – een mengeling van Engels, Frans en een paar Afrikaanse talen, had men haar verteld – hetgeen een heel geschetter opleverde.

Terwijl ze voortliepen legde Bartholomew in zijn merkwaardige Engels uit dat elke boom ongeveer vijf pond chocolade per jaar opleverde. Ze wist dat dit de criollo-variëteit was – oorspronkelijk uit Venezuela afkomstig – die minder opbracht dan de sterkere alemondo. Maar de kwaliteit was beter en dat was een van de redenen waarom Girod's chocolade overal ter wereld beroemd was.

Boven haar zag ze de droog- en fermenteerschuren staan – lange gebouwen van aluminiumplaten met geribbelde plastic daken. Ze stonden op een kleine heuvel aan de andere kant van een wankel houten bruggetje dat over een irrigatiegreppel lag. Bartholomew had haar verteld dat Henri in een van die schuren bezig was.

De tranen sprongen Dolly in de ogen en ze zette haar zonnebril wat steviger op, blij dat Henri's eerste blik op haar geen opgezwollen rode ogen te zien zou geven.

Ze wist niet waarom ze huilde. Het ging er niet om dat haar aanstaande breuk met Henri iets ten einde zou brengen, voorzover het hoop betekende op een huwelijk. En ze had ook zonder dat wel hoopvolle contacten. Zoals Reese Hathaway, een aardige leuke man – bibliothecaris van Columbia-universiteit, niet minder – met wie ze op puur vriendschappelijke basis uitging. Bijvoorbeeld naar diners, en soms had hij kaartjes voor een concert of toneelstuk. Ze voelde dat als ze hem ook maar een beetje aanmoedigde, hij in de wolken zou zijn.

En Curt Prager, de al kalende jurist die ze vaak in de lift van haar flatgebouw tegenkwam en die haar altijd uitnodigde om wat bij hem te komen drinken. Hij maakte geen geheim van zijn bedoelingen. De herinnering aan hun laatste ontmoeting maakte dat ze begon te lachen. Ze had een roomkleurige angora trui aan gehad en nadat hij haar had gekust, had hij onder de witte haartjes gezeten, en dat op zijn keurige donkere pak.

Maar de narigheid was dat geen van beiden – niemand eigenlijk – haar de gevoelens gaf die Henri bij haar opriep. En binnenkort zou ze hem nooit meer zien. Dan móest ze toch wel huilen?

Dolly volgde de oude man over de smalle planken brug. De zon scheen heet op haar schouders. Over een kleine honderd meter was ze er. Ze vestigde haar blikken op de dichtstbijzijnde schuur die ongeveer even groot was als het draaimolenpaviljoen in Central Park, waar ze eens, op een lang vergeten ochtend Henri had overgehaald op de geschilderde paardjes te gaan zitten. Omdat het nog zo vroeg was, waren ze de enigen geweest en hun gelach had het hele paviljoen gevuld. De kaartjescontroleur had hen waarschijnlijk voor gek verklaard!

Dolly herinnerde zich haar vreugde, de koele kus van de koperen ring tegen haar vingertoppen toen ze die losliet, steeds weer, en Henri voor haar, als een echte Franse ridder op zijn vergulde ros terwijl zijn grijzende hoofd achterover was gegooid omdat hij zo moest lachen.

Maar nu dacht ze: vandaag heb ik de koperen ring niet kunnen grijpen. Niet éénmaal. Hoewel ik het zo vaak heb geprobeerd.

'Misschien is hij binnen,' zei Bartholomew, en zijn stem bracht haar in het heden terug. De oude man liet haar voorgaan door de brede ingang.

Binnen moest ze eerst wennen aan de duisternis en toen trof de geur haar. Een doordringende, zoetige lucht. Grote hopen peulen lagen bij de ingang en langs de wanden. Arbeiders – plaatselijke mannen en vrouwen – stonden voor lange schragentafels en hakten de peulen met lange messen open, schepten het zachte vruchtvlees er met beide handen uit en haalden daar handig de zaden tussenuit die in kleverige hopen op bananebladeren werden gelegd. Bartholomew legde uit dat de zaden vervolgens op ondiepe houten bladen zouden worden gelegd die met jute werden bedekt en dan ongeveer een week in de zon werden gezet om te fermenteren, totdat ze bruin werden. Daarna werden ze gedroogd, gesorteerd en in jute honderdpondszakken gedaan die naar Marseille werden verscheept.

De oogst was vorig jaar goed geweest, vertelde hij haar trots, meer dan twintig ton. Dit jaar zou de oogst kleiner zijn, omdat een regenperiode de bomen kwaad had gedaan en er schade was veroorzaakt door 'slechte mannen'. De oude man wees naar het eind van de loods waar de metalen wand nieuwer en glanzender was en roet de houten plafondbalken zwart had gemaakt.

'Die jongens zijn gek,' zei hij boos. 'Ze denken dat ze de wereld kunnen verbeteren door alles hier in brand te steken. We zijn heel wat cacao kwijtgeraakt.'

Dolly keek rond, maar geen Henri te zien. Ze schrok even, maar bedacht dat hij ook hiernaast kon zijn.

Bartholomew stelde haar voor aan een slungelachtige jongeman van een jaar of zeventien met een zachtbruine huid. 'Mijn zoon, Desmond,' zei hij trots, hoewel het onmogelijk leek dat zo'n oude man een tienerzoon had. Maar ja, met zoveel vrouwen...

'Aangenaam,' zei Dolly. De jongen sloeg zijn hand voor zijn mond toen hij lachte. Meteen zag ze waarom: hij miste een paar voortanden. Wat jammer. Na een paar bezoeken aan een tandarts en wat meer vlees op zijn botten zou hij best knap zijn.

Toen ze weer buiten liepen, zei ze tegen Bartholomew: 'Knappe jongen. Maar hij moet naar de tandarts.' Ze wist dat het onbeleefd klonk, maar ze wilde Bartholomews reactie zien.

De oude man haalde zijn schouders op en klopte op zijn broekzakken.

Net wat ze dacht. Hoeveel zou een tandarts hier kosten? En zelfs als de oude man het een belediging zou vinden... ze had zich toch al afgevraagd hoe ze hem een fooi voor zijn hulp kon geven zonder hem verlegen te maken... maar dit leek beter, en ze deed er nog goed werk mee ook.

Ze greep in haar strotas en haalde er een visitekaartje uit. 'Misschien vindt u me nu opdringerig en u kunt natuurlijk nee zeggen. Maar dit is mijn adres. Breng die jongen naar een goede tandarts en stuur mij de rekening. Die betaal ik dan. U hebt me zo goed geholpen en bent zo vriendelijk geweest, ik zou graag iets terug willen doen.'

Bartholomew grinnikte alleen en stopte het kaartje in zijn borstzak. Fijn, hij was niet beledigd. Voor hem was het een enorm cadeau. Voor haar alleen een flinke fooi.

'Bartholomew!' klonk een zware stem met een Frans accent ergens achter hen. 'Waar ben je zo lang gebleven? En wie heb je meegebracht?'

Ze kende die stem. Haar hart maakte een sprongetje. Henri!

Dolly draaide zich snel om en plotseling waaide een windvlaag haar hoed af waardoor haar onder het hoofddeksel weggestopte haardos omlaag golfde tot op haar schouders. Even werd ze verblind door het zonlicht dat op de aluminium deur werd weerkaatst. Maar toch zag ze een stevige figuur op zich afkomen en het leek of hij een stralenkrans om zijn lichaam had; ze kon geen voet meer verzetten.

Plotseling stond hij daar tegenover haar. Henri, met een geschrokken uitdrukking op zijn gezicht. Een rode kleur steeg naar zijn gezicht dat al door de zon was gebruind. Zijn zilveren snor was dikker dan de vorige keer dat ze hem had gezien. Hij droeg een kaki broek en een wit overhemd met korte mouwen, open aan de hals.

'Henri,' fluisterde ze, nadat ze haar stem had teruggekregen.

Hij reageerde niet, maar keek haar strak aan alsof hij zijn ogen niet kon geloven. Maar hij keek niet blij en zijn gezicht leek als uit steen gehouwen.

Hij is boos dat ik gekomen ben, wist ze. Dreef hij zijn bescherming van haar te ver, of voelde hij dat ze hem iets te zeggen had?

Bij de gedachte dat ze Henri zou verliezen, voelde Dolly een pijnscheut in haar borst. Haar hart leek in haar borst te fladderen als een aangeschoten vogel.

Maar toen, terwijl de oude Bartholomew nog vermaakt stond toe te kijken en Dolly in het zachte licht van de verdwijnende Westindische zon stond, deed Henri een stap naar voren en slaakte een kreet. Daarna nam hij haar stevig in zijn armen en begroef zijn gezicht in het losgevallen haar, terwijl hij steeds weer haar naam mompelde, alsof hij haar daarmee beter kon vasthouden.

'Henri, we moeten praten.'

Dolly schoof een eindje van Henri vandaan in het grote bed tegenover het door de zon verlichte terras van L'Anse aux Epines. Door de glazen schuifdeur die uitzicht bood op een groene berghelling, zag ze plekken rode hibiscus en roze oleander, en het diepere groen van kalebassen en citroenbomen. Verder omlaag, voorbij het zwembad met de *cabana* met zijn rieten dak, glansde een halvemaan van pas geharkt wit zand tegen het helder glinsterende water. Een vroege zwemmer trok zijn baantjes en liet een dunne streep schuim achter.

De geur van citroenbloesem dreef op het zeewindje naar binnen. Het enige geluid was het zachte zoemen van de plafondventilator die haar naakte lichaam naast Henri wat koelte gaf. Het laken lag verkreukeld om haar enkels. Maar in plaats van een vreedzaam gevoel te hebben, kreeg Dolly de indruk dat haar maag in de knoop zat. De afgelopen achtenzeventig uren waren paradijselijk geweest, dacht ze, maar straks moest ze vertrekken. Ze móest het hem zeggen.

'Wil je praten of heb je liever dat ik je nog eens bemin?' vroeg Henri plagend.

Dolly deed haar ogen dicht en voelde hete tranen opwellen. 'Ik meen het, Henri. Ik...'

Maar Henri dacht vermoedelijk dat ze opzag tegen de twee of drie maanden scheiding die voor hen lagen en hij legde haar het zwijgen op met een kus, waarbij de uiteinden van zijn snor haar bovenlip kietelden; zijn mond was zacht en smaakte vaag naar rum. Al die punch die ze hadden gedronken... Hemel, wat had er nog meer in gezeten dan punch? Een of ander afrodisiacum?

Ze wist niet meer hoe vaak ze van elkaar hadden genoten... twee, drie, vijf keer? Het leek een droom, of een reeks dromen die in elkaar overgingen, en uit de laatste was ze net wakker geworden.

Nu wilde hij haar weer en haar eigen niet meer zó jonge lichaam verraste haar. Ze was nog nooit in zo'n stemming geweest. Het leek of ze in brand stond en ze voelde hoe nat en gezwollen ze was tussen haar dijen.

Gisteren had ze geprobeerd het hem te zeggen, aldoor weer, maar hij had haar steeds gekust en dan was ze verloren. Straks had ze geen tijd meer... en geen excuses.

Het leek of zich een pijnlijke band om haar borst sloot en zelfs de naar binnen waaiende bries leek kil. Zo zou ze nooit meer naast Henri liggen. Ze zou nooit meer met hem slapen. En wie zou er dan van haar houden? Haar nichtjes?

Ze dacht aan de brieven van Annie uit Parijs die overliepen van enthousiasme en hartelijkheid. Maar hield ze zichzelf ten opzichte van Annie niet net zo voor de gek als ze jarenlang met Henri had gedaan? Ze hield van het meisje, jazeker. Ze zou een vinger voor haar geven. Maar Annie liet nooit ál haar reserves vallen. Ze was niet zo gereserveerd meer als in het begin, maar als Dolly te dichtbij leek te komen, gebeurde er iets. Achter de lach en de omhelzingen was Annie op haar hoede.

En Laurel was een schat, maar ze was nu van school en ging op in haar kunst. Dolly zag haar nauwelijks meer.

Dolly had hen als dochters willen koesteren. Maar ze waren – en zouden dat ook altijd blijven – de kinderen van Eve. Even werd ze jaloers. Het verhaal van mijn leven, dacht ze. De tweede plaats. Ook bij Henri. Hij zou nooit van Francine scheiden. Nooit bij zijn kinderen weggaan, al was Jean-Paul nu zelfstandig en Gabrielle getrouwd met een baby op komst.

En het ging niet alleen om Henri. Ook zíj was veranderd… ze was niet zo jong meer, niet meer de onzekere weduwe die lang geleden in zijn kelderkeuken in Parijs was binnengehaald. Nu had ze een soort familie en een zaak. Ze zat in het bestuur van het Newyorkse Filmgenootschap en van nog twee andere ondernemingen. Ze was iemand, men keek naar haar op en ze besefte dat wat ze met Henri had, niet voldoende was. Haar gevoelens voor hem weerhielden haar er waarschijnlijk van een andere man te zoeken met wie ze álles kon delen.

Nu was het dan zover – een laatste ogenblik ontstolen aan de werkelijke levens van hen beiden. Een lang en heerlijk afscheid dat nu bijna voorbij was.

Dolly voelde zich leeg vanbinnen. Kon een hart zo vaak worden gebroken dat er uiteindelijk niets van overbleef?

'Ik kan het niet.' Ze trok zich van hem terug toen hij haar naar zich toe wilde trekken en ging rechtop zitten. Ze keek op zijn dierbare gezicht neer dat lichtelijk vermaakt van het kussen naar haar opkeek. Ze kon de woorden bijna niet over haar lippen krijgen. Maar toen zei ze: 'Henri, er is iets wat ik je al enige tijd wilde zeggen, en nu móet het maar.'

'Wat is er, *ma poupée*?' Hij rolde op zijn zij en steunde op een elleboog terwijl hij haar zo zonnig en onschuldig toelachte dat ze bijna niet verder kon gaan.

Zeg het nu maar ronduit, dacht ze. 'Je zult nooit van Francine gaan scheiden.' Het was een verklaring, maar ze wilde een antwoord horen.

Henri's grijze ogen keken ernstig, maar hij wendde zijn blik niet af – hij zou nooit tegen haar liegen of proberen een antwoord te omzeilen. Daar kon ze in ieder geval zeker van zijn.

Hij scheen over haar woorden na te denken en het leek of zijn gezicht voor haar ogen verouderde; er waren kwabben en rimpels te zien die er net nog niet waren.

'Het is niet alleen die scheiding,' zei hij. 'Als ik bij haar wegga, raak ik alles kwijt, mijn levenswerk. De zaak is eigendom van Augustin, al leid ik hem. Hij heeft de macht, en volgens de wet het recht om…' Hij hield op en wreef met zijn vingertoppen over zijn gezicht. Toen hij weer opkeek glinsterden zijn ogen. 'Maar, zie je, het gaat bij Girod's niet om het wettelijk recht, maar om het morele recht. Ik weet dat hij me respecteert, zelfs op me gesteld is. Maar zijn morele verplichtingen – en Augustin neemt zulke dingen heel hoog op – heeft hij allereerst tegenover zijn dochter.'

Ze had het allemaal al eens eerder gehoord… maar ze wilde het nog eens horen. Zodat ze zeker wist dat er geen hoop bestond, dat ze juist handelde.

Hield ze maar niet zo pijnlijk veel van hem! Maar hoe kon ze anders dan hem liefhebben? Hij was zo attent... rozen op de dag waarop ze elkaar hadden ontmoet, en op de aprilavond waarop ze elkaar voor het eerst hadden bemind een zijden nachtjapon of een kanten broekje. En 's morgens stond hij altijd als eerste op en bracht haar koffie op bed, met melk, zonder suiker, net zoals ze het graag had. Ja, ze aanbad hem. Meer dan enige andere man ooit... zelfs Dale.

In de greep van een wanhopig verlangen stootte ze uit: 'We zouden toch opnieuw kunnen beginnen? Onze eigen zaak! We houden de winkel op Madison, maar veranderen alleen de naam. We vinden wel een andere leverancier. Of we maken alles zelf. We zouden...'

Henri schudde langzaam en bedroefd zijn hoofd. 'Dolly, het huis Girod's is mijn leven. En zelfs als ik ooit zover ging dat ik dat opgaf, hoe zouden we dan leven? Om een zaak als Girod's op te bouwen heb je geld nodig, veel geld. En Francine is veeleisend. Als ik ga, bof ik als ik mijn kleren mag houden die ik aan heb. Denk er eens over na wát je in me bemint.' Hij slaagde erin even te lachen. 'Zonder mijn onafhankelijkheid en mijn trots zou ik niet de man zijn van wie jij houdt.'

Maar hoe stond het dan verdraaid met háár trots? Telde die niet mee?

Ze had al eens eerder in wanhoop geaarzeld met een besluit te nemen... en het was erop uit gedraaid dat ze haar zuster had vermoord én een deel van zichzelf. Nee, dit keer wilde ze het goede doen.

'Ik hou echt van je, en in zekere zin begrijp ik je ook wel,' zei ze en ze stikte bijna in haar woorden. 'Maar, Henri, ik... ik kan zo niet doorgaan... Het vermoordt me.'

Henri stond op en greep zijn ochtendjas die over het rotan voeteneind hing. Hij wil weglopen van wat er nu gaat komen, dacht ze, maar dat mag hij niet. Deze keer niet.

Dolly huiverde, ging nog rechter op zitten en hield haar kussen stevig tegen haar borst gedrukt, alsof het een reddingsgordel was en ze zou verdrinken als ze het losliet.

'Als je zou willen overwegen naar Parijs te komen...' begon hij.

Ze schudde haar hoofd en de tranen rolden over haar wangen. 'Dat helpt niet, en dat weet je. Zelfs als ik je vaker zou zien, zou ik toch iets van je willen wat je me niet kunt geven. Zie je dat zelf ook niet in, Henri? Als ik niet met je kan trouwen, of minstens met je samenleven... dan... dan kan ik beter zonder jou verdergaan.'

Henri stond in zijn badstof ochtendjas voor haar en streek met zijn hand door zijn steeds grijzer wordende haar. Zijn ogen keken strak en ongelovig; het leek of hij te verstomd was om woorden te vinden. Hij staarde haar enkel aan en zwaaide zachtjes heen en weer, waardoor hij haar deed denken aan een bokser die net een knock-out-slag heeft gekregen die hij nog niet heeft verwerkt.

'Je hebt mijn liefde,' zei hij met zachte stem.

'Ja, dat weet ik… en dat is ook het ergste voor me.'

'Dolly, ik besef dat ik je niet heb kunnen geven wat wij beiden wensen, maar is het niet mogelijk een manier te vinden…'

Ze viel hem in de rede en schudde haar hoofd. 'Nee, ik zou me voelen als… nou ja, je ziet wel eens mensen met een heel oude hond en dan kunnen ze het niet over hun hart krijgen hem een spuitje te laten geven, weet je wel?'

'Ik begrijp niet wat…'

'Dat zou beter zijn, zie je. Het zou veel beter om het arme dier uit zijn ellende te verlossen. Maar zo denken de mensen niet. Ze willen het liefst altijd maar gewoon doorgaan. Maar dat is niet het beste, vaak niet. Soms is het beter niets te hebben dan maar een stukje van iets waarvan je ontzettend veel houdt.'

'Ik kan me niet voorstellen dat ik ooit weer van een andere vrouw zou kunnen houden zoals van jou.'

Dolly sloot haar ogen en liet zijn woorden langzaam in zich doordringen. Ze wilde ze onthouden, zodat ze ze steeds weer kon ophalen als ze zich in de toekomst eenzaam zou voelen. En het was niet Dolly Drake van wie hij hield, maar Doris Burdock – de vrouw onder het platina haar en de glimmende sieraden. De vrouw die in haar hart nog steeds het meisje uit Clemscott was en op een stoffige veranda de catalogus van Sears zat te spellen… die zat te dromen van het mooie huis dat ze eens zou hebben, en de fantastische knappe man die daarin met haar samen zou wonen.

Maar Henri zou dat nooit met haar kunnen delen, hield ze zichzelf voor. Ze herinnerde zich dat ze als kind had meegedaan aan wedstrijden waarbij je de tekening van de achterkant van een doosje lucifers moest natekenen. En toen kreeg ze zes weken later een brief waarin stond dat ze een kunstbeurs had gewonnen. Ze was zo opgewonden dat ze bijna uit haar vel sprong. Ze had rondgehold en tegen iedereen gezegd: 'Ik heb gewonnen! Ik heb gewonnen!' Maar haar stiefmoeder had alles bedorven. Dolly zag haar nog voor zich, duidelijk afgetekend tegen de zon die door het keukenraam naar binnen stroomde. Mama-Jo stond bij de gootsteen te strijken; haar haren zaten in roze krulspelden en ze droeg een gebloemde werkjurk met zigzagband langs de hals en de zakken. De radio op de koelkast stond aan en ze neuriede mee met Maybelle Carter die zong: 'May the Circle Be Unbroken.' Morgen was er de jaarlijkse liefdadigheidsbazaar voor de kerk en ze wilde er vanavond heen om dominee Daggett te helpen alles te regelen. Toen had ze Dolly aangekeken en een danspasje van leedvermaak gemaakt terwijl ze minachtend zei: 'Och, iedereen weet dat het allemaal onzin is. Ze geven die zogenaamde beurzen aan iedereen omdat ze denken dat die sufferds zelf het geld wel op tafel zullen leggen voor de rest van de opleiding.'

En nu, opnieuw, kreeg Dolly het gevoel dat ze iets kostbaars verloor dat ze in wezen nooit had gehad.

Maar toen dacht ze: het is nog niet voorbij. Pas als ik in het vliegtuig stap.

'Geen geklets meer,' zei ze tegen hem. 'Ik heb genoeg van al dat gepraat. Kom liever hier.' Ze lachte door haar tranen heen en stak met pijn in haar hart haar armen naar hem uit. 'Mijn vliegtuig vertrekt pas over drie uur en we moeten dit bed niet zo lang ongebruikt laten.'

Hoofdstuk 16

Annie keek rond in Dolly's huiskamer vol gasten. Er was niet veel veranderd in de maanden dat ze weg was geweest. De witleren bank voor de haard deed haar nog altijd denken aan een reusachtige platgedrukte marshmallow, dat schuimachtige snoepgoed waar de meeste Amerikanen zo dol op waren. Daarachter stond de bar die een L-vormige hoek met de ingang naar de eetkamer vormde; het meubelstuk was met leer bekleed; een typisch overblijfsel uit de vroege jaren zestig. Ze moest erom lachen; ze kon zich zo Rock Hudson voorstellen, in smoking, die met zijn ene elleboog op het gelakte oppervlak leunde en een slokje van een droge martini met een olijf nam. Zelfs de omgebogen klerenhanger die in een brok beton zat vastgeklonken en boven op de stereo stond – een lelijker stuk zogenaamd beeldhouwwerk had ze echt nog nooit gezien – gaf haar een gevoel van heimwee.

Maar er ís iets veranderd, dacht ze. Ik ben veranderd.

Ze voelde zich net als die keer toen ze haar oude lagere school nog eens had bezocht toen ze er al een tijdje af was. Een deel van haar hoorde er nog thuis, maar een ander deel stond er volkomen vreemd. Was ze maar drieëneenhalve maand weg geweest? Ze keek naar Dolly die er elegant uitzag in een laag uitgesneden donkerrood fluwelen kaftan bezet met rijnsteentjes; als een exotische papegaai fladderde ze tussen haar gasten rond. Annie kreeg het gevoel dat ze dit alles door een raam stond te bekijken.

Ze wierp een blik om zich heen en tuurde naar de gezichten; er moest toch minstens iemand bij zijn die haar het gevoel zou geven echt thuis te zijn gekomen.

Joe!

Waar was hij? Gisteren was ze bij thuiskomst te uitgeput geweest om met iemand te praten. Ze was direct in bed gestapt. Vanmiddag laat was ze door Dolly uit een droom wakker gebeld, ze zei dat haar chauffeur haar over precies een uur zou afhalen en ze moest een jurk aandoen waarin ze er sexy uitzag. Het bleek dat haar tante een soort welkom-thuis-feestje voor haar had georganiseerd; het laatste waar Annie nu behoefte aan had. Maar alles was al geregeld, dan kon zij toch niet weigeren? Ze was Dolly toch al zoveel schuldig.

En hoe ter wereld had Dolly kunnen weten dat ze alleen Joe wilde zien, niet al die mensen hier – sommigen herkende ze niet eens. Ze zou met hem alleen op een rustig plekje willen zijn, en dan...

Eén ding tegelijk, waarschuwde ze zichzelf. Misschien was hij er helemaal niet zo op gebrand haar droom met haar te delen. Of misschien was hij een relatie met een ander begonnen terwijl zij in Frankrijk woonde.

Ze voelde een vlaag van jaloezie toen ze aan Emmett dacht. Het bekende warme gevoel begon weer laag in haar buik, onder de kant van haar ivoorkleurige zijden hemdje, een cadeau van hem. Wat voor recht heb ik dan om iets van Joe te zeggen, hield ze zichzelf voor. Maar er was een verschil... Ze híeld niet echt van Emmett... althans niet zoals ze van Joe hield, met heel haar hart en ziel.

Annie keek op haar horloge. Bijna half tien. Verdraaid, waar blééf hij? Als nog iemand haar vroeg hoe ze Parijs had gevonden, zou ze beginnen te gillen. De deurbel, die steeds nieuwe groepjes gasten had aangekondigd, gaf nu geen geluid meer. En de mooi opgemaakte schotels met garnalen op toost, krabcrackers en gevulde paddestoelen die door twee in smoking gestoken kelners werden aangeboden, begonnen al leeg te raken.

Annie zag haar spiegelbeeld even in het grote raam dat uitzicht bood op Madison en Fifth Avenue. Was ze te bijzonder gekleed? Wat zou Joe ervan vinden?

Eigenlijk was deze japon niet helemaal haar stijl; hij was *très Parisienne*: een zwarte crêpe koker die een eind boven haar knieën ophield, en alleen versierd met een streng valse parels in opera-lengte, zoals dat heette, samengeknoopt net onder haar lage decolleté. Ze had hem gisteravond met Emmett in Parijs ook gedragen. Ze moest denken aan het krankzinnig dure diner bij Taillevent waarop hij had aangedrongen, de *grand cru*-wijn, waarvan ze beiden te veel hadden gedronken; daarna waren ze naar Emmetts flat gegaan... Hemel, had ze werkelijk die truc met het ijsblokje gedaan die Emmett haar geleerd had? Zelfs nu voelde ze nog de heftige schok die door Emmett heen was gegaan toen ze dat ijsblokje in de rimpels van vlees onder zijn scrotum had gedrukt toen hij op het punt stond klaar te komen.

Annie merkte dat ze opeens stond te trillen en dat haar gezicht in brand leek te staan. Snel begon ze aan iets anders te denken.

Emmett. Hij liet haar dingen voelen, dingen doen... dingen waarvan ze zelfs niet had geweten dat ze bestonden. Steeds opnieuw kreeg hij haar zover dat ze op het punt stond haar beheersing te verliezen... en dat had haar opgewonden, maar ook angst aangejaagd. 's Morgens, als ze moeizaam wakker werd en nog voelde wat ze de avond tevoren allemaal hadden gedaan, en zich er nog een tikkeltje voor schaamde, was ze eigenlijk doodsbang voor wat ze nog níet hadden gedaan. Maar toch boog ze zich dan over hem heen, slingerde zich om zijn gespierde lichaam en móest hem in zich voelen.

200

Zou ze hem ooit terugzien? Hij had gezegd dat hij misschien naar New York kwam, maar hij had er niet bij verteld wanneer. En wat voor verschil maakte het trouwens of hij kwam of niet? Wat ze samen in Parijs hadden gehad, zou – mócht – hier geen deel van haar leven zijn. Maar als ze eraan dacht dat ze hem nooit meer zou zien, voelde Annie toch een steek van pijn... met een kinderachtig verlangen om opnieuw die schandelijk heerlijke sensaties te beleven waarmee hij haar had laten kennismaken.

Goed, hield ze zichzelf voor, ik heb een fantastisch seksleven met Emmett gehad. Maar dat vermindert mijn gevoelens voor Joe absoluut niet.

Annie zette de gedachten aan Emmett van zich af en liep door de kamer naar de bar. Ze hoorde het geluid van haar rookkleurige zijden kousen – echte zijde, van Aux Trois Quartiers. Zou Joe haar onmiddellijk herkennen? Ze had haar haren laten knippen, heel kort. Dolly had gezegd dat ze zo op Audrey Hepburn in *Sabrina* leek. En om dat nieuwe uiterlijk compleet te maken had ze een paar heel grote oorringen gekocht bij een venter in de rue des Saints-Pères; ze waren ingewikkeld gevlochten van zilverdraad en glazen kralen en hingen een heel eind omlaag. Maar nu ze ze zo aan haar oren heen en weer voelde bengelen, leek het of ze daar een paar opvallende kroonluchters had opgehangen. Hij kijkt vast naar me en vraagt zich dan af of ik nog wel ben wie ik was...

Annie werd afgeleid door een brullend gelach. Ze keek naar links en zag een vrouw die duidelijk tipsy was samen met Mike Dreiser, de inkoper voor Hotel Pierre, bij de piano om een mop staan lachen. Hij was een dikke man met een grijze snor die zijn ogen niet van Dolly af kon houden. Zij zat op de rand van een bijzettafeltje dicht in zijn buurt en het leek of de mannen die voor haar op de bank zaten haar hofhouding vormden. Aan de piano zat een man die enigszins klonk als Bobby Shorte en die door Dolly voor deze avond was aangenomen; hij improviseerde een soort jazzversie van de hit van the Stones 'Ruby Tuesday'.

En nou ophouden met dat gezanik, hield Annie zichzelf voor. Met wie zou ze eens een praatje gaan maken? Die broodmagere vrouw met die kasjmieren japon aan, was dat niet Bitsy Adler die met Dolly in *Dames in Chains* had gespeeld? Ze babbelde tegen een man met een dikke buik en halfdichte ogen die haar vaag bekend voorkwam. Toen herinnerde ze het zich – het was Bill, de dronken kerstman van Macy's. Dank zij Dolly werkte hij nu hier in haar flatgebouw als portier. Niemand zou Dolly ooit van snobisme kunnen betichten. Maar eigenlijk had Annie geen behoefte aan gebabbel. Ze baande zich een weg door de groep mensen bij de bar (wie wáren het eigenlijk allemaal?) en nam een glas champagne aan dat de barkeeper haar toestak. Toen ontdekte ze Laurel aan de andere zijde van de bar; ze nam net een slokje uit een glas dat er ook uitzag alsof er champagne in zat. Laurel keek somber en Annie kreeg een onrustig gevoel. Op JFK in het stationsgebouw had haar zuster bij haar aankomst zo opgewekt geleken, en blij dat ze haar zag, maar in de auto terug naar de stad had ze vrijwel niets gezegd.

Er was iets mis met Laurey. Ze was zo mager geworden! Annie had het onmiddellijk gezien, maar tot nu toe was het niet echt goed tot haar doorgedrongen. Haar slankheid had iets koortsachtigs dat Annie hinderde, maar op een vreemde manier scheen het Laurel toch nóg mooier te maken. Zonder make-up of juwelen, met alleen een perzikkleurige halterjapon aan die ze vermoedelijk zelf had gemaakt en een zijden orchidee in het haar, viel ze tussen alle andere vrouwen in de kamer onmiddellijk op.

Ze had Laurel ooit eerder eens zo'n kleur zien hebben, zo zien schitteren, dat was toen ze zes was en longontsteking had. Annie herinnerde zich plotseling dat Laurel die ochtend geen ontbijt had willen hebben. Waarschijnlijk een griepje op komst, dacht ze.

Ze ging naast de barkruk waarop haar zuster zat staan. 'En, hoe is het? Je ziet er wat down uit. Houd je niet van dit soort feestjes? Grateful Dead is er niet... er zijn geen zwarte lichten... geen beschilderde lichamen...'

Laurel haalde haar schouders op en lachte even om te laten zien dat ze wist dat Annie haar alleen maar plaagde. 'Ik geloof dat ik hier niet op mijn plaats ben.'

'*Entre nous*,' vertrouwde Annie haar toe, 'vind ik dit ook niet geweldig.'

'En jij bent de eregast.'

'Tja, Dolly heeft het vast goed bedoeld. Dat doet ze meestal. Het wás ook lief van haar. Maar...'

'Maar,' herhaalde Laurel.

'Herinner je je die lange limousine die ze gehuurd had voor het eindbal van je school?'

Laurel kromp even in elkaar. 'Róde banken, net rode drop. Ik verging van ellende en schaamte. En een bár erin. Op weg naar het restaurant zat Rick rechtop uit het raampje te staren alsof hij vreselijk nodig naar de w.c. moest en nauwelijks kon wachten. Het was vréselijk. Als Joe niet...'

'Ja, ik herinner het me,' viel Annie haar lachend in de rede. 'Hij kwam net op tijd met zijn oude Fordje aanrijden om je te redden.' Ze had het verhaal zo vaak gehoord dat ze het gevoel had het zelf te hebben meegemaakt – Laurel die uit het restaurant kwam en daar Joe zag staan die met een geheimzinnig lachje Rick zijn autosleutels had toegeworpen en toen in de limo was geklommen die langs de stoeprand stond. Uren later was Laurel teruggekomen van het bal, herinnerde Annie zich, met blozende wangen en schitterende ogen en ze vermoedde dat die maar weinig met Rick Warner te maken hadden.

'En, heb je Joe nog vaak gezien, de afgelopen zomer?' Ze probeerde nonchalant te klinken, maar het kwam er vreemd uit, haar stem was te hoog.

Ze was ook niet op Laurels reactie voorbereid. Haar zuster bloosde en keek de andere kant op. Ze zette haar drankje neer en begon er met haar wijsvinger in te roeren om de belletjes soda op te lossen.

Annie voelde een vlaag van jaloezie opkomen. Had Joe iemand anders? Dat zou Laurels vreemde houding kunnen verklaren. Want ja, ze is jaloers. Wat dom van haar te denken dat wat Laurel voor Joe voelde maar een dwaze, kinderachtige bevlieging was. Wanneer had Laurel ooit gek gedaan of gegicheld om een jongen? Op de middelbare school, waar al haar vriendinnetjes weg waren van Paul McCartney en Mick Jagger, was zij een klein vrouwtje met sombere ogen geweest, verpakt in het lichaam van een jong meisje. Ze had meer belangstelling voor Rivka's baby's dan voor rocksterren. Stille wateren hebben diepe gronden; die uitdrukking had voor Laurel uitgevonden kunnen zijn.

'Joe?' mompelde Laurel. 'Nee, niet vaak. Ik heb nogal hard gewerkt.' Ze likte een druppel champagne van haar vinger en slaagde erin vaag te glimlachen. 'Maar niemand heeft me ooit verteld dat werken op de ontwerpafdeling van een reclamebureau in hoofdzaak potloden slijpen, prullenbakken leeggooien en koffie voor iedereen halen betekent.'

'Joe heeft het zeker ook druk gehad... met zijn restaurant, bedoel ik.'

'Dat denk ik wel.'

Annie wachtte tot ze verder zou gaan, maar het leek of Laurel in gedachten mijlenver weg was.

'Je weet toevallig niet...'

... of hij met iemand anders uitgaat? Nee, dat kon ze niet zeggen. Hoe zou dat wel niet klinken? Bovendien had Joe er nooit een geheim van gemaakt dat hij met vrouwen uitging; als hij een afspraak had, vertelde hij het haar zelf.

'... of hij nog van plan is vanavond te komen?' maakte ze haar zin af. Hij had tegen Dolly gezegd dat hij kwam, maar er kon iets – een crisis in zijn restaurant of zo – tussen zijn gekomen.

'Ik weet het niet.' Ze keek Annie aan en gooide met een hoofdbeweging haar haren achterover die over haar wang waren gevallen. Haar ogen schitterden weer en haar wangen bloosden koortsachtig. 'Ik heb hem al een tijdje niet meer gesproken.'

Annie haalde haar schouders op. 'Dan zit hij misschien vast in het verkeer.'

'Vermoedelijk.'

Plotseling zag Annie een bekend gezicht: Gloria De Witt, Dolly's vroegere assistente. Je moest haar wel zien, dacht Annie. Ze droeg een felroze mini-jurkje en had grote zilveren ringen in haar oren, en haar Afrokapsel leek wel een kerstkrans. Ze wuifde echter enthousiast vanuit de andere hoek van de kamer naar Annie. Hoe lang was het al geleden dat Gloria bij Girod's was weggegaan om advertenties voor de *Voice* aan de man te brengen? Vermoedelijk dreef ze de zaak nu zelf.

'Ik zie daar iemand met wie ik even wil praten,' zei ze tegen Laurel. 'Ik zie je straks wel.' Ze liep naar Gloria die nonchalant een arm om haar schouders sloeg, alsof ze elkaar een paar uur niet gezien hadden in plaats van jaren.

'Hoe is het om weer terug te zijn? Heb je je hart in Parijs verloren, zoals in dat liedje?'

'Dat lied is verkeerd... en nee, ik had het te druk voor zoiets,' antwoordde ze lachend. Nou ja, het was ten dele waar... ze hád zich bij Pompeau als een slavin gevoeld.

'Ik moet aan dat andere wijsje hebben gedacht waarin ze zeggen: "In Frankrijks zonnige zuidhoek draag niemand een broek." Is dat dus niet echt waar?'

Annie lachte en kreeg een beeld voor ogen van Emmett, naakt op zijn cowboylaarzen na, die wijdbeens voor het bed stond terwijl zij voor hem op haar knieën lag, en... God, is dat het enige waaraan ze kon denken? Seks?

Annie vocht tegen de hitte-aanval die haar weer bestormde en dwong zich haar aandacht op Gloria te concentreren. Maar Gloria keek naar iets achter Annie.

'Moet je eens kijken wat daar nu binnenkomt.'

Annies hart bonsde zo dat ze bijna het champagneglas uit haar handen liet vallen.

'Joe,' fluisterde ze hijgend, maar hij was te ver weg om haar te horen.

Hij stapte net de huiskamer binnen en begroette lachend enkele mensen. Een lange lenige man die net niet zo knap was als Gregory Peck, met een verschoten maar schone kaki broek aan, een gesteven wit overhemd en met een oud vliegerjack uit de Tweede Wereldoorlog over zijn schouder geslagen. Zijn ronde brilleglazen hadden spatten van de septemberregen – een regen die ook de krul in zijn bruine haar had veroorzaakt. Een licht regentje, had de weerman voorspeld, er werd geen storm verwacht. Ze had echter het gevoel alsof zich binnen in haar een orkaan ontwikkelde.

Toen viel zijn blik op haar en ze voelde zich naar hem toegetrokken... niet alsof ze zich werkelijk bewoog, maar alsof de twee einden van het vertrek door krachtige boekensteunen naar elkaar toe werden geduwd. Plotseling was hij zo dichtbij dat ze hem had kunnen aanraken, en ze rook zijn prettige lucht van de regen buiten. Ze maakte echter geen aanstalten om hem te omhelzen. Ze bleef daar staan en voelde zich afschuwelijk verlegen en onhandig. Hij wil me niet meer, dacht ze. Hij heeft me nooit willen hebben. Ze werd door een vreselijke paniek bevangen. En ze zei het eerste dat in haar opkwam, natuurlijk iets doms: 'Ik wist niet of je nog zou komen.'

'Ik ben opgehouden,' antwoordde hij. 'Een verkeersopstopping. Op Park was de hoofdwaterleiding gebarsten... Ik ben uit de taxi gesprongen en heb het laatste eind gelopen.' Hij streek met zijn vingers door zijn vochtige krullen, waardoor ze als wilde kurketrekkers omhoog schoten. 'En, hoe voel je je nu je weer terug bent?' Zijn woorden klonken even onhandig als zij zich voelde.

Ze zag hem naar Laurel kijken, maar toen kwam zijn blik weer bij haar terug. Wat was er aan de hand?

'Goed,' zei ze. 'Nog wat moe. Net zo'n kater als je krijgt als je te veel *vin ordinaire* hebt gedronken.'

'Je ziet er prima uit.' Hij staarde haar aan.

Ze staarde terug. 'Je laat je haar groeien.'

'En jij hebt het jouwe af laten knippen.'

Haar hand gleed wat onbehaaglijk naar haar nek. 'Vind je het leuk? Ik huilde bijna toen het eraf was. Maar de kapster sprak geen Engels, en ik was bang dat ze zou denken dat ik een zenuwtoeval kreeg.'

'Nee. Het staat je fantastisch. Dat meen ik.'

'Zal ik wat champagne voor je halen?' Ze wist niet meer wat ze verder moest zeggen. Haar stem klonk vreemd, te gemaakt opgewekt; net een stewardess in opleiding die vroeg: 'Wilt u iets drinken, meneer?'

'Wat gebeurt er als ik nee zeg?' Joe scheen haar zenuwachtigheid te hebben opgemerkt en probeerde haar op haar gemak te stellen. Het hielp... een beetje.

Ze glimlachte. 'Zodra Dolly ziet dat je geen glas in je hand hebt, beginnen de wateren van Babylon te stromen.'

'In dat geval is het maar beter als we hier weggaan,' zei hij, en zijn lange koele vingers pakten de hare. Hij trok haar mee de eetkamer in.

Er stonden maar enkele mensen om de eettafel – een enorm stuk zwaar geslepen glas op een enkele marmeren poot. Het leek of de tafel dreef boven het blauwe Chinese vloerkleed, als een ijsschots in de Poolzee. Hier waren de notehouten panelen met rust gelaten; er zaten wel wat zilverwitte vlekken op. Boven de tafel hing een kroonluchter, een groot boeket elektrische kandelaars, elk met een krans van afhangende kristallen die schitterden als zonnestralen op water. Jonge kelners in onberispelijke witte overhemden zetten handig schalen voedsel klaar voor het buffet-souper en ze zag een van hen naar Joe kijken en zijn hand naar zijn voorhoofd brengen als in een vrolijke groet.

'Ik zie dat je de Belons hebt gekregen,' zei Joe tegen een kleine jongeman met een gezicht vol acne-littekens en een donkere paardestaart. Hij wees op een blad met halfgepelde oesters op een bed ijsblokjes. 'Goed zo. Ik wist niet zeker of ze op tijd waren geleverd.'

'Nog net,' antwoordde de jongen, en trok zijn schouders op terwijl hij naar de keuken terugliep.

'Verzorg jij de catering hier?' fluisterde Annie. 'Dat heeft Dolly me niet verteld.'

'Ze wilde dat het een onderdeel van de verrassing voor je was.'

'Ik ben diep onder de indruk. Het is fantastisch... wat ik tot nu toe heb geproefd, althans.' De waarheid was dat ze te nerveus was geweest om meer te doen dan aan een crackertje met krab knabbelen.

'De catering loopt erg goed. Het enige probleem is dat de keuken te klein is om het extra werk aan te kunnen, en dus ben ik bezig uit te breiden.'

'Daar heb je het al lang over gehad, maar kost dat geen kapitaal? Het gebouw is niet eens jouw eigendom.' Het weer oppakken van hun bekende manier om over zijn zaak te spreken was net zoiets als een paar oude sloffen aantrekken. Ze werd volkomen rustig. Het hoeft niet per se een liefdesgeschiedenis te zijn, hield ze zichzelf streng voor. Laten we voorlopig gewoon vrienden blijven.

'Daar wilde ik je net iets over vertellen.'

'Joe. Het is niet waar! Is het pand nu echt van jóu?'

'Nou ja, het is in hoofdzaak van de bank, maar de overdrachtsakte staat op mijn naam. Ik bofte. Mijn huisbaas had haast om het te verkopen... hij had geld nodig voor een andere investering. Ik had het je willen schrijven, maar het kwam pas vorige week voor elkaar. En daarvoor wilde ik er niets over zeggen, voor het geval het niet door zou gaan.'

Annie sloeg snel aan het rekenen. 'Maar zelfs dan, de hypotheekafbetaling zal niet mis zijn... en dan ga je ook nog uitbreiden...' Ze zag dat Joe rimpels in zijn voorhoofd trok, en hield zich in. Daar begon ze weer te proberen de hele wereld in haar eentje te regelen. 'Nou ja, ik denk dat je beter weet wat je doet dan ik dat zou kunnen,' besloot ze zwakjes.

'Maar het wordt echt tijd. We puilen er bijna uit.' Hij nam zijn bril af, die nog steeds enigszins beslagen was, en begon de glazen te poetsen. Annie moest haar best doen niet toe te geven aan de neiging haar hand op te heffen en de rode drukplekjes aan weerszijden van zijn neus even te strelen. 'En hoe staat het met jou – wanneer ga jij voor jezelf beginnen?'

'Zodra ik de bank in L.A. zover krijg het voor mij vastgezette geld vrij te geven.'

Ze had twee brieven gekregen van Wells Fargo in Los Angeles en het geld stond er nog steeds, vijfentwintigduizend dollar, plus de rente, die in de loop der jaren aardig was opgelopen. En omdat ze over een paar maanden vijfentwintig werd, had de beheerder van het geld, een zekere meneer Crawford, erin toegestemd het geld vrij te geven zodra alle formaliteiten waren vervuld.

Joe keek eens naar Dolly, die net langssliep op weg naar de keuken. 'Je gaat toch niet iemand anders in de wielen rijden, hè?' zei hij tegen haar.

'Dolly heeft me haar zegen gegeven. Ze zegt dat concurrentie goed voor haar zal zijn.'

'Natuurlijk heb je ook míjn zegen. Hoewel ik twijfel of je die nodig hebt. Jij zou de staatsschuld op je kunnen nemen en er nog winst op gaan maken ook.'

Annie was even geïrriteerd. Wilde hij soms zeggen dat ze een soort supervrouw was? Omdat ze vastbesloten en handig was, dacht hij dat ze zich daarom nooit bang of zwak voelde? Wist hij niet hoeveel zorgen ze had? Ze was vaak bezorgd. En ze werd ook wel eens bang... zo bang dat ze bijna nergens toe in staat was en het liefst de hele dag in bed zou blijven met de dekens over haar hoofd getrokken. Ook nú was ze bang. Zag Joe dat dan niet? Hoorde hij niet hoe haar hart bonsde? De tranen sprongen haar in de ogen.

Toen trok hij haar opeens opzij, de deur door die naar de heel kleine ruimte leidde die eens een butlerkeukentje was geweest. Hij was leeg, op een paar diepe ingebouwde kasten na, waar vroeger vermoedelijk borden en tafelkleden werden bewaard, maar waar Dolly nu in de zomer haar wollen spullen opsloeg. Afgezien van het licht dat door een soort patrijs-poort van dik glas naar binnen viel, was het er donker. Het rook er naar motteballen en zilverpoets, maar Annie merkte het nauwelijks. In de be-nauwde duisternis werd ze overrompeld door Joe's nabijheid, de scherpe buitenlucht die om hem heen hing en de warmte van zijn lichaam zo vlak bij het hare.

Hij raakte haar wang aan en zijn aanraking was zo teder dat Annie haar best moest doen niet in tranen uit te barsten.

'Dit is niet zoals ik het me had voorgesteld,' zei hij zachtjes. 'Ik geloof dat je je zo intens op iets kunt verheugen dat als je het eindelijk echt krijgt, je bijna te verlamd bent om iets te doen.'

'O, Joe.' Ze wilde wel meer zeggen, maar haar keel leek dichtge-snoerd. Ze voelde de tranen achter haar oogleden branden. Eindelijk had ze zich enigszins beheerst en lachte wat beverig. 'Zeg nou niet dat je me gemist hebt, anders begin ik te huilen. Heus waar. Dan denk je dat je in een regenbui loopt die nooit meer ophoudt.' Toen pakte ze hem bij zijn schone witte overhemd vast en fluisterde dringend: 'Nee, zeg het. Als je het niet zegt, ga ik thuis huilen... en ik weet niet wat erger is. Ik zal het zelfs als éérste zeggen. Joe, ik heb je gemist. Ik heb je zo erg gemist dat ik dacht dat dat gevoel me zou verteren.'

Hij pakte haar stevig bij haar bovenarmen beet, maar kuste haar niet. Daar was ze opgelucht over, blij zelfs, want ze wist dat als hij dat deed, ze niet zou willen dat hij ermee ophield. Ze zag dat er ook in zijn ogen tranen stonden.

'Luister, ik neem aan dat je intussen wel hebt begrepen dat ik niet zo-maar iets verzon toen ik tegen je zei dat ik zo slecht was in brieven schrij-ven. Als ik je verteld had hoe erg ik jóu miste, zou het eruit zijn gekomen alsof ik iets had overgeschreven uit *Now, Voyager*.' Hij lachte op zijn ei-gen grappige manier en voegde er zachtjes aan toe: 'Ik wilde je eerst zien, ontdekken of je...'

Ze begon te lachen, heel stilletjes, en leunde tegen de muur achter haar, slap van opluchting. 'En ik de hele tijd maar denken...'

'Wat?'

'Tja, weet je... het lijkt nu allemaal zo dwaas... maar ik dacht... nou ja, dat je misschien een ander had ontmoet terwijl ik weg was...'

Hij keek van haar weg. 'Hoe kwam je daarbij?'

'Ik weet het niet... ik was gek, denk ik.'

'Er is niemand anders, Annie.'

Was dat de waarheid? Er had zojuist iets in zijn stem doorgeklonken... en in zijn ogen...

Ze kreeg een steek van jaloezie, maar hield zich onmiddellijk voor: nou, goed, en wat dan nog als hij met iemand uit is geweest, en misschien zelfs met haar naar bed is gegaan? Mag ik daar na Emmett een oordeel over vellen?

'Ik hou van je, Joe.' Daar. Het was eruit. Ze had het gezegd. Annie voelde dat haar hele gezicht warm werd alsof ze te dicht bij een vuur was gaan zitten.

Joe's greep werd losser en zijn handen gleden over haar armen omlaag en pakten toen zachtjes haar pols beet... heel zachtjes. Ze had het gevoel dat haar hart zou barsten, net als een glas dat niet tegen een heel hoge noot kan. Hij bracht zijn handen omhoog en hield haar handpalmen tegen zijn wangen. Zijn gezicht voelde ruw aan, alsof hij zich al een tijdje niet meer had geschoren, en heel warm... nee, héét... alsof ook hij vanbinnen in brand stond.

Ze had zo lang over dit ogenblik gefantaseerd, dat het zelfs nu niet werkelijk leek – alsof ze het weer droomde. Toen werd ze zich duidelijk van zijn lichaam bewust dat zo dicht tegen het hare aangedrukt stond. Zijn lange vingers streelden haar rug en ze rook flauwtjes de pittige geur van Joe's Place die van zijn huid uitging; het leek iets heerlijks dat in de oven werd opgewarmd. Ze voelde weer dat warm worden in haar onderbuik, en dat gevoel deed bijna pijn. Ze drukte zich dichter tegen hem aan zodat ze elkaar helemaal aanvulden. Haar verlangen naar hem was zo hevig dat ze het idee kreeg dat ze zou sterven als ze hem niet zou krijgen.

'Ik heb er vaak aan gedacht hoe het zou zijn wanneer je weer terugkwam,' zei hij zachtjes en hij leek moeite met zijn stem te hebben. 'Ik heb hieraan gedacht.' Hij bracht haar handpalm naar zijn mond en kuste die... en Annie dacht: ja, het ís mogelijk om van te veel geluk ineens te sterven.

Ze wilde niet aan Laurel denken, aan het feit dat haar zusje zo gekwetst zou zijn. Dat alles kwam later aan de beurt. Dit ogenblik, hier en nu, wilde ze helemaal voor zichzelf hebben. Het leek van het grootste belang dat ze het beleefde voordat alles uit haar handen weggleed... weggleed zoals alle goede dingen die ze gekend had, altijd hadden gedaan.

'Annie?'

Annie boende de laatste resten Noxzema van haar gezicht toen Laurel het kleine badkamertje binnenkwam en op de rand van het bad ging zitten. Het was er een met van die ouderwetse klauwpoten en Annie dacht als ze er naar keek altijd meteen aan oudere mensen die in zo'n geval zeiden: 'Ja... zo maken ze ze tegenwoordig niet meer.' En dat was waar. Het duurde een kwartier voor het bad vol was, maar je in die grote emaille boot uitstrekken was een van haar heerlijkste belevenissen. Laurel had de poten rood en goud geschilderd en met een paar penseelstreken veren en klauwen toegevoegd, zodat de klauwen net die van een middeleeuwse griffioen leken. Op de kant die je zag had ze een familie wilde eenden geschilderd die in een rijtje achter elkaar waggelden, en niet zomaar wilde eenden. Nee, ze hadden allemaal regenjasjes en felrode laarsjes aan.

Zoals Laurel daar op de rand van het bad zat, met een mannen-T-shirt aan dat bijna tot haar knieën kwam, zag ze er nog mismoediger uit dan toen ze een uur geleden thuiskwam.

'Hmmm?' antwoordde Annie, en draaide zich weer naar de grote ovale wasbak waar ze voor had gestaan. Het medicijnkastje stond een eindje open en in de spiegel ervan kon ze Laurels beeld zien. Haar gezicht was bleek boven haar magere afhangende schouders. Onder de aan het plafond bevestigde T.L.-buis leek de huid onder haar ogen blauw.

'Ik ben zwanger.' Laurels zachte stem viel in de stilte alsof er een explosie plaatsvond.

Annie voelde dat ze een schok kreeg, alsof ze een elektrische draad had aangeraakt. Ze wendde zich tot haar zuster, leunde tegen de wasbak en het koele porselein ervan drukte tegen haar rug. Het gedruppel van de kraan leek opeens oorverdovend, een brullende waterval.

'O, Laurey.' Ze wist niet wat ze anders moest zeggen. Ze staarde haar zuster aan en voelde zich tot in haar merg koud worden.

'Jij ziet er erger uit dan ik,' slaagde Laurel erin uit te brengen, en ze lachte witjes, maar dat lachje maakte alleen dat ze er nog ellendiger uitzag. 'Misschien kun je beter gaan zitten.'

'Ja, je hebt gelijk.'

In het slaapkamertje waarin ze alleen had geslapen nadat Laurel was gaan studeren, ging Annie automatisch verder met waaraan ze bezig was geweest. Ondanks de schok deed ze haar pyjama aan, een ding dat ze ergens goedkoop op de kop had getikt – het was eigenlijk een mannenpyjama van donkerblauw satijn afgezet met gedraaide donkerrode zijden repen. Ze voelde dat ze weer wat helderder kon denken en ging tegenover Laurel op het bed zitten; haar zusje zat nu opgekruld in de gebloemde fauteuil bij het raam en drukte haar knieën tegen haar borst.

'Hoeveel weken?' vroeg Annie, die grimmig besloot verstandig te zijn.

'Drie máánden. Veel te ver voor een abortus, als je dat bedoelt.'

'O, Laurey, dat bedoelde ik niet... God, waarom heb je het me niet meteen verteld?'

'Ik ontdekte het zelf pas een paar dagen geleden. Ik weet dat het stom klinkt, maar je weet hoe onregelmatig ik altijd ben. Ik dacht steeds dat ik gewoon een paar keer had overgeslagen.'

'Weet je het zeker?'

'Ik ben bij een dokter geweest.'

'Goed...' Annie haalde diep adem en had het gevoel dat ze het aan zou kunnen als ze maar alle feiten wist, en ze stuk voor stuk kon bekijken, zoals een man van de volkstelling die statistische gegevens verzamelt. 'Wil je me vertellen hoe het is gebeurd?'

Laurel lachte kort en wat schamper. 'Op de gebruikelijke manier, neem ik aan. Ik bedoel: hóe gebeuren dat soort dingen?'

'Je weet wat ik bedoel.'

'Wil je dat ik helemaal tot het begin terugga? Goed, dan moeten we beginnen met: "Er was eens een meisje dat Laurel heette en dat zoveel van iemand hield dat ze dacht dat ze kon zorgen dat hij haar ook zou gaan liefhebben..." ' Laurel hield op en plotseling verslapte haar gezicht. Er welden tranen in haar ogen op die langs haar wangen omlaag begonnen te biggelen.

Laurel zag de verbaasde blik op Annie's bleke gezicht en had het liefst willen schreeuwen: ik wilde alleen maar dat Joe van me hield. En misschien dacht ik diep vanbinnen dat, als ik met Jess slieb, ik Joe kon doen inzien dat ik ook rijp genoeg voor hém was.

Maar om een of andere reden die ze zelf niet helemaal begreep, merkte Laurel dat ze bleef zwijgen...

Annie had het liefst naar haar zusje toe willen gaan en haar willen troosten, zoals ze gedaan had toen ze nog klein was. Maar er was iets onverzettelijks in Laurels uitdrukking en in de houding van haar schouders, en dat waarschuwde Annie op een afstand te blijven.

Ze keek de kamer rond, naar de scheurtjes in de gepleisterde wanden, naar het bureautje en het nachttafeltje die van het Leger des Heils afkomstig waren. Op de ladenkast in de hoek stond Dearies Oscar. Ze had een paar dagen niet gestoft en het leek of het figuurtje haar nu dreigend aankeek; hij was nog maar een vage neef van het glinsterende toverfiguurtje dat ze zich uit haar jeugd herinnerde.

'Weet hij het?' vroeg ze zacht. 'Heb je het hem verteld?'

'Bedoel je of ik me als een gek heb aangesteld?' Ze klonk boos en dat leek haar te helpen om zich weer te kunnen beheersen. 'Bovendien, hij heeft hier niets mee te maken.'

'Wat bedóel je in 's hemelsnaam? Je moet me geloven als ik zeg dat hij, wie het ook is en hoe je ook over hem denkt, hierin net zo zeer betrokken is als jij.'

Laurel keek haar zo fel aan dat haar blik wel een mes leek dat Annie tot op haar bot blootlegde. 'Je weet er niets van,' zei ze.

Het is Joe niet, wilde ze net gaan zeggen. Maar opnieuw bleef ze zwijgen.

'Nou ja, natuurlijk wil ik niet... maar je vertelt me niets. Bijvoorbeeld, wie is het? En als je zoveel van hem houdt, waarom kun je het hem dan niet zeggen?'

Laurel schudde alleen maar haar hoofd en bleef naar het vloerkleed staren.

Annie voelde zich gekwetst, maar ook wanhopig. 'Doe niet alsof ik je wil treiteren. In godsnaam, Laurey, ik wil je alleen maar hélpen.'

'Nou, dan moet jíj misschien maar eens met hem praten.' Laurels ogen schoten vuur.

'Met wíe?'

Zelfs nog voor Laurel antwoordde, voelde Annie dat ze iets te horen zou krijgen wat ze niet zou willen horen. In de ruimte tussen haar en haar zuster voelde Annie een onzichtbare tunnel te voorschijn komen waardoor Laurels stem als een ijskoude wind naar haar toewoei.

'Met Joe,' hoorde ze haar zuster zeggen.

Hoofdstuk 17

Laurel durfde Annie niet aan te kijken. Ze keek naar beneden, naar het rodekoolkleurige kleed dat hier en daar verschoten was en op andere plekken versleten, zodat het eruitzag als een zielige halfverwelkte tuin waar insekten de meeste rozen en de helft van de bladeren hadden weggevreten. Ze had nog steeds levendig voor ogen staan hoe geschokt en geschrokken Annie had gereageerd. Maar het was niet om de schande dat ze haar zuster niet durfde aan te kijken, het ging om iets ergers. Ze had een vreselijk gemene neiging om te glimlachen. Dát maakte dat ze zich schaamde. Uit welk verrot deel van haar ziel kwam dit voort? Hoe kon ze wénsen dat Annie leed? Hoe had ze Annie kunnen laten geloven dat Joe haar zwanger had gemaakt?

Aanvankelijk had Laurel niet bedoeld dat Annie zou denken... maar toen, toen ze zich eenmaal realiseerde wat ze zei, waar dit alles toe leidde, had ze zich niet teruggetrokken of geprobeerd haar zusters verkeerde indruk te corrigeren. En nu merkte ze dat ze in zeker opzicht – op een misselijke manier – het idee zelfs wel leuk vond. Nou ja, stel dat het waar was geweest? Het was niet onmogelijk. Stel dat Joe wél met haar had geslapen? Misschien hield hij dan niet van haar, maar hij had haar wel begéérd... dat had ze gevoeld op die avond dat ze hem had gekust en hij haar terug had gekust. En sindsdien waren er vaak gelegenheden geweest dat ze hem erop had betrapt haar op een bepaalde manier aan te kijken...

Verdraaid, waarom hield hij meer van Annie dan van haar? En waarom zou Annie meer recht op hem hebben dan zij? Ik heb ze op het feestje van Dolly wel gezien, dacht ze. Ik zag hoe hij naar Annie keek... En dat nadat zij, Laurel, op de avond na de opening van die galerie zich praktisch aan hem had aangeboden! Het was beledigend, vernederend. Ze beleefde opnieuw dat vreselijke ogenblik toen ze hen de eetkamer in was gevolgd, gezien had hoe ze in dat kleine kamertje verdwenen – Annies hand in die van Joe, haar donkere ogen op hem gevestigd als die van een bijna verdrinkende vrouw die haar redder aankijkt. En, erger nog, de tedere manier waarop Joe Annie aankeek. Ze hadden niet gemerkt dat ze vlak bij hen stond; ze hadden haar waarschijnlijk niet eens gezien als ze vlak voor hen had gestaan. Ze had zich zo klein gevoeld, alsof ze gekrompen was tot het formaat van een vingerhoed. En ze was zo geschrokken; al haar spieren waren verslapt als versleten elastiek.

Hij houdt van háár! Hij houdt van Annie. Annie, Annie, Annie...

Kom nou, had een deel van haar dit niet altijd geweten? Diep in haar binnenste, waar haar ergste gedachten waren opgeslagen als vuile sokken helemaal onder in de wasmand, ja, daar had ze alles over Joe en Annie geweten. Ze had alleen niet willen kijken. Ze kón niet kijken.

En nu staarde dat alles háár recht aan.

Ze herinnerde zich dat ze eens in de *Post* had gelezen over een man die een auto had opgegeten zodat hij in het *Guinness Book of World Records* terecht zou komen. Hij had het natuurlijk met kleine beetjes tegelijk gedaan... wieldoppen als ontbijt, gemakkelijk genoeg, en wat fijngemalen band erbij. Maar wat ze zich het moeilijkst had kunnen voorstellen... wat had gezorgd dat haar keel werd dichtgesnoerd en wat haar maag echt pijn deed... dat was het glas. Al dat glas! Zelfs als het heel fijngemalen was, hoe zou het dan hebben aangevoeld, al die scherpe splinters in je?

Nou, nu wist ze het.

Ik dacht dat er nog hoop was. Ik dacht dat ik op de een of andere manier kon zorgen dat Joe van me ging houden... eens. Maar nu was er geen hoop meer. Absoluut geen hoop meer. Het is niet eerlijk, vond Laurel. Waarom komt Annie altijd als eerste? Zij is de flinkste en brutaalste. Ze zegt dat ik de mooiste ben, maar ik zie hoe de mannen naar Annie kijken, dat ze haar begeren. Kijk naar Joe... híj begeert haar... hij wil liever haar dan mij hebben.

'Joe?' hoorde ze haar zuster herhalen en diep uitademen. 'Joe?'

Laurel bleef naar het patroon van het vloerkleed kijken. Ze voelde zich warm; het leek alsof ze tot aan haar hals in dampend heet water zat.

Zal ik het haar vertellen? De waarheid? Het leek of ze plotseling overspoeld werd door een golf van schaamte en liefde. Hoe kon ze Annie zo'n pijn doen? Ze hield van haar zuster. Als Annie er niet was geweest... dan zou ze nu in Bel Jardin zijn en grapefruit eten die nog warm van de boom in de zon was, en uit het raam naar het groene gras kijken in plaats van naar beton en vuil.

Nee, dat was niet waar, wist ze. Val was van plan geweest Bel Jardin te verkopen, dat had haar zuster haar verteld. En Annie had haar juist tegen hem willen beschermen.

Was dat wel zo? Of had Annie op de een of andere manier geweten dat Val zou sterven, en was ze er daarom zo op gebrand geweest om weg te komen?

Laurel keek naar het glanzende gouden beeldje op de ladenkast in de hoek. Dearies Oscar. Ze herinnerde zich dat ze daar het bloed had afgeveegd, waardoor haar oude dekentje onder het bloed was komen te zitten, en toen had ze het moeten weggooien...

Wist Annie dat Val dood was? Zou ze dat ontdekt hebben, en het vervolgens voor haar geheim hebben gehouden, net zoals Annie haar gevoelens voor Joe voor haar had verborgen?

213

Al die jaren had ze gedacht dat ze haar hielp door de belofte aan oom Rudy te houden en haar niet te vertellen wat er met Val was gebeurd – maar misschien was dat dom van haar. En het was nog dommer om zwanger te worden.

Maar hoe kon dát Annies schuld zijn?

Nee, ze moest Annie alles over Jess vertellen.

Laurel liet alle herinneringen bovenkomen. Ze wist nog precies hoe het gebeurd was, tot in alle details, zelfs de hond met dat rode lint om en de winde die uit het chassis van die oude Ford opbloeide die op het achtererf stond te verroesten. Ze wilde het allemaal ophalen, zodat ze het aan Annie kon uitleggen...

Die eerste keer toen ze het pad op liep naar het vervallen huis waar Jess woonde met vijf vrienden, merkte Laurel op dat de grijswitte verf in lange repen afbladderde, net de dode huid van een slang, en de veranda werd aan een kant opgehouden door een slordige stapel stenen, naar een kant overhellend als een boot. Er stond een stel fietsen tegen een oude kapotte stoel geleund waarvan de vulling in grote vuile bossen naar buiten stak. En voor de deur waar de verf afgesleten was in een vorm die ruwweg aan de vorm van Afrika deed denken, lag op die warme junidag een grote golden retriever te hijgen; het dier had een stoffige rode zakdoek om zijn hals geknoopt. De hond hief zijn kop op toen ze de doorgezakte treden van de trap op liep en zijn staart sloeg even, bij wijze van welkom, tegen de houten vloer.

Ze vroeg zich af of Jess nog wist dat hij haar had gevraagd langs te komen om te praten over het maken van die posters voor dat Helpende Handen-project. Met hem wist je nooit iets zeker – een vaste belofte van hem loskrijgen was net zoiets als proberen te voorspellen of het op een bepaalde dag de volgende maand zou regenen.

Hij was zo anders... hij leek ouder dan jongens die even oud waren als hij, en waar Laurel op de campus mee omging. Hij had rondgereisd op vrachttreinen, had hij haar verteld. En hij had perziken geplukt met zwervers die dat regelmatig deden. Vorig jaar was hij de hele zomer in Californië geweest om te helpen bij het organiseren van migranten die daar als boerenarbeiders werkten. Als hij nog tijd had en niet binnenkort zou worden opgeroepen voor militaire dienst, was hij van plan zich aan te melden als vrijwilliger voor werk in ontwikkelingslanden, bij het Vredeskorps.

Sinds die dag waarop ze hem had herkend toen hij model was bij het naakt tekenen, hadden ze elkaar nog een paar keer gesproken. Op een dag was ze hem in het studentencentrum tegen het lijf gelopen en hadden ze een half uurtje samen zitten praten. Een andere keer waren ze samen een kopje koffie gaan drinken en toen hij hoorde dat zij les gaf in de stad, had hij haar uitgenodigd zich aan te sluiten bij een groep die gratis les gaf aan meisjes en jongens die hun middelbare school halverwege de opleiding hadden verlaten en die nu probeerden alsnog examen te doen. Het stelde allemaal niet zoveel voor. Hij had nooit geprobeerd haar te kussen of zelfs maar haar hand vast te houden. Bij Jess vormde je altijd maar een deel van de groep.

In dat opzicht leek Jess wel op Joe; ook hij scheen niets van haar te willen. Maar Jess had toch iets dat haar bloed sneller deed stromen... iets fels, scherps, alsof een nagel langs een schoolbord kraste of als een politiesirene loeiend in een donkere straat. Hij toonde het nauwelijks... maar het was wel degelijk aanwezig. In de zesde klas had hij haar in haar nek gespuugd, en nu organiseerde hij protestbijeenkomsten en schreef vernietigende hoofdartikelen in de *Daily Orange*.

Laurel boog zich om de hond even over zijn kop te aaien voor ze op de deur klopte. Ze wachtte, maar er kwam niemand opendoen. Vreemd; toen ze daarnet opgebeld had had het meisje dat opgenomen had gezegd dat Jess 'ergens in de buurt' was. Gelukkig had de deur een dikke glazen ruit waardoor ze erg onduidelijk een hoek van de woonkamer zag waar een stel mensen zat. Ze zag Jess er niet bij, maar er wás in elk geval iemand. Ze klopte nog eens, dit keer harder.

Eindelijk kwam een meisje met lange vlechten en blote voeten naar de deur toe schuifelen. Ze had een spijkerbroek aan en een heel korte midriff blouse die nauwelijks tot haar navel reikte. Ze keek Laurel nogal bevreemd aan.

'Jezus, die deur is toch niet op slot, is het wel?' vroeg ze. 'Waarom kom je niet gewoon binnen?'

'Sorry, dat wist ik niet,' zei Laurel.

'Níemand hier doet ooit de deur op slot,' zei het meisje, alsof Laurel een grote sociale blunder had begaan. 'Aan dat soort stomme dingen doen we hier niet.'

'Hm... is Jess thuis?' vroeg Laurel, die zich geïntimideerd voelde. En ze had nog geen voet over de drempel gezet!

'Boven, denk ik,' zei het meisje en wuifde met haar hand in de richting van de trap. Ze liep intussen al terug de woonkamer in.

Op weg omhoog, op de krakende trap waarvan de treden flink doorgezakt waren, vroeg Laurel zich af of Jess misschien druk bezig was en daarom niet bij zijn vrienden beneden zat; misschien was hij druk bezig... met een meisje. Halverwege de trap bleef ze staan en voelde zich plotseling met haar figuur verlegen en onzeker. Maar hij hád haar gevraagd om te komen. En al was hij met iemand bezig, wat dan nog? Ze kon immers gewoon weer weggaan.

Boven aan de trap hoorde ze een douche stromen. Voordat ze nog een stap verder kon doen, werd het water uitgedraaid en ging de deur van de badkamer open. Jess kwam te voorschijn uit een wolk van damp. Er werd een zonnestraal in weerkaatst die binnendrong door een hoog raam op de overloop.

Hij was naakt, afgezien van een om zijn middel gedrapeerde handdoek. Zijn vochtige zwarte haren lagen plat tegen zijn schedel en daaruit dropen stroompjes omlaag over zijn borst en armen.

'Dag,' zei hij nonchalant, alsof hij dagelijks meisjes voor zijn badkamerdeur vond.

'Dag,' zei ze, niet wetend wat ze anders moest zeggen.

Een afgezaagde zin kwam plotseling in haar op: wat doet een net meisje als jij hier in huis? Ze begon te giechelen, maar toen herinnerde ze het zich... de posters.

'Je zei dat ik moest komen zodat we over die posters konden praten,' hielp ze hem herinneren.

'Posters?'

'Voor die bijeenkomst van de Helpende Handen.'

'O... die. Juist. Wacht eventjes, dan trek ik gauw wat aan.' Hij verdween in een van de slaapkamers, maar liet de deur half openstaan. Laurel zag een bloot been dat in een versleten spijkerbroek verdween. Toen riep hij: 'Kom maar binnen.'

De kamer van Jess was klein, maar netjes en het bed was opgemaakt. Er hingen een paar posters, met punaises aan de muur bevestigd: Joan Baez, een van Jerry Rubin die een hemd droeg dat de Amerikaanse vlag voorstelde, en een spandoek met daarop de woorden: BEVRIJD DE ZEVEN UIT CHICAGO. Naast het bed stond een plastic melkkratje dat als nachtkastje dienstdeed en tegelijkertijd boekenkast was; bovenop stond een kleine lamp. Langs één wand waren planken aangebracht, gemaakt van vurehout en blokken brandhout, en daarop lagen boeken en keurig opgevouwen kleren. Verder was alles kaal... bijna een kloostercel. De enige luchthartige toon – vermoedelijk van een vroegere bewoner – was een stuk glas-in-loodpapier dat op het raam was geplakt. Het gaf de kamer een rozige en uitnodigende gloed. Ze zag dat het raam uitzag op een door onkruid verstikt tuintje en het verroeste wrak van een oude Ford. De achterbak stond open en door de weggeroeste bodem van de auto slingerde zich een prachtige massa winde die zich over het dak verspreidde en er door de lege portierraampjes weer uitkwam.

Plotseling merkte ze dat Jess haar stond aan te staren en zijn blik had een element van vermaak in zich. Hij stapte over de natte handdoek die in een hoopje aan zijn voeten lag, en sloeg een koele vochtige arm om haar middel. Toen kuste hij haar.

Laurel had een vluchtig gevoel van warmte en zachtheid; toen, alsof ze gestoken werd, trok ze zich terug.

Nee! Ze wilde Joe hebben, niet Jess. Maar ze herinnerde zich meteen dat Joe háár niet wilde. Hij had haar weggestuurd, die avond nadat ze elkaar hadden gekust. En hij had haar in haar gezicht gezegd dat ze nooit meer dan goede vrienden zouden kunnen zijn. Vrienden! Ze voelde weer de pijn die ze bij die woorden had gevoeld, een pijn die haar een hol ge-

216

voel vanbinnen gaf, alsof ze een grote lege schelp was. Nog weken daarna had ze nauwelijks aan iets anders kunnen denken. Ze had college gelopen en voor een examen gestudeerd, of stond gebogen over haar ezel, maar dan kwamen plotseling de herinneringen bovendrijven, als stukken wrakhout na een schipbreuk: Joe's mond op de hare, een scherpe hoek van zijn bril die licht tegen haar jukbeen aan drukte, de vage smaak van de gin en tonic die hij in de galerie had gedronken. Toen de vriendelijke vastbeslotenheid waarmee hij haar had weggeduwd, die blik van schaapachtige ontsteltenis op zijn gezicht, alsof hij wilde zeggen: haal je hierdoor nu niets in je hoofd... je hebt me gewoon even overrompeld, dat is alles.

Laurel wist nog hoe van streek ze was geweest... hoe graag ze had willen weglopen, zo snel en zo ver ze maar kon. En nu had ze weer datzelfde gevoel.

Maar het scheen dat het Jess niets kon schelen dat ze niet flauwviel van extase. Zijn donkere schuinstaande ogen keken haar koel vermaakt aan, en opnieuw viel het haar op dat hij zo anders was dan de jongens met wie ze meestal uitging, met hun natte kussen en onhandige, veel te harde omhelzingen.

'Is het hier niet zoals je gewend bent?' vroeg hij, en grinnikte even. 'Je bent gewend aan die studentenjongetjes en sportieve knapen die eerst een plaat op hun stereo leggen met een mooi verleidingsmuziekje... en daarna misschien wat hasj roken dat ze gekocht hebben van het zakgeld dat ze van hun pa krijgen.' Hij schudde zijn haren uit en een regen van druppels viel als een fijne mist op haar handen en gezicht. 'Luister eens, Beanie, ik heb geen stereo... en ik heb geen geld om hasj te roken,' ging hij door. Hij overdreef zijn stem zodat zijn woorden een Latijnsamerikaans accent kregen. Maar zijn glimlach werd breder. 'Maar ik heb wel tijd voor jóu. Als je dat tenminste wilt.'

Hij dreef de spot met haar. Laurel begon zich een beetje op te winden en werd ook een tikkeltje boos.

'Ik kan maar beter gaan,' zei ze stijfjes.

Hij deed geen enkele poging haar tegen te houden, maar bleef haar enkel aanstaren met dat speciale lachje dat zijn gezicht nooit scheen te verlaten. Wat had hij toch? Waarom kon ze zich niet bewegen? Ze bleef als gebiologeerd kijken naar een druppel die zich koppig hechtte aan de holte onder in zijn hals.

'Ik zou er wat om willen verwedden dat jij het soort kind was dat bij het ontbijt alle dozen met tarwevlokken gauw leegat om bij het prijsje onder in de doos te komen,' zei hij. 'Daar heb ik nooit het nut van ingezien. Tjonge, als je iets wilt hebben, waarom zou je je er dan zo druk om moeten maken? Grijp gewoon toe en pak het.'

Laurel voelde hoe haar huid van haar gezicht brandde op de plekken die hij met zijn vinger beroerde. Toen kuste hij haar. En dit keer trok ze zich niet terug. Tot haar verbazing merkte ze dat ze het fijn vond Jess te kussen. Zijn mond was ongelooflijk zacht, maar toen ze zijn tanden voelde, verstijfde ze even. Dat harde dat ze in hem had aangevoeld, was er... en drukte tegen het tere vlees van haar onderlip... drukte hard, maar maakte niets kapot. Ze voelde dat zijn handen vochtige kringen op haar dunne katoenen blouse vormden, en ze huiverde, niet omdat ze dat vocht voelde... maar omdat hij zo zéker van zichzelf was.

Laurel begon zonder het te willen of het van plan te zijn zich voor te stellen dat het Joe was die haar kuste... Joe liet zijn vingers langs haar glijden terwijl hij haar blouse uit haar rok trok.

Met een snelle schop trapte Jess de deur dicht. Laurel voelde de klap tot in haar maag. Ze had opeens het gevoel dat ze iets moest zeggen – wat dan ook.

'Het meisje beneden zei dat niemand hier ooit een deur dichtdoet.'

'Niet om mensen búiten te houden,' lachte hij. 'Alleen om ze bínnen te houden. Zoals nu.' Zijn lach stierf weg terwijl er een rode plek op zijn hoge Indiaanse jukbeenderen verscheen. 'Er is iets dat ik al van je heb willen weten sinds we samen in de zesde klas zaten. Ben je werkelijk óveral blank?'

Als in trance begon Laurel zich uit te kleden. Haar blouse lag verkreukeld op de grond aan haar voeten, en kreeg nu gezelschap van haar gebloemde rok en haar sandalen. En ten slotte van haar beha en panty.

Eindelijk stond ze voor Jess, naakt in het roze licht en met kippevel op haar armen en benen. Ergens beneden hoorde ze een hond blaffen. En door het raam, vlak achter de rechterschouder van Jess, zag ze het purperen bloemetje van een slinger winde knikken in de felle zon. Maar afgezien van deze paar kleine en troostrijke dingen die zo bij het dagelijks leven hoorden, wist ze dat dit niet écht gebeurde... dat ze het alleen maar droomde... en ze over een paar minuten wakker zou worden en weer in haar eigen kamer in Smith Hall zou zijn.

Voor het eerst sinds ze hem kende scheen Jess niet helemaal te weten wat hij moest doen – met een rode kleur op zijn wangen staarde hij haar met opengesperde ogen aan.

'Lieve God,' fluisterde hij eindelijk, en haalde even heel diep adem. Toen, met maar één enkele beweging, schopte hij zijn spijkerbroek uit. Ze had hem al eerder naakt gezien, toen ze hem moest uittekenen en hij model zat, maar dit keer was alles anders... hij was... nou ja, hij was stijf.

Terwijl Jess haar nauwkeurig opnam, begon Laurels dromerige gevoel weg te ebben en de paniek sloeg toe. Zou het niet beter zijn hiermee op te houden, en tegen Jess te zeggen dat ze het nog nooit had gedaan? Niet dat ze geen kans had gehad, maar ja, ze moest het tegenover zichzelf wel bekennen: ze had diep in haar binnenste altijd geweten dat de werkelijke reden waarom die andere jongens haar op het kritieke ogenblik altijd hadden tegengestaan, de gedachte aan Joe was. Ze maakten vaak zulke gekke geluiden, of fluisterden: 'Ik hou van je!' en die woorden klonken haar dan veel te hard in de oren, of ze bleven met haar rok in de rits vasthaken terwijl ze bezig waren die open te trekken. Ze had altijd gewild dat Joe de eerste zou zijn.

De pijn over Joe's afwijzing was nog scherp aanwezig en ze klampte zich eraan vast zoals ze zich vroeger aan haar oude dekentje had vastgeklampt, aan Boo. Ze wist dat het kinderachtig en verkeerd was, maar op de een of andere manier kon ze zich toch niet losmaken van die gedachte.

'Ik weet niet of ik het wel leuk vind om met een pak tarwevlokken te worden vergeleken,' zei ze, gooide haar haren achterover en was vastbesloten haar ware gevoelens te verbergen. Daar kwam nog bij dat die prijsjes onder in die pakken meestal een teleurstelling waren, en heel anders dan ze op de doos waren afgebeeld.

Jess sabbelde aan een van haar borsten en beet er even zachtjes in, waardoor ze heerlijk begon te huiveren. 'Een ontbijt voor kampioenen,' zei hij zachtjes lachend. 'En jij, Beanie, bent de grootste kampioen. De enige moeilijkheid met kampioenen is dat ze vrijwel nooit met ons, nederige wezens, in de modder willen rondrollen.'

Hij bracht zijn hand omlaag en stak die tussen haar dijen, een plotseling gebaar dat haar shockeerde. Hij bewoog niet, drukte niet... hield haar daar alleen maar vast... waardoor hij een bron van warmte opbouwde die haar bijna gek maakte. En dat warme gevoel verspreidde zich in haar hele buik.

'Weet je, misschien is in de modder rondrollen juist wel fijn,' fluisterde hij in haar oor, en zijn tanden beten net hard genoeg in haar oorlelletje om haar tranen in de ogen te bezorgen.

Toen leidde hij haar verrassend teder naar het bed.

Laurel zag Annies geschrokken en zielige blik en besefte opeens iets merkwaardigs: de mogelijkheid dat ze zwanger zou worden was geen ogenblik bij haar opgekomen. Toen niet. Tenzij ze diep in haar binnenste had geweten waaraan ze zich blootstelde en heimelijk had gewénst dat er zoiets zou gebeuren... iets wereldschokkends en onontkoombaars.

Maar als dat zo was, was dat ook voor haarzelf een geheim geweest. Ze wist vooral dat ze níet zwanger wenste te worden. Maar nu het zover was, en al meer dan drie máánden, kon ze niet meer doen alsof het niet waar was.

Ze had het Jess niet verteld en was dat ook niet van plan. Het leek haar dat de baby eigenlijk niets met Jess te maken had; ze had maar een paar keer met hem geslapen en daarna had hij haar de hele zomer niet meer geschreven of opgebeld. Sinds het begin van het nieuwe studiejaar, een paar weken geleden, had ze hem nog maar een keer gezien. En dus was ze er op de een of andere manier aan gaan denken alsof het Joe's baby was... verwekt door haar liefde voor hem.

Maar ja, ze moest Annie wel vertellen hoe het in werkelijkheid gegaan was... ze kon niet doorgaan met haar iets wijs te maken.

'Weet hij...' Annie slikte, en dat gebeurde blijkbaar met moeite; haar gezicht was een witte kring boven haar donkerblauw zijden pyjama. 'Weet Joe het? Heb je het hem verteld?'

'Nee.'

'Waarom niet?'

Omdat het zijn baby niet is, dacht ze. De woorden lagen op het puntje van haar tong. Ze wilde ze zeggen, maar iets in haar weerhield haar ervan.

'Ik heb het aan niemand verteld,' zei ze, ontzet en verbaasd om haar eigen uitgeslapen sluwheid.

Het was geen leugen, geen échte leugen. Waarom had ze dan zulke schuldgevoelens? En waarom draaide haar maag zich in haar om en om? In het begin was ze nooit misselijk geweest – dat was nóg een reden waarom ze niet de moeite had genomen naar een dokter te gaan – maar nu had ze het gevoel dat ze moest overgeven.

'Ik kan het nauwelijks geloven,' zei Annie. 'Joe zou toch nooit...' De rest van de zin kon ze niet uitbrengen; het leek of haar keel werd dichtgesnoerd.

Laurel bleef zwijgen, haar lippen op elkaar geperst, haar knieën stijf tegen haar borst gedrukt.

'Hebben jullie... is deze affaire van jullie al lang aan de gang?' Annie had het gevoel dat ze zou bezwijken en haar stem ging vreemd op en neer, net een verbogen grammofoonplaat. Maar de bittere noot erin was duidelijk hoorbaar.

'Nee,' zei Laurel. 'Maar een paar keer.'

Het leek of Annie geen lucht meer kon krijgen. Eindelijk, als een bergbeklimmer die met moeite steun voor zijn voeten heeft gevonden, zei ze: 'Nou ja. Dan zul je het hem alsnog moeten vertellen.'

Het koude zweet brak Laurel uit. Ze had het liefst hard naar het toilet willen hollen, maar ze deed het niet. Ze dwong zich te blijven waar ze was. Ze moest haar zuster de waarheid vertellen. Het was niet eerlijk Annie te laten denken dat het Joe was. En Annie zou de waarheid toch wel ontdekken, zodra ze er met hem over praatte.

Maar je kunt haar toch nog even laten denken wat jij wil, nietwaar? Je hebt niet écht gelogen... Annie nam alleen maar aan dat je dat bedoelde... En als ze Joe werkelijk vertrouwt, waarom heeft ze dit dan kunnen denken?

Nee, snauwde ze zichzelf toe. Het is verkeerd. Het zal Annies hart breken.

Zoals jouw hart is gebroken, bedoel je? vroeg een stem diep in haar.

Toen zag Laurel het duidelijk. Het was haar heel helder: ze had de keus tussen twee mogelijkheden. Aan de ene kant kon ze alles loslaten... de droom loslaten die ze over Joe koesterde, over de mogelijkheid dat hij ooit van haar zou gaan houden... alles loslaten en de pijn accepteren die haar met grote golven zou overspoelen. Pijnlijk, ja, maar helend. Ze kon het Annie vertellen, niet alleen dat over Jess, maar ook dat ze begreep wat er tussen Joe en Annie was opgebloeid en dat ze van elkaar hielden. Het zou moeilijk zijn... zoiets moeilijks had ze nog nooit hoeven doen, en daarom kozen de meeste mensen in een dilemma nooit díe uitweg. Hij was te zwaar, een te grote beproeving. Maar zij kón het. Als ze wilde, kon ze het.

Een vreemde, wilde blijdschap sloeg door Laurel heen... en heel even zag ze de vrouw voor zich die ze zou kúnnen zijn... de vrouw die ze kon zijn als ze maar losliet.

Toen dacht ze aan wat ze op het feestje van Dolly had gezien en ze herinnerde zich hoe ze zich toen had gevoeld. En hoe ze zich al jarenlang had gevoeld, altijd maar volgend in Annies voetstappen. En nu was dit er – het enige dat ze ooit wérkelijk had gewild en dat had Annie haar ontnomen. Al haar verlangen en wrok kwamen boven.

'Ik kan er nu nog niet goed over nadenken,' bracht ze eindelijk uit nadat ze zich moeizaam had bedwongen. 'Ik voel me niet zo goed.'

'Maar...' begon Annie, en sloot toen meteen haar mond weer. Nee, ze wilde verder niets zeggen.

'Kunnen we er morgen verder over praten? Nu wil ik eigenlijk alleen maar naar bed.' Terwijl ze sprak voelde Laurel hoe doodmoe ze eigenlijk was. Het misselijke gevoel was weg... Maar ze was zo óp dat ze nauwelijks op haar benen kon blijven staan. De kamer scheen om haar heen te draaien. Ik zal het haar morgen vertellen, dacht Laurel.

Hoofdstuk 18

Annie hield zich stevig vast aan de trapleuning en liep langzaam omlaag naar de etage waar Joe woonde. Dit stuk van de gang en het trappenhuis waren meestal gewoon een stukje van de weg naar huis, maar vanavond zag ze hoe sjofel het eruitzag, de traptreden waren afgesleten en het rook er vies. Ze voelde zich zwak en broos, alsof ze in het laatste half uur opeens jaren ouder was geworden. En waarom was het hier zo slecht verlicht? Op de overloop boven en beneden brandden peertjes, maar de trap leek een of andere donkere grot.

Joe's baby.

Na al die uren en uren die ze samen hadden doorgebracht. Ze had nooit die kant van hem ontdekt; dat hij zo onbetrouwbaar kon zijn! Hoe kwam het dat ze dat nooit te weten was gekomen?

Joe... vriendelijk, aardig en impulsief. Kon er onder de man van wie ze zo ontzettend veel hield – dat wist ze zeker – een heel ander mens schuilgaan, iemand die in staat was haar te laten denken dat hij van haar hield nádat hij met haar zusje had geslapen?

Nee. Zo was Joe niet. Dat was onmogelijk.

Nog maar enkele minuten geleden zou ze er een eed op hebben durven doen dat hij niet zo was. Maar nu...

Ze stelde zich Laurel voor, zo wit als een doek terwijl ze er bang maar tegelijkertijd ook uitdagend uitzag... bijna alsof ze hem beschermde. Waarom zou ze liegen? Waarom zou ze zoiets vreselijks verzinnen?

Annies knieën knikten en ze zakte tegen de leuning terwijl ze haar handen voor haar ogen sloeg en snikte. Hoe had hij haar dit kunnen aandoen? En Laurel ook? Hóe?

En hoe had Laurel dit kunnen doen? Met hem! En hoe was het mogelijk dat ze zo dom en naïef was geweest? Het was toch te dwaas dat je op je achttiende ongewild zwanger werd!

Annie liet zich zakken totdat ze op een van de treden zat en ze probeerde zich voor te stellen hoe het gebeurd was: Laurel die haar hart bij hem uitstortte en Joe die geduldig luisterde en haar gevoelens niet wilde kwetsen. Maar daarna moest hij haar toch in een nieuw licht zijn gaan zien... niet die eerste keer, of zelfs de tweede... maar later, na een week, een maand... toen moest hij gezien hebben hoeveel mooier ze aan het worden was. Zo aantrekkelijk. En toen waren ze misschien naar een film gegaan of hadden ze samen ergens gegeten, zoals vroeger, toen ze dat met z'n drieën deden. Ze waren niet van plan geweest zoiets te laten gebeuren. Maar ja, toen was er wél iets gebeurd...

Plotseling werd ze door een vlaag van woede overvallen. Ze voelde hoe ze omhoog werd getrokken, niet alsof ze gewoon opstond, maar alsof ze door een explosie omhoog werd gestuwd.

Verdomme, hoe durfde hij! Hoe durfde hij haar te laten denken dat hij van haar hield... dat zij samen... o, God!

Of had hij gedacht dat ze het niet zou ontdekken? Dat het een geheimpje van hem en Laurel zou blijven, een vergissinkje. Hij zou wel zorgen dat het hem niet nog eens overkwam. En als Laurel niet zwanger was geworden, had ze het vermoedelijk ook nooit ontdekt.

Een... twee... drie... vier. Ze liep naar beneden en telde elke trede alsof ze door dat te doen een antwoord op de vraag zou krijgen hoe ze dit ooit zou moeten verwerken.

Nu stond ze voor de deur van Joe's flat met zijn lelijke bruine verf en het ronde kijkgaatje dat haar aankeek alsof het een dood oog was. Toen belde ze aan, een paar keer, en ze klopte tegelijkertijd. Ze begon zelfs op de deur te bonzen totdat ze pijn in haar knokkels kreeg.

Joe verscheen, zo rustig dat ze nauwelijks merkte dat de deur was opengegaan. Hij was op zijn blote voeten, had een koffiebeker in de hand en droeg nog de kleren die hij bij Dolly aan had: een spijkerbroek en een wit overhemd waarvan de mouwen tot aan de ellebogen waren opgerold. Ze had het gevoel dat ze hem vanaf een grote afstand zag, maar dan wel door een sterke telescoop waardoor elk haartje van zijn stoppelbaard en zelfs de gouden plekjes in zijn irissen ongelooflijk duidelijk zichtbaar werden. Er klonk muziek. Een jazztrompet. Stanley Turentine. Hoe wist ze dat eigenlijk? Ze luisterde vrijwel nooit naar Joe's jazz – zij gaf de voorkeur aan rock and roll. Het leek alsof al haar zintuigen messcherp stonden afgesteld.

'Annie!' Joe begon verheugd te grijnzen, maar die lach verdween onmiddellijk. 'Annie, wat is er? Jezus, mankeert je iets?'

Ze knikte, maar kon op dat moment geen woord uitbrengen. Het was haar totaal onmogelijk.

'Is er iets met Laurey? Ze zag er op het feestje wat pips uit, alsof ze iets onder de leden had.'

Het leek alsof hij haar had beetgepakt en door elkaar geschud, zodat haar stem nu weer kon functioneren en de woorden tuimelden haar mond uit. 'Ze heeft inderdaad iets onder de leden,' antwoordde ze en ze keek hem koud en woedend aan. 'Ze is zwanger.'

'Jezus Christus.'

Joe deed een stap achteruit alsof hij haar wilde binnenlaten, en toen wankelde hij even, een ogenblik uit zijn evenwicht gebracht. Hij stak zijn arm uit alsof hij zich ergens aan wilde vasthouden. Uit de beker in zijn hand kwam een boog bruine vloeistof op de versleten gangmat terecht, en op de Miró reproduktie aan de muur.

'Jezus,' zei hij weer.

Annie drong zich langs hem heen en merkte toen ze op de natte koffievlek stapte dat ze zelfs was vergeten haar slippers aan te doen. Ze was ook in pyjama, onder de mantel die ze om had gegooid voordat ze de deur was uitgelopen. Ze zag er vermoedelijk vreselijk uit: geen make-up, haar dat vochtig recht overeind stond waar ze er met haar washandje overheen was gegaan. Maar wat deed dat er nog toe? Ze zou niet met Joe vrijen. Nu niet, nooit meer.

Ze liep de zitkamer in en nam niet de moeite haar mantel uit te trekken of haar voeten te vegen voor ze op het vloerkleed met het zigzagpatroon stapte. Ze hoorde hoe de deur achter haar werd gesloten, keek om en zag dat Joe er nog steeds stond. Hij was haar niet gevolgd. Haar natte voetafdrukken op de vloer leken naar hem te wijzen, hem te beschuldigen.

Toen stond hij met drie grote passen naast haar en stak zijn handen uit om haar uit haar mantel te helpen. Annie rukte zich los en stootte met haar heup tegen de armleuning van de bank. Het leek of er overal om haar heen scherpe hoekige dingen naar haar wezen en haar pijn wilden doen: het zware eiken meubilair en een laag glazen tafeltje met daarop een paar smeedijzeren, kunstig gewrochten kandelaars. Een oude filmposter – Bogie met een trenchcoat aan en een uit een mondhoek omlaag bungelende sigaret – keek haar van de muur af dreigend aan.

'Niet doen,' zei ze.

Joe liet zijn armen omlaag vallen. Hij keek geschrokken. Nee, het was erger... hij keek verbijsterd. Alsof ze hem een masker had afgetrokken, en daaronder was een heel ander gezicht dan wat hij anders altijd had. Het was het gezicht van een vreemde.

Plotseling voelde Annie een wilde hoop bovenkomen en ze vroeg zich af of dit misschien een of andere belachelijke vergissing was, of een nare droom. Had ze het zich misschien maar verbeeld dat Laurel had verteld dat ze zwanger was? Of misschien had ze zich verbeeld dat Laurel zei dat Joe de vader was...

'Annie, in godsnaam, wat is er aan de hand?' Hij slaagde erin haar bij de elleboog te pakken en ze voelde zijn vingers in haar vlees drukken; op de een of andere manier leek haar dat te verlammen. 'Luister, je denkt toch niet dat ik het wíst? Ben je daarom zo nijdig? Denk je dat Laurey het mij heeft verteld en dat ik het voor je heb verzwegen?'

'Hou op,' siste ze. Ze kon zich niet voorstellen dat hij zo deed, dat hij tegen haar loog, dat hij deed alsof hij nergens van af had geweten.

'Waar moet ik mee ophouden? Ik heb er zelfs geen idee van waar je het over hebt.'

'Hoe kun je gewoon... daar staan... en doen alsof... alsof je het niet wist? Schóft die je bent!'

Ze zag dat hij vuurrood werd en dat zijn ogen begonnen te glinsteren; het was de blik die hij heel af en toe kreeg als hij op het punt stond woedend te worden. Maar hij deed duidelijk zijn uiterste best om zich te beheersen. Hij liet haar arm los en liep een eindje bij haar weg. Zijn handen hield hij voor zich uit, alsof hij iets wilde afweren. Het leek of een roodzwart Lichtenstein-abstract op de muur achter hem op haar toe wilde springen. Daarnaast hing een kleinere ets – een menukaart van Joe's Place van jaren geleden die Laurel zo kunstzinnig had versierd met vogels: een paar treurduiven, een ijsvogel, een pauw en een zwerm kleine musjes. Hij moest die hebben laten inlijsten en hebben opgehangen terwijl zij in Parijs was. God, stel dat hij werkelijk van haar houdt! Het was alsof ze door een gloeiende pijl werd doorboord.

'Goed, ik zie dat je niet in de stemming bent om te gaan zitten en hier redelijk over te praten, maar zou je me misschien willen vertellen waarom je zo uitzinnig nijdig op míj bent?' Hij praatte langzaam en sprak elk woord duidelijk uit, alsof hem dat kalmeerde. 'Ik bedoel: als je me wilt ophangen, mag ik dan misschien eerst de beschuldiging horen?'

'Laurey heeft het me verteld. Over jou en... en alles.'

Daar was het. Die schuldige uitdrukking in zijn ogen. Duidelijk zichtbaar. Dus hij was van plan geweest het voor haar te verzwijgen. Annie had hem willen slaan, pijn doen, hem laten lijden zoals zij nu leed.

'Wat is "alles"? Wat is er te vertellen?' Het leek alsof zijn gezicht ondoorgrondelijk werd, gesloten, volkomen ontoegankelijk. 'Ik dacht dat het wel over zou gaan. Ik dacht dat zodra er een knappe, artistieke knaap kwam die haar bij de hand nam, zij verliefd op hém zou worden en zou vergeten dat ze ooit verliefd op mij was geweest, dat ze zich daar dan feitelijk voor zou schámen. Kijk eens, ik begrijp niet waarom je zo van streek bent. Dit is iets tussen Laurel en mij. Het heeft niets met jou te maken.'

Niets met háár te maken? Ze kreeg het gevoel alsof haar hoofd uit elkaar zou spatten.

Joe keek haar strak en grimmig aan. 'Laten we opnieuw beginnen. En langzamer dit keer. Laurel is zwanger, zeg je?' Hij streek met een hand door zijn haar. 'Weet je het zeker? Ik bedoel, nou ja, stel dat zij en zo'n knaap te ver zijn gegaan en nu is ze wat over tijd en ze raakt in paniek...'

'Joe.' Annie had het gevoel dat ze schreeuwde, maar haar stem klonk bijna normaal, zelfs vreemd gesmoord. 'Joe, ik geloof gewoon niet wat je daar zegt... je doet alsof jíj het niet was. Ik wéét het, verdraaid nog aan toe.'

'Jij denkt dat ik...' Hij hield op, hield zijn hoofd een beetje schuin en keek haar zo verstomd en ongelovig aan alsof iemand hem kwam arresteren voor een misdaad waar hij nog nooit van had gehoord. Hij schudde zijn hoofd en het licht danste op zijn bril.

'Ik denk het niet. Ik wéét het. En als je ooit weer bij Laurey in de buurt komt, als je ooit weer tegen haar praat of zelfs probeert met haar te telefoneren... als je alleen maar in haar richting kijkt... bij God, ik zweer dat ik je dan laat opsluiten. Dan laat ik Laurey zeggen dat ze verkracht is. Dan zeg ik dat jij haar ver... verkracht... o, God, Joe, hoe kón je?' Ze snikte nu en haar hele lichaam trilde mee. Ze deed een stap opzij en viel tegen de muur. 'Ik vertrouwde je! Laurey vertrouwde je! Hoe heb je ons dit kunnen aandoen?'

'Ik heb het niet...'

'Hou op! Hou op met dat gelieg!'

'Verdomme, wil je nou eens even luisteren!'

Joe's hand kwam met de kracht van een meteoor op haar hoofd af, maar trof de muur vlak naast haar. Splintertjes witsel dwarrelden in haar gezicht; ze proefde ze zelfs.

Annie was te verstomd om zich te bewegen. Ze slaagde erin op de been te blijven en zocht steun aan de muur. Maar ze was verlamd en trilde van top tot teen. Die slag was voor mij bedoeld, wist ze. Hij wilde me slaan.

O God, hoe was het mogelijk dat hun heerlijke verhouding van slechts enkele uren geleden zo plotseling veranderd was?

Annie dacht aan een gebeurtenis van jaren geleden in San Francisco, toen zij en Dearie in een kabeltram zaten die van een steile helling afdaalde en door zijn remmen was gegaan. Iedereen begon te schreeuwen, en de meesten zaten als versteend stil. Eén man sprong eraf. Zij had haar gezicht in Dearies rok verstopt, maar had toen zichzelf gedwongen te kijken. Ze zag dat de auto's wegschoten. Maar het ergste was dat ze wist dat niets de tram kon tegenhouden. En toen, bij de gratie Gods – dat zei Dearie tenminste – waren ze boven op een dubbel geparkeerde vrachtauto gestoten en die had hen tot staan gebracht. Wonderbaarlijk genoeg was er niemand gewond, alleen de man die van de tram was gesprongen.

Maar nu kon geen wonder de loop der dingen tegenhouden. Zij en Joe moesten zelf zien hoe ze hieruit kwamen. Of ze eraf wilden springen of blijven. Hoe dan ook, niets of niemand kon hen helpen.

Twee trappen. Drie... vijf... zeven... acht. Ze telde de treden toen ze weer omhoog klom. Nu stond ze op de overloop en probeerde de sleutel in het slot te steken die een eigen leven leek te leiden; eindelijk kreeg ze de voordeur open. Toen ze het licht aandeed, zag ze Laurel op de bank in de huiskamer liggen slapen. Ze werd wakker en kwam overeind. Haar ogen waren rood en ze knipperde even tegen het licht.

'Annie!' riep ze. 'Wat is er gebeurd? God, je ziet eruit alsof je bent aangevallen. Waar ben je geweest? Wat is er?'

Annie wankelde en viel op een stoel bij de bank neer, haar handen voor haar ogen om ze tegen het felle licht te beschermen dat plotseling op haar viel.

'Joe... ik heb het hem gezegd.' Ze snikte en hijgde. 'Maar hij... hij zei...' Ze zweeg en dacht aan de blik van opperste verbazing op zijn gezicht. En toen wist ze dat het een nachtmerrie moest zijn, want ze hoorde Laurel met een klein geschrokken stemmetje zeggen: 'O, Annie! Ik wilde je echt niet laten denken dat het Joe was, eerst niet, tenminste... het kwam er eigenlijk zo uitrollen. Joe... hij heeft me niet... me nooit...' Toen verscheen er plotseling die bekende uitdagende blik in haar ogen en haar stem werd krachtiger. 'Maar ik wilde hem zo graag hebben. Ik wilde dat híj het was. En dat wil ik nog.'

Annie kon haar oren niet geloven. Ze keek op en probeerde haar zusje aan te kijken. Langzaam – zodat er dit keer geen sprake van een vergissing kon zijn – vroeg ze: 'Wil je zeggen dat Joe níet de vader van je baby is? Dat jij en hij geen geliefden zijn?'

'Het was iemand van school,' zei Laurel. 'Jess Gordon. Ik kende hem nog uit Brooklyn. Het was... nou ja, ik ben niet verliefd op hem, of zo.'

'Maar je bent wel verliefd op Joe?'

Laurel bleef haar aankijken en hief haar kin een eindje hoger de lucht in, alsof ze Annie uitdaagde.

'Ja.' Geen verontschuldiging. Geen excuus.

'Waarom heb je dan gelogen? Waarom zei je tegen mij...' Ze stikte bijna en kneep haar lippen op elkaar zodat ze niet in snikken kon uitbarsten.

O, dacht ze, ik heb hem zelfs niet de kans gegeven iets uit te leggen. Ik geloofde hem gewoon niet. God, o, God, zal hij me dit ooit kunnen vergeven?

Zachtjes antwoordde Laurel, met een heldere stem die geen enkele spijt verried: 'Ik heb je niet wijsgemaakt dat hij de vader was, Annie. Dat hóórde je alleen in mijn woorden, dat begreep je.'

Annie werd woedend, stond op en het leek of ze wérd voortbewogen. 'Verdraaid, Laurey, doe me dit niet aan. Doe niet zo idioot! Heb het hart niet! Misschien heb je die woorden niet gebruikt, maar je wilde wél dat ik zou denken dat het van Joe was!'

'Dat bedoelde ik niet zo. Maar toen ik merkte dat jij me verkeerd begreep...' Laurels stem trilde en ze kneep haar ogen halfdicht. Annie zag dat ze beefde. 'Jij houdt van hem, hè? Jij wilt hem hebben. Je windt je niet op om míj, om het feit dat ik zwanger ben, maar alleen om Joe. Je bent woedend, want je dacht dat je hem kwijt was. Zo is het toch?' Haar stem klonk heel schril.

Voordat Annie zich kon beheersen deed ze een uitval, pakte Laurel bij haar magere schouders en schudde haar door elkaar. 'Hoe kón je? God, hoe kón je? Heb ik niet altijd voor je gezorgd en alles voor je gedaan? Hoe heb je me dit kunnen aandoen? Hóe?'

De grote heldere ogen in Laurels bleke gezicht schenen dwars door Annie heen te kijken. 'Je hebt me nooit iets gevraagd,' zei ze met een verbittering die niet bij haar scheen te passen. 'Je nam altijd aan dat ik je overal wel zou volgen... maar Annie, je hebt het me nooit gevraagd. Je hebt altijd alleen maar gedaan wat jíj wilde. Misschien is het nu míjn beurt eens. Misschien wil ik nu eens een keer de eerste viool spelen.'

Annie deinsde achteruit voor die opgekropte haatgevoelens. Hoe kon ze haar zuster haten? Maar dat deed ze nu beslist. Ze haatte Laurel zo fel dat ze haar armen gevouwen moest houden zodat ze haar zusje niet zou slaan.

'Doe maar wat je wilt,' snauwde ze. 'Verwacht alleen niet dat ik voor je klaar zal staan wanneer jij me nodig hebt.'

Hoofdstuk 19

Annie keek naar de lege winkel en het bordje TE HUUR voor het dicht-
gespijkerde raam. Het was niet zo'n goede buurt en de winkel lag tussen
een verlopen kapperszaak en een reparatiewerkplaats voor televisietoe-
stellen.

Zou dit het zijn? Bibberend in de koude wind keek Annie naar het
adres dat Emmett haar had gegeven. Ja, het moest het zijn. Wat een puinhoop! Ze zag de lege flessen voor de deur liggen en het hart zonk haar in
de schoenen.

Een vroegere coffee shop, had Emmett gezegd, en achterin moest een
heel grote keuken zijn. Misschien was het vanbinnen niet zo erg als het er
vanbuiten uitzag...

De laatste zaak die ze gezien had, leek bijna ideaal. Die lag in een prettig deel van de Village, in Hudson Street, en er hoefde niet veel aan verbouwd te worden. Maar hij was ook drie keer zo duur.

Annie keek op haar horloge. Kwart voor twaalf. Emmett kon elk ogenblik arriveren. Plotseling verlangde ze er heftig naar hem te zien. Ze wilde
zijn stem horen die zei dat dit een prachtige ruimte kon worden als ze dit
of dat deed.

Zoals vaker in de afgelopen tijd verwonderde ze zich er weer over dat
Emmett Cameron net was opgedoken toen ze in zo'n diep dal zat. Hij had
haar opgebeld en verteld dat hij in New York was; hij had een baan bij een
makelaarsfirma van een vriend van een vriend. Konden ze elkaar die
avond voor het eten treffen in het Chelsea Hotel?

Toen ze hem daar op haar zag staan wachten – een biertje in de hand,
aan de ouderwetse bar – en ze zijn cowboygrijns zag, was het plotseling of
ze haar evenwicht had teruggevonden. Emmett was op haar toe gekomen
en had haar omhelsd. Ze voelde zich zo veilig bij hem, maar ook heel
levend.

Algauw zaten ze bij te praten aan een wat apart staand tafeltje met een
grote karaf sangria voor zich. Emmett had het enorm getroffen met een
gemeubileerde studio vlakbij, tegenover London Terrace, en hij had nu
een goede kans om in de onroerend-goedbusiness een flinke duit te verdienen. Maar hij had geen spijt van zijn tijd bij Girod's. Want alleen het
leven in Parijs woog al op tegen de ellende bij die slavendrijver van een

Pompeau. Maar het maken van chocolade was toch niets voor hem, zei Emmett.

Zij had hem verteld dat ze dolgraag voor zichzelf wilde beginnen... maar geen goed pand kon vinden. Emmett wist niet of hij haar kon helpen, maar hij zou eens praten met een knaap in zijn firma die was gespecialiseerd op het gebied van het midden- en kleinbedrijf.

Daarna had ze hem nog vaak gesproken, en hij oefende geen druk op haar uit, goddank. Hij deed alsof hij die wilde Parijse tijd vergeten was en dat was een opluchting, want ze kon hem nu niets anders dan haar vriendschap bieden. Ze miste Joe nog steeds. Ze waren echter verder van elkaar verwijderd dan ooit: ijzig beleefd als ze elkaar op de trap tegenkwamen, of een gemompelde groet als ze hem bij de brievenbussen zag.

Ze had een paar keer geprobeerd het weer goed te maken, maar alleen zeggen dat het haar speet was voor Joe niet voldoende. Hij wilde niet gemeen doen of haar straffen, nee, het zat dieper. Ze had iets teers verscheurd, iets wat vermoedelijk nooit zou kunnen worden hersteld.

'Zo, vroege vogel.'

Annie draaide zich om en zag Emmett aankomen. Zijn rode haar zat onder de sneeuw en zijn adem vormde een witte stoomwolk voor zijn mond. Hij had zijn kraag opgezet, maar verder leek het of hij door een zonnig weitje liep. Ze voelde zich al warmer als ze alleen maar naar hem keek.

'Ik was bang dat ik jóu zou laten wachten, zoals altijd,' lachte ze.

'Zo kijk je ook,' zei hij.

'Hóe kijk ik?'

'Net zoals bij Pompeau... die blik van ik-vind-het-niet-leuk-maar-ik-doe-het-toch.'

'Nou ja...'

Hij legde even een vinger op haar lippen, een vinger die verrassend warm was, ondanks de kou en het feit dat hij geen handschoenen droeg.

'Pas iets zeggen als je het vanbinnen hebt gezien, ja?'

Emmett haalde een sleutelring uit zijn zak en opende het metalen rolhek en daarna de voordeur.

'Kijk niet zo somber, Cobb,' zei hij. 'Het is tweede klas, maar het is geen South Bronx.'

Annie keek naar de lege kringen voor de toonbank waar de krukjes waren weggetrokken. Op de versleten vinyl tegels lagen sigarettepeuken en stukjes cellofaan en langs de muur waar de onder het vet zittende grill stond, lagen overal hoopjes vuil.

Teleurgesteld keek ze Emmett aan. 'Het is niet precies wat ik bedoel,' zei ze vriendelijk, want ze wilde niet dat hij dacht dat ze zijn moeite niet op prijs stelde.

'Tja, het is niet veel soeps. Maar dat is juist zo fijn,' zei hij. 'Met een goede schoonmaakbeurt en wat verf kom je al een heel eind.'

Misschien, dacht ze, maar het was geen Madison Avenue. Ach, zoiets zou zij zich nooit kunnen veroorloven. En waar ze zich ook vestigde, ze zou – zeker in het begin – het in hoofdzaak van verkoop en gros moeten hebben. Ze had al onderhandeld met inkopers van warenhuizen en Murray Klein van Zabar's. Sommigen waren aardig geweest, anderen heel kortaf, maar ze waren allemaal bereid geweest monsters te keuren – als ze die ooit zou kunnen maken.

Emmett leek erop te vertrouwen dat wat verf alles zou oplossen. Ze begreep opeens hoe hij die groepspraktijk in Westchester dat gebouw had kunnen aansmeren in het kledingdistrict, dat zijn baas maar niet had kunnen kwijtraken. Alleen zijn provisie moest al een flinke som zijn. Binnenkort zou hij vast zélf onroerend goed gaan opkopen.

En hij was zo keurig gekleed. Een prachtige cameljas over een keurig gesneden grijs pak dat er erg duur uitzag – maar Emmett kennende had hij het vermoedelijk ergens voor kostprijs opgedoken. Het enige dat haar nog aan de vroegere Emmett herinnerde, waren zijn cowboylaarzen, heel oud en hier en daar versleten, maar glimmend gepoetst en met pas nieuwe hakken. Emmett zei dat hij daar net zo in was gegroeid als een plant in zijn pot. Zijn slechte voet zou het in een nieuwe schoen niet uithouden. Hij beweerde zelfs dat hij met zijn laarzen aan sliep… maar ze wist dat dat niet waar was.

Plotseling zag ze het beeld van de naakte Emmett voor zich, slapend, met alleen zijn laarzen aan; de vlammen sloegen haar uit. Hou op, hield ze zichzelf voor. Dát deel van onze verhouding is voorbij.

'Vergeleken met mijn studio, is dit hier zoiets als Madison Square Gardens,' zei hij. 'Je moet het eens zien… misschien zou een hamster er zich echt thuis voelen. Er was geen plaats voor een douche in de w.c., en die hebben ze dus maar in de keuken geplaatst. Tijdbesparing… ik kan tegelijkertijd afwassen en douchen.'

'Fijn dat jij altijd de goede kant van iets kunt zien,' zei Annie en ze streek met haar vinger over de vuile toonbank.

'Als je zo vaak als ik uit een rugzak hebt geleefd, ga je de kleine huiselijke dingen meer waarderen.'

'O, Em… ik weet het niet. Het is zo…' Ze keek weer rond en haar blik viel nu op de bankjes. De meeste waren kapot en de vulling stak eruit. 'Tja, dit vraagt wel veel werk en wat zal het niet gaan kosten! En waarvoor? Zodat ik meteen kan verhuizen als het beter gaat?'

'Je vindt de buurt dus niet prettig?'

Door het raam zag ze een rij zielige mensen in de rij staan voor een soort missiegebouw waar soep werd verstrekt.

'Er is sprake van dat het hele stuk ten zuiden van hier wordt verbouwd en daar komen dure flats… weet je wel, een hal met een waterval erin en glazen liften. Het is nog geheim, want er zijn nog een paar vervallen oude gebouwen nog niet opgekocht. Maar ze krijgen ze wel.' Emmetts blauwe ogen schitterden. Met die lok haar op zijn voorhoofd en de handen diep in de zakken deed hij haar denken aan een ondeugende Tom Sawyer die zijn vriendjes probeerde te overtuigen dat het verven van een hek leuk is en geen werk. 'Ik wil er wat onder verwedden dat deze hele buurt een stuk beter gaat worden.'

'Ja, dat verandert de zaak,' reageerde Annie, lachend om zijn optimisme. 'Ik zal erover nadenken. En dan kom ik misschien met een aannemer terug om de kosten van de verbouwing te bespreken.'

'Ga dan nu even een hapje met me eten. Hier vlakbij is een leuk tentje waar je zuurkool zo uit het vat krijgt.'

Annie kwam in de verleiding. Ze was van plan geweest bij Joe's restaurant langs te gaan om de nieuwbouw te bekijken die nu bijna klaar moest zijn. Een excuus – dat wel, want ze wilde hem eigenlijk spreken. En dan ín het restaurant, waar hij haar niet kon ontlopen of geen notitie van haar nemen.

Ze dacht aan de laatste keer dat ze hem in de hal van hun flatgebouw had gesproken. Ze had hem gezegd dat ze zoveel spijt had, hem gesmeekt. Nou ja, misschien was smeken een te groot woord. Maar hij had moeten zien hoe ellendig ze zich voelde en dat ze de verhouding tussen hen dolgraag wilde herstellen. Maar hij zei dat hij laat was en een afspraak had en hij was weggeholt. Alleen zijn ogen, in dat onderdeel van een seconde voor hij zich had afgewend, hadden de waarheid gesproken. Wat voor zin heeft het, schenen die te zeggen, om hier weer opnieuw over te beginnen?

Haar maag die zich kalm had gedragen sinds Emmett was verschenen, maakte nu weer een duikeling. Nee, ze moest naar Joe toe. Toch werd ze door allerlei twijfels verscheurd. Ze was erg op Emmett gesteld, op zijn vriendschap. En in zeker opzicht hield ze ook van hem. Ze dacht tenminste dat ze van hem had kúnnen houden... als Joe er niet was geweest.

'Dank je, Em, maar ik heb een andere afspraak.' Ze keek de andere kant op, want ze zou zijn blik niet kunnen verdragen. 'Ik moet met een chocolatier in de East Eighties spreken die zijn zaak opheft. Hij verkoopt zijn machines en dergelijke, en misschien kan ik daar heel wat dingen kopen die ik straks nodig heb als ik voor mezelf begin.'

'Dat kan ik wel voor je regelen,' bood hij aan. 'Dan zal ik zorgen dat je geen slecht spul krijgt. Ik weet wat machines zijn; herinner je je dat nog?'

Annie wist niet wat ze moest zeggen; haar afspraak was pas voor vier uur die middag. Maar hoe kon ze Emmett vertellen dat ze eerst een man wilde spreken die niet wist dat ze kwam, en die haar vermoedelijk niet wilde zien als ze kwam?

'Dank je, misschien doe ik dat wel. Maar ik wil alles eerst zelf zien.'

Emmett haalde zijn schouders op. Toen hij afsloot, vroeg hij: 'Hoe gaat het met je zusje? Komt de baby al gauw?'

'Pas eind volgende maand.' Annie wilde niet over Laurel en de baby praten. Dat alles herinnerde haar alleen maar aan Joe... en hoe Laurel haar had bedrogen.

'Denkt ze er nog steeds over...?' Emmett zweeg en scheen te aarzelen het moeilijke onderwerp ter sprake te brengen.

'Of ze het wil laten adopteren? Ze heeft nog niets besloten.' Ze balde haar handen tot vuisten. Wilde zij dat Laurel de baby hield? Konden ze dat financieel aan? Want al was Laurel handig, het zou ook voor háár een extra last zijn. Nee... ja... nee...

'Kom, Cobb, neem niet alle lasten van de wereld op je schouders voordat je tot God wordt gekozen,' zei Emmett, en hij raakte even haar arm aan. 'Concentreer je nu eens op je éigen zaken. Als je niet met me kunt lunchen, kom dan bij me dineren. Je hebt vast nog nooit broccoli gegeten die in een douche is klaargestoomd.'

Ze schudde het hoofd. 'Dat zou ik graag doen, maar ik moet naar een *bris*.'

'Een wàt?'

'Rivka's dochter, Sarah, heeft net een baby gekregen. Haar derde... een zoon. Een *mool* verricht de besnijdenis, en daarna is er een feestje. Ga je mee?'

'Ik niet. Ik ben katholiek. Kerk van de Afgedwaalde Heiligen van de Laatste Dagen.'

'Dat doet er toch niet toe.' Maar Emmett trok een wenkbrauw op. 'Afgedwaald of niet, het idee van dat snijden in de familiejuwelen maakt me zenuwachtig.'

'Ik doe altijd mijn ogen dicht.'

'Ja, dat kun jíj doen.'

Annie dacht aan Laurels baby. Misschien zou haar zusje het kindje nooit zien en wellicht was dat ook het beste... De laatste tijd had Laurel haar vaak verrast. Zoals met haar vraag aan Joe om haar bij de zwangerschapsgymnastiek te helpen. Laurel zei dat ze dan niet zo opviel tussen al die paartjes. Getrouwde paren.

En Joe had er verdraaid nog in toegestemd ook. Maar Annie zei niets. Zij moest maar liever haar mond houden. Opeens keek ze op haar horloge. 'Ik moet weg, anders kom ik te laat.' Ze vond het vervelend tegen Emmett te liegen; waarom eigenlijk?

Annie wachtte op het trottoir, en Emmett riep een taxi aan. Hij hield het portier voor haar open.

'Succes,' zei hij.

Even dacht ze dat hij bedoelde bij Joe, en ze kreeg berouw. Maar toen bedacht ze dat hij haar bezoek aan de chocolatier bedoelde.

'Dank je,' zei ze, en denkend aan Joe begon haar hart te bonzen. 'Ik zal het nodig hebben.'

De verbouwing leek al bijna klaar, al zag ze nog veel buizen en leidingen.

Annie liep door de grootste ruimte die naderhand toegang tot de keuken zou geven. Er waren nog werklieden bezig en alles rook naar een nieuw begin.

'Ik kan het nauwelijks geloven,' zei ze, en wendde zich tot Joe. 'De laatste keer dat ik hier was, was dit nog een veldje onkruid.'

'Een van Rafy's broers is de aannemer,' zei hij en hij voegde er lachend aan toe: 'Je zou versteld staan als je zag hoe snel de dingen gaan als je met de Portoricaanse mafia onder één hoedje speelt.' Hij nam haar luchtig bij de elleboog en leidde haar naar een veilig plekje. 'Vanaf volgende week beginnen we met pleisteren en schilderen.' Hij zweeg en scheen te wachten wat zij zou zeggen.

Annie knikte. Ze nam Joe eens op. Het leek zo vreemd. Het wás hem, en toch ook weer niet. Het leek of ze hem in jaren niet had gezien; als je dat wilde kon je elkaar goed ontlopen. En als Laurel hem wilde spreken – en dat was vaak tegenwoordig – dan ging ze naar zijn flat.

Hij zag er nog hetzelfde uit. En toch was er iets anders. En toen wist ze het: hij hield zich op een afstand. Letterlijk. Hij liet aldoor minstens twee meter tussen hen beiden. Toen hij haar elleboog pakte, had ze even gedacht... nou ja, ze wist niet wat. Maar toen was hij, heel natuurlijk, een eindje weggelopen; ze had het zelfs nauwelijks gemerkt.

Hij stond dicht bij de muur en droeg een oude blauwe spijkerbroek, een minstens even oud marineblauw overhemd en een paar woestijnlaarzen. Hij zat onder het zaagsel, ook zijn bril die hij nu afnam en waarvan hij de glazen begon op te poetsen met een schone zakdoek die hij uit zijn achterzak haalde.

Annie kwam weer onder de indruk van zijn trekken – zijn neus die eens gebroken leek te zijn geweest, zijn schuinstaande jukbeenderen die ongelijk waren waardoor ook zijn ogen ongelijk leken. Onder zijn dikke wimpers leek hij alles om zich heen altijd enigszins geamuseerd op te nemen.

Hoe kon ze de afstand tussen Joe en zichzelf verkleinen? Ze had er geen idee van.

Joe zette zijn bril weer op en zei opgewekt: 'Kom, ga mee. Het is hier zo'n lawaai. Wil je een kop koffie?'

Annie knikte; ze vertrouwde haar stem niet.

In de keuken schonk Joe twee bekers vol en nam die mee naar de eetzaal boven, waar alleen een paar donkergetinte kelners bezig waren de tafels te dekken.

'Alles goed met Laurey?' vroeg hij, en nam een slokje koffie; het leek of hij alleen koffie had genomen om iets in zijn handen te hebben.

'Prima,' zei Annie en ze betreurde de harde klank in haar stem. 'En met jou?' vroeg ze. 'Hoe gaat het met jou, Joe?'

'Ook prima.' Hij keek haar verbaasd aan, met een blik alsof hij wilde zeggen: waarom ben je eigenlijk hier gekomen?

'En met je vader? Ik heb gehoord dat hij in het ziekenhuis ligt.'

Joe lachte even, maar keek duidelijk bezorgd. 'Er is meer dan een hartaanval voor nodig om Marcus uit te schakelen.'

'Joe, ik...' Annie wilde zeggen dat ze hem zo miste, maar de woorden wilden niet komen. God, alles was gemakkelijker geweest toen er vijfenveertighonderd kilometer water tussen hen lag.

'Hoe is het met je jacht op een pand? Heb je al iets?' vroeg hij... te snel.

'Misschien. Ik weet het nog niet. De buurt is niet best.'

'Je had dit hier moeten zien toen ik de zaak overnam. Het leek of de Hell's Angels hier een feestje hadden gebouwd.'

Maar Annie zag nog steeds de beschadiging van de muur voor zich die Joe's vuist daar had gemaakt, vlak naast haar hoofd. En Joe's gezicht leek omkranst door stralen, net een profeet op een renaissanceschilderij. Even begon ze te twijfelen en vroeg ze zich af: heeft hij de waarheid over Laurel verteld? Nu, drie maanden en eenentwintig dagen later, zittend tegenover hem, dacht Annie: is het te laat? Hebben we inderdaad alles tussen ons bedorven?

'Na alles wat ik de laatste tijd heb gezien, kan ik het me wel voorstellen,' zei ze, en duwde de herinnering weg. Ze merkte dat haar handpalmen vochtig waren. En toen zag ze dat Joe zich naar haar toe boog en zijn wenkbrauwen fronste.

'Annie... is alles in orde?'

'O, ja...' Ze zweeg. 'Nee... Ik geloof dat sinds september niets meer in orde is. Je weet niet hoe vaak ik... nou ja, ik héb geprobeerd met je te praten, maar misschien was het te gauw. Misschien...'

Er verscheen een vreemde uitdrukking op Joe's gezicht, die ze niet begreep, maar die haar deed zwijgen.

'Kijk,' zei hij, 'als het helpt... ik... ik had niet zo uit moeten vallen.'

'Dat was logisch,' zei ze. 'Dat moest wel, na alles wat ik tegen je zei.'

In het daglicht leken haar beschuldigingen van destijds zelfs nóg belachelijker. Zij had hem ook niets over Emmett verteld, is het wel? Zelfs als Joe écht met Laurel naar bed was geweest, was dat dan zoveel slechter dan het feit dat zij met Emmett had geslapen?

'Je zei wat jíj dacht dat waar was.' Hij haalde zijn schouders op. 'Kom, Annie, je bent altijd harder tegenover jezelf dan tegenover anderen geweest.'

Annie was van haar stuk gebracht. Hoe kon hij zo vergevingsgezind zijn? Of gaf hij niet genoeg om de hele zaak om zich er nu nog over op te winden? Had hij alles van zich afgezet en de ruzie, en haar, totaal vergeten?

'Joe...' Ze hoorde dat haar stem brak; ze moest even zwijgen en diep ademhalen. 'Ik bedoelde het niet zo. Ik meende die vreselijke dingen niet die ik gezegd heb. Maar ik kan het begrijpen als je me niet kunt vergeven.'

'Dat heb ik al lang gedaan.' Hij keek haar kalm aan. Te kalm. 'Ik heb je al lang geleden vergeven, Annie. Maar daarom ben je niet hier, is het wel? Want ik denk dat je dat al lang weet. Het is ook eigenlijk nooit een kwestie van vergeven geweest.'

Ze zag nu in dat ze het verkeerd had als ze dacht dat Joe niets voelde. Zijn blik, al keek hij haar recht aan, leek erg gespannen.

'Wat ik bedoel, is dat het niets veranderd,' ging hij door. 'Vergeven is niet hetzelfde als vergeten, Annie. Ik weet dat beter dan wie ook, geloof me maar.' Even keek hij strak voor zich uit, alsof hij een blik in zijn binnenste wierp en iets ín zichzelf wilde zien. Toen zag hij haar weer zitten en zijn mond vertrok tot een droevig glimlachje. 'Begrijp me alsjeblieft niet verkeerd. Misschien was het zo wel het beste.'

Annie had het gevoel dat ze een broze eierschaal was die op het punt stond te breken. Ze had nooit tegenover iets gestaan dat haar zo'n hulpeloos en verloren gevoel gaf. Zelfs niet die keer toen ze nog klein was en op het trottoir voor school had gestaan en zag hoe de schaduwen steeds langer werden, terwijl zij maar op Dearie stond te wachten die haar zou komen ophalen. Ze had gebeden dat Dearie het niet was vergeten, of niet te dronken was.

'Het beste?' bracht ze uit. 'Hoe kun je dat nou zeggen? Joe, ik heb je zo nodig.'

'Je hebt me niet nodig, Annie... jij hebt niemand nodig. Ik geloof dat dat een van de redenen was waarom ik verliefd op je werd, maar misschien ook waarom ik het zo lang niet kon toegeven. Jouw kracht, jouw vastbeslotenheid... er zit vuur in je en dat straalt een gloed uit; het maakt dat iedereen om je heen dicht bij je wil komen. Maar het is nu eenmaal zo dat je niet in een vuur kunt komen zonder je te branden.' Hij keek haar met een intens droevige blik aan. 'Annie, het was nooit goed gegaan, met jou en mij.'

Er kwamen tranen in haar ogen, maar ze spande al haar wilskracht in om ze tegen te houden. Ze wilde hem zeggen dat hij het absoluut bij het verkeerde eind had, ze wilde erop aandringen dat hij moest begrijpen dat het níet zo was... ze had hem werkelijk nodig. Dat ze alleen maar sterk en krachtig was omdat ze dat móest zijn. Wie zou anders voor haar en Laurel hebben gezorgd? Maar de blik in zijn ogen zei haar dat het te laat was.

'Ik hou van je, Joe,' zei ze dus alleen maar. 'Veel meer dan je wel weet.'

Het leek of zijn gezicht vertrok van pijn... toen beheerste hij zich en schudde zijn hoofd.

'Nee, je dénkt dat je dat doet. Maar zie je dan niet in dat... dat liefde en vertrouwen samengaan, altijd; die twee zijn niet van elkaar te scheiden. En je kunt ze niet uit elkaar halen. Als je dat doet... dan gaat alles kapot.'

Het deed pijn, een steek in haar borst, een vreselijke kramp in haar buik. Maar tegelijkertijd dacht ze: hij heeft gelijk. Dat was juist de ellende ervan. Hij had absoluut gelijk! Op één ding na: als zij nooit van hem had gehouden, zoals hij nu scheen te willen zeggen, waarom had ze dan nu het gevoel dat ze een steek in haar hart had gekregen?

'Ik geloof... dat we voorlopig allebei genoeg hebben gezegd,' zei ze tegen hem. 'Ik geloof dat ik maar beter kan gaan.' Annie gleed van de bank af en stond moeizaam op.

Joe probeerde niet haar tegen te houden.

'Zeg tegen Laurey dat ik haar morgen om zeven uur af kom halen,' riep hij haar nog na.

Ja. Morgenavond was er weer zwangerschapsgymnastiek. Opeens voelde ze een hevige tegenzin. Het was allemaal zo mooi geregeld... net als bij een getrouwd paar. Iedereen zou denken dat het Joe's baby was. Toen dacht ze, als in een flits: stel dat Joe eens echt verliefd op haar wordt? En waarom niet? Laurel is mooi, ze heeft talent en is aardig. Waarom zou hij niet verliefd op haar worden? Desondanks bezorgde de gedachte haar een nieuwe pijnsteek. Want als ze Joe aan Laurel kwijtraakte... de twee mensen om wie haar hele bestaan, haar hele leven draaide, de enige twee mensen van wie ze werkelijk hield. Hoe kon ze dan verder leven? In haar eentje soms?

Annie keek naar de *mool* in zijn witte jas; het was een vriendelijke man van een jaar of veertig met een kort donker baardje. Hij drukte het instrument – dat op een klem leek – over de kleine penis van de baby en maakte met een keurige handbeweging de voorhuid los. Naast haar hoorde ze Sarah, de moeder van de baby, even een kreetje slaken en toen ze heel even keek zag ze hoe Sarah haar bleke vertrokken gezicht tegen de schouder van haar man aandrukte. Annie kromp in elkaar. Ze wist hoe Sarah zich moest voelen. Ze wenste natuurlijk dat ze de pijn van haar zoontje af kon nemen en die zelf ondergaan.

Ze besefte dat zij zich ook zo tegenover Laurel voelde – of dat vroeger in elk geval deed. Maar als ze nu naar Laurels dikke buik keek, werden de liefde en het meegevoel dat ontwaakte elke keer de kop ingedrukt door een golf van woede. Ze kon zichzelf nog steeds niet zover krijgen dat ze haar zusje vergaf. Als Laurel er niet was geweest, zou zij, Annie, Joe nog steeds hebben. En Laurel had blijkbaar absoluut geen spijt. Het lijkt wel alsof ze blíj is dat ik met Joe heb gebroken, dacht Annie. Het kan haar niet schelen hoezeer ik eronder lijd. En als je zag hoe ze deed, zou het net zo goed wél Joe's baby kunnen zijn.

'Kijk eens hoe dapper hij is! Nauwelijks een geluidje,' fluisterde Rivka tegen Annie, en haar ronde gezicht straalde. 'Neem me niet kwalijk dat ik zo sta op te scheppen maar van deze jongen zullen we nog vreugde beleven. Hij zal ons heel trots maken; dat voel ik nu al.'

Toen haalde baby Yusseleh eens diep adem en begon hard te krijsen. Annie keek hoe de *mool* kalm een verbandje om het pas besneden penisje wikkelde en hem handig een schone luier aandeed. Hij gaf de baby aan zijn grootvader Ezra, die doodzenuwachtig leek en zegenende gezangen begon op te dreunen terwijl hij op de ballen van zijn voeten voor- en achterwaarts wiegde.

Alle ogen van de groep van zo'n twintig mensen leken op de kleine ster van de voorstelling gericht te zijn, maar Annie zag dat Laurel ergens opzij stond, weg van de mensen rond de met een wit kleed bedekte tafel in Rivka's huiskamer. Afgezien van haar dikke buik zag ze er somber en afgetobd uit. Dacht ze er soms aan dat zij waarschijnlijk nooit, zoals Sarah, haar eigen baby zou kunnen vasthouden, knuffelen en sussen? De jonge vrouw probeerde haar zoontje tot zwijgen te brengen door hem tegen zich aan te drukken en te wiegen.

Ondanks al haar woede wilde Annie op dit ogenblik haar zuster troosten. Wat moest ze zich afschuwelijk voelen! Annie wilde dat ze de klok kon terugdraaien en Laurel sussen zoals ze gedaan had toen haar zusje nog een baby was.

Toen sloeg er een golf van verbittering door haar heen. Voor de duizendste keer vroeg ze zich af waarom Laurel haar had willen kwetsen door te doen alsof de baby van Joe was.

Waarom?

Dolly schuifelde onopvallend naar Laurel toe en sloeg haar arm om haar magere schouders. Annie voelde een steek van jaloezie. Of was het tegenzin? Zij zou Laurel moeten troosten, niet Dolly. Waarom kon ze zichzelf dan niet zover krijgen? Waarom kon ze Laurel niet vergeven? Waarom kon ze maar niet geloven wat Laurel haar keer op keer had verzekerd? Ze had gezegd dat zij Annie de waarheid over Joe zou hebben verteld als Annie niet zo in woede was uitgebarsten nog voor zij, Laurel, een woord had kunnen uitbrengen.

Ze keek toe en zag hoe Laurel haar hoofd op Dolly's schouder legde; haar lange haren gleden naar voren en verborgen haar gezicht voor de anderen. Huilde ze? Annie had het gevoel alsof er in háár, en niet in Yusseleh, een mes was gezet, maar dat zij een steek in haar hart had gekregen. Met langzame, onzekere stappen liep ze door de kleine kamer die vol stond met baardige mannen met donkere gleufhoeden en *tsitses* – de kwastjes van hun gebedsmantel, die onder hun zwarte jasjes uithangende klonten lange draden – en met vrouwen in japonnen met lange mouwen, hoge halzen en met moderne *sjeitels* op. Er waren ook talloze kinderen; op de grond kropen baby's rond, kleuters wankelden om de tafel en stootten tegen haar knieën, jongetjes en meisjes lieten autootjes over de vloer rijden of waren aan het tollen.

Dom dat ze Laurel hier mee naartoe had genomen. Annie begreep nu dat ze had moeten begrijpen dat het te veel voor haar zou zijn, al die vrolijke kinderen die haar eraan herinnerden wat zij op het punt stond te verliezen. Annie had Laurel moeten overreden hier niet heen te gaan...

Laurel zag er zielig uit en Annie kon zichzelf maar niet zover krijgen dat ze haar ging troosten. Waarom moest Dolly ook zo nodig tussenbeide komen? En wat deed ze hier eigenlijk? Rivka en Dolly kenden elkaar niet zo goed, ze waren gewoon oppervlakkige kennissen. Vermoedelijk had Dolly zichzelf uitgenodigd.

Toen struikelde ze bijna over een dikke blonde baby in een blauwe corduroy overall die probeerde zich aan de poot van de salontafel omhoog te hijsen. Och wat, dacht ze, Dolly deed alleen maar haar best om aardig en meevoelend te zijn. En ze was werkelijk fantastisch met Laurel geweest; geen enkel verwijt dat ze zwanger was geworden, en ze stond altijd klaar om haar met de auto naar de verloskundige te brengen, of naar een winkel om naaigerei te halen, of naar Eastern Artists voor meer tekenpapier, potloden en verf.

Als Dolly alleen maar niet altijd zo nadrukkelijk aanwezig was. Haar aanwezigheid was vaak zo overrompelend, evenals haar edelmoedigheid. Was het mogelijk dat iemands vriendelijkheid net iets te ver kon gaan, net zoals te veel zoetigheid iemand misselijk kon maken?

Toch had Annie er in zeker opzicht óók behoefte aan door Dolly getroost te worden. Ze vroeg zich af hoe het zou zijn met haar wang tegen Dolly's flinke maar zachte boezem aan te liggen, te voelen hoe haar hand vol ringen zachtjes over haar haren streelde. Maar tegen de tijd dat ze in de buurt van Laurel en Dolly kwam, waren deze al verdwenen; ze liepen door het slecht verlichte gangetje dat naar de slaapkamers leidde. Annie aarzelde even en liep hen toen achterna.

Ze vond hen in Shainey's kamertje, waar ze op de rand van het bed zaten, boven op een roze sprei met ruches die meer op een dierentuin leek, zoveel knuffeldieren lagen erop verspreid. In de hoek stond Shainey's oude wieg, die Rivka had bewaard voor de keren dat haar kleinkinderen op bezoek kwamen. Annie bleef op de drempel staan en voelde zich enigszins onhandig; ze had het gevoel dat ze zich opdrong. Maar dat was toch onmogelijk? Kende zij Laurel niet het best? Zij, meer dan wie ook, had altijd als een moeder voor Laurel gezorgd.

Dolly keek haar opgewekt lachend aan; ze was duidelijk welkom en Annie voelde zich schuldig dat ze zo vol kritiek had gezeten. Laurel, die een leuke positiejurk droeg die ze zelf had gemaakt, keek zelfs niet op. Annie zou het liefst aan de andere kant van Laurel op het bed zijn neergeploft, maar er was iets dat haar daarvan weerhield.

'Hemeltje,' zei Dolly, 'hier zou iederéén door van streek raken.' Met deze woorden verbrak ze de onheilspellende stilte die in de kamer hing. 'Dat arme kleine ding lag op de tafel en er werd in hem gesneden of hij een stukje lamsbout was. Je zou wel van steen moeten zijn als je niet zielsmedelijden met het jochie kreeg. Ik weet niet hoe zijn moeder...'

'Daar gaat het niet om.' Laurel hief plotseling haar hoofd op. Haar bleke wangen vertoonden geagiteerde rode plekken en ze herhaalde zachter: 'Daar gaat het helemaal niet om.'

'Vertel me dan eens waar het wel om gaat,' zei Dolly zachtjes, maar dringend. 'Misschien kan ik helpen.'

'Het gaat om míjn baby.' Laurel drukte haar handen over elkaar op haar buik, alsof die een ballon was die ze moest tegenhouden omdat hij anders misschien zou wegvliegen. 'Ik wil het kindje niet opgeven... maar ik ben ook bang om het te houden. Ik voel me nog niet in staat om moeder te zijn.' Haar stem brak. 'Ik weet niet wat ik moet doen.'

Annie deed haar mond open om wat te zeggen. Ze wilde Laurel antwoorden dat ze zich geen zorgen hoefde te maken. Maar de woorden wilden niet komen. Ze voelde zich verscheurd omdat ze door Laurel werd geïrriteerd en óók medelijden met haar had. Al maandenlang had ze geprobeerd met Laurel over de baby te praten, maar ze had zich altijd voorgesteld dat wannéér Laurel zich liet gaan en haar in vertrouwen zou nemen, ze met z'n tweeën zouden zijn. Waarom had Laurel niet nog een paar uur kunnen wachten, totdat ze samen thuis waren?

'Jij arm, arm ding.' Dolly leek nu het meest op een kloek die Laurel, het kuiken, onder haar vleugels nam om te troosten, en Annie keek hulpeloos en van streek toe. Maar toen verdween haar geprikkeldheid tegenover haar tante, want Dolly had wérkelijk tranen in de ogen. 'Ik weet dat ik niets heb gezegd, maar ik heb me grote zorgen om je gemaakt. Om die... die vreselijke keus die je moet maken. En ik ben ook zo bang geweest... ik wilde je geen verkeerde raad geven. Of je beïnvloeden.'

'Wat vindt u dat ik moet doen?' vroeg Laurel, zo zachtjes dat Annie haar oren moest spitsen om de woorden te verstaan.

Dolly kauwde op haar onderlip alsof ze met zichzelf worstelde en toen scheen ze tot een besluit te zijn gekomen. 'Gezien de rommel die ik van mijn eigen leven heb gemaakt, zou ik geen enkel mens raad durven geven en zeggen wat hij of zij zou moeten doen. Het enige dat ik weet, is wat ík zou doen als ik in jouw schoenen stond. Hoe ik me zou voelen als ik met een baby werd gezegend. Het is zo'n wonder! Dus misschien ben ik absoluut de verkeerde persoon om je raad te geven; vraag het mij maar niet.'

'U vindt dat ik het moet houden?'

Dolly probeerde haar tranen weg te knipperen, maar toch rolde er een over haar zwaar opgemaakte wang. 'O, schatje, als je dat dééd... maar ik zeg niet dat je het moet doen... dan zou het de meest geliefde baby in de wereld worden. Wij met z'n drieën, jij, ik en Annie... Ik kan me niet voorstellen dat het kindje ooit iets te kort zou komen.'

Annie voelde dat ze bijna in snikken uitbarstte. Ondanks al haar onhandigheid had Dolly met haar grote warme hart precies de juiste woorden gevonden om tegen Laurel te zeggen. Zij had precies tot uitdrukking gebracht wat Annie in haar hart voelde. Dat ondanks het feit dat Laurel geen echtgenoot had – zelfs geen vriend voorzover iemand wist – en dat een baby Laurel moeilijkheden in haar opleiding zou bezorgen en hoe een baby haar zou binden... dat het toch vreselijk verkeerd zou zijn om de baby af te staan.

'Dolly heeft gelijk,' zei ze tegen haar zusje en slaagde erin haar stem helder en duidelijk te doen klinken. Ze liep op Laurel af en ging naast haar zitten; toen nam ze haar koele hand tussen haar vingers. 'We redden het wel op de een of andere manier. Dat hebben we toch altijd gedaan?' Laurel keek haar even op een vreemde, strakke manier aan. 'Jíj hebt ons altijd gered. Jíj bent daar altijd in geslaagd, Annie.' Haar stem klonk niet beschuldigend, althans niet érg beschuldigend. Hij klonk in hoofdzaak bedroefd.

'Luister eens,' zei Dolly nu, 'ik weet dat het moeilijk zal zijn, maar dat betekent nog niet dat je moet ophouden met je studie. Je zou verder kunnen gaan op de universiteit hier in New York, of bij de Cooper Union, of – nog beter – bij Parsons. Ik zou je kunnen helpen. Bijvoorbeeld door een kinderjuffrouw te betalen.' Ze keek Annie uitdagend aan. 'Nee, ik wil geen enkele tegenspraak horen. Je hebt alles altijd zelf gedaan, en het was vaak heel moeilijk – en je zei ook altijd dat jullie jezelf konden redden – en daarom bewonder ik jullie ook. Ik had nooit kunnen doen wat jullie hebben klaargespeeld, niet zonder hulp. Maar dit is een andere zaak. Nu zou je Laurel te kort doen – en de baby – door nee te zeggen.'

'Het is niet Annies beslissing.' Laurel ging rechtop zitten en wendde zich tot Annie. Ze keek haar aan op een manier die als een mes dwars door Annie leek heen te snijden. 'Ík moet zelf beslissen.' Ze stond op. 'Neem me niet kwalijk, ik moet even naar de w.c.' Even glimlachte ze flauwtjes. 'Nu, met de baby, lijkt het wel of ik om de vijf minuten moet.'

Toen ze weg was staarde Annie naar de wieg in de hoek. Die had negen baby's overleefd, had Rivka haar trots verteld, en dat was hem aan te zien. Het emaille van het hoofdeinde zat vol krassen en er waren stukjes af; de teddybeertekening op het voeteneind was zo verschoten dat je hem nauwelijks meer zag, en de spijlen waren kaalgesleten op plekken waar mondjes hadden gesabbeld die last hadden van doorkomende tandjes. Ze voelde zich verslagen, al was het nooit haar plan geweest dat dit in een strijd zou ontaarden. Laurel en zij stonden toch altijd aan dezelfde kant?

Ze dacht aan de tijd toen Laurel nog een baby was en zij een kleuter die de grootste moeite had met de spelden als ze haar zusje een schone luier aan moest doen. Eens had ze zich een seconde omgekeerd... en Laurel was van de babytafel gevallen. Annie had in haar doodsangst een sprong gemaakt en nog net Laurels enkel te pakken gekregen vóór ze op de grond zou zijn gevallen. Nu danste ze alleen even op en neer, als een jojo aan een touwtje. Toen zag ze dat het schattige hoofdje vlak boven een houten locomotiefje hing, met scherpe hoeken. Op dat ogenblik had ze een luide gil gehoord en ze had gedacht dat die van Laurel afkomstig was, maar toen had ze gemerkt dat zíj degene was die gilde...

Ook nu kreeg Annie neiging om te gillen, of te huilen.

Ze voelde dat Dolly haar arm aanraakte. Annie draaide zich naar haar toe. 'Waarom hebt u nooit kinderen gehad?' vroeg ze, plotseling nieuwsgierig. 'Ik bedoel, u en uw man?'

'We hebben het genoeg geprobeerd. Maar Dale... tja, hij had zijn hart op de juiste plaats zitten, en hij had alles wat er verder voor nodig is, maar ergens moet er toch een schroef los hebben gezeten. En later, met Henri, dacht ik dat misschien...' Ze zweeg en haalde haar schouders op terwijl ze een vuurrood gelakte nagel tegen haar wenkbrauw legde, alsof praten over Henri haar hoofdpijn bezorgde.

'U houdt nog steeds van hem, hè?' zei Annie zachtjes. Het was eigenlijk geen vraag; ze wist hoe Dolly zich voelde.

Dolly haalde nog eens haar schouders op, maar Annie zag dat haar lippen beefden. 'Och, nou ja, wij Burdock-meisjes, geven het niet zo gemakkelijk op.'

'Ik geloof dat ik ook nogal koppig ben,' zei Annie met een droog lachje.

Dolly draaide zich om en keek Annie nu recht aan; ze pakte Annie bij de schouders en hield haar zo stevig vast dat het meisje de toppen van haar tantes scherpe nagels in haar schouders voelde dringen. Er waren wat platina krulletjes aan het mooie Franse kapsel van Dolly ontsnapt en in de oranjeachtige gloed van het Donald Duck-nachtlampje zag ze er bijna wild uit. Dolly was nooit echt mooi geweest, dacht Annie. Knap, dat wel. Maar nooit oogverblindend zoals Dearie was geweest. Maar de liefhebbende gevoelens die zij uitstraalde waren veel krachtiger dan schoonheid. Ze trok mensen naar zich toe alsof ze een magneet was. Zelfs Annie, die zich vaak tegen haar verzette, kon er niets aan doen. Ze was ontroerd door de grote liefde die er van Dolly uitging.

Kon zij zelf maar op Dolly steunen, alleen maar af en toe, zichzelf toestaan zich door haar te laten troosten. Ze dacht aan Joe's woorden: jij hebt niemand nodig, en ze voelde iets in haar een beetje loskomen. Als ze dát kon, haar stijve onafhankelijkheid een beetje minderen, dan zou ze misschien een manier kunnen vinden om goed te maken wat er tussen haar en Joe verkeerd was gelopen.

Annie had het gevoel dat ze tegen een enorme steen duwde die vlak voor haar lag, uit alle macht duwde. Ze voelde haar armen, benen, haar hele lichaam, zelfs haar geest, alles duwde mee om die steen te verwijderen. Maar hoe ze ook haar best deed, hij was niet weg te krijgen. Waarom toch niet? Kwam het omdat ze bang was? Bang dat als de steen eenmaal weg was, zij zichzelf niet meer zou kunnen beheersen?

De steen wás er, vlak voor haar... en als ze hem kon voelen, moest ze hem toch ook weg kunnen duwen, ja toch?

Annie omhelsde haar tante, al ging het enigszins onhandig. Even liet ze zich tegen al die zachte warmte aandrukken, maar ze kón zich niet laten gaan en zich totaal aan Dolly's liefhebbende omhelzing overgeven. Met een scherp gevoel van teleurstelling besefte ze dat de kans haar weer eens was ontglipt.

'Je denkt aan Laurey, hè?' zei Dolly. 'Het is vast heel moeilijk voor je om de tweede viool te spelen; je bent er zo aan gewend altijd alles te regelen.'

'Ja, zoiets.'

Dolly verraste haar door haar stevig tegen zich aan te drukken, zo stevig dat Annie nauwelijks adem kon halen.

'Ik heb eens een fout begaan,' zei Dolly op een harde fluistertoon. 'En ik zal nooit de les vergeten die ik daarmee heb geleerd. De belangrijkste les die ik ooit heb gekregen. Jij en je zuster. Laat niets – of niemand – ooit tussen jullie beiden komen, want dat zal je de rest van je leven berouwen.'

Hoofdstuk 20

Rudy staarde naar het bewegende speelgoedje boven de lege wieg. Het waren beertjes die elk een hengel in hun poot hadden waaraan weer een ander beertje bengelde. Er hoorde ook een muziekje bij en dat was – heel toepasselijk – 'Teddy Bears' Picnic'.

Laurel zei zachtjes: 'Ik kom hier vaak 's middags als ik te moe ben om verder te tekenen. Het doet me iets... wat precies weet ik niet. Alsof ik die baby echt krijg, echt moeder word.'

Rudy keek naar Laurel en besefte weer eens hoe mooi en onbedorven ze toch was; het leek of ze dat nu nog meer was dan vroeger, als dat mogelijk was. Ze droeg een te groot mannenoverhemd en een denim rok, maar de wanhoop die ze voelde kon ze niet geheel verbergen. Ze deed hem denken aan haar moeder, aan hoe Eve eruit had gezien toen ze van Laurel in verwachting was.

Een moeder? Zou ze het menen dat ze de baby wilde houden? De laatste keer dat hij haar had gesproken, had ze gezegd dat ze geen enkele mogelijkheid zag de baby te houden.

Rudy's hart begon te bonzen als hij eraan dacht waaróm hij zo snel naar New York toe was gekomen. Hij had haar gevraagd hem ergens in haar buurt te ontmoeten, en had gedacht dat ze een coffee shop of Chinees restaurant zou uitkiezen. Maar een zaak voor baby-artikelen? Toch had het wel zin. Wie merkte in zo'n winkel nou een zwangere vrouw op?

Hij hoopte dat hij haar zou kunnen overtuigen. Het zou veel beter voor haar zijn, zou hij zeggen. Maar hij moest oppassen. Als ze merkte dat hij zelf het kind wilde hebben, zou ze er nooit op ingaan.

'Wat kijk je sip,' zei hij. 'Straks denken al die dames hier dat ik je mishandel, of zo.' Hij keek eens om zich heen.

'Och, oom Rudy, het gaat niet om ú.'

Dat hoefde ze hem niet te vertellen. Hij wíst dat hij niet belangrijk was in haar leven. Ze deed altijd blij als ze hem zag, maar verder... hij was net de geest in de fles die af en toe opdook om wensen te vervullen. Rudy herinnerde zich nog dat hij – was ze toen zestien geweest? – met veel moeite twee kaartjes voor haar en een vriendin had losgekregen voor the Rolling Stones in Madison Square Garden. Ze hadden hem honderd dollar per stuk gekost, zwart, maar het was de moeite waard geweest als hij alleen al aan de gelukkige uitdrukking in haar ogen dacht.

Hij voelde een scherpe steek, alsof hij te hard had gelopen, maar het kwam door zijn wanhopige verlangen. Een kind. Zijn eigen kind. Dat zou nog eens wat zijn! Iemand die tegen hem op zou kijken en geen pygmee of geest uit de fles zou zien, maar alleen die goeie pappa.

'Kom je hier alleen om te kijken?' vroeg hij, en bad dat ze hier niet al van alles gekocht had dat ze thuis bewaarde.

'Ja, alleen maar kijken.' Ze betastte een heel klein hansopje. 'Het heeft toch geen zin dingen te kopen als...' Ze zweeg. 'Een paar weken geleden heb ik een afspraak met een mevrouw van een adoptiebureau gemaakt, maar die heb ik op het laatste ogenblik weer afgezegd. Ik bedacht opeens dat ik het kindje misschien toch zou willen houden. Dan zou ik best verder kunnen studeren en werken, maar misschien is dat egoïstisch van me. Een baby moet ouders hebben... een vader én een moeder, maar ja, ik kan het toch wel graag willen?' Haar blauwe ogen werden vochtig en ze beet op haar onderlip om niet te gaan huilen.

Rudy boog zich naar haar toe. Jezus, dit was zijn kans. 'Luister eens,' zei hij, 'misschien kan ik je helpen.'

'U? Hoe dan?'

'Kunnen we ergens praten? Hier?'

'Natuurlijk. Niemand kent me hier.'

'Het is geen geheim, maar ja...' Hij haalde diep adem en boog zich op de ballen van zijn voet voorover, een houding waarmee hij vaak voor de rechtbank een getuige overdonderde. 'Laurel, ik weet iemand die geïnteresseerd is, zéér geïnteresseerd.'

'U bedoelt... in adoptie?' fluisterde ze. Ze keek hem bang aan.

'Ja, in adoptie.'

'Een gezin?'

Rudy begon te transpireren alsof hij te lang in de zon had gelegen.

Zeg tegen haar dat jíj het bent, dacht hij. Vertel haar dat jij de beste vader bent die een kind kan hebben, dat hij, of zij, alles zou hebben wat zijn of haar hartje begeerde. Een huis vlak bij goede scholen, een huis aan het strand, de beste kinderjuffrouw, en later de padvinderij, muzieklessen, wat er maar te doen is. En dat je van hem zou houden alsof hij van jou was... niet ondanks het feit dat hij van Laurel was, maar juist daaróm.

'Tja, zie je...'

'Want dat moet,' zei ze. 'Anders denk ik er niet over. Als mijn baby niet in een gezin komt, heeft afstaan geen zin.'

'Als ik nu eens zei dat ík hem wil?' probeerde hij, en deed of het een grapje was. 'Dat ik hem wil adopteren?'

'U, kom nou, oom Rudy!' Laurel begon te giechelen. Ze wist niet dat hij het meende, maar het deed hem toch pijn. Vond ze het belachelijk? Het idee dat er een baby in zijn armen zou liggen? Inwendig werd Rudy boos en zelfs misselijk.

Als hij nu zei dat hij een volmaakt gezin wist, kon ze altijd nog nee zeggen en wat dan? Hij kon haar niet dwingen, en dat wilde hij ook niet. Ze was de enige in de hele wereld van wie hij hield.

Kom nou, hield hij zichzelf voor. Je bent een goede advocaat. De beste echtscheidingsadvocaat in L.A. In negen van de tien gevallen krijg je de jury en de rechter zo ver als jíj wilt. Zou je dit gevalletje dan niet aankunnen?

Rudy haalde diep adem. 'Ze hebben geen kinderen, maar ze zijn erg lief. Hij is projectmakelaar, groot huis, veel geld, dol op kinderen. Elke zaterdag brengt hij met een Mexicaans jongetje door dat hij zelfs leert schaken. Zijn vrouw fokt honden in hun achtertuin. Overal lopen jonge hondjes rond. Ze willen graag kinderen, maar de doktoren geven hun weinig kans. Je had haar gezicht eens moeten zien toen ze me zei hoe graag ze een baby wilde hebben. Je hart zou breken. Aardige mensen.'

'Hebt u met hen over mij gesproken?' vroeg ze verschrikt.

'Nee, nee, dat zou ik nooit zomaar doen.' Ze was zo dichtbij dat hij haar geur kon opsnuiven. Talkpoeder en rozenwater. Een babygeur. Die maakte hem gek, maar hij beheerste zich. 'Don is een goede cliënt van ons, voor vastgoedtransacties. Maar omdat ik nogal met gezinnen te maken heb, dacht hij dat ik misschien wist hoe je een kind kon adopteren.'

Wat hij in werkelijkheid had gedaan, was de man het telefoonnummer geven van een oplichter die in Colombiaanse en Braziliaanse baby's handelde. Volkomen legaal. Hij had Don geholpen en nu hielp Don – zonder het te weten – hem.

Hij zag dat Laurel met zichzelf vocht. Het was slim geweest het verhaal van Don te vertellen. Dat zei haar meer dan zo'n anoniem adoptiebureau. Hij had een mooi beeld van de toekomst van haar baby opgehangen, van een liefhebbende vader en moeder en jonge hondjes waarmee het kindje over het gras kon rollen.

'Ik weet het niet.' Laurel keek naar de teddybeertjes en duwde ertegen zodat ze begonnen te dansen. Ze deed haar best niet in huilen uit te barsten, zag hij.

Nú moest hij toeslaan, dacht hij, voor ze zich bedacht. Net als die keer dat de rechter had geaarzeld om een homo-vader bezoekrecht aan zijn kind toe te staan. Hij had zijn cliënt een papiertje toegeschoven waarop HUILEN stond. Die arme kerel had geleerd dat nooit te doen, maar zo zou hij zijn kind nooit meer te zien krijgen. Hij had echter meteen zijn hoofd gebogen en was als een volleerd acteur gaan huilen terwijl hij deed alsof hij met alle geweld zijn tranen in wilde houden. Het had hem zes bezoeken per jaar opgeleverd, zonder toezicht.

'Je zou het voor de baby doen, niet voor die mensen,' zei hij tegen Laurel. 'En voor jezelf. Je bent jong. Je krijgt nog wel meer kinderen. Later, als je getrouwd bent en een huis in Montclair of Scarsdale hebt, en een grasveld met vruchtbomen, een paar leuke honden, al die dingen. Waarom zou je nu al je leven ingewikkeld maken, voor jezelf én de baby? Ze zijn prima mensen, Laurel. Denk er eens ernstig over na.'

'Dat doe ik al.' Ze keek hem strak aan. 'Ik denk er dagelijks over na. Ik kan er vaak niet van slapen. En zal ik u eens iets geks vertellen? Voor het eerst ben ik blij dat mijn vader dood is. Misschien was hij niet zo'n goede vader, maar hij zou het vreselijk hebben gevonden als ik ergens was geweest waar hij me nooit zou kunnen zien.'

Rudy begon zijn warme huid onder zijn sjaal te krabben, waardoor het vel nog geïrriteerder raakte. Val. Verdomme. Steeds weer dook hij op. Vorige maand was hij nog op zijn kantoor gekomen om te proberen nóg meer geld van hem te lenen, want hij moest weg bij dat fitness-centrum waar hij nu was. De eigenaar maakte hem het leven te zuur. Hij zou Rudy zo gauw mogelijk terugbetalen.

Hij gíng weg? Hij was vermoedelijk weer ontslagen. En geld kreeg hij nooit terug van Val. Het was al zo vaak gebeurd, dat Rudy zich afvroeg waarom Val nog met die verhaaltjes aan kwam zetten. Maar hij had hem een cheque gegeven, want al wist Val het niet, Rudy had wel Laurel aan hem te danken. En daarmee ontnam hij zijn broer niets. Val had nooit kinderen gewild. Annie had hem alleen in zijn trots getroffen door er met Laurel vandoor te gaan.

Hij had graag willen zeggen dat Laurel niet om Val hoefde te rouwen, maar dan moest hij bekennen dat hij haar jaren geleden had voorgelogen.

'Je geeft hem niet weg,' zei hij. 'Je geeft hem juist iets geweldigs. Een kans, een normaal leven, twéé liefhebbende ouders.'

'Waarom maakt u zich er zo druk om?'

Laurel keek hem achterdochtig aan. God, nou begon hij nog erger te zweten, en straks kreeg ze misschien boze vermoedens. Dat hij niet bezig was háár een dienst te bewijzen. Langzaam aan, hield hij zichzelf voor. Niets overijlds doen!

'Het is toch normaal om iemand te geven en het beste voor hen te wensen?' vroeg hij luchtig.

Ze raakte zijn arm aan. 'Oom Rudy, ik wilde niet...'

Hij glimlachte. 'Ik begrijp het; je hebt het moeilijk. Als ik aan die kerel denk!' Als hij begon over de vent die Laurel dit had geleverd, sprong hij uit zijn vel.

'Geef hem de schuld niet,' zei Laurel snel. 'Hij weet niets van de baby. Ik heb het hem nooit verteld.'

'Waarom niet?'

'Och... verschillende redenen. Niet wat u denkt. Hij had me wel geholpen, o, ja. Hij zou er een hele campagne van gemaakt hebben.' Ze huiverde. 'Dat wilde ik niet. Zo is het beter.'

'Maar wat wil jíj? Wat het ook is, ik zal je helpen.'

Hij zag dat ze weifelend op haar lip beet en hij had wel willen uitschreeuwen dat híj de vader van de baby zou zijn. En hij zou beter voor het kindje zorgen dan iemand anders dat kon. Maar hoe zou zij begrijpen hoezeer hij dat kindje wenste, en ervan zou houden, van háár kind?

'Ik wil er nog over nadenken,' zei Laurel.

'Natuurlijk. Dat paar heeft nog geen ander kind op het oog.'

'Denk je dat ik eerst kennis met hen kan maken?'

Rudy schrok, maar beheerste zich. 'Dat was ook mijn eerste gedachte, maar toen heb ik er eens met een psycholoog en een advocaat over gepraat, vrienden van me, en die zeiden dat het stom zou zijn als jij hen zou leren kennen. En zij weten hoe ze deze zaken moeten aanpakken, Laurel. Neem dat maar van me aan.'

'Tja, ik...'

'Kan ik u helpen?' Een al wat oudere verkoopster kwam naar hen toe zeilen.

Verdomme, dacht Rudy, nou had ik haar bijna. Hij had het oude mens wel kunnen schoppen.

'Nee,' zei Laurel blozend. 'Misschien later eens.'

'Ik zag u staan kijken. We hebben uitverkoop, weet u. Twintig procent korting op de modellen die u ziet. Maar slechts tot het eind van de maand.'

'O, juist,' zei Laurel.

'Uw eerste?' vroeg de verkoopster, en ze keek even naar Laurels dikke buik.

Laurel knikte en kreeg een vuurrode kleur van verlegenheid. Ze vond het geen prettige vraag.

'En u bent zeker de grootvader?' vroeg de vrouw, en knipoogde tegen Rudy. 'Ik heb er zelf zes, en ik zou er niet één kwijt willen, al boden ze me er een kapitaal voor. Kinderen zijn zo'n heerlijk iets.'

Grootvader? Rudy had het liefst de bekleding van de dichtstbijzijnde wieg van het frame willen scheuren en het dat mens in de keel proppen. Waar bemoeide ze zich mee?

'Wanneer komt het, mevrouw?'

'Maart,' mompelde Laurel, die steeds verlegener werd.

'Ik hoop voor u eind maart. Want u kent toch ook het oude gezegde: "Maart kom als een leeuw aan en vertrekt als een lammetje?" U wilt toch ook het liefst een lammetje, denk ik?' Ze giechelde en liep naar een andere klant terwijl ze nog even achterom riep: 'Roep me maar als u me nodig hebt.'

'Kom mee,' fluisterde Laurel tegen Rudy. 'Laten we maken dat we hier wegkomen.'

Buiten op Seventh Avenue kneep Rudy zijn ogen halfdicht tegen de felle zon die bezig was zich door de grauwgrijze mist te boren. Laurel liep naast hem en had zich in een wollen cape met capuchon gewikkeld in dezelfde blauwe tint als haar ogen. Ze blies op haar vingers om ze warm te houden. 'Zullen we een kopje koffie gaan drinken?' vroeg hij.

'Lief van u, maar ik moet eigenlijk naar huis,' zei ze terwijl ze hem niet aankeek. 'Heb ik u dat niet verteld? Over die tekeningen die mijn tekenleraar naar een vriendin van haar heeft gestuurd die uitgever is? Het blijkt dat zij – die vriendin – mij een boek wil laten illustreren; een kinderboek. Over een uur heb ik een afspraak met haar en moet ik haar enkele schetsen laten zien. En die moet ik nog even bij elkaar zoeken.'

'Dat is fantastisch, dat meen ik werkelijk.' Rudy was blij voor haar – en God wist dat zij het verdiende, met haar talent – maar hij vermoedde dat ze in werkelijkheid alleen maar zo snel mogelijk naar huis wilde om alleen te kunnen zijn om na te denken. 'Kom, ik zal je even wegbrengen.'

Zelfs al was hun flat maar een eindje verderop, toch riep Rudy een taxi aan. Misschien wilde ze dan geen koffie met hem gaan drinken, ze kon toch moeilijk een ritje met een taxi afwijzen.

Kort daarop stonden ze stil voor de deur van het zwartberoete flatgebouw waar ze woonde.

'Ik bel je morgen wel,' zei hij tegen haar. 'En denk eens na over wat ik gezegd heb.'

'Dat zal ik doen,' zei ze, en het leek weer alsof ze in tranen zou uitbarsten. 'Ik zal het heus doen, oom Rudy.' Nu keek ze hem strak aan en er lagen verdriet en pijn in haar ogen. Hij wist dat ze de waarheid sprak, dat ze er echt over zou nadenken. En diep nadenken. Dat had hij althans bereikt – tot nu toe.

Rudy betaalde de taxichauffeur en liep terug naar de zaak voor babyartikelen. Het speelgoedje met de beertjes hing nog steeds boven de wieg. Hij dacht aan de zoon of dochter die nu binnenkort van hem zou zijn en hij werd door tegenstrijdige gevoelens overstelpt. Was het angst of geluk? Hij wist het niet zeker. Rudy liep naar de verkoopster toe die hen zojuist had willen helpen en wees op de beertjes; toen zei hij kalm: 'Ik wil dat ding hebben.'

'Die zijn mooi, Laurel. Echt mooi.' Liz Cannawill keek op van de tekeningen die voor haar op het bureau lagen. 'Ik geloof dat je op de goede weg bent, als je op deze manier doorgaat.'

Het grijzende pagehaar paste niet bij haar jeugdige gezicht en slanke figuur vond Laurel toen ze achter haar bureau vandaan kwam. In het kleine kantoortje van Liz – met zijn planken en tafels vol manuscripten met elastiekjes erom, en drukproeven, de wanden vol schetsen en boekomslagen – voelde Laurel zich op een merkwaardige manier thuis. Het was niet zoals ze zich in haar eigen flat voelde, waar ze meer en meer het idee begon te krijgen dat ze een logée was die veel te lang was blijven hangen. Daar werd de ruimte verdeeld door een onzichtbare muur – een Berlijnse Muur van onuitgesproken beschuldigingen tussen haar en Annie. Dit was pas haar tweede bezoek aan Fairway Press, maar toch voelde ze dat ze zich hier kon ontspannen. En hier was ze Laurel de artieste, in plaats van die arme zwángere Laurel die ze zich in de flat voelde.

'Natuurlijk moet ik deze tekeningen eerst aan onze tekenafdeling laten zien, en ik ben ervan overtuigd dat ze enkele voorstellen zullen doen over de indeling,' zei Liz. 'Maar het lijkt me dat er geen bezwaren tegen bestaan je nu al het groene licht te geven. Laurel, het is eeuwen geleden dat ik werk heb gezien dat zo goed is als het jouwe. Vooral gezien het feit dat het komt van iemand die' – ze zweeg even en glimlachte – 'zullen we zeggen verhoudingsgewijs zo weinig ervaring heeft?'

Laurel voelde dat ze een kleur kreeg, maar ze was vastbesloten niet te tonen hoe onhandig ze zich voelde. Wat zou Liz wel denken als ze wist dat – afgezien van de programma-omslagen die ze voor de toneelafdeling op school had gemaakt – dit haar eerste werkelijke illustratie-opdracht was? Laurel stond op en streek haar rok glad. Ze had haar meest zakelijk uitziende positiejurk aangetrokken, een die ze zelf had gemaakt: donkergrijze jersey met lange mouwen en gesteven witte piqué manchetten. De felgekleurde zijden sjaal die ze losjes om haar hals had geknoopt, moest de aandacht afleiden van haar dikke buik, hoopte ze. Met haar lange blonde haar met een vergulde speld achter op haar hoofd samengetrokken, kon ze misschien wel voor twintig of eenentwintig doorgaan.

'Fijn dat u ze goed vindt,' zei ze. 'Het zijn natuurlijk maar voorlopige schetsen. De uiteindelijke zullen beter tot in de details worden verzorgd... en met een of twee kleuren, had ik gedacht. Wat vindt u daarvan?'

'Tja...' Liz tikte met het gommetje van haar potlood tegen de poot van haar bril – vierkante glazen in schildpad gevat. Ze kneep haar lippen nadenkend samen. 'We hebben maar een beperkt budget voor dit boek – een opnieuw verteld sprookje begint niet met een uitgebreide eerste druk, dat moet ik je wel vertellen als ik eerlijk ben. En kleuren... dat zou het allemaal weer wat duurder maken. Maar ik zal een schatting maken. Geef me intussen een paar van deze tekeningen in kleur, zodat ik ze kan vergelijken.'

'Dat is goed,' zei Laurel.

'Eind van de week?'

'Maandagochtend,' beloofde ze. 'En de afgewerkte tekeningen kan ik klaar hebben over... ongeveer acht weken. Is dat op tijd?'

'Haast je niet. We hebben zelfs nog geen verschijningsdatum vastgesteld. Vermoedelijk beginnen we er pas in de zomer aan, op tijd voor het kerstseizoen.' Ze zweeg, keek even naar Laurels buik en glimlachte. 'Maar het ziet ernaar uit dat jíj eerder tot produktie zult overgaan.'

Nu kwam de blos die Laurel tot nu toe de baas was geweest vol opzetten. Haar gezicht brandde, alsof Liz zojuist een rij schijnwerpers op haar had gericht. Zelfs vanbinnen voelde ze zich warm – zoals zo'n luchtballon met een vlam erin waardoor hij zich uitzet en opstijgt. Ondanks haar dikke buik, gezwollen borsten en opgezette enkels voelde ze zich leeg en licht, alsof ze zo zou kunnen wegdrijven... Hè, waarom moest iedereen er haar toch steeds weer aan herinneren? Waarom moest ze het aldoor opnieuw horen, elke keer als ze ergens heen ging?

'Weet je, ik heb me altijd afgevraagd hoe jullie moeders dat toch klaarspelen,' ging Liz door. 'Ik bedoel: thuis werken met een baby aan je voeten. Dat zal een hele verandering zijn.'

'Och, ik red het wel.'

Ze voelde zich een beetje duizelig en licht in haar hoofd. Er dansten sterren voor haar ogen, alsof er vlak voor haar neus vuurwerk werd afgestoken. Een baby aan mijn voeten? Als ze eens wist...

'Daar ben ik van overtuigd.' Liz, in haar keurige okerkleurig met zwarte pakje, en haar hoofd schuin, deed Laurel aan een vogel denken, een nieuwsgierig vinkje. Ze bedoelde het goed, dat wist Laurel. En ze had vermoedelijk zelf geen kinderen, zodat ze er geen idee van had waar zij, Laurel, doorheen moest. 'Aan de andere kant, kinderen... ik kan me indenken dat ze je vaak een bijzonder inzicht in allerlei dingen geven. Erg waardevol, vooral als je kinderboeken wilt illustreren.'

'Ja, dat is zo.' Laurel wilde wanhopig graag het gesprek op een ander onderwerp brengen dan haar aanstaande moederschap. Snel zei ze: 'Vindt u dat ik de beer wat onheilspellender moet maken, wat dreigender?' Ze wees naar de bovenste tekening. Het was een oud verhaal, een nieuwe versie van *Ten oosten van de Zon en ten westen van de Maan*, maar het was wel een van Laurels lievelingssprookjes. Ze wilde graag precies de juiste stemming weergeven, maar het niet zó echt maken dat jonge lezertjes er bang door zouden worden.

'Ik geloof dat je het precies goed hebt gedaan,' zei Liz nadat ze er enkele seconden lang zorgvuldig naar had getuurd. 'Authentiek, natuurlijk, met net een beetje dat Walt Disney-achtige. Misschien moet deze wat minder tanden hebben – we moeten zorgen dat het er niet uitziet alsof onze bruid op het punt staat te worden opgepeuzeld. Maar verder zou ik het zo laten.' Liz keek even op haar horloge. 'Tjonge. Ik vind het jammer ons gesprek te moeten afbreken, maar ik ben nu al te laat voor mijn volgende afspraak.'

Liz wilde met haar mee naar de deur lopen, maar Laurel wuifde haar terug. 'Doe geen moeite. Ik kom er alleen wel uit.'

'Goed dan. Ik zie je maandag wel verschijnen.'

'Maandag.'

Liz lachte eventjes. 'Deadlines... ben je daar ook zo dol op?'

Op weg naar beneden in de lift dacht Laurel: deadlines. Het was niet de deadline op maandag die haar dwarszat, maar die van morgen. Dan zou ze Rudy antwoord moeten geven. Toen ze in de gepolijste marmeren hal uit de lift stapte, werd ze door paniek bevangen.

Hoe kan ik het doen? Mijn eigen baby weggeven? Je moet, zei een andere stem in haar. Het is de enige verstandige oplossing.

Maar als dát zo was, waarom had ze er dan zulke nare voorgevoelens over? Op dit ogenblik leek het haar ongeveer even verstandig als haar eigen hart uit haar lichaam rukken.

Misschien had ze het toch aan Jess moeten vertellen. Maar aan de andere kant: zou dat iets goeds hebben opgeleverd? En ze had het die ene keer immers geprobeerd.

Terwijl Laurel zich door de menigte een weg naar de ondergrondse baande, dacht ze aan die dag. Ze had op het gras voor Hind's Hall gezeten; Jess stond voor haar. Hij leek wel zo'n vurige profeet uit het Oude Testament zoals hij daar stond te gebaren. De massamoordenaar van My Lai was net vrijgesproken. De regering was waardeloos. En hij, persoonlijk, zou heel Washington D.C. opblazen.

'Jess...' Ze had aan het stukje T-shirt getrokken dat uit zijn verschoten kaki broek was gesprongen. Het hemd was zwart met afgeknipte mouwen, waardoor de spieren in zijn donkere armen zichtbaar waren.

'Die vent is een slager, hij is verdomme een beest!' raasde Jess door zonder haar te horen. 'Ja, nou ja, dan was hij het niet persoonlijk, maar Medina was de bevelvoerende officier, hij gaf de bevelen. Calley is ook schuldig, en hoe, maar hij is alleen de zondebok. Man, dit is té schandalig.'

'Jess,' zei ze, 'die hele oorlog is zinloos. Maak je er toch niet zo druk om. Wind je er niet zo over op.'

Hij had naar haar gekeken en zijn armen waren plotseling langs zijn zijden gevallen, alsof ze eraan getrokken had. 'We kunnen dat allemaal toch niet zomaar aanzien en níets doen?'

'Natuurlijk niet. Maar, Jess, soms moeten we ook aan onszelf denken. Ik bedoel, wanneer was de laatste keer dat we over iets anders hebben gepraat dan over, nou ja, de regering omverwerpen?'

Hij keek haar fel aan, alsof hij wilde zeggen: wat is er dan verder nog belangrijk?

Toen, alsof hij plotseling inzag dat ze misschien gelijk had, was hij tegenover haar op het gras neergevallen en had zijn lange benen zo uitgestoken dat ze een V om de hare vormden. Hij glimlachte, die zwoele lach die haar eens weerloos had gemaakt, maar nu vrijwel geen invloed meer op haar had. Een zomer zonder Jess had haar een nieuwe indruk van hem gegeven – hij was kinderlijker dan ze aanvankelijk had gedacht. Hij was net een joch dat in opstand kwam omdat dat zo leuk was. En hij had haar drie maanden lang niet eenmaal gebeld of geschreven.

'Tja, Beanie,' zei hij, pakte een lok van haar haren en begon die om zijn vinger te winden. 'Misschien heb je gelijk. Misschien moet ik zo af en toe eens terugschoppen. Laten we naar mijn kamer gaan, dan kunnen we naderhand praten over alles wat jij maar wilt.'

Dat was hét ogenblik. Hij zat rustig naast haar en ze zou het hem nu vertellen. Maar toen kwam er een groep vrienden aan, ze wuifden en riepen. Jess vroeg of ze het gehoord hadden van Medina, en toen begonnen ze te schreeuwen, door elkaar heen, de een vervloekte Nixon nog harder dan de ander. Laurel verdween stilletjes en ze wist zeker dat niemand het zelfs maar had gemerkt.

Nadat ze met haar studie was opgehouden, had Jess haar een keer opgebeld om te zeggen dat hij in de stad moest zijn en langskwam. Maar ze had het op de lange baan geschoven. Wat voor zin had het? Hij kon er toch niets aan doen. Ze wilde ook niets van hem. En ze wilde zéker niet met hem trouwen.

God, waarom kon het Joe toch niet zijn? Als híj de vader van deze baby zou zijn, zou het haar niet kunnen schelen of hij al dan niet van haar hield. Omdat als hij bereid was haar maar een klein kansje te geven, zij er wel voor zou zorgen dat hij van haar ging houden. En misschien was dat niet eens zó gezocht. De laatste tijd zag ze af en toe een blik in zijn ogen! Alsof hij haar in een nieuw licht zag, en zich misschien voorstelde hoe het zou zijn: zij tweeën samen. Elke keer dat ze die uitdrukking op zijn gezicht had gezien, was het een nieuwe steek in het tere weefsel van hoop dat zij in het geheim weefde.

Bij het station Broadway-Lafayette herinnerde Laurel zichzelf er even flink aan dat dit níet Joe's baby was. En ze moest uiterlijk morgen beslissen wat ze nu wilde.

Denk er niet aan, hield ze zichzelf voor. Je hebt nog alle tijd. Je hoeft niet op dít ogenblik een besluit te nemen.

Toen ze thuiskwam zag Laurel verbaasd dat Annie aan de keukentafel zat, gebogen over een stapeltje papieren die eruitzagen alsof het bouwspecificaties waren. Een benige elleboog stond naast haar koffiebeker en haar korte haren waren naar één kant gevallen, daar waar ze met haar hoofd op haar handpalm steunde. Ze had een oranje trui aan waarvan de mouwen tot haar ellebogen waren opgestroopt, en een heel wijde, beige ribfluwelen broek. Ze keek met knipperende ogen naar Laurel en haar peinzende uitdrukking verdween, werd strakker. De verandering was zo snel en subtiel dat alleen Laurel het zag omdat ze haar zuster beter kende dan wie ook. Ze zag die blik en voelde dat ook in haar iets dichtklapte.

Ze heeft het me nog steeds niet vergeven, dacht ze. En waarom zou ze ook? Ze wist dat Annie nog steeds evenveel van Joe hield als vroeger. Dus hoe zou Annie Laurel kunnen vergeven wat ze gedaan had?

Maar wat kon zij eraan doen? En was zij eigenlijk wel verantwoordelijk? Ze hád het Annie willen vertellen van Jess... maar Annie, met haar gebruikelijke bulldozerachtige benadering, moest meteen naar beneden hollen en Joe voor het blok zetten. Ze had haar, en zelfs hem, geen kans tot enige uitleg gegeven. Goed, ze vond het naar, voelde zich zelfs schuldig, maar was het háár schuld dat Joe en Annie nu nauwelijks meer tegen elkaar spraken terwijl het al drie maanden verder was?

Misschien heeft het zo moeten zijn, dacht ze. Zelfs als zij niet zwanger was geworden, zou het misschien toch ook niets zijn geworden tussen Joe en Annie. En, nou ja... als het erop aankwam, waarom zou Annie meer recht op hem hebben dan zij? Laurel herinnerde zich zijn kus. Die lag nog zo vers in haar geheugen alsof het gisteren gebeurd was in plaats van maanden geleden. Die eerste geschrokken verstrakking van zijn mond, dan het heerlijke gevoel dat hij zich overgaf... zich voor haar openstelde. Haar begeerde, ondanks het feit dat hij zichzelf wilde wijsmaken dat hij dat níet deed, dat niet móest doen. God, al kon ze alleen dat maar terugkrijgen, al kon ze hem alleen maar doen inzien dat het niet verkeerd was haar te willen hebben.

Niet dat hij sindsdien onvriendelijk was geweest. Nee, hij was precies hetzelfde gebleven. Hij had met haar gelachen en haar net als vroeger af en toe broederlijk omhelsd. En hij had er zelfs in toegestemd haar bij haar zwangerschapsgymnastiek te helpen. Toch voelde Laurel de spanning tussen hen, het onuitgesproken verschil tussen wat zij van hem wilde en wat hij bereid was haar te geven.

'Dag,' zei Annie.

'Dag.' Laurel gooide haar mantel en lege portfolio over een van de stoelen met rieten rug die bij de eettafel stonden. 'Waarom ben je zo vroeg thuis? Ik dacht dat je nog in gevecht zou zijn met aannemers.'

Annie kreunde. 'Dat was ik ook.' Ze bladerde in de papieren die voor haar op tafel lagen. 'Je gelooft het niet. Elf schattingen en de laagste is nog twee keer zo hoog als ik zelf had uitgerekend.'

'Kun je het niet zelf doen?' stelde Laurel voor.

'Muren naar beneden halen, elektrische leidingen aanbrengen en loodgieterswerk, dat soort dingen? Als ik het kon, zou ik het vast doen.' Ze lachte.

Maar Laurel had geen grapje gemaakt.

'Dat bedoel ik niet. Ik bedoel: waarom zou je een aannemer voor ál dat werk betalen? Je kunt zelf de onderaannemers huren. Dat houdt wel in dat je overal zelf toezicht op moet houden, maar ik kan me toch niet voorstellen dat je ook maar iets aan een ander over zou laten. En op die manier zou je je onkosten met ongeveer vijftien tot twintig procent kunnen drukken.'

Annies mond viel open van verbazing, maar toen herstelde ze zich en lachte enigszins minachtend. 'Ik moet toegeven dat ik onder de indruk ben. Maar wat weet jij van bouwen en aannemers?' Zodra de woorden haar mond uit waren, verdween haar glimlach en het leek of het minstens tien graden kouder in de kamer was geworden. Ze had de reden kunnen weten: Joe.

Laurel dacht: ze weet dat ik veel tijd met hem doorbreng, niet alleen voor die gymnastiek, maar ook in het restaurant. En dan zie ik hoe hij aan het optellen is, dan luister ik naar hem terwijl hij met loodgieters onderhandelt, met elektriciens en timmerlieden...

Laurel haalde haar schouders op. 'Denk je dat ik altijd alleen maar teken? Ik weet ook wel wat.'

'Dat merk ik.' Met een scherpe blik op Laurel zocht Annie haar papieren bij elkaar en stond op, waarbij haar stoel hard over het zeil kraste. Het klonk afwijzend. 'Laten we maar aan het eten beginnen.'

'Dat staat in de oven,' zei Laurel. 'Aubergines met parmezaanse kaas. Ik heb het vanochtend gemaakt voordat Ru...' Ze hield zich nog net in. 'Voordat ik mijn tekeningen bij elkaar zocht.'

'Hoe is het met dat gesprek gegaan?'

'Goed. Ze vond mijn tekeningen goed.'

'Ik zou het gek gevonden hebben als dat niet zo was. Ze zijn echt fantastisch.' Annies strakke uitdrukking verzachtte en in haar donkerblauwe ogen ving Laurel een blik van trots op. Laurel voelde een steek en wenste van ganser harte dat ze die vreselijke afgrond tussen hen beiden kon overbruggen.

Toen dacht ze aan Joe – ze zou hem over een uurtje beneden afhalen. De zwangerschapsgymnastiek begon om acht uur. Laurel zou graag willen dat de verhouding tussen Annie en haar niet zo gespannen was. Maar hoe kon ze treuren als deze verwijdering tussen Annie en Joe haar nader tot Joe had gebracht?

'Je kunt vast de tafel dekken terwijl ik het eten opdoe,' stelde Laurel voor. 'Even eerst die schoenen uittrekken.' Ze ging zitten en trok met moeite de pumps met lage hakken van haar gezwollen voeten. Ze wreef over haar ene voet en zei: 'Als ik zo doorga, zien mijn voeten eruit als vinnen voordat dit alles voorbij is.'

'Goed zo. Misschien hou je dan op mijn schoenen te lenen. Het is een vloek een jonger zusje te hebben die dezelfde maat schoenen heeft.'

Geen van beiden sprak over de baby. Laurel voelde de spanning tussen hen enigszins verdwijnen. Toen Annie om de tafel heen liep en naast haar kwam staan, merkte ze dat ze oudergewoonte tegen haar zusters zij leunde, en de scherpe hoeken van Annies heup waren op de een of andere manier even troostgevend als de mollige buik van een moeder. Nu voelde ze Annies vingers, koel en handig, die de vermoeide spieren in haar nek kneedden en masseerden en Laurel gleed terug in de tijd. Ze dacht aan de tijd dat ze met z'n tweeën alleen waren geweest – twee overlevenden in dezelfde boot die samen naar het strand peddelden.

Hoe was de horizon zo troebel geworden? Hoe was het mogelijk dat ze zo ver van elkaar waren afgedreven? Ondanks Annies aanraking, of misschien juist daardoor, voelde Laurel dat er tranen op komst waren. Dit ogenblik zou weer voorbijgaan, wist ze. Waarom zou ze zichzelf iets wijsmaken?

Ze voelde de baby in zich bewegen, een zacht draaiende sensatie die haar op de een of andere manier scherper raakte dan als iemand haar met een mes had getroffen. Ik kan de baby niet houden, dacht ze. Het zou verkeerd zijn. Egoïstisch. En nu zou ze zelfs haar zuster niet hebben die haar zou troosten. Annie wilde haar wel helpen, dat voelde ze, maar iets hield haar terug. Tegenzin? Of was het haar gevoel dat als ze nú toegaf, ze op de een of andere wijze Joe voorgoed losliet?

Laurel voelde dat haar zuster zich terugtrok, zag dat ze naar de gele keukenkasten liep die Laurel jaren geleden had beschilderd met Dali-achtige tekeningen van borden, kopjes, messen en manden met brood en vruchten. Ze zag de scherpe hoek van Annies schouders toen ze de borden en glazen pakte; een scherp stuk bot stak omhoog uit de boothals van haar trui. Laurel voelde hoe de tranen naar haar ogen drongen en ze vroeg zich af waarom – als ze Annies kracht zo nodig had – zij elkaar op armslengte hielden.

Hoofdstuk 21

Annie zag hoe Emmett op de deurmat stampte toen hij binnenkwam; er liepen stroompjes water van zijn laarzen af. Ze wuifde naar hem vanachter de toonbank waar ze bezig was een klant te helpen en stak een vinger op om te zeggen dat ze zo bij hem zou komen.

'Ik wil er graag een van die. Eentje maar.' De mollige vrouw met een mantel van wasbeerbont wees met een gehandschoende vinger op een blad vol donkere, ongelijke brokken chocolade. Ze waren niet zo sierlijk als de truffels van Girod's – het leken wel golfballen. Dat kwam door een fout die Annie met haar eerste partij had gemaakt, maar merkwaardig genoeg waren de zogenaamde misbaksels een groot succes geworden. De vrouw lachte enigszins nerveus. 'Ik moet eigenlijk op dieet.'

'Hoe komt het toch,' hoorde ze Emmett zachtjes zeggen, 'dat vrouwen die zich zo druk maken over hun gewicht, meestal degenen zijn die dat helemaal niet hoeven te doen?'

Annie keek op en zag dat hij nu tegen de oude marmeren scheertafel leunde waar haar kassa op stond; hij had een van zijn kletsnatte laarzen nonchalant over de andere geslagen. Hij ving Annies blik en knipoogde. Annie voelde dat ze plotseling begon te blozen en deed druk met het inpakken van de ene bourbon-truffel die in dunne rode crêpe werd gewikkeld en daarna in een klein zakje werd geplaatst – ook rood, met in gouden letters in reliëf de naam erop die zij haar zaak had gegeven: Tout de Suite.

Ze overhandigde het pakje aan de vrouw die een kleurtje had gekregen en verrukt glimlachte. Annie was even geïrriteerd door Emmett, maar ze was toch blij hem te zien.

Ze had erin toegestemd met hem te gaan eten, maar ze hadden afgesproken bij Paolo's, niet hier. Het was kwart voor zes en ze wilde pas over een kwartier de winkel sluiten. Daarna moest ze de ontvangsten van die dag nog optellen, inventaris opmaken van wat er nog over was in de vitrines en in de koelkast om te zien hoeveel ze van elk artikel morgen erbij zou moeten hebben, en ze moest ook controleren of Doug werkelijk de tempereermachine had gerepareerd.

Die vervelende Emmett wist heel goed dat ze nu niet met haar werk op kon houden en een gesprek met hem kon beginnen. Waarom keek hij haar dan zo ondeugend lachend aan alsof... alsof hij een of ander verrukkelijk geheimpje had dat hij haar alleen maar zou vertellen als ze erom smeekte? Alsof ze niet wist waar het om ging!

Annies wangen werden warm toen ze eraan dacht dat Emmett haar eerder die week rustig, bijna terloops, had uitgenodigd een weekend met hem weg te gaan. Ze had nee gezegd, maar hij had enkel zijn schouders opgehaald, alsof hij ervan overtuigd was dat het slechts een kwestie van tijd was voor ze toe zou geven. Waarom zou ze níet willen? Ze waren toch al minnaars geweest, dus waarom zouden ze niet samen een paar dagen weggaan?

Annie had het hem niet kunnen uitleggen. Ze wist zelfs niet of zij zelf wel begreep wat haar weerhield. Als ze bij Emmett was, voelde ze een neiging, een dwang bijna, om hem aan te raken, om de druk van zijn hand op de hare te voelen, om de onderkant van zijn kaak te strelen waar de ruwe huid van zijn baard overging in huid zo zacht als gemzeleer. En ja, verdorie, dan dacht ze ook aan hem in bed, aan zijn harde onderbenen die tegen de binnenkant van haar kuiten drukten, zijn brede bruine borst boven haar als een bolwerk. En hij in haar... duwend... hard... en elke beweging bracht haar dichter bij de rand van het heerlijke gevoel van de climax.

Hè, ze moest ophouden met dit... dit kinderachtig gefantaseer. Het was geen liefde die ze voor Emmett voelde – dat kon niet – want waarom zou ze dan nog steeds zo aan Joe moeten denken?

Seks, dacht ze. Het is net zoiets als de getijden of de zon die opgaat; je hebt er geen macht over, maar je kunt er wel vast op rekenen. In haar geval kon ze erop rekenen dat het een heerlijke en prettige vriendschap in de war zou sturen. Ze werd afgeleid door herinneringen en gevoelens die ze maar liever in Parijs had willen achterlaten.

Met Emmett was er echter meer in het spel dan alleen seks. Hoewel – dat moest ze toegeven – seks er een belangrijk deel van vormde, want Emmett was een ongelooflijk goede minnaar. Maar hij was ook een fantastische vriend. Niet op de manier van Joe, die altijd klaarstond en net een soort grote broer was. Nee, Emmett plaagde en sarde haar, hij daagde haar uit en dwong haar. Hij, tja, hij prikkelde haar... en dat was soms onplezierig.

Ze voelde dat Emmett dingen van haar wist waarvan ze wilde dat hij ze níet wist – hij niet, en anderen ook niet – en dat maakte haar nerveus. Zoals nu. Ze had hem niet de minste aanmoediging gegeven, en hoe kon Emmett dan weten dat hij haar begon in te palmen?

De warmte in haar wangen had zich nu tot aan haar haarlijn uitgebreid en het leek of haar schedelhuid te strak werd, hij kriebelde. In zekere zin wilde ze dat Emmett zou verdwijnen... zou ophouden haar dingen te laten voelen die ze niet wílde voelen. Anderzijds was ze ook blij dat hij er was, blij dat hij zo vasthoudend was. Als Emmett er niet was geweest, wist ze dat ze 's avonds nooit iets anders zou hebben gedaan dan zich naar huis slepen en dan in bed kruipen. Ze stond elke ochtend om vijf uur op om verse vruchten uit te zoeken op de grossiersmarkt op Ninth Avenue; daarna ging ze naar haar zaak, maakte de keuken klaar en moest vervolgens voortdurend opletten dat haar twee enthousiaste assistenten, Doug en Louise, niets lieten aanbranden of in slaap vielen terwijl ze in de grote pannen met ganache roerden. De rest van de dag moest ze zich haasten met al haar werk: klanten helpen of een taxi aanroepen om naar een afspraak te gaan met iemand van een hotel of met een inkoper van een warenhuis en tegen zessen was Annie meestal op. Maar dan kwam Emmett binnen en leek het opeens of er op een hete dag een fris briesje binnenwoei. Hij maakte op de een of andere manier dat ze weer opleefde.

'Je bent vroeg,' zei ze toen de mollige dame was verdwenen.

'Ik moest iemand een zolder in Tribeca laten zien en vond dat ik maar even moest langsgaan om te zien of je soms hulp nodig had.' Hij keek naar Louise die eruitzag als een ondervoed kind; ze leek op Twiggy met haar korte haren en minirokje terwijl ze druk bezig was een van de witrieten mandjes in de vitrine te vullen. Louise ving zijn blik op, sloeg haar ogen neer en bloosde fel. 'Het ziet ernaar uit dat alles hier goed loopt, maar hoe staat het met die tempereermachine waarvan je zei dat hij je in de steek had gelaten?'

'Doug moet hem hebben gerepareerd voordat hij naar huis ging, als het tenminste gegaan is zoals we hebben afgesproken.'

'Zal ik even gaan kijken?'

'In die kleren?' Hij had zijn overjas uitgetrokken en ze zag zijn mooie kasjmieren blazer, het keurige overhemd, de zijden das en de pasgeperste grijze broek. Vergeleken met hem voelde ze zich armoedig in haar ivoorkleurige zijden blouse en rechte zwarte rok. 'Je zit straks onder de chocolade.'

Maar Emmett had zijn blazer al uitgetrokken en rolde nu de manchetten van zijn overhemd op. 'Tjonge, wat zal ik dan onweerstaanbaar smaken. Dat zal het dubbel zo moeilijk voor je maken nee tegen dat weekend samen te zeggen.' Hij knipoogde weer. 'En als je nee blijft zeggen, ontvoer ik je misschien. Voor je eigen bestwil. Voor je je dood werkt. Bovendien, met of zonder mij, je bent jezelf een bezoek aan Cape May schuldig. Het is daar net of je teruggaat in de tijd.'

'Ik dacht dat het een vakantieoord was.' Annie sloot het glazen schuifpaneel van de gekoelde vitrine.

'Je verandert van onderwerp. Maar ja, dat is het ook. Maar heeft nog nooit iemand je verteld dat de beste tijd om een zomer-vakantieoord te bezoeken de winter is?'

'Hoe komt dat?'

Emmett kwam naast haar staan en sloeg een arm om haar schouders. 'Omdat wanneer het koud is en de wind buiten tekeergaat, je naar binnen moet, waar het warm is. En omdat we waarschijnlijk de enige bezoekers zullen zijn. We hebben alles daar voor ons alleen.'

Hij stond zo dicht bij haar dat ze de vage sproetjes op zijn kaak kon zien, en de lagen blauw – net als de veranderende diepte in een rivier – waarvan zijn ogen waren gemaakt. Plotseling stelde ze zich hen tweeën voor, lekker weggedoken onder een donzen dekbed in een antiek koperen ledikant terwijl de wind door de dakspanten van hun hotelletje aan zee huilde, en ogenblikkelijk voelde ze weer iets onder in haar buik.

Ze maakte zich van hem los. Dit was te gek voor woorden! Ze voelde zich alleen maar eenzaam, en verlangde naar Joe. Ze zou Emmett alleen gebruiken... Zoals ze hem in Parijs had gebruikt. En Emmett... gebruikte hij haar ook niet, in zekere zin? Hij was pas hier in de stad, vermoedelijk eenzaam, dus waarom zou het gek zijn dat hij terugviel op de goede tijden die ze samen hadden gedeeld?

'Em...' begon ze.

Hij legde een vinger op haar lippen en ze rook hem, een lekkere lucht, iets van leer. 'Straks. Je hoeft nu nog niet te beslissen. We zullen er onder het eten nog eens over praten.' Hij deed een stap achteruit en keek haar met een luie glimlach aan, maar hij leek verzekerd van zijn succes. 'Nu laat ik je aan je lot over om de zaak te sluiten, terwijl ik even naar de tempereermachine ga kijken.'

Ze keek hem na toen hij de deur opende die naar de keuken leidde, en Annie vroeg zich af wat ze vanavond tegen hem zou zeggen: 'Em, ik moet het echt niet doen, ik ben niet verliefd op je, maar, zie je, ik zou dolgraag met je naar bed willen'?

Maar er zat meer aan vast dan enkel een uitweg zien te vinden voor haar razend libido. Verdraaid, ze had een zaak die net begon te lopen. Ze had er al haar kracht voor nodig, elke minuut van haar tijd, of het zou misgaan – zoals zoveel pasbeginnende bedrijfjes.

Ze pakte haar klembord met bestelformulieren voor voorraden en gros van de plank onder de ouderwetse met nikkel beslagen kassa, en opeens had Annie een gevoel van geluk. Ze keek om zich heen, naar alles wat ze al had bereikt. Tout de Suite was snel tot stand gekomen, ontwikkelde zich nog steeds snel, zelfs zó snel dat als ze sliep, ze droomde dat ze aan het werk was.

Ze dacht aan de weerzin die ze had gevoeld toen ze de ruimte voor het eerst had gezien, met al dat vet op de wanden en plafonds en de bemodderde vuile vinyl vloertegels. Nu ze de wanden op dit ogenblik nog eens goed bekeek, met hun vrolijke behang met aardbeiranken en de geverfde vloerplanken met de kleurige gehaakte kleedjes, voelde ze zich opeens erg voldaan. Voor de etalage aan de voorkant had ze witte broderie anglaise-gordijntjes, opgehangen aan roeden, met een ruche erlangs. Aan de wanden hingen antieke gaslampen, allemaal verschillend, die ze had losgekregen in een tweedehands zaakje ergens langs de Hudson.

Langs de bovenkant van de vitrine had ze witrieten mandjes neergezet gevuld met reepjes amandelschors en kleine klompjes pecannoot, waar klanten op konden knabbelen als ze moesten wachten. Louise Bertram, de tijdelijke kracht die ze voor Valentijnsdag aan had genomen, had ze vast in dienst genomen toen de bestellingen bleven binnenstromen; ze was nu net klaar met het bijvullen van een mandje en begon aan een ander.

Annie herinnerde zich dat ze bang was geweest dat niemand die zich kon veroorloven zulke dure bonbons te kopen, zich ooit in deze verlopen buurt zou wagen, zelfs als bekend was hoe lekker de dingen waren die ze verkocht. En de winstmarge op de drie en gros-leveranties die ze in de wacht had kunnen slepen, was aanvankelijk zo miniem, dat ze had gedacht zich nooit staande te kunnen houden. Maar sinds de opening, nu zes weken geleden, was haar verkoop aan klanten – die eerst vrijwel nul was – stormachtig gegroeid en nu was die opbrengst al bijna genoeg om het salaris van Louise van te betalen.

Ze keek omhoog naar de enorme vergulde spiegel achter de kassa, waarboven een onopvallend bordje hing waarop met de hand – zwart op Chinees rood en afgezet met goud – geschilderd was: TOUT de SUITE. Met de hand gemaakte bonbons voor het betere publiek. Sinds 1973. Annie had ontdekt dat de mensen een zekere zin voor humor wel apprecieerden. Vooral als het niets te maken had met het zich aan een dieet houden.

Als ze aan die eerste weken terugdacht, was het alsof ze zich een lange ziekte herinnerde, een delirium waarvan slechts enkele ogenblikken helder waren blijven hangen. Ze wist nog hoe bezorgd ze was geweest. Het geld dat Dearie haar had nagelaten – zou het voldoende zijn voor de ontwerper, de aannemers, de vergunningen, de inrichting, de verfraaiing, de chocoladevoorraden, de twee jaar waarin veertienhonderd dollar per maand huur moest worden betaald? Als de renovering nu eens ver boven haar budget ging? Dan had ze niets meer over om de zaak te beginnen en zou ze geen cent meer bezitten.

Ze besloot het zo zuinig mogelijk aan te doen en – zoals Laurel had voorgesteld – zelf voor hoofdaannemer te spelen. Maar zelfs toen de timmerlieden, loodgieters en elektriciens met hun offertes bij haar kwamen, waren de laagste nog veel hoger dan zij had geschat. Ze had zich op dat ogenblik bijna uit de hele onderneming teruggetrokken. Als Emmett niet was aangekomen met een aannemer die een van zijn cliënten had aanbevolen en die goed én goedkoop moest zijn, dan hád ze toen misschien ook alles opgegeven.

Andrzej Paderewski léék inderdaad eerlijk en zijn aanbevelingen waren echt. Maar niemand had haar gewaarschuwd dat geen van zijn timmerlieden, loodgieters en elektriciens ook maar een woord Engels sprak of verstond. Hoe moest ze hun vertellen dat ze een zwaaideur moesten ophangen, en niet zo een met gewone scharnieren? Paderewski zelf was nergens te bereiken, en hoe moest ze twee schijnbaar doofstomme Polen aan het verstand brengen dat ze een radiator aan het installeren waren op de plek waar haar koelkast moest komen te staan? Ze had geprobeerd tegen hen te schreeuwen, vervolgens hen om te praten, uiteindelijk had ze getracht hen met handgebaren en mimiek bij te brengen wat ze wilde. Afgezien van het feit dat ze onderling verbaasde blikken wisselden en haar meevoelend aankeken, alsof ze gek was, gingen de mannen resoluut, zelfs opgewekt door met het aansluiten van de radiator, die ze later, even opgewekt, aan de andere kant van de kamer plaatsten.

En toen er werklui kwamen om de muur te isoleren, was de bedrading nog niet klaar en dus verdwenen ze, een week lang. Toen kon de muur niet worden gedaan omdat de bouwinspecteur eerst de afvoer moest controleren en het werd duidelijk dat hij dit, zonder een flinke fooi – honderd dollar of zo – nooit zou doen. En toen alles eindelijk klaar was en min of meer zoals ze bedoeld had en maar twee weken later dan het plan was geweest, had ze het idee dat er een wonder was gebeurd. Goddank was ze erin geslaagd het grootste deel van de afwerking zelf te doen, met hulp van Emmett. En ze had Doug kunnen overhalen om de muren te behangen; voordat hij naar de koksschool ging, had hij bij een schilder gewerkt.

En toen, twee dagen voor de geplande opening, terwijl de nieuwe oven en de koelkast al waren geïnstalleerd, de kasten waren bevestigd en vol stonden, de werkplaats met het slagersblok klaarstond, de koelkast, tempereermachine, smelter en de machine die het chocolade omhulsel maakte voor gevulde bonbons, zo konden beginnen, en achter de couverture en de smaken waren opgeslagen, marcheerde meneer de gezondheidsinspecteur van New York binnen en verbood schriftelijk de verkoop van etenswaren of het vervaardigen van voedsel vanwege de aanwezigheid van ratten. Ze zag hem weer voor zich, met zijn smalle pokdalige gezicht en puntneus – hij leek zelf precies een rat toen hij in een hoek van de voorraadkamer neerhurkte en de 'uitwerpselen' in kwestie in een buisje schraapte, terwijl hij haar in puur Brooklyns wees op mogelijke dodelijke ziekten, vergiften en verdelgers. Ze had wel kunnen gillen. Er wáren geen ratten; dat wist ze zeker. En toen wist ze het opeens. Natuurlijk, die zending couverture die ze pas had gekregen; er hadden wat losse chocoladekorrels op de bodem van de doos gelegen, en die moesten op de grond zijn gevallen. Ze raapte een handjevol op en probeerde meneer de Rat ervan te overtuigen dat hij het mis had. Maar nee, hij wilde niet luisteren... hij had alleen walgend zijn neus opgetrokken. En toen, in pure wanhoop, in de wetenschap dat het dagen, misschien weken kon duren voordat de testresultaten van de 'uitwerpselen' terugkwamen, had ze haar toevlucht genomen tot de enige uitweg die ze nog zag: ze had al die chocoladekorrels in haar mond gepropt. En al was het dan misschien niet erg hygiënisch geweest, het was wel de moeite waard! Alleen al die doodsbange blik op dat schrale gezicht met die wijd opengesperde ogen! Hij had eruitgezien of hij misselijk werd, had zijn hoofd geschud en had zich naar buiten gehaast met zijn klembord onder zijn arm, alsof hij op het punt stond zelf verdelgd te worden. Maar ze had niets meer van haar 'overtreding' gehoord.

Op de ochtend dat ze aan haar eerste partij ganache begon, had Annie het gevoel gekregen, al was ze nog zo moe en opgewonden, dat ze er eindelijk in geslaagd was een enorm hoge berg te beklimmen en dat ze háár vlag op de top had geplant. Maar toen begreep ze dat ze veel te optimistisch was geweest. De berg bleek slechts het voorgebergte te zijn, en daar voor haar verrees nog steeds de werkelijke Mount Everest. Om zes uur waren er drie partijen ganache klaar, maar ze bleken stijf en ze smaakten korrelig. Ze had ze moeten weggooien. Zou de couverture die ze van Van Leer in New Jersey had gekocht zo anders zijn dat die waarmee ze bij Girod's had gewerkt? Toen had ze ontdekt dat ruim de helft van de verse frambozen die ze Doug had laten kopen beschimmeld was. En bovendien lagen de meeste versieringen – hazelnootcroquants en viooltjes – platgedrukt in hun doosjes. Om de ellende compleet te maken was de oude machine die ze voor de omhulsels gebruikte, kapotgegaan. Voorlopig was de enige oplossing om de truffels met de hand in het chocoladeomhulsel te dopen. Het resultaat waren lompe proppen die op met chocolade bedekte golfballen leken, alleen vormlozer. Ze zag nog die arme Doug voor zich met zijn bril met dikke glazen die van zijn neus afzakte als hij onder de lopende band van de machine keek. Hij had de hele dag van hot naar her gehold voor wel duizenden boodschapjes, had pannen geschuurd, noten gehakt en steeds weer met de omhulselmachine gevochten om hem aan de gang te krijgen. En toen had hij haar nog moeten helpen met het dopen van tientallen truffels. Tot overmaat van ramp had zij erop gestaan dat hij zes van die monstrueuze truffels, elk met een andere vulling, opat om absoluut zeker te weten dat ze goed smaakten. Hij had ze doorgeslikt en gezegd dat ze heerlijk waren... maar toen was hij zo misselijk geworden dat ze hem naar huis had moeten sturen. Daarna was ze helemaal alleen achtergebleven en had zich half gek gewerkt.

Wat zou er gebeuren, had ze zich angstig afgevraagd, als geen van de kopers met wie ze een afspraak had haar lelijke truffels zou willen aannemen? Ze had nog amper tienduizend dollar op de bank, nauwelijks genoeg voor de kosten voor drie maanden. Ze zou de truffels eigenlijk meteen moeten verkopen, of het hele kaartenhuis zou instorten.

Bij haar eerste afspraak die middag, met de inkoper van Bloomingdale's, was ze ook vrijwel hun kantoor uit gelachen. Als ze eraan terugdacht, voelde Annie weer de knoop in haar maag.

'Paardevijgen,' had de hooghartige grijze vrouw verklaard. 'Zo zien ze eruit.' Ze wou er zelfs niet een proeven. Ze zei dat haar klanten door dit vreemde uiterlijk zouden worden afgeschrikt.

Maar toen was haar oude vriend uit Dolly's zaak, Russ Kearney, de baardige jonge inkoper van het Plaza Hotel, zo vriendelijk geweest – alhoewel hij duidelijk bedenkingen had – om even aan zo'n truffel te knabbelen. En toen had hij nog een hapje genomen, en nog een, en had de hele truffel opgegeten en vervolgens zijn met chocolade besmeurde vingertoppen afgelikt. Hoewel ze te groot en te lomp waren om als nachtwens op het kussen te worden gebruikt, had Russ toch zes dozijn besteld voor een Palm Court-lunch die hij moest organiseren. Ze had wel kunnen huilen van opluchting. Gelukkig had Annie het goede idee gekregen elke truffel in doorschijnend cellofaan te verpakken, met een zilveren lintje dichtgestrikt, met daarop een heel klein stickertje van Tout de Suite. En juist díe propaganda had haar verschillende losse klanten bezorgd en een kleine speciaalzaak op Amsterdam Avenue.

Annie slaagde er ook in enkele kleine opdrachten te bemachtigen van Zabar's en Macy's Cellar. Aanvankelijk kleine bestellingen en tegen prijzen die minder waren dan haar kostprijs, zoals ze die had berekend. Maar ze had geen keus. Ze moest dat verlies accepteren in de hoop dat de mensen daarna terug zouden komen voor meer. En langzaam, heel langzaam, gebeurde dat ook. Daarna begon Tout de Suite vaste voet aan de grond te krijgen en er kwamen bestellingen binnen voor acht, negen en twaalf dozijn. Ze waagde het haar prijzen te verhogen zodat er tenminste een kleine winst voor haar overbleef. Maar zelfs voor een dollar per stuk vlogen haar unieke, gezellige truffels weg. En voor Valentijnsdag had ze ze elk afzonderlijk in een doosje verpakt dat versierd was met Laurels tekeningetjes, en linten die ze had gekocht van een failliet gegane hoedenzaak. Ook zijden bloemen, tuiltjes gaas, kleine kersjes, aardbeien en appeltjes had ze zo op de kop kunnen tikken. Ze had al haar truffels verkocht en had bestellingen voor dozijnen meer gekregen. Doug en zij werkten tot laat in de avond door en toen had ze ook Louise aangenomen die haar opleiding op het Culinaire Instituut niet af had gemaakt. Het bleek dat Louise fantastisch was als het op bonbons aankwam.

Maar zelfs tegenwoordig moest Annie nog steeds elke dag opstaan als het nog donker was en ze was genoodzaakt te blijven zwoegen. Het reizen met de bijna lege ondergrondse maakte haar zenuwachtiger dan een propvolle trein. Tegen de tijd dat de meeste mensen aan hun eerste kop koffie begonnen, had zij al een partij ganache op het vuur staan, een op de tempereermachine, en een andere in de omhulselmachine. Als de winkeldeur werd geopend om klanten binnen te laten, deden haar voeten al pijn en waren haar handen al rood en ruw.

Het was nauwelijks te geloven dat ze pas een maand geleden haar zaak had geopend en dat er nu al chauffeurs inkopen voor hun mevrouwen kwamen doen die helemaal in Sutton Place woonden.

'Volgende week hebben we een feest...'

Annie merkte dat er iemand tegen haar sprak, een vrouw met een groene cape om en met een moderne hoed op met brede rand die het grootste

264

deel van haar gezicht verborg. Annie had haar niet zien binnenkomen.

'O, mevrouw Birnbaum, u bent het.' Annie schrok op en lachte toen. 'Ik was even met mijn gedachten bij iets anders. Ik wilde net sluiten. Wat kan ik voor u doen?' Felicia Birnbaum was haar eerste klant geweest op die angstige openingsdag – haar énige werkelijke klant, afgezien van Emmett, Dolly en Laurel.

'We hebben een feest voor de beste cliënten van mijn man met hun vrouwen,' ging Felicia Birnbaum door en ze trok heftig aan haar handschoenen. 'En ik wil graag iets wat ze zich goed zullen herinneren.'

Annie dacht even diep na. 'Marsepein,' zei ze. 'Kleine gevlochten mandjes van marsepein. Die vul ik dan met reepjes geconfijte gember en miniatuur-truffels.' Ze dacht koortsachtig na. Marsepein? God, dat heb ik nog pas één keer klaargemaakt en toen controleerde Pompeau alles wat ik deed. Stel dat ik het niet alleen kan!

Annie voelde dat ze haar zelfbeheersing dreigde te verliezen en deed haar uiterste best te blijven glimlachen.

Felicia Birnbaum dacht diep na en fronste haar voorhoofd terwijl ze een gehandschoende hand tegen een moderne magere wang legde. Zíj zou vast niets eten dat zo rijk aan calorieën was als juist marsepein, maar dat was met een groot deel van Annies klanten het geval. Ze kochten bonbons voor hun oude moeder, hun cliënten, de secretaresse van hun man en soms zelfs voor hun minnaar.

'Tja,' zei mevrouw Birnbaum. 'Tja, daar heb ik eigenlijk nooit aan gedacht... maar dat zóu wel aardig kunnen zijn, hè? Hebt u een voorbeeldje... of in elk geval een plaatje?'

'Alleen in mijn hoofd.' Annie bad dat ze niet om details zou gaan zeuren. 'Ik zou het voor u doen als een speciale gunst, mevrouw Birnbaum. Op die manier kan niemand óók zoiets hebben.'

De vrouw keek opgelucht en leunde tegen de gekoelde vitrine die vol stond met rieten mandjes, precies dezelfde als erbovenop stonden. Ze zaten vol truffels die Annie zelf had verzonnen: Drambuie met stukjes sinaasappelschil; chocolade-citroen custard; donkere espresso met een croquante koffieboon in het midden; kokos, donkere rum en crème-fraîche als vulling, gedoopt in melkchocolade.

'O,' zei ze. 'Dat zou...'

Annie glimlachte. 'Vertrouwt u maar op mij.'

'... volmaakt zijn.'

'Hoeveel gasten denkt u dat er zullen zijn?' vroeg Annie en ze haalde een velletje papier uit een lade onder de kassa.

'Achtentwintig, misschien wat meer of wat minder, maar het feest is maandag aanstaande, dus al vandaag over een week. Hebt u dan genoeg tijd?'

'Absoluut,' verzekerde Annie haar vol zelfvertrouwen terwijl ze in gedachten al besloot het hele weekend door te werken. 'Achtentwintig, zei u? Laten we er een rond getal van maken, dus dertig. U kunt ervan overtuigd zijn dat er niet een over zal blijven.'

Even later snelde mevrouw Birnbaum haastig door de regen en dook in haar felrode MG die fout geparkeerd stond langs de rand van het trottoir. Ze liet een vage geur van Chanel No. 5 en een cheque voor driehonderd dollar bij Annie achter. Annie liet de cheque in de kassa glijden, liep toen naar de voordeur die ze goed afsloot en hing een bordje met het woord GESLOTEN voor het glas. Toen ze naar de toonbank terugliep, zag ze dat Louise de keuken was in gelopen, waarschijnlijk om daar schoon te maken en op te ruimen, of misschien zelfs om Emmett een beetje te helpen – de manier waarop die arme Louise steeds bloosde als Emmett in de buurt was! Ze zou net zo goed een spandoek kunnen dragen waarop geschreven stond wat er aan de hand was. Ach, waarom zou ze Emmett niet aardig mogen vinden? Zou niet elke ongebonden vrouw die niet gek was, door Emmett worden aangetrokken?

Annie was opeens te moe om te blijven staan, en zonk neer op het oude pianokrukje tussen de muur en een tweedehands naaimachinetafeltje vol potjes met geconfijte grapefruit en sinaasappelschillen, gedoopt in chocolade.

Uit de keuken kwam het geluid van de tempereermachine die begon te draaien, maar hij klonk of er iets gebroken was. Het was duidelijk dat Doug hem niet goed had gerepareerd. Zou het Emmett beter lukken? Misschien kón het ding niet worden gerepareerd en moest ze een nieuwe kopen. Niet dat ze daar geld voor beschikbaar had; elke cent ging in voorraden, salarissen, huur, telefoon, elektriciteit, noem maar op.

Ze zuchtte en vroeg zich af hoe ze ooit de mandjes voor mevrouw Birnbaum op tijd klaar zou moeten krijgen als de tempereermachine het verder af liet weten. Het afhandelen van de bestelling van Zabar's en voor twee andere partijen die ze had aangenomen was eigenlijk al meer dan ze aankon. Alles komt ook altijd tegelijk, dacht ze, blij met de opdrachten... maar ook wel wat bang. Wat ter wereld was ze begonnen?

En dat ging ook op voor Emmett. Was het eerlijk de toestand tussen hen uit de hand te laten lopen terwijl ze niet wist of ze ooit in staat zou zijn hem méér te geven?

Ik mis Joe! De gedachte alleen al maakte haar zwak en ademloos. Sinds die dag in het restaurant hadden ze nauwelijks nog een woord gewisseld. Hij had het druk met Joe's Place en god-mocht-weten met wat nog meer, en zij met Tout de Suite. Ze lachten en knikten tegen elkaar in de gang. Af en toe praatte hij even met Laurel die nu elke dag haar baby kon krijgen.

Tegenwoordig zag Joe Laurel vaker dan zij. Eén avond in de week nam hij haar mee naar de zwangerschapsgymnastiek en andere avonden, als hij niet te moe was, belde hij op en ging Laurel naar beneden om in zijn flat haar ademhalingsoefeningen te doen.

Laurel was de laatste tijd erg gesloten. Ze praatte met Annie alleen over het boek dat ze bezig was te illustreren, of over Tout de Suite. Nooit over Joe. Het leek bijna alsof die twee samen een soort... nou ja, een soort onuitgesproken verbond hadden gesloten.

O ja, Laurel was beleefd genoeg. En ze luisterde aandachtig wanneer Annie over de winkel praatte. Maar het was net alsof je tegen een pop sprak... die dwaze pop die Dearie eens aan Laurel had gegeven en die, als je aan een touwtje in de rug trok, kon zeggen: 'Dag. Ik heet Cathy de Babbelkous! Hoe heet jij?'

Een half jaar geleden had Annie zich niet kunnen voorstellen dat ze ooit jaloers op haar zusje zou kunnen zijn... maar nu was ze dat, vreemd genoeg. Ze kon er vrede mee hebben dat Laurel verliefd was op Joe. Maar hij, was híj bezig verliefd op haar te worden? Het leek onmogelijk. Ze had het gevóel dat het onmogelijk was. Maar ja, waarom eigenlijk niet? Laurel was knap en aardig... en ze had hem nodig.

Wat voor recht heb ik om jaloers op Laurel te zijn, dacht ze. Ik heb toch Tout de Suite. En wat heeft zij, als het erop aankomt? Een namaak-echtgenoot en een baby die ze straks weer kwijt is.

Een paar keer had ze Laurel aangetroffen met haar handen bijna beschermend op haar enorme buik gedrukt, en een uitdrukking op haar gezicht waarvan Annie dacht dat je die gefolterd kon noemen. Het ging niet om een fysieke foltering, maar om iets inwendigs, wat misschien nog erger was. Ze had besloten de baby af te staan, maar had ze daar misschien spijt van?

Annie wist dat ze dit keer haar mond moest houden. Ze had zich al meer dan voldoende met Laurels leven bemoeid. Dat had Laurel haar heel duidelijk gemaakt. Bovendien had Annie, diep in haar binnenste, haar zuster nooit vergeven dat ze tussen Joe en haar was gekomen.

In de keuken hoorde Annie de tempereermachine plotseling weer soepel lopen; hij begon zelfs te zoemen. Wat een opluchting! Dat was in elk geval een zorg minder, voorlopig althans. Emmett, God zegene hem, had weer eens een staaltje van zijn kunnen getoond.

Paolo's was gewoon een begrip in Little Italy. De oude lambrizering zat vol krassen van al de stoelen die er in de loop der jaren langs hadden geschampt en de wanden hingen vol fotootjes met handtekening van beroemdheden die er hadden gegeten: Frank Sinatra, Dean Martin, Fiorello La Guardia, Tony Bennett. Een geëtst glazen paneel scheidde de lange bar van het eetgedeelte. Aan een tafel tegen de achterwand zag Annie een donkere man met een brede borst zitten die een pak droeg met twee rijen knopen waarvan de ene van boven tot onderen was dichtgeknoopt. Hij had een servet in zijn boord gestopt en werkte een enorme kom spaghetti naar binnen terwijl een paar jonge mannen, duidelijk zijn bodyguards, aan een klein tafeltje bij de ingang zaten en alles in de gaten hielden.

'Zijn die echt?' fluisterde ze tegen Emmett. Ze kreeg onwillekeurig het idee dat het gewoon acteurs waren die door de bedrijfsleiding waren aangenomen om een soort toneelspel op te voeren om de omgeving nog meer achtergrond te geven.

Even later zaten ze aan een tafeltje dicht bij de man in de buurt. Emmett boog zich naar haar toe en fluisterde: 'Dat is Cesare Tagliosi. Hij is een belangrijk lid van de familie Bonnano. Ik heb hem ontmoet bij de onderhandelingen die mijn baas en ik voeren over een paar pakhuizen in Red Hook. Tagliosi en Ed Bight, de vent die de pakhuizen verkoopt, zijn zogenaamd partners, maar Tagliosi praat en Ed luistert.'

Annie keek om naar de man die z'n spaghetti zat te verslinden.

'Gaat het echt zo, net als op de film?' vroeg ze. 'Tjonge, dat zou ik nooit kunnen. Ik zou ze laten stikken.'

Emmett keek haar even aan en schudde toen glimlachend zijn hoofd. 'Ja, en dan konden ze je de volgende dag uit de East River vissen. Er zijn dingen waar je niet tegen opgewassen bent, Annie.'

'Dat heb ik nog niet meegemaakt.' Ze dacht aan Joe. Waarom was er toch zo'n muur tussen hen?

'Jawel,' zei Emmett, en wachtte terwijl de kelner wijn in zijn glas schonk. Hij nipte eraan en knikte. Daarna keek hij Annie weer aan en zei: 'Mij. Je kunt het van mij niet winnen.' Hij lachte niet meer en Annie kon zien hoeveel ze voor hem betekende. Hoe was haar dat steeds ontgaan? Want dit was toch precies hetzelfde als zij voor Joe voelde? Hij keek haar aan en zijn blauwe ogen stonden wat somber.

'Luister eens, Em... het spijt me als...' Hoe moest ze het onder woorden brengen? Hoe kon ze het niet te afwijzend laten klinken? Ze was zo op hem gesteld. Als Joe er niet was geweest, had ze zelfs van hem kunnen houden.

Hij legde zijn hand op de hare om haar tot zwijgen te brengen.

'Nee,' zei hij. 'Geen excuses. Kijk eens, ik ben niet gek... en ik ben niet zo dol op je dat ik niet meer weet hoe de zaak ervoor staat.' Hij glimlachte even. 'Nog niet, in elk geval. Ik zeg het maar één keer, Cobb. En als je het niet wilt horen, zeg ik het nooit meer.' Hij zweeg en pakte zijn wijnglas op, maar niet bij het steeltje; hij had het zo stevig in zijn handen dat Annie opeens een vreselijk voorgevoel kreeg: hij drukte het stuk en het bloed zou overal heen spuiten. 'Verdomme, já, ik ben verliefd op je. Ik weet dat jij het niet op mij bent. Dat wéét ik. Maar als je denkt dat er een kansje bestaat dat je dat eens wel zou worden, een kléin kansje maar, dan moet je het me zeggen. Ik vraag geen beloften... ik gok.'

Annie voelde zich niet op haar gemak. Ze dacht dat iedereen om hen heen met praten was opgehouden en nu op haar antwoord wachtte. Zelfs de maffiabaas.

'Emmett, wat wil je eigenlijk?' Annie dwong zich hem recht aan te kijken. 'Wat wil je nu precies dat ik zeg?'

'Zeg dat je het weekend met me meegaat. Meer vraag ik niet, Annie Cobb. Het gaat niet om de maan.'

'Nee, alleen om de zon en de sterren,' antwoordde ze luchtig, maar ze was te moe om te argumenteren.

Hij glimlachte flauwtjes. 'Wel zo ongeveer.'

Annie staarde naar zijn stevige knuisten. Ze herinnerde zich de sproeten op zijn rug en buik, en op zijn...

Opeens zag ze iets voor zich, een herinnering: Emmett in de nachttrein naar Marseille die het gordijntje van hun ouderwetse coupé neerliet, toen zijn hand onder haar rok bracht en haar broekje tot onder haar knieën naar beneden trok. Daarna had hij zijn riem losgemaakt, zijn rits omlaag getrokken, haar op zijn schoot getrokken, en toen... hitte. Opeens sloegen er vlammen door haar heen, niet alleen door haar buik, maar overal doorheen.

Straks zien ze ons, had ze gefluisterd. Straks komt er iemand binnen. Maar ze hield niet op, en hij ook niet.

Ze zat zo dat ze hem aan kon kijken, met haar knieën aan weerskanten van zijn werkende heupen. Ze voelde de zoom van zijn spijkerbroek tegen het zachte vlees aan de binnenkant van haar dijen drukken. Ze had haar gezicht tussen zijn hoofd en schouder gedrukt en ze kon nergens anders aan denken. De rustige kracht waarmee hij zich bewoog, en zijn geur die naar haar opsteeg, een bijna dierlijke lucht die haar beelden voor de ogen toverde van Emmett te paard met een bezweet hemd aan en een stoffige broek.

Hij kwam, maar zij kon niet; ze was te bang dat ze betrapt zouden worden en misschien zat ze ook niet goed. Daarom had Emmett haar omlaag gedrukt zodat ze op haar rug op de harde vinyl bank lag. Ze had haar ogen gesloten en was gebiologeerd door het schokken en zwaaien van de trein onder haar, en het ritmisch geluid van de gesp van zijn riem die tegen de metalen rand van de bank sloeg. Ze voelde zich nat worden en er sloeg een heerlijke pijn door haar heen, zijn tong was in haar en... God... o God...

Ophouden met die herinneringen, hield ze zich voor; ze kreeg het er warm van. Dat met Emmett toen was alleen maar seks geweest. Ze had zich eenzaam gevoeld. En misschien wat dronken van Parijs. Maar toen dacht ze: waarom is het zo schandelijk om hem te begeren, zelfs als ik niet van hem houd? Het is al zo lang geleden... en waarom ben ik zo zuinig met mezelf? Niet voor Joe, dat was nu wel zeker.

Haar hart bonsde. Je bent gek, Annie Cobb, zei een stemmetje in haar hoofd. Als je Emmett niet neemt, heb je straks niets.

Toen dacht ze opeens aan de marsepeinen mandjes voor Felicia Birnbaum. Die had ze haar maandag beloofd, en dat betekende het hele weekend doorwerken.

Annie keek naar een wijnvlek op de tafel en voelde dat Emmett haar aanstaarde. 'Het spijt me, Em. Ik kan dit weekend niet.'

'Klets niet, Cobb,' zei hij rustig. 'Als je het niet wilt, zeg het dan rond-uit.'

'Em... ik ben bang, en van streek. Ik weet niet wat ik moet zeggen,' zei ze, zich naar hem toe buigend.

'Wat denk je van de waarheid?' vroeg hij, en nam een slokje wijn.

'Goed. De waarheid is dat ik voor maandag een grote bestelling moet klaarmaken en dat ik dus echt niet weg kan. Maar ik...' – voordat de woorden er allemaal uit waren vroeg ze zich al af of ze een fout maakte – 'maar ik zou wel een andere keer willen.'

Dan kan ik altijd nog nee zeggen, dacht ze. Dan kan ik zeggen dat het niet gaat. Maar iets weerhield haar ervan hem te weigeren. Ze zag zich al over tien jaar, opgeslokt door haar zaak. Net als Dolly, die snakte naar een man die ze nooit zou kunnen krijgen.

'Misschien vraag ik je dan nog eens,' zei hij effen.

Hun pasta kwam; dampende noedels met veel tomaten, paddestoelen, pepers en olijven, alles in een geurige rode saus. Annie merkte dat ze uitgehongerd was.

Nadat Emmett zijn bord half had leeggegeten, boog hij zich naar haar toe en zei: 'Je weet toch wat "puttanesca" betekent, hè? "Net een hoer." Dat betekent dat alles erin gaat, op de gootsteen na. Verdomme, mis-schien die ook nog.' Emmett was weer zichzelf, vrolijk en brutaal; hij kon haar altijd aan het lachen krijgen. 'Hé, Cesare,' riep hij tegen de dikke man, maar zijn toon was heel beleefd. Alleen Annie zag hoe zijn ogen glinsterden. 'Hoe was je puttanesca? Lekker?'

De man keek hem even aan, herkende hem en knikte heel flauwtjes. Hij liet niet merken of hij Emmett brutaal vond.

Annie moest zich achter haar servet verschuilen om niet te laten zien dat ze lachte. Hoe durfde Emmett? Maar ja, ze had altijd al geweten dat Emmett Cameron voor niets en niemand bang was.

Na het diner stelde Emmett voor een eindje te lopen voor ze een taxi zou-den aanroepen, want ze hadden beiden te veel gegeten. Terwijl ze daar zo liepen, kreeg Emmett opeens een afschuwelijk gevoel. Jezus Christus, dacht hij, hoe speel ik het met dit meisje klaar? Annie leek uiterlijk erg afwijzend, maar hij wist dat ze innerlijk zacht was, anderen nodig had en hij wilde haar beschermen. Emmett moest denken aan de kleine zilverrei-ger die in de netten van hun garnalenboot was terechtgekomen, destijds. Een van zijn poten was gebroken, maar hij sloeg wild met zijn vleugels en ging tekeer. Toen hij het zielige dier eindelijk had kunnen bevrijden, vroeg hij zich af of hij het niet beter uit zijn lijden kon verlossen. Maar hij had hem verbonden en mee naar huis genomen en daar in een oud honde-hok gestopt dat stond weg te rotten in de achtertuin. En zelfs toen had de vogel altijd geprobeerd hem in zijn vinger te pikken als hij hem kwam verzorgen, ondanks zijn gespalkte poot en slap neerhangende vleugel.

De vogel was altijd afwerend gebleven. Toen hij hem na een paar weken, genezen, had losgelaten, was hij weggevlogen zonder hem zelfs maar aan te kijken. En toch had dat dier hem ergens geraakt. Hij had het bewonderd, niet alleen om zijn moedig doorzetten, maar ook om zijn onafhankelijkheid. Elke keer dat hij bij het beest kwam, leek het te zeggen: niemand heeft je gezegd dat je voor me moet zorgen, reken dus niet op dankbaarheid.

Misschien had die vogel hem een lesje gegeven, net zoals Annie nu – het doet er niet altijd toe om wie je geeft, en waarom. En geven om betekent ook niet altijd dat je iets terugkrijgt.

Hij keek hoe ze daar naast hem voortstapte, de handen in de zakken en het hoofd iets omlaag, alsof ze wilde vechten. Maar tegen wie of wat?

Verdraaid, toch was ze knap. Niet zoals die juffen op het omslag van *Cosmopolitan* die je hun tieten toestaken zoals een vertegenwoordiger zijn kaartje. Haar schoonheid was anders; zoiets als zijn liefde voor de oceaan om vijf uur 's ochtends met een lichte mist net boven de golven, of het geluid dat een maïsveld in augustus maakt als de wind door de drogende halmen ruist. Hij vond het prachtig zoals het zonlicht de okerkleur in haar huid benadrukte en de manier waarop haar donkerblauwe ogen vanuit een bepaalde hoek zwart leken, en hoe haar nertskleurige haar op haar onderarmen overeind ging staan als ze boos werd. Hij vond het prachtig te zien hoe ze haar wangen naar binnen zoog als ze diep nadacht, en hoe ze altijd bloosde als ze op nagelbijten werd betrapt; dan keek ze alsof hij haar op de w.c. zag zitten.

Hij vond dat ze er nu heel aantrekkelijk uitzag en elke straatlantaarn die ze voorbijkwamen vormde even een glinsterende stralenkrans om haar donkere hoofd. De kou had haar rode wangen bezorgd en haar hoge jukbeenderen kwamen zo extra mooi uit. Hij had haar dolgraag willen kussen en met haar vrijen… en dat maakte hem bang. Omdat er verdomme niets ergers bestond dan vrijen met een vrouw die een man tussen haar benen heeft en een andere tussen haar oren.

Toch wist Emmett dat hij er de hele avond spijt van zou hebben als hij haar nu níet kuste. Hij kreeg steeds weer hetzelfde beeld voor ogen – Annie die naakt op de Victoriaanse bank in zijn flat in Parijs lag en Manets 'Olympia' imiteerde die ze die dag in het Louvre hadden gezien. Ze had haar hoofd achterovergeworpen zodat ze leek te slapen, maar ze keek hem door haar half neergeslagen oogleden aan; ze had een dun, zwartfluwelen lint om haar hals gebonden en een lichtbruine arm rustte op de leuning, haar dijen waren zorgeloos en uitnodigend een eindje van elkaar. Hij wist nog hoe hij verstomd midden in de kamer was blijven staan. En Annie was nerveus lachend opgesprongen en had een peignoir aangeschoten, alsof ze plotseling niet meer kon verdragen dat hij haar zo zag, zelfs al was het maar een grap.

'Luister, Cobb, ik heb een idee… laten we naar mijn huis gaan,' zei hij nonchalant, maar hij wachtte angstig op haar reactie.

271

'Em.' Ze bleef staan en keek hem waarschuwend aan. 'Je weet best wat er dan gebeurt.'

'Daar reken ik eigenlijk op.' Hij grinnikte en verborg daarachter wat hij in werkelijkheid voelde.

'Ik ben er niet klaar voor.'

'Gek. Ik had kunnen zweren dat jij die naakte dame in Parijs was.'

Ze lachte en hij zag dat ze begon te blozen. 'Emmett, hou op met plagen.'

Toen kuste hij haar. Hij legde een hand op haar schouder en hield met de ander haar achterhoofd vast en voelde zo haar haren in zijn hand. Ze trok zich niet terug. Ze deed zelfs haar mond open en hij proefde iets zoets – het heerlijke Italiaanse dessert dat ze net hadden gegeten. Ze stonden vlak bij een luchtrooster waar warme lucht uit kwam en hij kreeg druppels op zijn wangen en voorhoofd.

'O, verdraaid,' zei ze zachtjes, en trok zich terug. Om hen heen liepen dik ingepakte voetgangers, en auto's en taxi's vormden een rivier van koplampen op de drukke straat. Er zat een man voor hen, vlak voor een fietsenzaak; hij scheen de kou niet te voelen, had een versleten deken om zich heen geslagen en droeg oorringetjes. Ze lachte even en zei: 'We hebben vast last van de puttanesca.'

Emmett zag een taxi aankomen en stak zijn hand op.

De verwarming in de taxi werkte niet en een van de achterportierraampjes stond half open, zodat ze beiden bijna bevroren waren toen ze bij zijn flat, tegenover London Terrace, aankwamen. De douche in de keuken stond nu precies waar hij hem wilde hebben: duidelijk zichtbaar, vlak achter de kast waarin ze hun jassen ophingen. Zonder enige verdere aarzeling trok Emmett al zijn kleren uit, stopte zijn bevroren vingers even onder zijn oksels om ze te warmen en begon toen Annie uit te kleden. Ze verzette zich niet.

Toen ze beiden naakt waren, draaide hij aan de verroeste kraan van de douche en terwijl hij het gordijn opzij schoof, stapte hij eronder. 'Wel eens in de keuken gedoucht?' vroeg hij, en trok haar met zich mee. Even verstijfde ze, maar ze ontspande toen hij haar langzaam en zachtjes begon in te zepen. Haar armen, toen haar borsten en daarna gleden zijn handen over haar platte buik.

'Nee,' zei Annie. 'Het voelt ook vreemd aan.'

'Als je een keuken binnenloopt, denk je eigenlijk alleen aan eten, hè?'

'En dus?' Ze boog zich achterover en hij voelde dat hij stijf werd bij het zien van haar kleine borsten met de donkere tepels.

'En dus,' hij boog zich en raakte met zijn tong een zeepbel op een van haar tepels aan, 'krijg ik opeens honger.'

'Maar we hebben net...' Ze zweeg toen Emmett opeens voor haar neerhurkte en met zijn tong over de natte, zachte binnenkant van haar dij gleed. Ze kreunde toen hij hoger kwam. Hij voelde de warme waterdrup-

272

pels en haar handen in zijn haar waar ze hard maar opwindend aan trok. Toch hield ze zich nog in en ze trilde als een hoogspanningsdraad. Ze was zo, zo enorm hartstochtelijk. Waarom liet ze zich niet gaan? Wat had die Joe dat het zo'n invloed op haar had? Ze had zelfs nog nooit met hem geslapen, voorzover hij wist.

Toen proefde hij haar binnenkant en was verloren. Hij was niet meer voor rede vatbaar en dacht niet meer aan de toekomst. Hij begeerde haar. Hij moest haar hebben. Nu. Hij voelde het bloed in zijn hoofd bonzen en herhaalde steeds: Annie... Annie... Annie!

Hij ging staan en drukte haar tegen de muur, met zijn handen om haar billen. Annie kreunde en had haar hoofd achterovergeworpen; het water stroomde uit haar natte haar. Ze hees zich omhoog en sloeg haar benen om zijn dijen. Ze gaf een kreetje toen hij bij haar naar binnen ging, een geluid dat overstemd werd door het geruis van het water.

Emmett genoot van haar, het zalige gewicht in zijn armen, die zachte benen om zich heen, dat natte haar dat hij voelde als ze haar gezicht in zijn nek begroef, hem beet en haar kreten in zijn schouder smoorde.

Hij kwam plotseling, net toen het water koud begon te worden. Allemensen! Hij voelde haar ook komen terwijl het koude water neerplensde, hij kippevel kreeg en zijn ballen in zijn lichaam schenen te willen kruipen. Al zijn zintuigen stonden op scherp, waren levend en zijn genot was zo intens dat het bijna pijn deed.

'Wat koud,' riep Annie uit. 'Tjee, ik bevries!'

Hij liet haar zakken en stak zijn hand uit om de kraan dicht te draaien. Hij hoorde het zuigende geluid van hun natte lijven toen ze zich beiden terugtrokken. Hij keek naar haar toen ze huiverend haar armen om zich heen sloeg en opeens begonnen ze allebei te lachen.

Emmett nam haar weer in zijn armen en wist niet eens waarom hij lachte, maar het was heerlijk. In die kleine keuken onder die halfverroeste douche in die huurflat voelde Emmett Cameron zich alsof hij eindelijk thuis was gekomen.

Hoofdstuk 22

Laurel lag heerlijk in bad toen ze weer dat vreemde gevoel in haar buik kreeg. Het deed niet echt pijn; het was zeker geen wee. Ze had wel al de hele ochtend dat vreemde gevoel gehad, maar het kón niets zijn. Sally Munroe, met wie ze zwangerschapsgymnastiek deed en die haar tweede baby verwachtte, had Laurel eens gezegd dat het krijgen van een baby net zoiets was als een watermeloen uit je lijf persen. En wat ze nu voelde was nog niet voldoende om het záádje van een watermeloen uit te persen.

Ze keek naar haar dikke buik die boven het water uitstak en dacht aan Scarlett O'Hara die in zo'n onmogelijk stijf korset werd ingeregen. Dát moest pijn doen. Afgezien van dat vreemde gevoel, was ze eigenlijk alleen onder in haar rug een beetje koud, alsof het water daar wat kouder was.

Ze zag filmbeelden van bevallingen voor zich: stoïcijnse pioniersvrouwen die op repen leer beten om het niet uit te schreeuwen. Angstige vaders in ziekenhuiswachtkamers die maar op en neer ijsbeerden. Doodsbange vrouwen die op brancards lagen vastgebonden en zich kreunend in bochten wrongen. Maar dat was dít niet, nee, het waren geen weeën... dat kon niet.

Ze dacht aan de lerares van de zwangerschapsgymnastiek die gezegd had dat schijnweeën vaak voorkwamen – contracties die niet veel pijn deden en met regelmatige tussenpozen terugkwamen. Hoe regelmatig waren deze? Ze had er een paar gecontroleerd, maar soms zat er tien minuten tussen, dan zes en dan weer tien minuten. Ze was misschien te gespannen. Dit bad zou haar goeddoen.

Maar misschien was het verstandig om toch dr. Epstein maar te bellen.

Laurel wilde zich omhoog hijsen... en het vreemde gevoel verdween. Ze liet zich terugzakken in het warme water en voelde zich opgelucht.

Waarom zou ze de dokter lastig vallen als er niets aan de hand was? Hij zou alleen zeggen dat ze maar naar het ziekenhuis moest gaan, en als het weeën waren zouden ze naalden in haar steken en haar met die nare vingers onderzoeken. Als de baby kwam...

Nee, niet aan denken. Het leek alsof er iets was wat haar zei alle gedachten aan de baby van zich af te zetten. Ze zullen de baby van me afnemen... ik zal hem zelfs niet mogen vasthouden!

Laurel voelde een steek, maar dit keer in haar borst. Plotseling drong het tot haar door, niet alleen de gedachte, maar de volle betekenis: het kindje zal dan niet meer van míj zijn.

Een andere vrouw zou naar het ziekenhuis komen om de baby op te halen. Die vrouw en haar man, aardige mensen, zouden ervoor zorgen dat haar zoon (ze wist vrijwel zeker dat het een jongetje was) altijd werd gevoed, verschoond en in slaap gewiegd. En als hij groter werd, zouden ze hem meenemen naar het strand en naar honkbalwedstrijden en naar Disneyland. Ze zouden thee met honing en citroen voor hem maken als hij ziek was, luisteren als hij oefende op de piano of de saxofoon en hem helpen met zijn huiswerk. Ze zouden van hem houden.

Ze raakte even haar buik aan en fluisterde: 'Je zult me nooit kennen, hè? Je zult vergeten dat je ooit van mij was.'

Tranen gleden over haar wangen; ze kriebelden. Ze stelde zich de baby voor, opgekruld in haar buik, slapend als een poesje met zijn donzen haartjes en kleine roze vingertjes en teentjes. 'Toe...' fluisterde ze, al wist ze niet waarom ze eigenlijk smeekte.

Ik heb het zelf gewild, hield ze zichzelf voor. Niemand had haar gedwongen de baby weg te geven. Rudy had haar alleen overgehaald door te zeggen dat het het beste was. Ze dacht aan zijn telefoontje de dag na hun ontmoeting in die zaak voor baby-artikelen en hoe opgelucht hij was geweest dat ze dit besluit had genomen. Hij had haar steeds weer verzekerd dat het de beste oplossing was, zowel voor haar als voor de baby. En ze probeerde zichzelf ervan te overtuigen dat hij gelijk had, maar nu was ze daar toch niet zó zeker meer van.

Weer dacht ze: was het Joe's baby maar! Misschien hield Joe toch wel van haar... een klein beetje. En misschien zou hij meer van haar houden – veel meer – als Annie er niet was.

Annie. Het kwam allemaal steeds weer terug op Annie. Laurel had het gevoel dat als ze ooit met Joe zou trouwen, ze haar zuster bedroog. Liggend in het afkoelende water, vroeg ze zich af: waarom is het zo moeilijk? Waarom moet ik kiezen tussen twee mensen van wie ik hou? De tranen sprongen haar in de ogen.

Heel even – en eigenlijk moest ze dat niet doen – stelde ze zich voor hoe het zou zijn als ze van gedachten veranderde en de baby zelf hield. Dat aardige paartje van oom Rudy zou dan wel teleurgesteld zijn, maar daar kwamen ze wel overheen. Ze zouden vast wel een andere baby vinden. En dan kon zíj haar baby zelf mee naar huis nemen. Dan zou ze die eiken wieg kopen die ze in de etalage van de winkel van het Leger des Heils op Eighth Avenue had gezien – die eruitzag alsof iemand hem zelf in elkaar getimmerd had – en die zou ze naast haar bed zetten. Als hij dan huilde, kon ze hem zo oppakken. En als hij ouder was, zou ze hem de avondster wijzen, zoals Annie bij haar had gedaan, zodat hij elke avond een wens kon doen.

Er voer een warm gevoel door haar heen, alsof het water warmer was geworden en ze er als een blad bovenop dreef.

Ik zou een baantje kunnen nemen, misschien bij tante Dolly – iets om de rekeningen tussen de illustratie-opdrachten door te kunnen betalen. Dan later mijn studie afmaken, als hij naar school gaat. En als ik dan genoeg gespaard heb, zou ik een studiootje voor ons beiden... of misschien wil Annie verhuizen en blijven wij hier. Dan ben ik ook dichter bij Joe.

Maar als Annie nu eens niet wil verhuizen, dacht Laurel, hoe moet ik dan de huur betalen? Waarom had ze tijdens haar middelbare-schooltijd niet iets praktisch gedaan? Ze kon aardig tekenen, en ze kon koken en naaien, maar dat konden tienduizenden anderen ook. Laurel dacht aan een vriendinnetje dat in de vakantie bij een advocatenkantoor was gaan werken. Dat had ze dom gevonden, maar nu had Hillary een goedbetaalde baan.

Laurel herinnerde zich dat ze er een paar keer met Annie over had gesproken, omdat ze dan kon bijdragen aan de huishoudkosten, maar dan kreeg Annie die speciale blik in haar ogen en zei ze: 'Als je zoveel extra tijd hebt, waarom doe je dan niet mee aan een van je schoolclubs? Die kunstgeschiedenisclub maakt bijvoorbeeld allerlei uitstapjes naar musea... dat is toch veel leerzamer voor je?' En dat had ze gedaan, maar wat hielp dat nú?

Ze had vorig jaar in de zomer bij Blustein & Warwick gewerkt, maar het enige dat ze had gedaan was spullen naar de laboratoria brengen en koffie zetten.

Zo iets als boeken illustreren voor Fairway Press, dát wilde ze graag en ze deed het goed ook. Ze hadden er haar vijfentwintighonderd dollar voor betaald, fantastisch! Maar op dat soort buitenkansjes kon ze niet rekenen. Tenzij ze – net als Annie – de hele dag druk in de weer was.

Laurel trok de stop uit het bad en keek naar het weglopende zeepwater. Toen hees ze zich overeind en stapte op de badmat, maar bij het grijpen naar de badhanddoek kreeg ze weer dat vreemde gevoel. Ze bleef staan en hield zich even aan het handdoekenrek vast. Verbeeldde ze het zich, of had deze langer geduurd dan de vorige? Ze moest controleren of ze regelmatig kwamen. Dr. Epstein had gezegd dat eerste weeën meestal heel lang duurden. Ze hoefde dus niets overhaast te doen.

Ze zou thee zetten en dan de laatste tekening afmaken voor het boek. De rest was al ingeleverd, maar zij en Liz Cannawill waren over de laatste niet helemaal voldaan en ze had beloofd het nog eens opnieuw te proberen.

Laurel trok haar ochtendjas aan. Ze kon hem bijna niet meer dicht krijgen. Toch was die dikke buik bijna normaal voor haar geworden; haar borsten, die waren vreemd. Het leken wel meloenen. Het gaat oneerlijk toe in het leven, dacht ze. Voor het eerst had ze nu een mooi decolleté en ze kon het niemand tonen.

276

Met een dampende kop kamillethee krulde ze zich op de grote rode poef die bij het raam stond. De zon viel warm naar binnen. Ze hield van deze kamer met zijn hangplanten, dikke kussens en oude meubels. Annie werkte altijd tot zo laat dat Laurel vaak alleen was; dat vond ze heerlijk. Geen gezeur of zo, nauwelijks enige afwas, en ze kon tekenen zoveel ze wilde.

Onhandig knielde ze en pakte haar schetsboek van de onderste plank van de oude boekenkast met de glazen deurtjes. Ze bladerde wat tussen de schetsen van beertjes. Een paar weken geleden was ze in een stampvolle metro naar de dierentuin in de Bronx gereden en had daar op een bank tegenover het ijsbereneiland de houdingen van de beren bestudeerd, totdat haar vingers bijna verstijfd waren.

Op de tekening waar ze nu aan bezig was, ging de beer woedend op zijn achterpoten staan omdat hij had ontdekt dat zijn bruid hem had bedrogen. De tekening was goed... dat moest zelfs zíj toegeven. Maar de bruid lag er niet goed bij. Zou ze niet zijn opgesprongen en hem om vergiffenis hebben gesmeekt en hem haar liefde hebben verklaard? Zelfs haar gezicht was fout, te levenloos.

Plotseling wist Laurel hoe de bruid eruit moest zien. Ze pakte een stukje gom en veegde een arm, een been en het halve gezicht weg. Toen begon ze te tekenen; haar potlood vloog over het papier. Ze zag het voor zich: een angstige maar vastbesloten vrouw... een vrouw die haar prins terug wilde hebben.

Ze verloor alle besef van tijd en was zich nauwelijks bewust van de weeën die kwamen en gingen als ongevaarlijke golven van de oceaan. Ze proefde van de thee naast haar op de grond, maar die was koud. De streep zonlicht op het vloerkleed was bijna in schaduw veranderd. Laurel concentreerde zich op de bruid en zag dat haar visie werkelijkheid werd, een maagd die... nu ja, die een prins wáárd was. Hoe kon je anders als lezer geloven dat ze jaren lang de wereld naar hem af zou zoeken? Laurel wist dat ze het nu had. Ja! De doodsangst in haar ogen, de koppige houding van haar kin. Ze overlegde hoe ze de man van wie ze hield terug zou kunnen krijgen. En toen ze dat deed...

Een felle wee, veel erger dan de vorige, maakte dat Laurel haar potlood liet vallen. Ze rilde van pijn en besefte dat ze het potlood niet alleen had laten vallen; ze had het zelfs tegen de muur gegooid. De punt was afgebroken en had een zwarte stip op het behang achtergelaten. Ze boog voorover en greep haar buik vast. God, wat een pijn! Dit was verschrikkelijk. Nu moest ze echt dr. Epstein bellen. Ze wachtte tot de wee voorbij was; het leek wel een eeuw te duren. Maar toen ze wilde opstaan, zakte ze door haar knieën.

Hoe lang zat ze hier al? Ze zag dat de ochtendzon weg was en de middagschaduwen naar binnen vielen. Plotseling werd ze door paniek bevangen. Er ging iets gebeuren. Het werd werkelijkheid.

Haar benen voelden beter aan, maar ze kon nog steeds niet opstaan. Daarom liet ze zich op haar knieën vallen en begon naar de telefoon te kruipen; ze leek zelf wel een ijsbeer, maar dan zwaarder.

Er kwam een nieuwe wee opzetten, nog feller dan de vorige. Lieve God... nog niet, toe nou. Het leek alsof een touw haar middel afknelde. Het zweet stroomde langs haar gezicht, en zij zweette nóóit. Ze was bang. Ze kreeg visioenen van bloed dat uit haar stroomde, van de baby die door de navelstreng werd gewurgd. Hulp. Ze moest hulp hebben.

Annie? Zou Annie in de winkel zijn?

Ze was bijna bij de oude schoolbank waar de telefoon op stond. Ze hees zich omhoog, pakte de telefoon en wachtte even om adem te halen. Ze zag dat de bank vol graffiti zat, initialen met vreemd gevormde harten eromheen, sommen en een tekening die een penis kon voorstellen of het Washington-monument.

Toen ze het nummer begon te draaien, werd ze opnieuw overvallen door een wee. Ze kromp in elkaar en de hoorn kwam met veel lawaai op de grond terecht.

'O!' riep ze, greep haar buik vast en wiegde op haar hurken heen en weer. Messen. Het leek alsof er messen in haar rug werden gestoken, en onder in haar buik. Er moest iets verkeerd zijn gegaan, dacht ze. Zo gauw kon de pijn toch niet zo erg worden.

Eindelijk ebde de pijn iets weg, maar toen dacht Laurel er niet meer aan om dr. Epstein te bellen. Of Annie. Er was maar één persoon die ze nu nodig had. Ze draaide een nummer dat ze uit haar hoofd kende en wachtte in paniek terwijl de telefoon aan de andere kant bleef overgaan. O, God, laat hem daar zijn. Alstublieft, bad ze.

'Joe's Place,' klonk een gehaaste stem, zíjn stem.

Er welde een snik in haar op, toen dacht ze aan de zielige bruid van haar tekening en hield hem in. Ze kneep haar ogen dicht en dwong zich langzaam en diep adem te halen. Toen ze eindelijk kon spreken, klonk ze niet wanhopiger dan als ze uit een telefooncel belde vlak voor ze een trein moest halen.

'Joe? Ik ben het, Laurey,' zei ze. 'Hoor eens, ik geloof dat ik op het punt sta de baby te krijgen.'

Joe zag dat de voordeur niet dicht was, maar op een kier stond. Met een flinke zet duwde hij hem helemaal open. 'Laurey!'

Geen antwoord. Hij schrok. Was hij te laat gekomen? Het had angstig veel geleken op zijn race destijds naar Caryn. In zijn dromen holde hij altijd naar haar toe, haalde het bijna, maar net als hij aankwam ging het scheermes omlaag en spoot het bloed uit Caryns bleke polsen.

'Laurey!' riep hij weer. Dit keer hoorde hij een gesmoord antwoord. Hij keek in de schemerdonkere huiskamer en zijn blik viel op het schetsboek dat open op de grond lag. Hij kreeg even een indruk van de tekening: een grote witte beer op zijn achterpoten die eruitzag alsof hij op het punt stond het meisje voor hem te verslinden. Het was een mooie tekening... en heel levensecht. Maar het viel hem op dat het meisje heel veel op Laurel leek. Zag ze zichzelf zo? Alsof ze op het punt stond levend verslonden te worden?

De tekening biologeerde hem even. Toen wist hij weer waarom hij hier stond. Dat hij in de drukte geen taxi had kunnen krijgen en bijna anderhalve kilometer hard had gelopen door de regen. Daarna vier trappen op zonder stil te staan. Zijn legerjack was vanbinnen even nat als vanbuiten en hij had zo'n moeite met zijn adem dat zijn ribben er pijn van deden. Zijn brilleglazen waren beslagen en daardoor leek de kamer onheilspellend mistig.

Christus, wat deed hij eigenlijk? Waarom had hij geen ambulance gebeld in plaats van als een kip zonder kop weg te rennen?

'Joe?' Hij hoorde van de andere kant van de flat haar zachte maar duidelijke stem.

Joe had altijd gevonden dat de slaapkamer eruitzag alsof de bewoonsters hier maar tijdelijk waren, een soort busstation. Aan de voorwerpen die er lagen zag je hoe verschillend Laurel en Annie waren... en hoe vreemd het was dat hij van beiden hield.

Laurel lag op haar zij gekruld op het bed. Ze had een oude badjas aan die helemaal verkreukeld om haar heen zat. Haar lange haren lagen in vochtige slierten over de rand van de matras. Ze was heel bleek, maar toch glansde haar gezicht. Opeens zag hij dat het kwam omdat ze transpireerde; dat had hij Laurel nog nooit zien doen. Ze deed hem denken aan een Madonna van Rafaël die in een soort morbide extase verkeerde.

Hij knielde naast haar neer en zijn keel werd bijna dichtgeknepen. 'Laurey, ik ben er. Alles komt in orde.' Hij deed moeite de paniek van zich af te zetten en te denken aan wat hun bij de zwangerschapsgymnastiek was geleerd. 'Wanneer is het begonnen? Hoe ver liggen de weeën uit elkaar?'

Ze schudde haar hoofd en kon alleen uitbrengen: 'Allemaal... tegelijk.'

Geen rust tussen de weeën. Dan moest ze al een heel eind zijn. Jezus, waarom had ze hem niet eerder gebeld? En waarom had ze hém gebeld? Wat had hij ermee te maken? Waarom had hij niet geweigerd toen ze hem vroeg haar partner bij de zwangerschapsgymnastiek te zijn? Hij had in elk geval de moed kunnen hebben om toe te geven dat hij het in hoofdzaak had gedaan om Annie te kwetsen.

Wacht even, Joe, dacht hij. Laurel heeft je niet in deze positie gebracht. Hij had alleen met haar te doen gehad, nog steeds. Maar hij was in hoofdzaak woedend op zichzelf.

En wat voor recht had hij om nijdig op Annie te zijn omdat ze hem beschuldigde, terwijl het best zijn baby had kunnen zijn. Kom op, beken het maar. Hij dacht aan de avond dat Laurel hem had gekust en hoe hij in de verleiding was gekomen haar regelrecht naar zijn bed te dragen. En had hij daarna niet veel vaker dat gevoel gehad, al stopte hij het weg? Hij was haar ook gaan bewonderen. Zoals ze dit deed; geen gejammer of pogingen om de schuld op een ander te schuiven. Ze had het zonder meer geaccepteerd. Zelfs de beslissing om de baby te laten adopteren had ze zelf genomen.

Joe schaamde zich omdat hij het liefst weg had willen lopen, trok zijn windjack uit en legde zijn hand op Laurels ronde buik. Hij voelde bewegingen; de spieren trokken zich onder zijn hand samen. Hij schrok. Het leek zo oncontroleerbaar, zo primitief, net als een aardbeving. En hij voelde zich net zo hulpeloos als bij een aardbeving. Wat moest hij doen? Hij was verdomme geen dokter. Waar was die Epstein… had Laurel hem al gebeld?

Iets kneep hem in zijn arm. Hij keek en zag dat Laurel hem uit alle macht bij zijn onderarm beetpakte; haar vingers waren er wit van, bijna doorschijnend. 'Joe, ik ben zo bang,' hijgde ze.

Ik ook, meisje, dacht hij, ik ben doodsbang.

'Wat zei de dokter?'

'Ik… ik heb hem nog niet gebeld. Nadat ik jou… jou had gesproken… moest ik gaan liggen. God, het doet zo'n pijn!' Ze kromp nog meer in elkaar en haar gezicht vertrok in een grimas van ellende.

'Waar heb je zijn nummer?'

'In… het… blauwe boekje onder de telefoon.'

'Ik ben zo terug. Volhouden, Laurey.'

Hij vond het boekje op de plek waar schoolkinderen vroeger hun eigen leesboekjes hadden weggestopt. Hij vond het nummer van de dokter, maar zijn hand beefde zo dat hij twee keer fout draaide voor hij hem eindelijk te pakken had. Een verveeld klinkende vrouw van de boodschappendienst vroeg of hij een boodschap wilde achterlaten en of het dringend was.

'Ja, het is heel dringend!' blafte hij.

Vlak erop belde de dokter en zei dat hij Laurel onmiddellijk naar het ziekenhuis moest brengen; hij had de ambulance al gebeld en die zou er binnen vijf minuten zijn. Vervolgens probeerde Joe Annie te bereiken, maar een meisje vertelde hem dat ze er niet was. Hij liet de boodschap achter dat hij met Laurel op weg was naar het ziekenhuis, en het kind beloofde hem ademloos dat ze het meteen door zou geven.

Toen hij op de ambulance wachtte, moest Joe denken aan een weddenschap met een schoolvriendje, Teddy Plowright, dat hij geen vijf minuten achter elkaar op zijn hoofd kon staan. Joe dacht dat hij de dollar inzet gemakkelijk kon verdienen, maar toen hij eenmaal op zijn kop stond, leken de vijf minuten een eeuwigheid te duren. En dat was ook nú het geval. Laurel lag op haar rug en klemde met elke hand een knie vast. Hij stond bij het voeteneind van het bed en had het idee dat hij hier niet thuishoorde… alsof Laurel bezig was met een atavistisch ritueel waar mannen van buitengesloten waren.

'De ambulance komt zo,' zei hij. 'En de dokter wacht in het ziekenhuis op je.'

'Ik… denk niet… dat ik… kan… O, God!'

Joe deed zijn best zich de ademhalingsoefeningen te herinneren die ze bij de zwangerschapsgymnastiek hadden geleerd. Een mooie partner was hij.

'Hijgen,' drong hij aan, en boog zich over haar heen. Hij rook haar adem die iets van paniek in zich had. 'Oppervlakkig ademhalen. Goed zo. Ga mee met de pijn. Goed zo, dat is príma. Je doet het uitstekend.'

Laurel bleef nog even hijgen, maar viel toen achterover en klampte zich aan zijn overhemd vast alsof ze verdronk.

'Nee!' gilde ze. 'Ik kan het niet… o, God… laat me dit alsjeblieft niet doen!'

Joe kreeg het gevoel dat hij een hoogspanningskabel had aangeraakt en er een enorme stoot door hem heen joeg. Hij trilde helemaal. Toen beheerste hij zich en nam instinctief Laurel in zijn armen.

'Je kunt het wél,' zei hij tegen haar. 'Echt, je kunt het.'

'Joe.' Hij was zo dichtbij dat ze haar lippen onder de zijne voelde bewegen, een heerlijk gevoel, zelfs nu. 'Ik… ik hou nog… nog steeds van je. Sorry… Ik… ik wilde niet… tegen Annie liegen… Maar ik… ik wilde zo graag dat het jouw… ónze baby was. Haat je me nu?'

'Nee, Laurey. Ik zou je nooit kunnen haten.' Hij streelde haar haren die vochtig en warm aanvoelden. Wat voelde hij? Hij wist het niet, kon al de emoties die Laurel in hem opriep niet de baas. Was hij verlíefd op haar? Nee. Maar wat hij wel voelde was meer dan broederlijke genegenheid.

'Ik hield niet van hem,' hijgde ze. 'Van Jess. Hij was… zomaar iemand.' Ze kreunde. 'Hij weet het niet… van de baby. Ik… heb het hem niet verteld.'

'Was je bang dat hij je in de steek zou laten?' Joe dacht aan die ochtend op de trap van de bibliotheek met Caryn en zijn hart leek in een ijskoude greep gevangen. Hij raakte Laurels wang aan en trok een sliertje haar uit haar mond.

'Nee. Hij…' Ze zweeg en trok aan zijn overhemd. 'Zo… is hij niet. Hij zou geholpen hebben. Ik wilde… alleen…' Ze hijgde en haar mond vertrok. 'Het komt! Joe! Ik voel het!'

'De ambulance…' begon hij, alsof de geboorte iets was wat ze wel even uit kon stellen. Maar hij besefte dat het ging gebeuren, of de ambulance er nu was of niet.

Jezus. Dít hadden ze niet geoefend tijdens de les. Wat moest hij doen? In films zei de dokter of vroedvrouw altijd tegen de man dat hij voor het water zorgen. Maar wat moest je daar dan mee?

Het zweet stroomde van hem af en zijn brilleglazen besloegen steeds weer. Zo had hij zich nóg eens gevoeld, op school, voor de kwalificatie- wedstrijd voor de vierhonderd meter sprint. Hij wist nog dat het zweet in zijn schoenen was gestroomd toen hij klaarstond voor de start, waardoor zijn tenen glibberig en zijn voetzolen glad werden, en kriebelden.

Maar hij kon zich op dit moment niet meer herinneren hoe hard hij toen had gelopen en of hij gewonnen had. Het enige dat hij nog wist was die ellende voor het startpistool klonk.

Waar blijft die ambulance? Die had hier al moeten zijn. Verdomme, denken ze soms dat het om een verstuikte enkel gaat? Maar toen hij op zijn horloge keek, zag Joe dat er nog maar vier minuten waren verstreken sinds hij met dr. Epstein had gesproken.

Laurel gilde. Haar gezicht werd vuurrood en hij begreep dat ze aan het persen was.

Help, stel dat de baby verkeerd lag? Of als ze eens zou beginnen te bloeden?

Hij voelde hoe nerveus hij was; het bloed bonkte in zijn oren. Hij holde naar de badkamer en pakte een schone handdoek van het rek. Weer bij Laurel gekomen legde hij die onder haar heupen. Hij wist niet wat hij anders moest doen.

'Het komt wel in orde,' hoorde hij een kalme vreemde zeggen. 'Pers maar als dat nodig is.'

'God!'

Met de eerste keer persen gutste het water tussen haar benen omlaag. Hij wist dat dit gebeuren zou, maar nu hij het zag, was het een enorme schok. Toen hij aan het voeteneind van het bed neerknielde om te zien wat er precies gebeurde, verstijfde hij van schrik. Het bed was kletsnat, en de handdoek ook. Maar er was geen tijd om water op te zetten of een schone handdoek op te zoeken, of zelfs maar om te niezen. Tussen Laurels opgetrokken knieën zag hij een donkere, natte cirkel... het hoofd van de baby. Hij werd duizelig, was gedesoriënteerd. Hij zag hoe dit wonder gebeurde. Kon God de schepping van de wereld op deze manier hebben geobserveerd? De donkere cirkel werd groter. Hij hoorde Laurel grom- men terwijl ze weer perste... en nog een keer... heel krachtig. Hij zag als vanuit de verte hoe hij zijn armen uitstrekte, z'n handen omhoog, om het hoofdje van de baby op te vangen terwijl het zich langzaam de wereld inboorde, nat, donker en puntig. Maar er was iets mis! De baby leek vast te zitten, de schouders bleven hier of daar haken. Nu zag hij bloed op de opgevouwen handdoek onder Laurel lekken.

Joe's paniek nam toe. Stel dat de navelstreng verkeerd zat en de baby tegenhield? En als Laurel eens te erg ging bloeden? Hij herinnerde zich vaag iets gezien te hebben op een film tijdens de zwangerschapsgymnas- tiek, dat op dit ogenblik de baby een beetje moest worden gedraaid. Voorzichtig, alsof het kindje een vlinder was, draaide Joe de baby en voelde dat de schoudertjes loskwamen. Nu kwamen er een lang lichaampje en een paar rode beentjes. Joe ademde diep uit.

Met één hand achter het hoofd van de baby hield Joe met zijn andere de kleine billetjes vast en riep: 'Een jongetje... en kijk, hij plast!'

Een stroompje urine kwam met een boogje uit een penis die nog niet eens zo groot was als zijn pink. De baby slaakte een gesmoorde en geschrokken kreet... en begon toen te huilen, met zijn beentjes te trappelen en met zijn armpjes te zwaaien als een beginnende zwemmer die per ongeluk in het diepe is gegooid. Zijn borst en gezichtje zaten vol bloed. Joe keek naar Laurel en zag dat het bloed uit een scheurtje kwam dat tijdens de geboorte was ontstaan. Ze zou gehecht moeten worden, maar het zag er niet gevaarlijk uit.

Plotseling was hij terug in de wereld. Laurel lag uitgeput te hijgen en hij hield dit nieuwe leventje in zijn handen. Eigenlijk had Joe nooit over de levende baby nagedacht, maar toen hij hem zag, deed het hem toch iets. Hij begon te lachen, en daarna te huilen, zomaar. Hij zag dat ook Laurel lachte terwijl de tranen over haar wangen stroomden.

Joe keek nog eens naar de baby in zijn armen, nog door de navelstreng met Laurel verbonden. Die navelstreng was blauw-groen en helemaal niet lelijk of afstotend zoals hij altijd gedacht had. En voor het eerst in zijn tweeëndertig jaren voelde hij zich deel van iets groters dan zichzelf. Van God? De mysteries van het heelal? Nee, kleiner... een harteklop, een nieuw leven.

Het mooiste was dat hij nu de kans had gekregen te bewijzen dat hij ook Caryn had kunnen helpen als ze nog geleefd had. Wat er nu moest gebeuren, wist hij niet. Het enige dat hij wist was dat Joe Daugherty het soort man was waar je op kon vertrouwen.

De baby huilde niet meer. Een paar donkerblauwe ogen staarden hem strak aan en een heel klein handje klemde zich om zijn vinger. Joe voelde een immense vreugde in zich opwellen die hem bijna overweldigde. Voordat hij het zelf wist, of kon nagaan waarom hij het wilde, zei Joe: 'Adam. Hij heet Adam.'

Hoofdstuk 23

Val stond in de hal van het grote St. Vincent Ziekenhuis en vroeg aan de zwarte dame met de felle ogen achter de balie in welke kamer Laurel Carrera lag.

Terwijl ze snel door haar indexkaarten keek, die blijkbaar op alfabet waren gerangschikt, nam Val de omgeving in zich op. Hij zag al de zwarten en spaghettivreters die op de banken zaten te wachten en de groene vinyl vloer die door talloze schoenen kaal was gesleten. Jezus, wat een puinhoop. Wat deed hij hier eigenlijk? Zijn kleine meisje was nu volwassen en zelf moeder; vermoedelijk was hij ongeveer de laatste die ze wilde zien. Ze had hem toch jaren geleden al duidelijk gemaakt hoe ze over hem dacht toen ze er 's avonds met Annie vandoor was gegaan zonder zelfs een afscheidsbriefje achter te laten.

Geen Laurel Carrera hier, zei de dikke negerin achter de balie. 'Het spijt me, meneer.'

Verdomme. Hij wreef over zijn kin, voelde hoe ruw die was en hij herinnerde zich dat hij zich niet had geschoren. Zou ze onder haar mans naam zijn geregistreerd?

En wat dan nog, dacht hij. Hoe je het ook bekijkt, ze zal je vast niet willen zien. Waarom ga je niet weg? In zeven jaar had hij geen enkele brief of geen enkel telefoontje van haar gekregen, zelfs geen ansichtkaart. Als hij niet toevallig in de *L.A. Times* dat artikel had gezien over Annies bonbonzaak, zou hij niet hebben geweten of een van de beide meisjes zelfs nog leefde.

Maar nu was hij van zo ver gekomen en had zijn laatste honderd dollar verknoeid aan een goedkope vliegreis naar New York. Verdomme, hij kón niet zomaar weer weglopen.

'Hebt u dan een Laurel Cobb?' Onwaarschijnlijk, maar het proberen waard.

De zwarte vrouw keek weer door de kaarten en keek hem toen spottend aan. 'Derde etage, kamer 322.'

Val probeerde te slikken, maar zijn mond was kurkdroog en hij had een vreselijke smaak in zijn mond van alle koffie die hij had gedronken. Het was bijna twaalf uur 's middags, maar hij was praktisch de hele nacht op geweest, en de nacht ervoor ook – vijf uur vanaf LAX plus nog eens een poos rondcirkelen boven La Guardia voor het vliegtuig kon landen in de dichte mist.

De taxi naar de stad vanuit Queens had er eeuwen over gedaan, want door de mist was het één lange file. De chauffeur was een Arabier... Mohammed zus of zo, hij had van die nare muziek op de radio en sprak zelfs geen Engels. Val had het adres van Annies winkel driemaal moeten herhalen. Toen hij er eindelijk was, had hij de hele dag buiten in de kou staan wachten en ook nog een flink stuk van de avond voordat Annie verscheen. Toen hij haar zag met haar mooie mantel en wollen sjaal had hij haar het liefst een flinke klap in haar gezicht willen geven, maar hij had zich bedwongen. Hij wist dat als hij dát deed, ze het hem erg moeilijk zou maken om Laurel te bereiken. Hij had een eind achter haar aan gelopen en was haar zo naar het station van de ondergrondse gevolgd, de trein in. Een paar straten van Twenty-third en Seventh was ze de hal in gelopen van een bakstenen flatgebouw. Woonde ze daar of ging ze op bezoek? Na een paar minuten was hij naar binnen gegaan en had de naambordjes bekeken. Hij vond haar naam – A. Cobb – en bedacht triomfantelijk dat het hem eindelijk eens meezat.

Hij had bij de conciërge gebeld en een vrouw van middelbare leeftijd – zeker de vrouw van de conciërge – deed de deur van de vestibule open, met een zwabber in de hand. Toen hij gevraagd had of Laurel daar met haar zuster woonde, verhelderde haar blik.

'O, u hebt net alle opwinding gemist,' zei ze. 'Gisteravond. Ze hebben haar op een brancard weggebracht... zo wit als een doek en met de baby op haar buik liggend, nog vast aan de navelstreng. Nou, het was een hele toestand.'

Val schrok alsof hij tegen een glazen ruit was opgelopen die hij niet had gezien. Baby? Jezus, ze was zelf nog niet veel meer dan een baby.

De vrouw had hem naar het ziekenhuis verwezen op Seventh Avenue en Twelfth Street en onderweg kreeg hij de kans om aan Laurel als moeder te wennen. Ze hadden hem overal buiten gelaten; hij voelde zich te kort gedaan.

Terwijl hij nu met de lift naar de derde etage zoefde, voelde hij zich opnieuw bezwendeld. Als Laurel niet was weggelopen, had alles zo anders kunnen zijn. Een kind dat tegen hem opkeek had de hele zaak kunnen veranderen. En als hij Laurel had moeten onderhouden, had hij vast wel wat geld uit dat vastgezette kapitaal voor haar kunnen lospeuteren in plaats van door stomme bazen te worden uitgescholden of in de rij te moeten staan voor een uitkering.

Als Rudy er niet was geweest... hij moest er niet aan denken wat hij zonder zijn broer had moeten beginnen. En de laatste tijd stapelden de moeilijkheden zich steeds hoger op.

De kamer bleek aan het eind van de gang te liggen en de deur stond op een kier. Een van de bedden was leeg, in het andere zat een jonge vrouw overeind tussen de kussens; haar lange blonde haar was samengebonden in een paardestaart. Ze keek naar buiten en zag hem niet, zodat hij haar goed kon opnemen.

Was dat Laurel? Die volwassen jonge vrouw?

Zijn hart bleef bijna stilstaan. Plotseling herinnerde hij zich dat hij nog de kleren droeg waarmee hij in het vliegtuig had gezeten. Allemachtig, straks dacht ze dat hij een zwerver was.

Zíj had een ziekenhuisjak aan en droeg geen make-up. Toch zag ze eruit als een filmster, vond hij. Nee, meer zo'n zangeres met lang haar en lange vingers en zo'n prachtige stem. Ze was heel mooi... die ógen... Eve's ogen... wat kon een man zich door zulke ogen laten verblinden.

'Laurel? Schatje?' fluisterde hij, en stapte naar binnen. Ze draaide zich om en hij zag hoe sierlijk ze zich bewoog. Ze is van mij, dacht hij, ik heb haar gemaakt. Hij kreeg meer zelfvertrouwen. Ze was van hem, vormde een onderdeel van hem, net als zijn arm of zijn been. Hoe zou ze hem ooit kunnen afwijzen?

Ze staarde hem met grote ogen ongelovig aan. Toen begon het haar te dagen en het bloed trok weg uit haar gezicht. Haar mond viel open.

'Val?' bracht ze uit. 'God, je bent het echt.' Ze sloeg beide handen voor haar gezicht en sprak tussen de bleke vingers door. 'Maar... je... je bent... ik dacht dat je... dood was.'

Val keek verbaasd op. 'Dood? Jezus. Waar heb je dat gehoord?' Hij had veel verwacht, maar dit niet!

'Oom Rudy heeft me verteld dat je was gestorven in de nacht waarin Annie en ik zijn weggelopen. Dat Annie...' Ze haalde diep adem en rilde alsof er een raam openging en er een ijskoude wind naar binnen woei. 'H-hij liet me beloven het t-tegen n-niemand te zeggen.'

Rudy? Had Rudy haar dat verteld? Val begreep er niets van. Maar waarom? Waarom zou Rudy zoiets doen? Dat had toch geen zin? Zijn gedachten gingen alle kanten op, maar hij vond geen verklaring.

'Hoe... hoe heb je me gevonden?'

Hij zag dat zij ook moeite had om de zaak te aanvaarden. Haar handen vielen op het laken en hij zag op haar wangen de rode plekken die haar vingers daar hadden achtergelaten.

'Ik las een artikel in de krant over je zuster.' Hij verhief zijn stem niet, maar dacht diep na. Het was niet bij hem opgekomen toen hij dat artikel had gelezen, maar nu zag hij het allemaal. Rudy had van het begin af aan geweten waar Laurel en Annie woonden.

'Heeft Annie je verteld dat ik hier was?' Laurels stem klonk ongelovig.

'Nee, ik heb haar van de zaak naar huis gevolgd. En daar vertelde de vrouw van de conciërge me waar ik jou kon vinden.'

Was ze blij hem te zien? Hij wist het niet. Voorlopig was ze alleen geschrokken...

'Je ziet er goed uit,' zei hij. 'Ik hoor dat je een baby hebt gekregen.'

'Ja.' De tranen sprongen haar in de ogen en even dacht hij dat ze zou gaan huilen. Had hij iets verkeerds gezegd? Hij probeerde zich Eve voor te stellen toen Laurel was geboren, maar hij herinnerde zich alleen dat hij overal op sigaren had getrakteerd en in de Rusty Nail op Sunset had hij zich met een stel vriendjes bezopen.

'Een jongen of een meisje?' vroeg hij, opeens belangstellend.

'Een jongen.' Ze klonk niet erg gelukkig. Had ze liever een meisje gehad?

Val grinnikte. 'Dan ben ik grootvader. Wat zeg je me daarvan?' Hij zweeg en zijn lach verdween. 'Ik dacht dat je me vergeten was.'

'Ik had willen schrijven, maar...' Haar stem stierf weg en ze keek peinzend. Het leek of ze nu pas begreep dat Rudy haar had voorgelogen.

Val werd plotseling woedend. Die klootzak van een Rudy. Hij zou hem op zijn gezicht timmeren als hij hier was geweest; om mee te beginnen. Hadden Rudy en Annie dit samen bekokstoofd? Misschien had Rudy haar met geld geholpen. Wat was hij stom dat hij alle verhalen van zijn broer zomaar had geslikt! Val deed zijn best zich te ontspannen, maar het kostte hem veel moeite. Hij moest Laurel maar niet laten merken hoe nijdig hij was. Dat zou haar alleen maar bang maken.

'Och,' zei hij, 'het belangrijkste is dat ik nu hier ben.'

'Ik... ik weet niet wat ik moet zeggen.'

'Zou je je ouwe heer niet eens omhelzen? We hebben elkaar zo lang niet gezien.'

Val ging op de rand van het bed zitten. Hoewel hij zich wat onhandig voelde, trok hij haar toch in zijn armen. Even scheen ze zich te verzetten, maar toen liet ze zich gaan en de spanning week. Zou het te laat zijn om een vader voor haar te zijn? Heel even – en hij schaamde zich meteen – bedacht hij dat het misschien nog niet te laat was om wat van haar geld los te krijgen.

Laurel trok zich terug en veegde haar neus af met de rug van haar hand, net zoals ze als kind had gedaan.

'Oom Rudy behandelt de adoptie,' zei ze, en snoof. 'Hij... hij heeft een echtpaar gevonden. Heel aardige mensen, zegt hij.' Ze haalde even diep adem. 'Daarom hebben ze me in deze kamer gelegd in plaats van op de kraamafdeling. Niet bij de andere moeders. Ze denken zeker dat ik uit het raam spring als ik die met hun baby's zie.'

O, dus geen echtgenoot. Dat kind was een bastaard. Net als Rudy en hij. De geschiedenis herhaalde zich.

Rudy.

Ik vermoord hem, ik hak hem in mootjes, dacht hij. 'Hoe komt het dat jij en Rudy met elkaar omgaan?' vroeg Val, ruwer dan hij bedoelde.

'Hij is erg goed voor me geweest,' antwoordde ze vergoelijkend. Ze plukte aan het laken en draaide stukjes stof om en om. 'Ik heb het zelf gewild, van de baby. Hij heeft niet gezegd dat ik hem op moest geven, bedoel ik. Hij heeft alleen... O.'

Haar kin trilde en er gleed een traan over haar gladde wang.

Val begreep het allemaal. Die baby die Rudy zei te willen adopteren. Val had het al vreemd gevonden dat een ouwe vent als Rudy, niet getrouwd, een kind wilde adopteren. Maar Rudy had als advocaat zoveel relaties. Alles was mogelijk. En hij had het dus steeds over Laurels baby gehad! Zíjn kleinkind!

Ja, hij was belogen. Tot tweemaal toe. Vergeleken met Rudy was wat Annie gedaan had helemaal niets. Annie had de zaak nooit anders voorgesteld, of gedaan of ze het met hem eens was. Val had het liefst een stoel door het raam geslingerd. Had hij werkelijk niet geweten dat Rudy zo'n oplichter was?

Val kneep zijn ogen dicht. Hij was weer veertien en stond in die naar drank en sigaretten ruikende flat waar hij was opgegroeid. Hij zag zichzelf daar staan kijken naar Shirley die voor dood op het bed lag. Haar gezicht had een vreemde, blauwe kleur, en het kussen zat onder het bloed. Hij wist nog dat hij het gevoel had gekregen dat hij moest overgeven. En hij was doodsbang geweest. Ze was wel vaker buiten westen geweest en had haar bed ondergespuugd, of de vloer, maar nooit met bloed. Hij was in paniek geraakt. Maar Rudy was bij hem; Rudy zou wel weten wat ze moesten doen. Moeten we niet iemand halen, had Val gevraagd, hulp halen? Maar Rudy had zijn hoofd geschud en nee gezegd. Als ze haar naar het ziekenhuis lieten brengen en er bleek niets aan de hand te zijn, dan zouden zij voor aap staan. En als Shirley weer bijkwam, zou ze woedend op hen zijn. Maar dat bloed, had Val gezegd, en hij was begonnen te snotteren, al dat bloed? De laatste tijd had Shirley vaak ziek geleken, ze had nauwelijks gegeten en steeds gejammerd over haar maag die zo'n pijn deed. Maar Rudy had alleen maar gelachen. Ga je gang, had hij gezegd, roep jíj maar een dokter en een ambulance, en waar denk je dat we dat van moeten betalen? Val was bang geweest, maar voelde zich ook stom omdat hij niet had beseft wat voor Rudy zo duidelijk was. Hij was achter zijn broer aan de kamer uitgelopen en had Shirley laten liggen. Tegen de tijd dat hij terugkwam en de ambulance arriveerde, was Shirley dood.

Plotseling wist Val het. Rudy had aldoor geweten dat Shirley stervende was. Maar hij wilde haar dood.

Val schrok er nu nog van. Nou ja, ze was geen beste moeder geweest, maar om haar te laten sterven? Jezus, had hij het toen maar doorgehad.

Maar Rudy had het wél geweten. Net zoals hij alles van Laurel had geweten. Hij wist steeds waar Laurel was... en verborg die wetenschap voor mij.

Val kneep zijn handen zo hard om de bedspijlen dat het leek of al het bloed uit zijn vingers wegtrok. Het zweet brak hem uit. Hij stelde zich voor dat hij Rudy's nek te pakken had en hij kon de wervels bijna horen breken. Precies het geluid dat een kakkerlak maakt als je hem onder je hak verbrijzelt.

Toen besefte hij iets belangrijks: Laurel wist niet dat Rudy van plan was de baby zelf te houden.

Toen hij eindelijk weer iets zei, was Val zelf verbaasd dat zijn stem zo normaal klonk. 'Ik zal je eens een paar dingen over die lieve oom Rudy van je vertellen,' begon hij.

In de ruimte van Pan Am waar de bagage op de lopende band moest verschijnen, stond Rudy op zijn koffer te wachten. Hij moest moeite doen zich te beheersen en niet vrolijk een deuntje te gaan fluiten. Wat een dag, wat een fantastische dag! Hij had overwogen Alicia mee te nemen, de Mexicaanse die voor de baby zou zorgen, maar had besloten dat hij alleen wilde zijn. Alleen met de kleine Nick – zo zou hij hem noemen, Nicholas Carrera. Hij wilde dat zijn zoon zijn pappie leerde kennen zonder dat een verzorgster zich ermee bemoeide... dan wist Nick wie de eerste was die in zijn leven verscheen.

Had hij alle babyspullen? Hij had geen tijd in New York willen verspillen en had daarom alles al meegebracht. Hij nam het nog even door: zo'n soort slaapzak met een rits, heel leuke babykleertjes, Pampers, dekentjes, flessen, spenen en blikken met babyvoeding. O, en natuurlijk *Dr. Spock*. Hij was aan boord van het vliegtuig twee keer in slaap gevallen bij zijn pogingen het boek te lezen. Maar hij zou het toch moeten doen. Hij en die verzorgster moesten alles echt goed doen.

Terwijl hij toekeek hoe zijn koffer met de koperen hoeken aankwam glijden, bedacht hij plotseling dat hij binnen het uur de kleine Nick in zijn armen zou hebben. Zíjn zoon.

Hij werd zo opgewonden dat hij er een zweverig gevoel van kreeg en naar zijn voeten moest kijken om zeker te weten dat hij nog met twee benen op de grond stond. Maar even later, nadat hij zijn koffer op het vouwwagentje had bevestigd, begon hij plotseling angstige voorgevoelens te krijgen. Misschien had hij Laurel in het ziekenhuis moeten opbellen. Ze had het moeilijk gehad, het arme kind... een bevalling in zo'n omgeving. Thuis. Verdraaid jammer dat ze niet tijdig in het ziekenhuis had kunnen komen. Daar hadden ze de kleine Nick onmiddellijk bij haar weggehaald, voordat ze hem goed had kunnen zien. Maar misschien was het niet zo moeilijk voor haar om de baby af te staan.

Rudy wenste van ganser harte dat hij haar de waarheid kon vertellen... maar als hij dat deed, krabbelde ze misschien terug. En dat zou geen wonder zijn. Wie zou willen dat een eenzame oude vrijgezel haar kind opvoedde nadat er een modelgezin beloofd was? En dan zou ze ook te weten komen dat hij haar had voorgelogen. Nee, hij kon dat risico niet lopen. Het enige dat meetelde was dat hij Nick kreeg. Niets was belangrijker dan dat.

Over niet al te lange tijd – wanneer de adoptie helemaal geregeld was, over een jaar of zo – zou hij haar wel eens de waarheid vertellen. Tegen die tijd zou ze wel inzien dat hij de juiste beslissing had genomen. Dat haar zoon in de beste handen was, met een pappie die meer van hem hield dan van alle andere dingen en mensen ter wereld.

Bij de balie van Avis zag hij een telefooncel en hij zocht in zijn zak naar wat kleingeld. Zijn hand trilde toen hij de munt in de gleuf liet vallen. Hè, waarom was hij zo nerveus. Alles was geregeld, ja toch? Het enige dat hij moest doen...

De telefoon ging over.

'Met het St. Vincent Ziekenhuis,' zei de telefoniste met een neusstem.

'Kamer 322, alstublieft.'

'Een ogenblikje, ik zal zien of ik u kan doorverbinden.'

Er klonk een klik en toen hoorde hij weer een telefoon overgaan. Het duurde zo lang dat hij begon te denken dat Laurel misschien net naar het toilet was of zo, maar toen hij op het punt stond de moed te verliezen, werd er opgenomen.

'Hallo?' Laurels stem, maar hij klonk anders... gesmoord, alsof ze verkouden was... of gehuild had.

'Ik ben het, oom Rudy,' zei hij.

Er was iets mis. Hij voelde het. Stilte. Het leek of ze had opgehangen... maar hij hoorde haar moeizame ademhaling.

'Dat weet ik,' zei ze eindelijk, en haar stem was zo koud als ijsbloemen op een bevroren ruit.

'Hé, wat is er...' begon hij, maar toen leek het of zijn longen niet verder functioneerden, of er een band was doorgeprikt, alsof hij onder water ademhaalde.

Zij sprak weer en haar stem brak. 'Ik weet alles. U hebt gelogen. U... u zei dat hij een projectmakelaar was en dat zij... zij honden fokte... en dat ze al jaren probeerden een baby te krijgen. U vertelde me van alles over hun grote huis vlak bij een strand. En nog allerlei andere dingen. O, oom Rudy, hoe kón u dat doen?'

'Laurel, schatje, je begrijpt het niet. Als je nu even naar me wil luisteren.'

'Nee, ik wil niet luisteren.' Ze snikte nu echt. 'U hebt gelogen. U gebruikte mij alleen om de baby zelf te krijgen. Val heeft me alles verteld.'

Val? Jezus, wat had Val hiermee te maken? Hoe had hij haar gevonden?

'Laurel, luister toch naar me. Ik wilde je alles vertellen.'

'Zoals wat u over mijn vader zei?'

'Dat was...'

'Hou maar op,' zei ze bruusk. 'Ik wil er niets meer over horen. Er bestaan geen excuses voor leugens over een zaak als deze. God, ik was elf. Hebt u er een idee van wat ik voelde toen ik dacht dat mijn vader dood was? Dat mijn eigen zuster hem had vermoord?'

'Ik wilde je sparen. Ik...' Hij probeerde de brok in zijn keel weg te slikken. Rudy wist niet meer wanneer hij voor het laatst had gehuild, maar hij was er nu heel na aan toe. '… hou van je.'

'Vaarwel,' zei ze.

Een klik en de verbinding was verbroken.

Rudy leunde tegen de wand van de cel. Het leek of de grond op hem toe kwam. Er liepen allerlei mensen voorbij met koffers in de hand, maar hij zag hen steeds waziger. Hij kreeg pijn in zijn borst, vreselijk! Hij kon zich niet meer bewegen, dacht hij. En toen een vreemd geprikkel in zijn arm. Had hij een hartaanval? Jezus nog toe!

Na een paar minuten verdween de pijn… maar zijn angst was hem nog de baas. Hij had het gevoel dat hij een last moest dragen die veel te zwaar voor hem was. Ik ben alles kwijt, dacht hij. Nicky, Laurel. Alles wat hij ooit had willen hebben, waar hij om gaf, van wie hij hield.

En dat door Val… allemaal door de schuld van Val. Die stommeling gaf niets om Laurel. Bij hem draaide alles om zijn eigen ego. Zijn dochter was een soort prijs die hij op de schoorsteenmantel wilde zetten. Waarom had hij haar toch niet aan het verstand gebracht dat ze zonder Val veel beter af was? Dat hij, Rudy, alleen maar probeerde haar te beschermen?

Rudy liet zich langzaam op het niervormige bankje in de cel neerzakken. Langzaam werd zijn ademhaling weer normaal en zijn hoofd werd ook helderder. Er hing slechts één gedachte in zijn hoofd en die trilde daar als een druppel gif op de punt van de staart van een schorpioen.

Eens zou hij zorgen dat Val verdween. En als hij dat deed, zou hij zulke maatregelen nemen dat het voor eeuwig was!

Hoofdstuk 24

'Brengt u mij mijn baby.'

Laurel hoorde de woorden luid weerklinken; ze had zelfs het gevoel dat ze geschreeuwd had. Maar de verpleegster keek zelfs niet op van de thermometer die ze in het vage licht van het bedlampje probeerde af te lezen. Laurel schraapte haar keel, vastbesloten om beleefd maar duidelijk te zijn.

'Ik wil graag mijn baby zien.'

Dit keer keek de verpleegster op. Ze staarde ongeveer even geïnteresseerd en hartelijk naar Laurel als ze naar de thermometer had gekeken, en zei: 'Nou, ik geloof niet dat dat zo'n goed idee is. Waarom proberen we niet wat te slapen? Dan voelt u zich morgen een stuk beter.'

'Het ís morgen.' Laurel haatte de verpleegster nu, haatte haar suikerzoete stem, haar bemoeizucht.

De jonge roodblonde vrouw met de brede heupen, droeg een naamkaartje op haar uniform waarop stond 'Karen Koplowitz'. Ze keek op haar polshorloge en zei opgewekt: 'U hebt warempel gelijk!'

Volgens Laurels Timex was het half zes. Ze had hier in het halfdonker liggen staren sinds om tien uur de lichten uit waren gedaan en had naar de vage geluiden van de straat beneden geluisterd. Haar ogen waren gezwollen en jeukten. En nu kwam die verpleegster daar drukdoend binnen om haar bloeddruk en temperatuur op te meten; ze vroeg zelfs niet of ze wakker was, of het even mocht. Het leek of ze een meloen in de supermarkt was waar je even in kneep om te zien of hij rijp was.

Maar erger dan de verpleegster, zelfs erger dan het pijnlijk ongemak tussen haar benen en haar overgevoelige buik, was die afschuwelijke léégte in haar.

Oom Rudy. Hoe had hij haar zoiets kunnen aandoen? Niet alleen dat hij had geprobeerd zich Adam toe te eigenen, maar hij had al tegen haar gelogen toen hij zei dat haar vader dood was. Ze herinnerde zich hoe ze was geschrokken toen ze gisteren Val had zien binnenwandelen. In haar verwarring had ze geen raad geweten met haar gevoelens. Ze had hem al zo lang doodgewaand. Ze hadden samen meer dan een uur zitten praten en ze had hem steeds weer aangestaard en gemerkt hoeveel ouder hij was geworden; zijn altijd gebruinde huid zat vol rimpeltjes, zijn witte haar was niet meer zo dik en welig als ze zich herinnerde en had nu een geelwitte kleur, net als oude pianotoetsen. Hij kleedde zich nog steeds keurig; een heel duur zijden jasje, ecrukleurige broek en Gucci-mocassins, maar het jasje was vast al tien jaar oud en ze had gezien dat de manchetten van zijn overhemd rafelden. En hij had niet één keer over zijn werk gesproken, of over in wat voor huis of flat hij woonde.

Waar ze wél over hadden gepraat, was over de nacht dat zij en Annie waren weggelopen, en natuurlijk over oom Rudy. Hij had gezegd dat Annie zo van streek was geweest over Dearie en dat hij toen had geprobeerd haar te kalmeren. Maar zij was zo woedend op hem geworden, bijna hysterisch, en had hem ervan beticht dat hij haar moeder had vermoord. Val liet zelfs het roze litteken op zijn voorhoofd zien waar Annie hem met Dearies Oscar had geslagen. Hij scheen er erg door van streek te zijn, want er waren tranen in zijn ogen gekomen. Het enige dat hij wilde, zei hij, was bij haar te zijn, samen met haar weer een gezin te vormen.

Nu ze erover nadacht besefte Laurel dat ze wel blij was dat ze Val had gezien, maar ook medelijden met hem had. Ze voelde zich enigszins schuldig, alsof zij er iets aan kon doen dat het niet goed met hem was gegaan. Toch moest er ook een andere kant aan zijn verhaal zitten; wáárom had Annie die toch nooit verteld?

Als ze in Los Angeles waren gebleven en Annie zich niet van Val had losgemaakt, zou zij nu niet hier in het ziekenhuis liggen. Ik heb ze vertrouwd, dacht ze, ik vertrouwde Annie... en oom Rudy. En zie eens wat me dat heeft opgeleverd.

Maar een andere stem vroeg: wat heeft Val ooit voor je gedaan? In tegenstelling tot Annie? Vraag Annie eens wat er werkelijk is gebeurd.

Maar ach, wat deed het er nog allemaal toe. Het enige was dat ze haar haar baby wilden afnemen. Laurel kreeg een beklemd gevoel op haar borst. Ze moest zorgen dat ze niet in paniek raakte. Ze had nog geen papieren getekend, dus misschien was het nog niet te laat. Misschien kon zij zelf een goed stel ouders voor Adam vinden. Bij de bureaus stonden honderden, nee, duizenden paren ingeschreven. Maar ze wilde hem eerst zien. Vóór ze hem in haar armen had gehad, wilde ze geen besluit nemen. Het was allemaal zo snel gegaan, vooral nu ze er achteraf over nadacht. Ze herinnerde zich Joe... zijn bleke gezicht boven haar, rustgevend, als een baken in een donkere nacht. Vreselijke, afschuwelijke pijn... Het had gevoeld of ze uit elkaar werd gescheurd. Toen was er iets uit haar gegleden, het leek een soort vis... en Joe had een klein nat lichaampje omhoog getild, met spartelende armpjes en beentjes.

Nadat Joe de baby op haar buik had gelegd, was hij stil geweest. Ze had gemerkt hoe zijn mond over haar huid ging, en het was net of ze de vleugels van een vlinder had gevoeld. Haar borsten waren gaan prikken en haar hart had sneller geslagen.

In het ziekenhuis had een arts-assistent – hij leek nog een jongen; hij had puistjes – de navelstreng doorgeknipt en daarna had een zuster Adam weggebracht. Dat was de laatste keer dat ze hem had gezien. Twee hele dagen geleden. Haar melk drong en haar borsten waren hard geworden. Als ze op haar buik ging liggen, deden ze pijn. Maar dat was niets vergeleken met haar verlangen, haar inwendige pijn. Ze móest Adam zien en hem vasthouden.

'Het kan me niet schelen hoe laat het is,' zei ze, en schrok zelf van haar felle stem. 'U moet hem gaan halen; anders ga ik zelf.' Ze had nooit eerder zo fel gesproken; ze was altijd bang anderen te beledigen, zelfs volmaakte vreemden. Maar dat maakte haar nu niets uit. Met de geboorte van Adam was er ook een nieuwe Laurel geboren. Haar verlegenheid was weg. Het leek of nu alles mogelijk was, vreselijke zowel als heerlijke dingen.

'Ik wil mijn baby zien,' herhaalde ze.

De verpleegster fronste haar voorhoofd. 'Tja, ik weet niet...'

Laurel zwaaide haar benen uit bed. Ze beefde en haar lichaam voelde als een grote gelatinepudding. De plotselinge inspanning veroorzaakte een nat, warm gevoel tussen haar benen. Ze bloedde, en dr. Epstein had gezegd dat ze alleen uit bed mocht om naar de w.c. te gaan. Maar dat kon haar niet schelen. De baby, háár baby, dat was nu het enige belangrijke.

'Ga opzij,' beval Laurel.

'U moet zich niet zo opwinden.' Koplowitz deinsde achteruit alsof Laurel op het punt stond haar aan te vallen.

En dat doe ik beslist, dacht Laurel, als ze de baby niet gaat halen.

'Blijft u nu hier, dan zal ik gaan kijken wat ik kan doen.' De verpleegster liep haastig de gang in.

Laurel wachtte even, maar volgde haar toen. Het licht van felle T.L.-buizen scheen pijnlijk in haar ogen en de grond schommelde, net een vliegtuig in een storm. Ze hield zich aan de muur vast om haar evenwicht te bewaren en ze voelde kou op haar rug waar het ziekenhuisjak openstond. Haar lichaam onder het verband deed ook pijn.

Ze zag een man naar haar kijken die net een wagen vol vuil wasgoed wegduwde en ze besefte hóe ze eruit moest zien: als een krankzinnige. Haar haren waren vochtig en hingen in slierten om haar gezicht. En ze rook vies, naar zweet, ziekte en bloed. Ze was eens met Annie en Dearie aan het wandelen geweest in de buurt van Lake Arrow, tijdens een vakantie, en toen had ze haar hoofd in een verlaten vossehol gestoken waar het net zo vies had geroken. En ze voelde de neiging, net als toen die vrouwtjesvos, haar haren rechtop te zetten en haar tanden dreigend te ontbloten.

Ze kwam opgelucht bij de lift, maar naar welke etage moest ze? Toen ging de deur open en een gehaaste man in een witte doktersjas stapte naar buiten. Er stak een stethoscoop uit zijn zak.

'Neemt u me niet kwalijk,' zei ze, en pakte hem bij zijn mouw vast, 'kunt u me zeggen op welke etage de baby's liggen?'

Hij keek haar nieuwsgierig aan, maar scheen te veel haast te hebben om zich er in te verdiepen wie ze was en wat ze wilde. 'Achtste,' zei hij, en wees omhoog terwijl hij snel doorliep.

Laurel kon nog net in de lift stappen voor die sloot. Hij was leeg, zag ze, en ging omhoog. Goddank. Ze drukte op de knop voor de achtste etage en zakte toen met gesloten ogen tegen de wand van de lift.

Even later wankelde ze door een volle gang, tussen artsen, verpleegsters en broeders door. Wat een mensen! En het was pas half zes. Zelfs sommige patiënten waren al op. Een vrouw die er heel zwak uitzag, liep moeizaam langs haar; ze had een badstof peignoir aan en duwde een rijdende infuusstandaard voort. Op de wanden waren duidelijke pijlen aangebracht, maar hoe kwam ze bij de babyzaal?

Ze begon zich duizelig te voelen. 'Beheers je,' hield ze zichzelf voor. Maar het was Annies stem die ze hoorde, niet haar eigen. Ze bleef doorlopen. Een eindje verderop zag ze een lang soort venster in de muur van de gang, net een etalageruit. Daar moest ze vast zijn. Ze liep door, ondanks duizeligheid en pijn.

En toen zag ze door het glas rijen vlekkeloos witte wiegjes en in elk daarvan een baby. Een van hen was van haar. Haar baby. Haar zoon.

Ze probeerde de deur te openen, al stond er ALLEEN VOOR PERSONEEL op. En ze ontdekte dat hij niet op slot was. Ze ging naar binnen en tot haar verbazing was er niemand die haar tegenhield.

Er bleek maar één zuster dienst te hebben, een lange zwarte vrouw. Ze verschoonde de luier van een kindje met een rood gezichtje en stond bij de babytafel aan de andere kant van de zaal. Toen ze opkeek en Laurel zag, schrok ze zo dat ze haar ogen wijd opensperde. Laurel begon bijna te giechelen.

'Hier mag alleen ziekenhuispersoneel komen,' zei ze met een Westindisch accent. 'Ik moet u vragen weg te gaan.' Ze ging rechtop staan en hield de verschoonde baby voor zich alsof die een schild moest vormen; haar houding was koninklijk, als van een Masai-prinses.

Laurel was enigszins geïntimideerd, maar zei toch smekend: 'Ik wil alleen maar even...' Toen sloot ze haar mond weer en keek naar de baby's in hun wiegjes. Ze rechtte haar schouders en zei flink: 'Ik kom naar mijn baby kijken. Cobb... Adam Cobb.' Ze vond het vreselijk te moeten bekennen dat ze niet wist hoe haar zoon eruitzag. Ze had hem maar heel even gezien. God, waarom was die vrouw zo langzaam?

'Dit is tegen alle regels,' snauwde de verpleegster. 'De baby's worden pas over een uur gevoed. Ga alstublieft terug naar uw kamer, mevrouw...'

'Júffrouw Cobb,' viel Laurel haar in de rede en ze stak haar kin naar voren. 'En ik ga nergens heen voordat u hem hebt laten zien.'

'U moet er met uw dokter over spreken.'

'Hij is er niet.'

'Dan moet ik helaas dr. Taubman bellen – hij heeft dienst. Als er moeilijkheden zijn...'

'Ik heb geen moeilijkheden. Ik wil alleen mijn baby zien.'

De ogen van de vrouw fonkelden nijdig. 'We werken hier volgens regels, jongedame. En die zijn er niet voor niets. Het kan toch niet dat iedereen hier maar naar binnen loopt, zonder z'n handen te hebben gewassen, zonder masker, met God weet wat voor bacteriën.'

'Ik ben niet iedereen... ik ben zijn moeder.' Toen ze het hardop zei, was het alsof er iets in haar brak. Of haar longen samenklapten. De tranen sprongen haar in de ogen. Haar knieën knikten. Het was moeilijk rechtop te blijven staan en ze voelde dat ze hevig bloedde.

De verpleegster keek haar strak aan, maar ontdooide toen toch. 'Goed. Maar u moet hier blijven. U mag hem niet mee naar uw kamer nemen.'

'Dat kan me niet schelen,' zei Laurel opgelucht. 'Mag ik gaan zitten?'

De verpleegster wees naar een schommelstoel in de hoek en Laurel zonk er dankbaar in neer; even sloot ze haar ogen. Toen ze ze weer opendeed, zag ze een paar slanke zwarte armen die haar een klein wit bundeltje toestaken. Hij was dik in flanel gewikkeld en een gerimpeld rood gezichtje tuurde door de opening bovenaan. Haar hart bleef bijna stilstaan.

'O,' zuchtte ze.

'De eerste twee dagen wikkelen we ze altijd stevig in,' verklaarde de verpleegster. 'Dan voelen ze zich prettiger.'

Laurel stak haar armen uit. Zojuist had ze zich nog wankel gevoeld, maar nu leek het of haar spieren zich plotseling spanden met nieuwe kracht. Het warme gewicht van het kindje leek iets in haar op zijn plaats te brengen. Er gleden tranen over haar wangen. Ze vielen op het dekentje en vormden daar grijze kringetjes.

Hij keek haar aan. Ronde blauwe ogen namen haar zo intens op dat haar borsten ervan begonnen te prikken. De neus was niet groter dan een vingerhoedje en het mondje was samengeknepen alsof hij over iets nadacht. En wat veel haar! Toen ze het dekentje een eindje wegtrok, stond het zwarte haar als een kuifje rechtop.

'Adam,' fluisterde ze.

Ze probeerde zich voor te stellen dat ze hem aan vreemden overhandigde en dan wegwandelde, naar school ging en hem verder vergat. Maar ze zag zichzelf dat nog niet doen.

Als ze hem afstond, zouden haar armen zo'n leeg gevoel hebben. Zonder het gewicht van haar zoon zouden ze te licht zijn, onhandig, uit hun evenwicht gebracht. Ze kreeg het idee dat als ze hem verliet, het bloed tussen haar benen zou lopen totdat ze zo hol was als een rietstengel. Ze had gedacht dat het erg was dat Joe niet van haar hield... maar dit zou veel en veel erger zijn. Dit zou haar einde betekenen.

Maar hoe moet ik hem onderhouden, vroeg ze zich af. En wat zou Annie zeggen? Ik moet ergens anders gaan wonen. Ergens waar Annie niet meer kan zeggen hoe ik moet leven. En wat er met Adam moet gebeuren. Ze keek op hem neer. Hij staarde haar nog steeds aan, nam haar in zich op. Het lijkt net alsof hij probeert mijn gezicht te onthouden, dacht ze, en ze kreeg een steek in haar hart bij het idee dat dit de laatste keer kon zijn dat hij haar zag, behalve misschien in zijn dromen. Ze kón geen afstand van hem doen. Nee, nooit!

Het kon haar niet schelen wat ze zou moeten doen... wat voor offers ze zou moeten brengen. Hij zou het waard zijn.

Mijn zoon. Van mij.

Adam had nu zijn hoofdje naar haar borst gekeerd en zocht tegen de voorkant van haar jak. Laurel liet het zakken en voelde hoe zijn mondje zich ogenblikkelijk aan haar tepel vastzoog en hij begon te drinken. Het deed even pijn toen zijn tandvlees zich om haar tepel sloot, maar toen leunde ze met gesloten ogen achterover en voelde de trekking in haar borst en liezen toen de melk begon te stromen.

Alles werd nu duidelijker... die moederliefde die gekken van verstandige mensen maakte, en tirannen van verlegen lieden. Als ze het kon schilderen, zou ze een doek nodig hebben dat groter was dan de melkweg. En daar zou Adam dan in het midden prijken, zoals de eerste ster als de schemering valt, de ster die je als eerste ziet en dan een wens mag doen.

Hoofdstuk 25

Zelfs nog voordat ze zijn stem kon horen, voelde Dolly die naar het gezoem en geknetter in de transatlantische lijn luisterde, hoe snel haar hart begon te kloppen. 'Henri?' riep ze. 'Ben jij het?'

Het was zo lang geleden... weken sinds hij voor het laatst had opgebeld; maanden sinds ze hem had gezien... maanden die eeuwen leken. 'Hondenjaren' noemde Mama-Jo, haar stiefmoeder, de perioden die leken te kruipen zodat je er een eed op had kunnen doen dat je een hondenjaar – dus zeven mensenjaren – ouder was geworden in plaats van slechts één mensenjaar.

Niet dat ze al die maanden alleen maar om Henri had zitten treuren. De laatste kerstverkopen waren de meest winstgevende tot nu toe geweest, en sindsdien was de omzet nauwelijks verminderd. En deze maand was ze nog naar *Tosca* en *Kiss me Kate* geweest, samen met Bill Newcombe die eindelijk was opgehouden met zijn pogingen haar verzekeringen aan te smeren en die bijzonder aardig was geweest. Ze had fondsen geworven voor Bangladesj en had in het comité gezeten voor het uitverkochte bal waarvoor ze vierhonderdduizend dollar bij elkaar hadden gebracht. En toen, vorige maand, bij de jaarlijkse chocoladebeurs in het Plaza Hotel, had de inzending die ze met hulp van Pompeau had samengesteld Girod's de tweede prijs opgeleverd.

O ja, ze was druk bezig geweest, dat wel. Zo druk dat ze zich elke avond als ze in bed kroop net zo eenzaam voelde als een jong hondje dat in de kou werd buitengesloten. Zelfs de paar avonden dat ze niet alleen was.

'*Ma poupée*, heb ik je wakker gemaakt?' klonk zijn stem heel ver weg en vol statische geluiden. Maar zo dierbaar! Plotseling leek het alsof ze hem gisteren nog had gezien.

'Nee hoor,' zei ze, en keek even op het vaag zichtbare malachiet klokje op de schoorsteenmantel dat aangaf dat het half een in de nacht was. 'Ik kon niet slapen. Ik heb zeker iets verkeerds gegeten.' Alleen de laatste zin was een leugen.

Maar ze zat hier op de Eames-stoel, helemaal opgekruld, en keek in het donker uit haar grote raam naar de miljoenen sprookjesachtige lichtjes van Tavern on the Green, aan de andere kant van Central Park. Ondertussen nam ze kleine slokjes van haar cognac in de wetenschap dat ze zich daardoor straks alleen maar nóg ellendiger zou voelen. Wat merkwaardig was het, bijna alsof het zo moest zijn, dat Henri opbelde net nu ze zijn lievelingsnachtjapon aan had: van perzikkleurig satijn met een weerschijn erin, de kleur van een Singapore-sling. De japon had heel dunne schouderbandjes en een diep decolleté – een garantie om longontsteking op te doen, of impotentie te genezen, afhankelijk van het feit of je hem droeg of ernaar keek. Haar huid prikkelde waar de koele, gladde rimpels haar raakten.

'Eigenlijk zat ik hier te kniezen,' zei ze tegen hem.

'Pardon?'

'Te kniezen. Dan zit je maar te zitten en hebt enorm veel medelijden met jezelf, en je doet het bij voorkeur als er niemand in de buurt is die je een klap op je rug kan geven en zeggen: "Hé, word eens wakker." '

'Ik wou dat ik bij je was,' zei hij, en het klonk of hij lachte.

'Dan zou ik niet zitten kniezen. Dan zou ik... nou ja, ik ben te veel dame om te zeggen wat ik dan zou doen. In elk geval zeg ik het niet door de telefoon.' Ze glimlachte, hield de hoorn vrijwel tegen haar mond en kuste hem bijna. De cognac begon te werken; ze werd warmer vanbinnen. Of kwam dat alleen doordat ze Henri's stem hoorde?

Ze bad dat hij haar belde omdat hij goed nieuws had; de afgelopen week had ze al zoveel dingen moeten verwerken dat er nauwelijks meer iets bij kon.

De baby – Laurel had besloten hem te houden – was een zegen, dat was zo, maar het had haar wel overdonderd. En dan Val Carrera die weer was opgedoken na al die jaren en bij Laurel was binnengevallen op een ogenblik dat ze vrijwel geen weerstand had. Hij was er vermoedelijk op uit allerlei moeilijkheden te veroorzaken – waarom kreeg ze al kippevel als ze alleen maar aan die man dacht?

'En de beurs? Verliep die goed?'

Even had Dolly er geen idee van waar Henri het over had. Toen herinnerde ze zich dat hij niets van Laurel af wist... of van de kleine Adam... of van Val. Vroeger zou ze hem onmiddellijk gebeld hebben; in die tijd was praktisch alles belangrijk genoeg om het hem te vertellen. Waren ze zo uit elkaar gedreven?

'De beurs,' zei ze, en riep zichzelf tot de orde. 'O, je had moeten komen. We hebben nog nooit zo'n interessante beurs gehad.'

'Ik had graag willen komen. Maar met die inzending van jou, en met Pompeau die ervoor zorgde dat geen kruimeltje van de *gâteau* niet volmaakt was, hebben we toch een goed figuur geslagen, vind je niet?' Ze zag hem bijna op die typisch Franse manier zijn schouders optrekken.

'Bovendien kon ik niet weg vanwege mijn dochter. De baby's waren zo ziek en Gabrielle was erg van streek...'

'Dat begrijp ik.' Henri grootvader – ze kon nog steeds niet aan het idee wennen. 'Maar jij kon er toch niets aan doen? Zijn ze nu weer beter?'

'De kleine Philippe wordt al wat zwaarder, maar Bruno... Gaby maakt zich nog erg bezorgd om hem; hij is altijd al wat ziekelijk geweest. Vermoedelijk komt dat wel in orde als hij groter wordt, maar ja, moeders maken zich altijd zorgen, hè?'

'Ja, dat geloof ik ook,' zei ze. Zíj zou nooit moeder worden, maar was ze eigenlijk niet een soort grootmoeder van Laurels baby? Dolly verlangde er vurig naar haar armen om de kleine Adam heen te slaan, al was zijn luier nóg zo nat en rook hij naar braaksel. Maar daar zou ze minstens tot morgen geduld mee moeten hebben, wanneer ze Laurel met Adam uit het ziekenhuis ging halen. Nu wachtte Henri aan de andere kant van de lijn. 'Tja, de beurs. Dit jaar was Clarisse Hopkins een van de juryleden, al weet dat oude wijf niets van chocolade af. Ze eet vast uitsluitend zure citroenen. En Roger Dillon – herinner je je hem? – zei dat Girod's eerste in plaats van tweede zou zijn geworden als Clarisse niet zo'n hekel aan kastanjes had gehad. En ik dacht nog wel de zaak mooi af te maken door *marrons glacés* het middelpunt van onze inzending te maken.'

Henri grinnikte en Dolly was opgelucht dat hij het niet erg scheen te vinden de tweede prijs te hebben gekregen, terwijl Girod's bij de laatste vijf beurzen driemaal eerste was geweest, wat het gehele beeld van de verkoop betrof. Voor enkele fabrikanten, vooral de kleinere die hun best moesten doen om zich te handhaven, was het tijdschrift *Gourmand* een soort opstapje naar uitbreiding en grotere omzetten, en ze vond dat alles uiterst belangrijk. Het leek echter of Henri het nu ergens anders over wilde hebben.

'*C'est ça*. Maar ik bel je niet om half acht 's ochtends – ik weet dat het voor jou midden in de nacht is – om over zaken te praten,' zei hij. Hij klonk gespannen. '*Alors*, waar zal ik beginnen?'

'Sla het begin maar over,' zei ze en nu werd ook zij gespannen. 'Dat kennen we langzamerhand uit het hoofd.'

'Tja, dan... hoe zeg je dat ook weer... gaat het om een goede afloop?' Dolly's hart begon als een razende tekeer te gaan.

'Henri, waar wil je eigenlijk heen?'

Hij zweeg even en ze hoorde hem zwaar ademhalen. Eindelijk zei hij: 'Dolly, kom naar Parijs.'

'Henri, daar hebben we het al zo vaak over gehad.'

'Nee, nee, dit keer is het anders. Francine en ik zijn nu uit elkaar.'

Dolly kreeg het gevoel dat ze een enorme stroomstoot kreeg. Ze liet de hoorn bijna uit haar handen vallen.

'Wat zeg je daar?' hijgde ze.

'Francine heeft me de deur gewezen,' zei hij zachtjes, maar toch klonk zijn stem triomfantelijk. 'Het ging allemaal heel beschaafd. Ze heeft zelfs mijn koffers gepakt. Hoewel ik geloof dat ze dat alleen maar deed om er zeker van te weten dat ik niets zou meenemen dat van haar was.'

Dit was een gelegenheid waarbij Dolly eens een keer níet wist wat ze moest zeggen. Ze zette het grote cognacglas op het tafeltje naast haar waar het op het glazen dekblad trilde voor het stilstond. Toen stond ze op en liep heen en weer op het hoogpolige kleedje voor de haard terwijl haar nachtjapon koel tegen haar kuiten zwaaide.

'Henri, je méént het? Echt waar?'

'Absoluut, *ma poupée*. Ik heb nooit iets ernstiger gemeend. Het schijnt dat mijn vrouw een minnaar heeft.' Hij klonk even blij als een paar maanden geleden toen hij haar had verteld dat hij grootvader van een tweeling was geworden, twee kleinzoontjes. 'Ze doet heel geheimzinnig over wie het is, en dat was te verwachten. Het zou me niets verbazen als het haar priester was.'

'Nee!' Dolly schrok, was zelfs geshockeerd.

Hij grinnikte. 'Misschien overdrijf ik. *Qui sait*? Wat mij betreft mag ze zelfs de paus verleiden.' Hij werd weer ernstig. 'Maar ik moet eerlijk tegenover je zijn. Er komt géén scheiding. Dat wil Francine niet. In dat opzicht is ze een goed lid van de Kerk.'

Het leek of Henri's stem opeens van heel ver weg kwam, maar toen besefte ze dat het gebons van het bloed in haar oren het haar moeilijk maakte de woorden te verstaan. 'Henri, wat wil je nu eigenlijk voorstellen?'

'Dat jij en ik... dat we gaan samenwonen. Dat is toch modern? Daarna...' Zijn stem stierf weg. Hij hoefde niet te zeggen wat ze beiden wisten: dat hij onmiddellijk met haar zou trouwen, als dat ooit mogelijk zou zijn.

'Weet je schoonvader het al?'

'Hij is wel oud, maar niet blind. Hij zou alles willen doen om Francine en mij weer samen te brengen... maar hij ziet in dat er zelfs een eind aan zíjn macht is. Hij is er ziek van. Hij is bezorgd om de zaak en hij voelt zijn jaren, en daardoor zijn we nu tot een nieuwe regeling gekomen.'

'Wat voor regeling? Wat bedoel je?'

'Na zijn dood krijg ik een meerderheidsaandeel. Natuurlijk blijf ik gedwongen om Francine te onderhouden. Maar alles is geregeld, met getuigen, handtekeningen en een notaris. Het is een prima overeenkomst voor mij, zelfs een verlossing.'

'O, Henri!' Ze kreeg tranen van geluk in de ogen. Niemand verdiende het meer dan hij. Wat zou hij een strijd met de oude Girod hebben moeten leveren.

'*Chérie*,' ging Henri door, 'je hebt nog geen antwoord op mijn vraag gegeven.'

Dolly zonk met de telefoon in de hand op de stoel neer. Haar hoofd tolde. Ze had de kans ononderbroken bij hem te zijn, met hem samen te wonen! Daar had ze toch van het begin af aan naar verlangd? Een huwelijk was beter, maar als zij Henri maar had, kon ze ook zonder ring gelukkig zijn. Maar dan moest ze naar Parijs verhuizen...

Parijs was mooi, maar New York was haar thuis. Ze kon toch niet weggaan – nu toch niet? Laurel had haar nodig. En, nou goed, misschien was ze egoïstisch, maar hoe kon ze op een afstand van vijfenveertighonderd kilometer een goede oma voor die baby zijn?

Ze verlangde naar Henri, maar ook naar echte familie; Adam zou een band tussen haar en Annie en Laurel vormen zoals er nog geen had bestaan. En haar zaak dan? Ze had er zo haar best voor gedaan en hij was meer dan een broodwinning voor haar; het was er heerlijk en zij en haar klanten voelden zich er helemaal thuis. Klanten bleven vaak praten en stortten hun hart uit. Zoals bijvoorbeeld Nora Mulgrew, de vrouw van de tandarts. Hij had een verhouding met zijn mondhygiëniste en ze wist niet of ze hem nu in de steek zou laten of niet. Dan had je nog Ramsey Burke, de succesvolle advocaat, die elke ochtend op weg naar zijn werk een enkele bourbon-truffel kwam halen en maar niet wist of hij zou ophouden met het raadplegen van zijn psychiater, want hij had nog steeds hoogtevrees en was nog steeds bang in liften en vliegtuigen.

O, ze konden zonder haar ook verder leven, maar daar ging het niet om. Zíj vond die contacten zelf fijn; misschien betekende ze iets in het leven van die mensen. Wie had ze in Parijs? Met haar Frans kwam ze zelfs in de metro niet ver. En als ze voor Henri ging werken, was het niet háár zaak, alleen maar een baan om bij Henri in de buurt te zijn.

Ze was dol op Henri, maar had ze ooit góed nagedacht wat verhuizen naar Parijs zou betekenen? Ze dacht aan het oude Chinese gezegde: wees voorzichtig met je wensen, want ze kunnen vervuld worden.

Ze had dit alles al zó lang gewenst, dat ze zich enigszins bekocht voelde nu het binnen haar bereik lag; het leek alsof ze aldoor iets verkeerds had gewenst. Misschien wilde ze van twee walletjes eten: Henri hebben én haar leven hier.

'Waar ben je nu?' vroeg ze.

'Ik heb een kamer in het Lancaster genomen. Ik hoopte dat jij en ik over een paar weken samen een flat konden gaan zoeken.'

'Henri, ik...'

'Is er een ander... een man?'

'Nee, nee. Daar gaat het echt niet om.'

'Hou je dan niet meer van me?'

'O God, ja.'

'Wat valt er dan nog te bepraten, Dolly? Ik spreek nu wel luchtig over het vertrek uit mijn huis, maar na al die jaren is het toch moeilijk. Ik heb je nodig, *ma poupée*, meer dan ooit.'

'Maar, Henri,' probeerde ze hem uit te leggen, 'begrijp je het dan niet? Je vraagt mij nu datzelfde te doen: mijn huis en familie te verlaten, zelfs mijn land te verlaten. Heus, alle Amerikanen zijn vaderlandslievend en het is niet zó gemakkelijk voor ons. We huilen als we ons volkslied horen.'

'Misschien kun je aan de "Marseillaise" wennen... dat is niet zo'n droevig lied,' zei hij plagend, maar ze hoorde hoe wanhopig hij klonk en dat vond ze vreselijk.

Ze aarzelde. Jaren geleden, toen Henri haar nog niet meer kon beloven dan het bestaan van een maîtresse, had ze al zo getwijfeld. Nu bood hij veel meer, maar ze bleef aarzelen. Waren haar gevoelens voor Henri zo veranderd... of was haar leven in New York haar zoveel dierbaarder geworden?

Maar ze moest hem een antwoord geven. Ze wilde evenwel geen beslissing nemen zonder er nog eens over na te denken, en dat met een helder hoofd, zonder cognac.

'Henri, ik moet er nog eens over slapen,' zei ze flink. 'Denk niet dat ik te laf ben om te zeggen wat ik wil. Maar ik wéét nog niet wat ik wil. Het enige dat ik op dit ogenblik weet, is dat ik er nu geen zinnig woord meer over kan zeggen. Kun je wachten tot morgen?'

Hij zuchtte. 'Heb ik keus?'

'Nee.'

'In dat geval: welterusten, *chérie*, en ik hou van je.'

Toen Dolly had opgehangen, tolden de gedachten door haar hoofd en ze dacht dat er evenveel kans op een goede nachtrust was, als dat ze een maanwandeling kon gaan maken.

'Hij doet me een beetje aan oom Herbie denken.'

Annie stond door het raam van de babyzaal te kijken en draaide zich om naar haar tante, die een smaragdgroen bouclé pakje droeg met een Hermès-sjaal om haar hals geknoopt; ze depte even haar ogen met een zakdoekje waar lippenstiftvlekken op zaten. Een gouden bedelarmband rinkelde om haar pols en tussen al die kleine hebbedingetjes – een tennisracket, een hondje, een schildpad, een fluit en een slot – zag Annie het bedeltje dat zij en Laurel haar vorig jaar Kerstmis hadden gegeven: een klein gouden bonbondoosje in de vorm van een hart.

Ze wist nog dat Dolly bijna was gaan huilen nadat ze het had uitgepakt; zijzelf was er verrukt over geweest, maar toch wat verlegen met haar tantes overdreven reactie.

O, daar gaat ze weer, dacht Annie, niet op haar gemak. Dit keer zou ze helemaal van streek raken door de mooiste en liefste baby van de wereld, en Dolly kennende zou ze vierentwintig uur per dag bij hen en de baby willen zijn, om hen te beschermen.

'Heeft Eve je ooit iets over oom Herbie verteld? Hij was de broer van onze moeder,' ratelde Dolly door. 'Hij had een dikke bos zwart haar en een rode neus die in de loop van de jaren steeds roder werd. Mama zei dat het door een witte bliksem was gekomen. Ik wist niet wat ze daarmee bedoelde... maar nadat ze dat had verteld, verstopte ik me altijd onder mijn bed als er onweer kwam.' Ze lachte even. 'God, wat een kerel. Hij liet zijn keukendeur altijd wijdopen staan en zijn vieze kippen mochten binnen overal rondlopen. Hij stopte ze dingen toe als hij aan het eten was, of het honden waren.'

'Ik vind dat hij op Dearie lijkt,' zei Annie, en ze keek weer door het venster naar de baby. 'Kijk eens naar zijn kin, die is zo rond, met een spleetje in het midden.' Alle andere baby's sliepen, maar Adam was klaarwakker. Hij zwaaide met zijn vuistjes en een roze voetje trapte zijn dekentje los.

Ze voelde Dolly naast zich verstijven en toen even zuchten. 'Tja, misschien wel... Ik denk dat het toch wel wat moeilijk is er iets van te zeggen als ze nog zo klein zijn, hè?'

'Ik wou dat Dearie dit kon zien, dat ze haar kleinzoon nog had kunnen meemaken.'

Het verlangen naar haar moeder overviel haar plotseling. Het was al lang geleden dat ze nog enig verdriet bij de gedachte aan haar moeder had gevoeld. Maar nu dacht ze steeds: Dearie zou hier naast me moeten staan, niet Dolly. Ogenblikkelijk riep ze zichzelf tot de orde. Die arme Dolly... ze deed zo haar best. En het zou toch al niet gemakkelijk voor haar zijn, zonder man of kinderen. Had ze nog contact met Henri, of was dat voorgoed voorbij? Bestond er zoiets als 'voorgoed' als je zo krankzinnig verliefd was als Dolly op Henri?

Annie moest aan Joe denken en voelde hoe haar greep op haar emoties verslapte. Het leek of Joe het middelpunt van haar bestaan was, de as waar alles om draaide. Zonder hem zou ze zo in een of andere richting kunnen wegvliegen. Maar hoe stond het dan met Emmett? Welke plaats nam hij in haar leven in? Die avond in zijn flat... onder de douche... en naderhand in bed... God, wat was dat heerlijk geweest. Kon iets wat zo fijn was alleen maar een bevlieging zijn? De afgelopen weken had ze Emmett bewust vermeden, maar ze kon een ontmoeting met hem niet blijven uitstellen. Ze wist dat ze niet van hem hield zoals ze van Joe hield, maar wat ze wél voelde was toch veel meer dan zomaar wat genegenheid.

Annie begon aan haar nagel te knabbelen. Ze voelde zich van streek. Toen hief Adam een gebald vuistje boven zijn hoofd en hij leek even zóveel op een politicus die zich stond op te winden over belastingverhoging, dat ze onwillekeurig moest lachen. Misschien, heel misschien, is het nog niet te laat voor mij en Joe, dacht ze.

Alles zou van nu af anders worden. Nu ze voor Adam moest zorgen, zou Laurel niet veel tijd meer hebben om steeds om Joe heen te hangen. Ze had het er zelfs over gehad dat ze wilde verhuizen, een eigen flat wilde zoeken. Eerst was Annie daartegen geweest, maar nu begon ze te denken dat dat nog zo gek niet zou zijn. Misschien was de tijd gekomen dat Laurel op haar eigen benen moest leren staan.

'Anjers,' zei Dolly. 'Ik weet nog dat bij jouw geboorte je vader Evie's kamer vol roze anjers zette, hele velden. Hij moet werkelijk alle bloemisten van Bel Air tot Westwood hebben afgelopen. Evie zei dat ze het gevoel had iets of iemand te zijn die het midden hield tussen een lijk bij een maffia-begrafenis en de winnaar van de Kentucky Derby.'

Annie glimlachte. Toen dacht ze aan het enorme boeket roze rozen en bruidssluier dat Joe aan Laurel had gestuurd. Haar glimlach verdween en ze kreeg een steek in haar hart.

'Ik geloof dat het etenstijd is,' zei ze, en zag hoe de verpleegster zich over Adams wiegje boog en hem eruit tilde. Ze verlangde er vurig naar hem ook eens te mogen vasthouden.

Dolly wendde zich tot Annie en haar schitterende blauwe ogen en blos maakten dat de rouge op haar wangen nog duidelijker zichtbaar was. 'Denk je dat ze het goed zullen vinden als ik hem even vasthou? Een minuutje maar. Ik wil niemand voor de voeten lopen.'

Annie deed moeite om niet geïrriteerd te raken. Maar ze zou willen zeggen: waarom zou u de eerste moeten zijn om hem vast te houden?

Toen vond ze zichzelf egoïstisch, en zei snel: 'Waarom zegt u niet tegen de zuster dat u zijn oma bent? Dat bent u toch eigenlijk ook?' Dolly keek alsof ze haar wel wilde kussen en Annie deed instinctief een stap achteruit.

'Ik ga eens kijken hoe het met Laurey is,' zei ze tegen Dolly. 'Geef Adam ook maar een kusje van mij.'

Laurel was op en had de kleren aan die Annie haar de vorige dag had gebracht: een truitje met een colkraag en een loszittend zwangerschapshesje dat als een tent om haar heen hing. Ze zag er mager en moe uit, met donkere kringen onder haar ogen, maar toch straalde ze. Ze glimlachte tegen Annie toen die binnenkwam.

'Jij ziet er ook niet bepaald florissant uit!' zei ze lachend. 'Ik dacht dat ík degene was die herstellende was, maar jij ziet er nog erger uit dan gisteren.'

'Voor iemand die praktisch een hartaanval heeft gehad, vind ik dat ik me erg goed hou,' antwoordde Annie. Ze liep de kamer door en ging naast Laurel op de rand van het bed zitten.

'Dat doet me ergens aan denken: je hebt me nooit gezegd waar Louise je uiteindelijk te pakken heeft gekregen.'

'Ik was op het kantoor van Kendall, Davis & Jenkins. En toen ik het telefoontje over jou kreeg, kreeg ik bijna een toeval.'

'Bij je advocaten?' vroeg Laurel. 'Wat deed je daar?'

'Dat wilde ik je net vertellen: Tout de Suite wordt een vennootschap. Ze zijn de papieren aan het opstellen. Kun je dat geloven?'

'Ja, dat wel. Maar ik kan niet geloven dat ik nu moeder ben.' Laurel straalde en ze leek ontroerd. 'Ik zou uren naar hem kunnen kijken en er geen genoeg van krijgen. Heb je hem vandaag al gezien? Is hij niet de mooiste baby die je ooit hebt gezien?'

'Natuurlijk! Maar ik geloof dat je met een flirt bent opgezadeld. Ik betrapte hem erop dat hij tegen een van de zusters knipoogde.'

'Och, hij is gek op alles met borsten. Je zou eens moeten zien hoe hij op de mijne aanvalt.' Ze raakte even haar boezem aan en kromp in elkaar.

Annie keek naar haar zusje dat zo knap en gelukkig was. Annie zag dat ze haar haren had gewassen, voor het eerst sinds ze in het ziekenhuis lag. Ze had ze met een zilveren klemmetje in haar nek bij elkaar gebonden en ze hingen als een glanzende streng op haar rug. Ze rook ook schoon, naar zeep en rozenwater. Annie voelde de wrok die ze maandenlang had gekoesterd langzaam verdwijnen.

Maar toen zag ze de vaas met roze rozen op het tafeltje naast het bed. Ze begonnen al te verwelken, maar de oververhitte kamer rook er doordringend naar. Annie dacht aan Joe en keek Laurel niet aan. Haar warmte voor Laurel bekoelde plotseling. Na een korte stilte haalde ze diep adem en stond op. 'Klaar? Zal ik de zuster vragen Adam te brengen?'

'Dadelijk.'

'Ik heb thuis alles klaarstaan,' zei Annie tegen haar. 'Zelfs een wiegje. Emmett heeft me gisteravond geholpen het neer te zetten.'

'Dat weet ik; hij kwam het me vanochtend vertellen. Wat een geweldige vent; hij weet altijd precies wat je nodig hebt. Weet je nog dat ik eens over koude voeten klaagde en hij met die extra dikke wintersokken aan kwam zetten? En kijk eens wat hij me dit keer heeft gebracht?' Ze viste een T-shirt uit haar reistas die tegen het voeteneind van het bed stond. Ze hield het op en Annie zag er een tekening van een koe op staan. 'Niet lachen,' zei Laurel. 'De zusters hier noemen me "Elsie". Zelfs met die gulzige Adam die zo zijn best doet, begin ik steeds weer te lekken, ze dreigden al me op een pomp aan te sluiten.'

'Je ziet er niet uit alsof je écht lijdt.'

'Dat doe ik ook niet. Ik ben alleen bang.' Laurel ging achteroverliggen en keek omhoog terwijl ze haar handen onder haar hoofd kruiste. 'Annie, toen ik hem vanochtend voedde, keek ik omlaag en dacht: stel dat ik zijn leven helemaal verknoei? Hij is zo vol vertrouwen. Hij weet natuurlijk niet beter. Wie zal me tegenhouden als ik iets verkeerd doe? Hoe weet ik dat zelf?'

Annie dacht aan alles wat ze vermoedelijk verkeerd had gedaan met Laurel. Hoe zou alles zijn gegaan als zij de zaken anders aan had gepakt, niet zo impulsief was geweest? Als ze nog bij Val in Californië zouden wonen?

Bij de gedachte aan haar stiefvader deed haar maag vreemd. Laurel had haar gisteren van zijn bezoek verteld. Het had minstens vijf minuten geduurd voor Annie over haar schrik heen was en besefte dat er geen enkele wettige manier bestond waarop Val hen iets zou kunnen aandoen. Zou hij proberen Laurel vaker te bezoeken? En Laurel... wilde zij hem terug in haar leven nu ze niet meer bang voor hem hoefde te zijn?

'Ik geloof dat het belangrijkste is dat je van hem houdt,' zei Annie. 'Als je dan eens iets verkeerd doet, is het zo erg niet.'

'Annie?' Het leek of Laurel aarzelde.

'Ja?'

'Jij hebt altijd je best voor mij gedaan, al was het vaak niet gemakkelijk. Ik wil eigenlijk zeggen dat ik niets meende van al die dingen die ik tegen je zei toen we die ruzie kregen.' De tranen sprongen haar in de ogen. Ook Annie voelde dat haar ogen vochtig werden. Zouden ze de jaloezie kunnen overwinnen die tussen hen was ontstaan? Zouden ze later, als ze allebei al lang getrouwd waren, hieraan terugdenken en zich afvragen hoe ze ooit een man – die ze dan al lang vergeten waren – tussen hen hadden kunnen laten komen. Maar het enige dat Annie nu wist, was dat ze van Laurel hield.

'Maak je niet bezorgd,' zei ze flink. 'Ik heb dozen vol papieren zakdoekjes ingepakt; voor het geval dat.'

'Hé, kleintje, je kent me nog niet, maar wacht maar,' koerde Dolly tegen de baby die zich in haar armen had genesteld. 'Ik ga je zo afschuwelijk verwennen dat je denkt in de hemel te zijn geboren.'

De oogjes van de baby keken haar aan en probeerden zich op haar te focussen. Dolly raakte even zijn vuistje aan en onmiddellijk sloten zijn vingertjes zich om de hare. Ze kreeg even moeite met ademhalen van ontroering.

Onder het waakzame oog van de zuster, die vlakbij stond, bekeek Dolly hem. Wat had hij veel haar! En die uitdrukking... die zou later best zijn mening durven verkondigen.

Opeens, zonder waarschuwing, vertrok Adams gezichtje en begon hij te huilen. Dolly wiegde hem, maar dat hielp niets. Ze keek angstig naar de zuster, die met haar armen over haar borst gevouwen bleef staan kijken en niet bezorgd scheen. 'Heeft hij nu honger?' vroeg Dolly.

'Een boertje, vermoedelijk,' zei de zuster. 'Hij heeft net zijn voeding van twee uur gehad. Leg hem tegen uw schouder en klop hem op zijn ruggetje. Dan komt het wel.'

Dolly deed het aarzelend; ze deed het vast verkeerd. Wat wist zij van baby's? De laatste baby die ze goed gekend had was Annie geweest, bij wie ze wel had moeten babysitten. Maar Annie had thuis een verzorgster gehad, een dikke Duitse die mevrouw Hildebrand heette en die als een SS'er over Annies wiegje had gewaakt; niemand mocht dichtbij komen.

Adam brulde nu en zwaaide met armen en benen. Dolly had zelf wel willen huilen. Honden voelden het aan als je bang voor ze was. Deden baby's dat ook? Voelde dit kleine ding hoe onervaren ze was? Dan was hij zelfs al slimmer dan zij met haar tweeënveertig jaren. Als hij kon praten, zou hij haar misschien zeggen dat ze gek was hier bij hem te blijven, terwijl ze bij Henri in Parijs kon zijn.

Ze deed moeite hem te sussen en moest zich bedwingen hem niet aan de zuster terug te geven. Dat zou ze het liefst doen en vervolgens onmiddellijk naar de dichtstbijzijnde telefoon lopen, Henri opbellen en zeggen dat ze kwam.

Iets weerhield haar echter. Ze liep met Adam heen en weer en koerde tegen hem alsof hij alles kon verstaan wat ze zei. 'Ja, ik weet het... je vindt het helemaal niet leuk bij iedereen in de armen te worden gelegd. Maar je mama is vlakbij en straks ga je naar huis. In een limousine met chauffeur, jaja. VIP-behandeling; Elvis Presley is er niets bij. Je lijkt eigenlijk wel wat op hem... al dat zwarte haar. Als we wat haarcrème hadden, zouden we er een mooi pruikje van kunnen maken.' En zachtjes begon ze te neuriën: 'Love Me Tender'.

Langzaam hield Adam op met huilen. En net toen Dolly weer wat zelfvertrouwen kreeg en trots op zichzelf was, hoorde ze de baby grommen... en voelde ze iets warms, dat vies rook, op haar blouse spetteren. Ze keek vol afschuw naar een stroompje dunne, mosterdkleurige ontlasting dat langs een beentje droop, onder zijn loszittende luier uit.

De zuster kwam er meteen aan. 'Tja, het was dus meer dan alleen een boertje,' zei ze. 'Wacht even, dan haal ik een washandje.'

Dolly stond als aan de grond genageld en voelde zich als een hond die in mest heeft liggen rollen – vermoedelijk rook ze ook zo. Toen begon ze te grinniken. Ze keek in Adams blauwe ogen en fluisterde: 'Mooi, kleintje, je hebt me een lesje gegeven en ik ben nog steeds stapel op je. Wat nou, hè? Kun jij me dat zeggen? En wat moet ik Henri vertellen?'

Annie liep naar de babyzaal toen ze het licht boven de lift zag opflikkeren. De deuren gingen open en achter twee zusters kwam een lange, bebrilde man de lift uit, met een verschoten spijkerbroek en een donkerblauwe trui aan. Zijn haar zat in de war en hij had een kleur alsof hij alle trappen was op gehold in plaats van de lift te nemen. Haar hart sprong op.

'Joe,' zei ze zachtjes.

'Hoi, Annie.'

Hij ziet er moe uit, dacht ze. Hij had kringen onder de ogen.

Ze had hem willen knuffelen... maar wist dat ze dat niet kon doen.

'Hoe is het met Laurey?' vroeg hij.

'Prima. Ik was op weg naar de babyzaal om de zuster te vragen Adam naar haar toe te brengen. Ze neemt hem mee naar huis.'

'Dat weet ik en daarom ben ik hier. Ik was toch in de buurt en ik vond dat ik jullie wel een lift kon geven.'

'Dank je,' zei ze. 'Maar Dolly brengt ons. Joe, ik...' Ze slikte en voelde dat haar keel werd dichtgeknepen. 'Ik wilde je bedanken dat je Laurel hier doorheen hebt geloodst. Als jij er niet geweest was...' Ze moest er niet aan denken wat er dan gebeurd zou zijn. 'En ik ben blij dat je er bent.'

Hij haalde zijn schouders op alsof het niet de moeite waard was. 'Dat kindje had zo'n haast om geboren te worden; hij had niet veel hulp nodig. Je ziet zo al dat hij een vechter wordt. Maar hij is lief, hè?'

'Hij lijkt totaal niet op Laurey.'

'De ogen,' zei hij, en drukte de zijne even met zijn wijsvinger in de hoek omhoog. 'Die doen me aan de jouwe denken.'

Annie werd warm. God, wist hij niet wat hij haar aandeed? Waarom, als hij zo op een afstand bleef, moest hij haar eraan herinneren wat ze bijna samen hadden kunnen delen? Ze had tegen hem willen schreeuwen, hem uit zijn hol te voorschijn trekken. Hem slaan, desnoods. Maar ze kon alleen glimlachen. 'Zijn vader komt uit Portorico. Laurey kende hem nog van de lagere school in Brooklyn. Hij speelde mee in dat schooltoneel-stukje waarvan jij haar nog eens hebt opgehaald. Ze ontmoetten elkaar weer in Syracuse. Toevallig, hè?'

Joe bloosde en keek de andere kant op, een linnenwagentje achterna. Maar toch had ze iets in zijn ogen gezien – een zekere emotie – maar het was zo snel verdwenen dat ze niet wist of ze nou iets had gezien of niet.

Jaloezie? Zou hij jaloers zijn omdat hij de vader niet was, vroeg Annie zich af. Ze zag dat hij een cadeautje onder de arm had. 'Iets voor Laurey?' vroeg ze zo onverschillig mogelijk.

Hij keek ernaar alsof hij het vergeten was. 'Dr. Spock,' zei hij. 'Alles wat u ooit over baby's hebt willen weten maar niet durfde vragen.'

Annie vertelde hem niet dat Laurel al twee exemplaren had, een van Rivka en een van Dolly.

Er viel een gedwongen stilte. Eindelijk wees hij naar de saaie hal met de plastic meubels en automaten. 'Wil je een kopje koffie?'

Annie dacht dat koffie op dit ogenblik vermoedelijk een gat in haar maag zou branden. Toch knikte ze. 'Gauw dan even. Ik heb Laurey be-loofd dat ik dadelijk terugkwam.'

De bezoekerskamer was leeg, op een man na met een keppeltje op die voorover zat gebogen, met zijn onderarmen op zijn knieën. Nadat hij wat wisselgeld voor de automaat uit zijn zak had gevist, bracht Joe haar naar een paar oude plastic stoelen waar ze naast elkaar gingen zitten. Hun knieën raakten elkaar bijna en ze hielden hun handen om de dampende plastic bekertjes. Annie had het gevoel dat ze een uit ijs gehouwen stand-beeld was, maar haar hart bonsde en ze was buiten adem. Weet je wel hoe vaak ik de hoorn van de haak heb opgenomen om je te bellen, dacht ze. Weet je dat ik zelfs eens midden in de nacht naar je flat ben gegaan? Pas bij je deur heb ik me omgedraaid.

Annie keek naar Joe's schoenen. Hij had lange – geen grote – voeten en opeens moest ze aan Emmett denken, die eerste avond in Parijs toen hij zijn laarzen had uitgetrokken. Vreemd dat ze door zijn verminkte voet zo vertederd was, in plaats van dat ze afkeer voelde. Maar nu dacht ze eraan hoe het zou zijn als Joe's lange benen in bed om de hare lagen gestren-geld, en zijn adem in haar haren...

'Hoe gaat het?' vroeg hij. 'Met je zaak, bedoel ik.'

'Heel goed,' zei ze, en kreeg het schrikwekkende idee dat hij haar ge-dachten had gelezen. 'Ik heb er een meisje bij genomen om Louise in de keuken te helpen. Als het zo doorgaat, zal ik ze in ploegen moeten laten werken. We kunnen de bestellingen nauwelijks aan.'

'Als je dringend mensen nodig hebt, laat het me dan weten. Ik kan altijd wel een paar kerels enkele dagen missen,' bood hij aan.

'Dank je.' Ze keek naar haar koffie die iets olieachtigs leek te hebben. Ze zette het bekertje neer op een tafeltje vol brandplekken van sigaretten. 'Hoe gaat het met je restaurant? Na de uitbreiding, bedoel ik.'

'Alweer te klein,' grinnikte hij. 'Ten dele dank zij mijn ouders. Ze komen minstens eenmaal per week eten. En soms komt mijn vader met een stel vrienden lunchen. Ik geloof dat hij wat milder wordt nu hij ouder is. De wonderen zijn de wereld nog niet uit! Gek genoeg vind ik het wel leuk als ze komen. Een soort omgekeerde jeugd: nu zorg ik voor hún eten.'

Hoewel ze zo gespannen was, moest ze lachen. 'Fijn.'

Weer viel er een stilte. Annie zag dat een jonge non – zo'n moderne met een zachtblauw habijt tot haar knieën en donkere haren onder haar kap uit – op de lege stoel naast de zielige man met het keppeltje ging zitten. Ze zei iets tegen hem, maar Annie kon de woorden niet verstaan. Het leek alsof ze probeerde hem te troosten.

'Annie.' Ze voelde dat Joe haar aankeek, maar zij wendde haar blik af. Ze wist dat hij iets zou zeggen wat ze niet wilde horen.

Ze dwong zich kalm te blijven. Als ik geen antwoord geef, dacht ze, als ik doe alsof ik niets hoor, zegt hij dat vreselijke niet.

'Ik wil je iets vertellen,' zei hij heel kalm. 'Het is goed dat ik je net tegenkwam, maar je moet weten dat ik je had willen opbellen. Ik heb nog niets tegen Laurey gezegd. Ik wilde eerst met jou praten.'

Ze dwong zich hem aan te kijken. En wat ze in zijn ogen las was verschrikkelijk: medelijden. Hij had medelijden met haar. O, God!

'Wat is er, Joe?' vroeg ze.

'Ik wil Laurey vragen met mij te trouwen.'

Het leek of haar geest zich van haar lichaam losmaakte en als een bizarre versie van de Heilige Geest boven haar dreef. Alles zag er verwrongen uit. Het leek of de karretjes en brancards langsvlogen als auto's op een snelweg, en een man op krukken kwam helemaal niet vooruit. De T.L.-buizen boven haar schenen zo warm op haar hoofd, dat het leek of het uit elkaar zou springen. Ze dacht aan een spelletje dat zij en Laurel vroeger vaak speelden. 'Als je...?' Eenvoudig, en griezelig. 'Als je nou eens doodging, hoe zou je dan willen gaan?' Meestal koos zij bevriezen boven vuur, want ze had gehoord dat dat het minst pijnlijk was. Maar Laurey verkoos de guillotine zoals Marie Antoinette of de brandstapel zoals Jeanne d'Arc; dat was veel romantischer. Annie had het idee dat al die folteringen samen niet zo erg waren als de pijn die zij nu voelde.

'Wat?' hoorde ze zichzelf zeggen, maar dat zei zij toch niet?

'Annie...' Hij probeerde haar hand te pakken, maar ze trok zich zo heftig terug dat ze met haar elleboog tegen de rugleuning stootte. Er schoot een hete pijn door haar arm.

'Ik wil het niet horen,' zei ze. 'Dwing me niet naar je te luisteren.' Ze had haar handen tegen haar oren willen slaan, zoals ze als kind vaak had gedaan.

Zorgvuldig nam hij zijn bril af, en wreef met duim en wijsvinger over de brug van zijn neus. Ondanks alles moest ze weer zijn wimpers bewonderen die zo lang en dik waren. Zijn groenbruine ogen waren bloeddoorlopen, alsof hij in dagen niet had geslapen. Hij leed ook. En ze haatte hem daarom, ze haatte hem omdat ze medelijden met hem had terwijl ze hem even fel had willen kwetsen als hij haar deed.

'Hou je van haar?' vroeg ze. 'Wil je het daarom?'

Hij zweeg. Ondanks alles kreeg ze hoop. Als hij daarover moest nadenken, kon zijn liefde niet zó groot zijn.

'Zo zou je het kunnen noemen,' zei hij. 'Annie, ga niet preken. Ik wil je geen pijn doen of beledigen. Maar er zijn verschillende soorten liefde met heel wat tussenvormen.'

'Ik hoop dat je het tegenover Laurey niet zo onder woorden brengt,' zei ze verbitterd. 'En ik hoop dat je mijn zegen niet vraagt. Je bewijst er Laurey geen gunst mee, weet je.'

'Het is nogal ingewikkeld en ik zou graag willen dat dat niet zo was.' Hij verkreukelde het plastic bekertje en gooide het tegen een muur. 'Ik wou dat ik kon zeggen dat ik alleen probeer de barmhartige Samaritaan uit te hangen en het daarna aan jou over te laten me ervanaf te brengen.'

'Wíl je dat?' Ze staarde hem aan.

Hij gaf geen antwoord. 'Ik weet het niet,' zei hij. 'Het enige dat ik wél weet, is dat mijn gevoelens voor jou niet zijn veranderd.'

Annie vocht tegen haar tranen. Ze moest hem zeggen hoe zij zich voelde. Ze moest hem smeken dit niet te doen. Maar er was iets wat haar daarvan weerhield. Nee... ze kon het niet. Trots? Ze wist het niet. Het enige dat ze wel wist, was dat ze de man tegenover haar haatte, ze haatte hem en tegelijkertijd hield ze met hart en ziel van hem.

Annie zag dat de man met het keppeltje was begonnen te huilen en de jonge zuster had een arm om hem heen geslagen en wiegde hem zo'n beetje. Was zijn vrouw gestorven? God, wat een vreselijke gedachte. Ze zag dat de non de man hielp opstaan. Hij wankelde even en zijn keppeltje verschoof een eindje; het zat maar met één haarspeldje aan zijn dunnende grijze haren vast zodat – toen hij zijn arm ophief om het recht te duwen – hij er komisch uitzag, net alsof hij zijn hoed voor haar afnam. Ze stelde zich voor dat die arme man vanavond alleen zou eten, kliekjes van een maaltijd die zijn dode vrouw nog had bereid. Annie had met hem te doen, en met zichzelf. Maar ze wist dat zij op een punt was gekomen waar geen tranen meer verschenen. Die waren in haar bevroren. Ze had het koud. Ze had zich nóg eens zo gevoeld: op die grijze middag toen ze op het kerkhof Dearies kist in het graf had zien zakken. Maar dit keer was het nog erger. Degene die nu dood was, was zijzelf.

'Ga maar,' zei ze met vlakke stem. 'Ga maar naar Laurey.'

Later die dag belde Dolly het Lancaster Hotel in Parijs en wachtte. Het was vier uur in de middag, tien uur 's avonds in Parijs en Henri zou al gegeten hebben. Zij zat in haar kantoor boven Girod's, waar ze zich meer op haar gemak voelde dan thuis. Toch vond ze het vreselijk wat haar nu te doen stond. Eindelijk werd ze doorverbonden en ze hoopte dat hij er was. Al wist ze dat morgen, en ook overmorgen, haar beslissing dezelfde zou zijn. Ze moest dit nú doen.

'Henri?'

'Ah! *Chérie*, kun je gedachten lezen? Ik wilde net jou bellen.'

De klank van zijn stem gaf haar een gevoel van duizeligheid, alsof ze champagne had gedronken op een lege maag. Hoe had ze in die paar uur nadat ze hem had gesproken kunnen vergeten wat voor effect zijn stem op haar had? Dolly aarzelde, maar herinnerde zich toen het gevoel van de baby in haar armen. Ze voelde nog het warme lichaampje tegen haar boezem, de greep van zijn vingertjes om de hare. Adam was maar een onderdeel van haar beslissing, dat wist ze... maar hij scheen alles wat ze zou verliezen te belichamen.

'Henri, ik kan het niet, werkelijk niet,' zei ze, en het leek of ze helemaal leeg werd vanbinnen. De tranen stroomden over haar gezicht. 'Ik ben nu de oudtante van die schattige baby van Laurel, eigenlijk een soort grootmoeder.' Dat had toch zelfs Annie gezegd? 'Hij heet Adam... en hij is zo lief, werkelijk de mooiste baby die je je kunt voorstellen. En Laurel heeft me nodig, en de baby ook. En ik geloof dat ik hem ook nodig heb. Ik zou doodgaan van heimwee, en waag het niet me van het tegendeel te overtuigen. Zeg ook niet dat de meisjes op bezoek kunnen komen, of ik naar hen toe kan gaan, want dat is iets heel anders en dat weet je ook best. En nog iets: zou jij me kunnen zeggen waar ik op zondagochtend in Parijs een warme bagel kan kopen?' Ze zweeg, niet uit gebrek aan argumenten, maar uit ademnood.

Het bleef stil. Toen gaf Henri eindelijk antwoord. 'Ik moest denken aan onze ogenblikken samen in Grenada voor onze vliegtuigen... hoe we geen afscheid konden nemen. Misschien wisten we dat er een dag zou komen dat we dat toch moesten doen.'

Ze glimlachte door haar tranen heen. Haar hart was al zo vaak gebroken geweest dat ze dacht dat het niet meer kón. Maar gelukkig begreep hij alles; hij zou zich niet verzetten. Hij scheen het al te hebben zien aankomen en had zich erop voorbereid. Toch: wat zou heerlijker geweest zijn dan de rest van haar leven met Henri door te brengen?

'Ik hou van je,' zei ze.

'Zelfs al kan ik geen bagels bieden?' plaagde hij, maar ze hoorde hoe hij zijn best moest doen iets luchthartigs te zeggen.

'*Mais oui, chéri*,' begon ze in haar Frans met een zwaar accent.

Stilte. Het leek of Henri zijn best deed luchtig te blijven, maar het niet klaarspeelde. Toen hij sprak had zijn stem de klank van iemand die zijn snikken smoorde.

'Zeg alleen maar "*Au revoir*". Na al die jaren weet toch niemand hoe het morgen gaat.'

Dolly wist dat ze moest ophangen, maar ze klemde de hoorn vast. Als ze hem neerlegde, zou ze iets afbreken, een of andere vitale ader die nooit meer hersteld kon worden. Maar al hield ze de hoorn nog vast, toch voelde ze dat het ten einde was, alles wat ze gedeeld hadden: hun hoop, hun dromen en zelfs haar herinneringen aan Henri. Zoals hij zo heerlijk betrouwbaar naast haar in bed lag, of zijn hand die haar elleboog vasthield als zij op haar onmogelijke hakken de straat overstak. Hemel, gebeurde dit allemaal echt?

'*Au revoir*,' zei ze zachtjes in de hoorn. Een traan druppelde van haar kin op het telefoonsnoer en schitterde als een regendruppel op een spinneweb voor hij viel.

'*Au revoir, ma poupée*.'

Dolly legde de hoorn heel zachtjes neer, alsof de geringste druk hem zou doen breken. Toen ging ze heel rechtop zitten, zoals Clint Eastwood in zijn zadel, en begon de rommelige bestelformulieren te ordenen, en alle andere papieren op haar bureau. Om vijf uur zou iemand van *Newsday* haar komen interviewen, daarna had ze een afspraak met Helmut Knudsen om de nieuwe dozen te bekijken die hij voor Valentijnsdag had ontworpen. En morgen was de lunch voor het Kinderhulpfonds, daarna...

Haar handen bleven liggen op een stapeltje indexkaarten waarop de namen, adressen en verjaardagen van haar vaste klanten stonden vermeld, aan wie ze altijd een doosje truffels stuurde als verjaarsgeschenk.

Ze slaakte een gesmoorde kreet en dacht: als ik maar aan de gang blijf, hoef ik niet na te denken. Nooit meer. En eigenlijk is de toestand vandaag toch niet anders dan gisteren, dus waar maak ik me druk om?

Toen ze haar bureau had opgeruimd, pakte Dolly het poederdoosje en de lippenstift die ze altijd in de bovenste lade rechts bewaarde, naast een doos papieren zakdoekjes. Bill Newcombe zou haar om half acht komen halen. Hij had kaartjes voor *Grease* en ze moest toch zorgen dat ze er behoorlijk uitzag. Ze tuurde in het spiegeltje van haar poederdoos en veegde de mascara onder haar ogen met een zakdoekje weg. Ze zou haar rode Halston aandoen met die glinsterende schouderbandjes. Als ze bofte zou hij haar na afloop meenemen om te gaan dansen en dan was ze zo moe als ze thuiskwam, dat ze in slaap zou vallen nog voordat ze haar hooggehakte schoenen had uitgetrokken.

Ze liet hem echter niet bij zich slapen, al wilde hij het nog zo graag, want niets was erger dan in je kussen te huilen om een man die er niet was en ondertussen te bidden dat de man naast je het niet hoorde.

Hoofdstuk 26

'Eigenlijk vreemde wittebroodsweken,' zei Joe, en lachte tegen zijn vrouw die op een balkonstoel bij de radiator zat met een slapende Adam als een zak meel over haar schouder. 'Ik had je liever mee willen nemen naar Bermuda of zelfs de Pocono's.'

'Het bevalt me hier best,' antwoordde ze, legde haar hand om het hoofdje van de baby en stond voorzichtig op, haar bovenlichaam helemaal recht; ze zag eruit als een blonde geisha met die kimono aan. Ze had net Adam gevoed en de voorkant van haar kimono viel een eindje open, zag Joe. Hij kreeg een glimp te zien van haar melkwitte borst met een roze puntje. De kleur van een perzik, dacht hij. Het ontroerde hem haar zo onschuldig met haar open peignoir te zien, met zijn slapende zoon op haar schouder. Zijn zoon! Hij kon het nog nauwelijks geloven, maar ja, de adoptiepapieren waren ingediend en over een maand of zes zou Adam wettig zijn zoon zijn. Een technische rechtzetting. En hij had niet meer van Adam kunnen houden als de jongen zijn eigen vlees en bloed was geweest.

Maar Laurel... wat hij voor haar voelde, was anders, gecompliceerder. Toch waren ze nu een pasgetrouwd stel. Jezus! Waar was hij mee bezig? Hoe kon hij hopen dat dit huwelijk een succes werd terwijl hij niet een keer in de vier weken dat ze nu getrouwd waren, in staat was geweest haar recht in de ogen te kijken en eerlijk te zeggen 'Ik hou van je'? Hij werd weer overvallen door schuldgevoelens.

'Heb je hulp nodig?' vroeg Joe, terwijl hij haar naliep toen ze blootsvoets de slaapkamer inging waar Adams wiegje naast hun tweepersoonsbed stond. Als hij om zich heen keek, schrok hij er nog altijd van dat zijn vrijgezellenflat zo veranderd was. Het stond er vol babymeubeltjes; wiegedekentjes lagen op een stapeltje luiers, en overal lagen of stonden trappelzakjes en allerlei potten en flesjes. Bovendien lagen Laurels schilderbenodigdheden overal: haar tekenbord, krijt, verf, doeken, tegen de wand. En niet te vergeten haar kleren: onderjurken, beha's, kanten onderbroekjes, nachtgoed, maillots, panty's, T-shirts. Er was plotseling van alles verschenen, alsof het hier een geheimzinnige, vruchtbare jungle was.

'Geef me eens een schone luier,' fluisterde ze. 'Voor onder zijn hoofd.'

Joe gaf haar er een van het stapeltje dat opgevouwen op de babytafel bij het wiegje lag en ze spreidde hem uit over het matrasje voor ze Adam voorzichtig neerlegde. Adam was nu zes weken oud, had min of meer Chinese ogen en een kuif zwart haar waardoor hij er als een miniatuur Japanse worstelaar uitzag; hij gromde in zijn slaap en trok zijn knietjes onder zich. In zijn gele badstoftrappelzak, met zijn billetjes in de lucht, zag hij er zo komisch uit dat Joe vertederd grinnikte. Hij voelde een steek van liefde die zo intens was, dat die in de donkere kamer leek uit te stralen, waardoor alles om hem heen begon te gloeien. Met zijn ogen op Adam gericht greep hij Laurels hand en drukte die.

'Moet je eens kijken, met zijn billetjes zo omhoog,' zei ze glimlachend. 'Hij lijkt net een egeltje van Beatrix Potter.'

'Waarom doet hij dat?'

'Foetushouding. Zo voelt hij zich veiliger.'

'Hoe weet je dat allemaal? Voor een nieuweling ben je erg goed op de hoogte.'

'Je vergeet dat ik nogal wat praktijk heb opgedaan toen we bij Rivka woonden.' Ze lachte zachtjes. 'Rivka noemde me altijd haar kleine *mamaleh*. Nu weet ik wat ze bedoelde.'

Joe trok het gebreide dekentje met geborduurde konijntjes – een cadeau van Dolly – langs de randen omhoog om Adams schoudertjes. De baby bewoog zich even, vertrok zijn gezichtje en bleef toen stil. Joe kreeg er nooit genoeg van naar Adam te kijken.

'Het zal fijn zijn als hij zijn eigen kamertje heeft,' zuchtte Laurel. 'Al zal ik dit toch missen, wij drieën saampjes.'

Joe dacht aan het tien jaar oude huis in Cape Cod-stijl dat ze probeerden te kopen. Ze hadden een laag, maar aanvaardbaar bod gedaan. Hij hoopte dat de eigenaars net zo gretig waren het huis te verkopen als Jack Neidick, hun makelaar, had gezegd.

'Ik heb vanmiddag met Jack gesproken,' vertelde Joe haar en hield zijn stem zacht, hoewel Adam nog rustig zou hebben doorgeslapen in een drukke tunnel op het spitsuur. 'Hij zei dat ze nog nadachten. Ze zouden het ons tegen het eind van de week laten weten.'

'Fijn,' zei Laurel, maar hij zag dat ze aan iets anders dacht dan het huis in Bayside, of welk huis dan ook. Ze keek naar haar zoontje, duidelijk helemaal weg van hem.

Toen keek ze op en Joe zag dat ze ook dol op hem was. Hij genoot ervan, maar toch schaamde hij zich. Waarom kon zijn liefde voor haar niet net zo onbekommerd zijn? Je bent toch met haar getrouwd, hield hij zichzelf voor.

Maar een huwelijksakte was nog geen liefdesverzekering. Laurel verdiende beter dan een halfslachtige verbintenis. Hij dacht aan Annies verbitterde woorden en hoe ze hem eraan had herinnerd dat hij Laurel geen dienst bewees. En nee, het was geen kwestie van haar redden; Laurel kon zich best redden, wist Joe. Als er iemand gered moest worden, was hij dat. Hij had hier behoefte aan, aan Laurel en Adam. Een vrouw, een gezin. Tot nu toe had hij niet geweten hoezeer hij dat nodig had. Of misschien toch wel, en had hij het alleen maar niet willen weten. De rest, die diepe emotie die hij voor Annie voelde, zou nog wel volgen, dacht hij. Wat weerhield hem nog?

Annie.

Joe voelde dat zijn hart zich samentrok. Ja, verdomme, hij hield van haar. Maar daar ging het niet om. Zou zij bereid zijn om niets anders te doen dan zijn vrouw te zijn? Dat wist hij niet zeker. Hij geloofde in haar droom, vond het prima dat ze probeerde die waar te maken, maar het feit bleef bestaan dat ze totaal opging in Tout de Suite. Ze wilde geen kinderen totdat ze beter wist wat ze precies wilde, had ze hem gezegd. En Annie kennende dacht Joe dat dat pas over een heel lange tijd zou zijn. Ze dacht dat ze van hem hield, hem begeerde, en misschien deed ze dat ook wel, maar proberen Annie een vaste belofte te ontlokken was net zoiets als een gokje wagen bij het kaarten – vroeg of laat kwam je er bekaaid af.

Ondanks dat alles wist hij echter dat hij met Annie zou zijn getrouwd als Laurel hem niet harder nodig had gehad. Als het idee van het samen delen met Laurel van dit nieuwe leven – dat hij op de wereld had helpen brengen – niet plotseling belangrijker dan al het andere had geleken. En Laurel zelf was zo aanwezig, zo direct, vond hij, na al die tijd van achter Annie aan hollen om in haar buurt te blijven. Ze was net een besneeuwde berg die zo dichtbij leek dat je hem kon aanraken, maar die je nooit echt kon bereiken. En nu had hij het gevoel dat hij eindelijk op een warm en veilig plaatsje was beland.

Joe staarde naar Laurel en zag in gedachten een andere Laurel, het jonge meisje dat met zulke ogen vol vertrouwen naar hem op had gekeken. Zou hij in staat zijn haar niet teleur te stellen? Zou hij leren van haar te houden zoals hij van Annie hield? Op dit ogenblik wist hij maar één ding zeker: hij begeerde haar. Met die losse haren over haar schouders, haar ogen een beetje opgezet door het gebrek aan slaap, haar kimono halfopen, zag ze er zo lief en begeerlijk uit dat hij haar dolgraag in zijn armen had genomen. Maar hij beheerste zich. In de maand die ze nu getrouwd waren – een korte, bijna zakelijke plechtigheid op het stadhuis waar alleen Dolly en Annie, met een verstard gezicht, bij aanwezig waren geweest – had hij haar nog nooit bemind. Haar lichaam moest zich herstellen. Zes weken, had de dokter gezegd. Het kon hem niet zo veel schelen. Doordat Adam aanspraken op haar lichaam deed gelden en luidruchtig vrijwel al haar tijd opeiste, waren hun wittebroodsweken verre van romantisch.

Het was echter niet alleen Adam die tussen hen stond. Het was ook Annie. Geef dat maar toe, beste jongen, dacht hij. Jij had liever gehad dat zíj je ring droeg.

Joe voelde zich verward. Misschien. Goed dan, hij dácht veel aan Annie. Hij vroeg zich af of ze haar oude flat boven miste en of haar nieuwe huis in West Tenth even prettig was. Hij vroeg zich ook af of ze hém miste. Maar hier, nu, op dit ogenblik, was het Laurel die maakte dat zijn hart sneller sloeg. Misschien was het, strikt genomen, geen liefde. Misschien was het gewoon die aloude tovertruc: begeerte. Maar die was er wel.

In de naar baby geurende stilte pakte Joe een lok van haar haren en wond die om zijn wijsvinger. Ze glimlachte en kwam dichterbij, liet zich naar hem toe trekken totdat hun voorhoofden elkaar bijna raakten. Het leek of haar gezicht wazig werd, alsof ze in de mist liep, haar haar was een gouden krans... en hij besefte dat door haar adem zijn bril besloeg.

Joe's hart sloeg veel te snel; hij deed een stap achteruit en legde zijn bril op de babytafel naast het wiegje. Toen hij omkeek zag hij dat Laurel haar kimono op de grond had laten glijden. Hij had eerder toegekeken als ze zich uitkleedde, maar dit keer was het anders. Hij voelde een schok van verrukking, alsof hij in een koud meer zwom en plotseling op een warme plek terecht was gekomen.

Zo naakt leek ze te glanzen in het licht dat zwakjes naar binnen viel en haar huid kreeg de zilverwitte tint van de vleugels van een mot. Jezus, wat was ze mooi. Zelfs met haar buik, die nog wat rond was, met vervagende rode zwangerschapsstrepen, en met borsten die als zware vruchten klaar schenen om omlaag te vallen. Dat alles maakte haar in zijn ogen nog mooier. Het was heel iemand anders dan de Laurel die hij zich nog van kortgeleden herinnerde: een lange bonestaak in een blauwe spijkerbroek en een loszittend T-shirt.

Hij kwam op haar toe en wist dat hij beefde; dat kwam ergens diep uit zijn binnenste vandaan.

Ze proefde zoet, en rook nog zoeter... net als Adam. Joe streelde haar onder aan haar rug en verwonderde zich over die tere, schelpachtige ronding en de koele zijde van haar huid. Hij voelde hoe een verrukkelijke en verleidelijke pijn zich door hem verspreidde. Dit keer kon hij zich laten gaan. Hij had haar lichaam tijd gegeven zich te herstellen. Hij had zichzelf ook tijd gegeven... tijd die hij nodig had om te laten bezinken dat hij écht met haar getrouwd was.

Toch aarzelde hij terwijl zijn hand op haar ruggegraat lag en zijn gezicht zich in haar hals begroef. Weerhield de gedachte aan Annie hem? Of Laurel – het feit dat hij niet zo van haar hield als zij van hem? Hij had het vage gevoel dat hij iemand bedroog.

'Joe,' zei Laurel, terwijl ze haar handen langzaam over zijn armen liet glijden en met haar duimen even de binnenkant van zijn ellebogen liefkoosde. Haar vingers vormden koele armbanden om zijn polsen. Ze hief een van zijn handen op en hield die tegen haar borst. Hij voelde hoe vol die was en hij voelde ook de zwangerschapsstrepen aan de onderkant. Het leek of haar warmte door zijn hand stroomde en door zijn vingers ontsnapte.

Joe kreunde en trok haar naar zich toe, dit keer niet zo zachtaardig. Samen, alsof het een ingestudeerde pas de deux was, zonken ze op hun knieën op het vloerkleed neer. Het bed was vlakbij, maar Joe kon niet meer ophouden haar te kussen en aan te raken. Op de een of andere manier kreeg hij zijn trui uit en ook zijn hemd, maar elke seconde dat zijn huid de hare niet voelde leek pijn te doen.

'O, Joe... kijk eens,' giechelde Laurel ademloos.

Joe voelde iets warms en vochtigs op zijn borst druppelen. Hij keek omlaag en zag kleine stroompjes melk uit haar tepels spuiten. Zonder na te denken boog hij zich voorover en dronk het op, liet haar warme zoete melk in zijn mond lopen. Het leek of hij iets verbodens deed; aan de andere kant leek het ook heel natuurlijk. Hij voelde hoe haar tepel zich tegen zijn tong samentrok en hard werd. Ze boog zich achterover en maakte een geluid in haar keel dat het midden hield tussen een zucht en gekreun. Haar knieën gingen van elkaar zodat hij zijn hand tussen haar benen kon leggen en daar een andere vochtigheid kon voelen. Joe voelde zich bijna pijnlijk stijf worden. Hij begeerde haar hevig... hevig genoeg om haar daar te nemen, op het kleed, naast de wieg van zijn zoon.

'Is het heus oké?' fluisterde hij. Hij wilde haar geen pijn doen.

Laurel knikte. 'Een beetje langzaam aan.'

Hij ging staan, trok zijn broek uit en hees haar toen overeind. Laurel leek uit haar geknielde houding omhoog te komen als een versnelde opname van een bloem die opbloeit; de spijlen van Adams bedje wierpen schaduwstrepen op haar sierlijke ledematen.

Samen zonken ze op het bed neer. Hij had verwacht dat Laurel verlegen en onervaren zou lijken, tenslotte was hij pas haar tweede minnaar. Maar ze verraste hem door hem meteen te omhelzen en te strelen, met wetende handen en vingers die geen uitnodiging nodig hadden. Hij knielde boven haar neer en zij leidde hem in zich.

Hij ging heel voorzichtig naar binnen en beefde van de inspanning om zich te bedwingen. Ze verstrakte even en fluisterde toen: 'Het is oké. Ja, Joe. Ja. Ik hou van je. God, wat hou ik van je.'

Joe dacht dat hij zou ontploffen, maar hij dwong zichzelf het kalm aan te doen. Elke stoot deed pijn van heerlijkheid. Er trilde iets in zijn maag, in zijn lendenen, en in zijn verhemelte. Toen hij zich niet langer kon inhouden, pakte hij haar stevig beet. Hij begroef zijn gezicht in haar haren, die naar melk en babypoeder roken, en voelde hoe haar heupen omhoog kwamen, de zijne tegemoet. Hij kwam met een uitbarsting die vanuit zijn schedel leek te komen.

Ze huiverde en hij dacht dat zij ook kwam. Toen besefte hij dat ze huilde. Ze klemde zich aan hem vast en haar borst ging op en neer terwijl ze geluidloos snikte.

'Laurey, wat is er?' riep hij in paniek. Had hij haar pijn gedaan? Besefte ze opeens dat het een vreselijke vergissing was geweest, het feit dat ze met hem was getrouwd?

'O, Joe... ik ben zo... zo gelukkig.'

Joe voelde dat hij zich ontspande. Terwijl hij haar vasthield en kalmeerde, bevochtigden haar tranen zijn hals, en haar melk voelde kleverig aan op zijn borst. En hij hield zichzelf voor: het zal goed gaan met ons beiden. Ik zal ervoor zorgen. Ik zal van haar gaan houden. Dat beloof ik.

Laurel lag in het donker naast Joe en luisterde naar zijn diepe ademhaling; ze dacht: hij is van mij. Het leek een wonder dat bijna even groot was als de geboorte van Adam: dat Joe van haar hield, dat hij haar had uitgekozen en dat ze nu echt man en vrouw waren. Alles was volmaakt. Volkomen volmaakt.

Behalve voor Annie dan. Annie zou nooit over het verlies van Joe heen komen. Maar zij had Emmett. Hij was een goede man en hij hield van haar. Dat had ze in zijn ogen gelezen op die eerste dag toen ze hem, maanden geleden, had ontmoet. Emmett had Annie toen opgehaald om met haar naar een honkbalwedstrijd te gaan. Toen iedereen in het stadion wild juichend was opgestaan vanwege een home run had Emmett alleen naar Annie gekeken. Waarom kon Annie nu niet eens ophouden iets te willen wat buiten haar bereik lag. Waarom zag ze niet dat wat vlak voor haar lag?

Laurel wilde graag dat haar zuster gelukkig werd, maar ze was blij dat ze nu eindelijk eens iets had waar Annie geen deel in had. Niet dat ze Annie helemaal buiten wilde sluiten. Maar dit keer... ja, dit keer ging alles zoals zíj het wilde. Annie kon natuurlijk bij haar op bezoek komen. Maar dan wel in háár huis, met háár man en háár baby.

Laurel voelde een scheut als van pijn, en vroeg zich af of ze egoïstisch was. Vermoedelijk wel, maar dat kon haar nu niet schelen. Op dit ogenblik was alles wat ze nodig had, wat ze per se wílde hebben, hier bij haar in deze kamer.

Deel drie

1980

*Een afgesloten hof zijt gij, mijn zuster, bruid;
een afgesloten wel, een verzegelde bron.*

Hooglied 4:12

Hoofdstuk 27

De gerant bracht Annie naar een tafeltje bij het raam in de Grill Room. Ze ging zitten en slaakte een zucht van opluchting dat ze vóór Felder was binnengekomen. De Four Seasons was veel te deftig om met wapperende haren en een afzakkende rok te komen binnenstormen, en ze wist dat zij de laatste tijd meestal op die manier haar intrede deed. En hoewel het haar meestal niet veel kon schelen of ze wel in de juiste restaurants werd gezien, of hoe ze eruitzag, was het vandaag toch een andere zaak, want vandaag moest ze die man zover zien te krijgen dat hij haar redde.

Ze had misschien een advocaat moeten meenemen of een van die vriendjes van Emmett van Wall Street. Zij wist zo weinig af van het aangaan van financiële overeenkomsten. Als dat wel het geval was geweest, zou ze hier nu niet zitten.

Haar hart bonsde en ze ontdekte dat ze weer op haar duimnagel zat te bijten, die net tot een respectabele lengte was aangegroeid. Nijdig op zichzelf rukte ze haar hand weg en stopte hem onder zich, zodat ze er gewoon bovenop zat.

Ze keek om zich heen. De mannen en vrouwen om haar heen hadden op elkaar lijkende zakelijke pakken of pakjes aan, donkergrijs, donkerblauw, met een krijtstreepje, en maar één vrouw was zo dapper om een zwarte hoed met een brede rand te dragen en een opvallende roze sjaal om haar schouders. Annie vroeg zich af of ze een filmster was, of misschien een ontwerpster. Maar waar was Felder? Ze had hun afspraak telefonisch moeten bevestigen. Stel dat hij niet kwam?

Och, natuurlijk kwam hij. Híj had toch de reservering gemaakt? Toch waren haar oksels vochtig en moest ze zich bedwingen om haar voorhoofd niet met het elegante linnen servet af te vegen dat keurig opgevouwen op het bord voor haar stond.

'Zal ik u iets te drinken brengen terwijl u wacht?' vroeg de ober.

'Perrier,' zei ze. Dat was goed voor haar opstandige maag.

Ze keek op haar mooie platte gouden Piaget, een cadeau van Emmett voor haar tweeëndertigste verjaardag, nu een maand geleden. Felder kon elk ogenblik binnenkomen; had ze eigenlijk iets mogen bestellen voor hij kwam?

Ze zag de ober weglopen en ze onderhield zichzelf voor haar lafheid.

Als ze zich hier al druk om maakte, hoe zou ze dan ooit een miljoenencontract met Felder kunnen afsluiten?

Ze bood weerstand aan de verleiding nog even gauw haar lippen bij te werken. Ze wilde er koel en kalm uitzien, en ze had zich thuis al helemaal gecontroleerd. Na veel gezoek had ze eindelijk dit pakje gevonden, oranjekleurig met een gouddraadje erdoor, met een paarse col eronder, een antieke gouden horlogeketting die ze als halsketting droeg en een paar enorme oorringen die ze eens bij Felder had gekocht! Volgens haarzelf maakte ze een zakelijke en toch enigszins dramatische indruk.

Haar Perrier kwam in een gekoeld glas met een schijfje limoen. Ze nam een slokje en keek eens naar de vier mannen die aan een tafeltje tegenover haar zaten. Ze lachten luidkeels. Een van hen kwam haar bekend voor. Was hij een televisie-acteur?

'Juffrouw Cobb?'

Annie keek op naar de stevig gebouwde man van middelbare leeftijd met grijs haar die naast haar stond. Felder? Hoe was hij hier gekomen zonder dat ze hem zag? Misschien omdat hij er heel anders uitzag dan ze gedacht had. Naar wat ze in kranten en tijdschriften had gelezen, had ze iemand verwacht die... nou ja, indrukwekkender was, van wie de macht en het charisma van de vroegere Hollywood-filmmagnaten afstraalden. Al die verhalen over Felder die de holocaust had overleefd en vanuit een vluchtelingenkamp in Amerika was aangekomen, en hoe hij als jongeman elke dag alle 'sweatshops' had afgelopen, resten opkopend die hij verkocht in de stoffenzaak van zijn oom. En uiteindelijk had hij een succesvolle keten van goedkope warenhuizen opgezet.

Afgezien van het prachtige pak dat hij droeg, had de man die voor haar stond ook een loodgieter, slager of huisschilder kunnen zijn. Hij had zware kaken, had bij het scheren een paar plekjes gemist en zijn neus deed haar denken aan een tekening van Julius Caesar in haar geschiedenisboek van de middelbare school. Zijn kortgeknipte grijze haren hoorden meer bij een officier, en zijn gezicht had diepe rimpels.

'Annie. Noemt u me alstublieft Annie.'

Ze wilde opstaan en hem haar hand toesteken, maar voelde dat die hand sliep omdat ze er zo lang op had gezeten. Ze was genoodzaakt hem nu een hand als een slappe vaatdoek te geven, en daar had ze de pest over in. Toch glimlachte ze tegen hem, maar hij reageerde niet. Ze had alleen nog maar haar naam gezegd, en nu al alles verknoeid. Maar ze had dit nódig.

Emmett had haar gewaarschuwd het kalm aan te doen – en Dolly ook – maar ze was veel te hard van stapel gelopen, diep onder de indruk van Glen Harbors nieuwe, elegante Paradise Mall. Voor haar zaken aan Madison Avenue en Christopher Street betaalde ze al hoge huren, en Paradise Mall in Southampton was misschien te hoog gegrepen. Tout de Suite verrees aan de hemel als een supernova en het ging zo prachtig. Dat dacht ze tenminste.

De helft van de dure en fraaie winkelpanden in het winkelcentrum was al verhuurd, en ondanks alle reclame liepen er op zaterdag maar enkele klanten over het marmer te drentelen. Haar nieuwe zaak kostte haar handenvol geld.

Na verloop van tijd zou het winkelcentrum wel gaan lopen, dat wist ze zeker, maar het duurde te lang. En ze had te veel hooi op haar vork genomen met ook nog die nieuwe fabriek in Tribeca erbij. Financieel had ze op gevaarlijke zandgrond gebouwd. Hoe lang kon ze het nog volhouden, gezien haar al enorme bedrijfskosten? De huren waren hemelhoog. En dan was er nog haar schuld aan de bank. Haar meestal nogal rustige accountant, Jackson Weathers, had het haar vorige week uiteengezet, zonder omwegen. Als ze haar financiën niet kon herzien, en snel, dan zou Tout de Suite wel eens heel *tout de suite* over de kop kunnen gaan.

Diezelfde dag had ze in de *Wall Street Journal* gelezen dat Felder van plan was enkele van zijn warenhuizen om te bouwen tot kleine intieme boetiekjes, inclusief een gourmetafdeling. Ze had Felder onmiddellijk gebeld en zijn secretaresse had gezegd dat ze maar monsters en gegevens moest sturen, als ze die had. En een week later had Felder haar zelf gebeld en te lunchen gevraagd.

Hij begroette haar met zijn diepe, bijna barse stem.

'Dag,' zei ze.

'Ik heet Hy,' merkte hij op. 'Zo noemt iedereen me.' Meteen kwamen er allerlei Brooklyn-herinneringen boven: taxichauffeurs en hot dog-verkopers op Coney Island enzovoort.

Hij liet zijn zware gestalte in de stoel tegenover haar zakken. Ogenblikkelijk verscheen er uit het niets een ober. Felder bestelde een whisky met soda en een schijfje citroen.

'Je bent jonger dan ik dacht,' begon hij. 'Mag ik vragen hoe oud je bent?'

'Tweeëndertig,' antwoordde ze lachend. 'Maar die leeftijd zit me niet dwars. Ik vind het alleen gek dat ik in mijn gevoel van vijfentwintig twee weken later opeens tweeëndertig was!'

Hij grinnikte. 'Ik heb dochters die ouder zijn dan jij.' Hij keek naar haar Perrier. 'Wil je geen borrel?'

'Graag nog een Perrier. Straks maar.'

'Je kunt hier lekker eten. Al eens gedaan?'

'Een paar keer. Maar ik lunch niet vaak buitenshuis. Meestal neem ik gauw een broodje of een bekertje yoghurt. Ik heb het nogal druk, meneer... Hy. Zelfs 's zondags lig ik vaak nog onder een machine.'

Hij grijnsde. 'O ja? Weet je wat van machines? Dat is nogal ongewoon voor een mooi meisje. Ik weet er geen snars van. Maar ik weet alles van acht of negen dagen per week werken.' Hij nam een ijsblokje uit zijn glas en stak het in zijn mond om er luidruchtig op te zuigen. 'Slim van je om mij te bellen.'

Annie kreeg het gevoel alsof het opeens vijftig graden warmer was geworden. Nam hij haar voorstel ernstig? Hemel, ten oosten van de Mississippi alleen al had Felder tweeënveertig grote warenhuizen. Haar fabriekje zou vierentwintig uur per dag moeten zwoegen om die allemaal te bevoorraden, maar ze zou al haar schulden en dergelijke ruimschoots kunnen betalen.

'Ik heb gelezen dat je je zaken helemaal opnieuw gaat inrichten, ook al zijn ze nu al druk bezocht,' zei ze.

'Je vleit me. Leuk. Maar als je lang in zaken bent, weet je dat wat vandaag succes heeft, dat morgen niet meer hoeft te hebben. Na de oorlog heb ik mijn eerste zaak geopend in de toen gebruikelijke stijl. Nu wil iedereen merkkleren, merkslopen en zelfs merkchocoladekoekjes. En als iemand honderd dollar wil betalen voor een spijkerbroek, dan kun je hem of haar toch best een kop koffie of een glas papajasap aanbieden, vind je niet?'

Annie wist niet of ze hem aardig vond of niet. Hij leek hartelijk, maar ze voelde dat hij keihard kon zijn.

'Vond je de monsters die ik je stuurde goed?'

'Ik zou graag "ja" zeggen, maar ik mag die dingen niet eens aanraken.' Hij wees op zijn dikke buik. 'De dokters zeggen dat als ik niet zorg hier wat weg te halen, mijn vrouw binnenkort een rijke weduwe wordt.'

'Maar...'

Hij hief zijn hand op. 'Ik vond het leuk dat je belde. En dat het diezelfde dag in de kranten stond. Je hebt lef en reageert snel. Maar zie je, voor Felder's Pantry – hoe vind je die naam? Leuk, hè? – dacht ik eerst aan stinkende Franse kaas, eerste kwaliteit Colombiaanse koffiebonen en dergelijke. Ook bonbons, maar in dozen, zoals in de supermarkt, maar dan van een betere kwaliteit.'

'Een prachtig idee... maar wat die bonbons betreft, dacht ik eigenlijk aan een hele afzonderlijke boetiek,' zei ze, en slikte omdat haar keel dicht leek te zitten. 'Een soort... een soort miniatuur Tout de Suite. Kijk, ik heb tekeningen bij me.' Ze haalde een oud nummer van *New York* uit haar tas en sloeg het open voor Felder. 'Dit artikel hebben ze vorig jaar september over me geschreven.'

'Die kroonluchter is mooi. Waar heb je die opgeduikeld? Hij bestaat alleen uit takken en vogelnesten.'

'Ik ken een bloemist die ze maakt. Ze zijn allemaal verschillend. Hij maakt ook al mijn manden. Hij versiert ze met sjabloontjes en verschillende soorten gekleurd lint, afhankelijk van het jaargetij of de feestdagen.'

'Wat is dat?' Hij wees met zijn dikke vinger op een stenen voetstuk in de hoek.

'Een vogelbad. Dat kon ik weghalen uit de tuin van een huis dat werd afgebroken.' Ze voegde er niet aan toe dat Emmett het huis – en het vogelbad – had gevonden.

326

'Leuk idee. Hou je van vogels? Ze hebben hier fantastische kip. Ook prima eend... met veenbessen. Heb je honger? Zal ik wat bestellen?'

Nee, dacht ze, wat ik wil is dat je zegt dat je dolgraag zo'n enige boetiek vol met mijn fantastische bonbons wilt hebben in elk van je zaken. Maar dat kon ze natuurlijk niet zeggen. Ze moest zoet blijven zitten en lachen en zorgen dat ze niet toegaf aan de onweerstaanbare machten die haar duim naar haar mond zogen.

Ze boog zich voorover en probeerde zijn aandacht vast te houden betreffende haar zaken. Toen zei ze, heel rustig: 'Je bent een verstandige man en je hebt gelijk – we moeten met de tijd meegaan. Tegenwoordig willen de mensen kwaliteit en daar willen ze voor betalen ook.' Ze haalde diep en langzaam adem. 'Vorig jaar had Tout de Suite een omzet van drie miljoen. Het ziet ernaar uit dat we daar dit jaar nog eens veertig procent bovenuit komen.'

'Met een half miljoen aan ongedekte schulden, misschien zestig procent aan hogere salarissen en een vakbond die het je lastig maakt, hypotheken die betaald moeten worden, en dan die huur in Glen Harbor. Maar het kon erger.' De joviale oom Hy van daarnet was nu plotseling de messcherpe Felder uit de verhalen.

Annie leunde achterover, verstomd... Ze voelde zich overrompeld alsof hij zijn hand onder haar rok had gestoken. 'Hoe... hoe weet je dat allemaal?'

'Ik ben net als jij, Annie.' Zijn lach was weer die van een leuke oom met zijn zak vol snoep. 'Ik zorg altijd goed beslagen ten ijs te komen.'

'Maar...'

Hij hief zijn hand op, als een verkeersagent. 'Begrijp me niet verkeerd. Denk je dat ik Felder heb opgebouwd uit gouden stenen en met een enorme bankrekening? Ik heb wel eens drie hypotheken op één huis gehad. Wees maar blij dat je geen vennootschap bent, want dan heb je pas echt problemen.'

'Ik heb aanbiedingen gehad mijn zaak te verkopen, maar daar heb ik nog nooit over gedacht.'

'Daar hoort Felder niet bij.' Hij lachte en pakte een stukje brood van de schaal die de ober net had neergezet. 'Ik heb al veel te veel aan mijn hoofd. Ik hoef jouw zorgen er niet bij te hebben.'

'Wat voor overeenkomst had jíj dan gedacht?' Ze moest nu maar met haar vragen en ideeën komen, vond ze.

'We kennen elkaar net. Laten we eerst nog eens wat verder verkennen.'

'Ik vraag geen gunsten. Mijn voorstellen zouden voor Felder ook gunstig zijn.'

'Misschien. Later. Maar wie moet de centen opbrengen voor die kroonluchters en vogelbaden? Die zullen niet goedkoop zijn.' Hij leunde zo dicht naar haar toe dat ze de haartjes zag die uit zijn neus staken. 'En die chocolade van je moet duur zijn om het te redden. Hoeveel duurder kun je die maken?'

'Je verkoopt toch ook goud en juwelen?' zei ze. 'Duur, dat wel. Maar wij mikken op dezelfde soort klant, op degene die meer geïnteresseerd is in kwaliteit dan in de prijs – tot op zekere hoogte, natuurlijk. Tout de Suite-bonbons zijn uitermate luxueus. Mijn klanten hebben het gevoel dat ze zichzelf verwennen. Net als wanneer ze zijden ondergoed kopen, of Chanel No. 5. Ze willen het hebben omdat het het beste is.'

'Ik heb bewondering voor je durf. "De beste." Klinkt goed, maar wie beoordeelt dat? Jij? Hoe weet ík dat jij het beste bent?' Hij keek haar uitdagend, half lachend aan.

Annie kende die blik van taxichauffeurs die een omweg maakten en slagers die vroegen: 'Mag het ietsje meer zijn?' Hij was dus een oplichter. Maar wie, in zijn positie, zou dat niet zijn? En ondanks het feit dat je hem niets kon wijsmaken, leek hij toch geïnteresseerd. Hoe moest ze hem zover krijgen, hem ervan overtuigen dat hij haar in zijn zaken op moest nemen?

Hij wil dat ik hem overhaal, dacht ze plotseling. Hij daagt me uit. Zich terugtrekken was niets voor Felder. Maar voor haar ook niet. Waarom was het hier toch zo warm? Het leek wel een sauna... maar het scheen Felder niets te doen.

Ze moest snel nadenken. Kom, Annie, je hebt wel voor hetere vuren gestaan. Wacht: *Gourmand*'s jaarlijkse chocoladebeurs was zaterdag over een week in het Plaza. Daar kwamen belangrijke fabrikanten uit de hele wereld: Godiva, Kron, Tobler-Suchard, Perugina, Gianduja, en de kleine groten zoals Manon uit België en Teuscher uit Zwitserland. En natuurlijk Girod's. Er zou, als altijd, een banket zijn, er werd gedanst, er werden toespraken gehouden, én prijzen uitgedeeld. Het was een beetje een strijd als David tegen Goliath, maar als zij, als vrij nieuwe onderne- ming, een prijs zou winnen, zou dat fantastisch zijn. Haar verkoop zou met sprongen stijgen en ze veroverde vast nóg meer contracten met hotels en zo.

Annie wist nog hoe opgewonden ze was geweest toen Girod's de eerste prijs had gewonnen. Ze waren ook wel eens tweede geweest, een keer zelfs derde. Ze wist dat Dolly erop rekende dit jaar een prijs in de wacht te slepen, maar toch had ze Annie haar zegen gegeven. 'Het enige dat beter is dan dat Girod's de eerste prijs krijgt, is jou ermee te zien weglopen,' had ze gezegd.

Tout de Suite dong voor het eerst mee; tot nu toe had ze nog geëxperi- menteerd met haar produkten. Maar dit keer moest ze winnen. Maan- denlang was ze 's avonds eindeloos bezig geweest om nieuwe smaken, vormen en prestaties uit te proberen. Ze had aan alles gedacht, zelfs haar japon die Laurel voor haar maakte. Morgenmiddag zou ze naar haar en Joe in Bayside rijden om voor het laatst te passen. Maakte de gedachte aan die japon met zijn mooie lijn en blote rug haar nu zo moedig, vroeg ze zich af.

'Ik doe mee aan de chocoladebeurs van *Gourmand*. Op mijn vakgebied is dat hetzelfde als de Oscaruitreiking,' vertelde ze Felder. Ze ontvouwde haar servet en dacht: hou je ogen neergeslagen en je handen bezig... laat niet merken hoe graag je dit wilt. Nonchalant vroeg ze: 'Zal ik je overtuigen als ik een prijs win?'

'De eerste prijs?'

'Je moet me niet in een hoek drijven.'

'Jij zei dat je het beste was.'

Annie aarzelde; ze wist dat het een gok was. Kon ze nog terug? Als zij Felder niet kon overtuigen dat zíj volkomen in Tout de Suite geloofde, waarom zou híj dan vertrouwen in haar hebben. Annie slikte omdat haar keel weer dichtgeknepen leek, en zei: 'Goed. De eerste prijs. En wat dan?'

'Wil je dat ik op mijn lege maag een contract teken?'

'Ja, eigenlijk wel. Anders weet ik niet of ik nog wat door mijn keel kan krijgen.'

'Tja, ik kan zo'n lief meisje als jij bent toch niet laten verhongeren.' Hij knipoogde en wreef met zijn servet een paar kruimels brood van zijn lippen.

'Is dat dan afgesproken?'

Hij lachte en pakte lachend de menukaart op. 'Natuurlijk. Jij zorgt voor die trofee en dan gaan we eens duidelijke taal spreken.'

Annie had willen opspringen en hem omhelzen, maar ze hield de menukaart voor haar gezicht zodat hij haar niet zo stom kon zien zitten grijnzen. Ze was ook veel te opgewonden. Stel dat ze níet won? Of dat ze het niet eens konden worden over de voorwaarden?

Ophouden, dacht ze. Ik móet winnen.

Even wist ze het zeker dat ze zou winnen. Toen begaf haar zelfvertrouwen het en kreeg ze maagpijn. Heel even, terwijl Felder de menukaart bestudeerde, veroorloofde ze het zich op haar fraai gemanicuurde nagel te bijten.

Een uurtje na haar lunch met Felder stond Annie in haar proefkeuken, vlak bij de plek waar de fabriek van Tout de Suite in Washington Street bevond. Ze tuurde over Louises schouder om te zien hoe ze een kaneeltruffelcake afmaakte – een cake van vier lagen in rum gedrenkte chocolade génoise gevuld met afwisselend lagen kaneel-chocolade ganache en praline buttercream. Over het geheel kwam een ganache, daaromheen bitterzoete glazuur omringd door geroosterde hazelnoten. Annie had dit recept op een middag zelf bedacht en het diezelfde avond bij een diner geserveerd.

Ze moest aan Trine Devereaux denken, die naast haar woonde. Ze was een oudere ballerina die haar lange nek uitstak toen de borden werden weggehaald en met haar kinderstemmetje vroeg: 'Als het niet te veel moeite is, mag ik dan nog een plakje van die zálige cake?'

Enkele andere gasten hadden Trine's voorbeeld gevolgd en ook om nog een stuk cake gevraagd. Er zaten genoeg calorieën in de cake om een vrachtschip tot zinken te brengen, maar dat had niemand iets kunnen schelen. Ze hoopte dat de jury van *Gourmand* er net zo over zou denken.

'Hoe staat het met de Turkish delight?' vroeg ze aan Louise, die na jaren snoepen nog geen gram aan was gekomen.

Louise blies een rossige lok haar van haar voorhoofd weg. 'Proberen? Ik heb het afgemaakt terwijl jij weg was voor de lunch.' Ze sneed een stukje Turkish delight af. Annie beet er een heel klein stukje af. Het smaakte verrukkelijk; het had diverse smaken waarvan geen een de boventoon voerde. Ze had het idee voor deze samenstelling gekregen op een avond toen ze in een Turks restaurant op Third Avenue een goddelijke baklava geserveerd had gekregen.

'Mmm... volmaakt,' zei ze tegen Louise. 'Misschien nog een beetje kardamom erbij?'

'Toe nou. Je zei zelf dat het zo volmaakt was.' Louise hield op met het aanbrengen van een laag glazuur op haar cake en keek Annie aan; intussen blies ze weer haar pony van haar voorhoofd. Ze had een groot wit schort voor dat tot bijna op haar enkels reikte, en met banden die een paar keer om haar slanke middeltje konden worden gelegd.

'Nou ja, práktisch volmaakt dan.'

Louise lachte. 'Dat moeten ze op jouw grafsteen zetten: HIER LIGT ANNIE COBB, PRAKTISCH VOLMAAKT.' Ze likte haar duim af. 'O, ja, dat doet me eraan denken dat je zwager heeft gebeld. Het had geen haast, zei hij. Maar je moest hem wel terugbellen.'

'Over een tijdje, in 1993 bijvoorbeeld?'

Annie lachte om haar eigen grapje, maar het deed haar toch iets. Het was zes jaar geleden en nog steeds als ze Joe's naam hoorde of hem zag, kreeg ze het warm. Of ze raakte in paniek. O ja, alles was prima tegenwoordig. Ze waren goede vrienden, zoals vroeger. Soms kwam Joe op weg naar de vleesmarkt even langs voor een kopje koffie of een praatje. Maar meestal zag ze hem alleen op familiefeestjes – Thanksgiving en Kerstmis, de picknick op de Vierde Juli die Laurel elke zomer in haar tuin hield, en op de verjaardag van Adam.

Nog steeds als hij haar even aanraakte, voelde ze dat diep vanbinnen. Voelde Joe dat ook? Zo ja, dan verborg hij het goed. Hij begroette haar altijd voorzichtig – te voorzichtig? – met een kus, zoals elke zwager zou doen. Ze hielden het luchtig, maakten grapjes, vooral als Laurey in de buurt was, en soms dacht Annie zelfs dat het allemaal heel normaal was. Ze wist echter dat ze maar deden alsof, het was een spel met eigen regels, en heel ingewikkeld, zoals Kabuki-theater. Als...

Annie zette resoluut de gedachte van zich af die zich steeds weer bij haar wilde opdringen. Ze kon, nee, ze wílde zich niet voorstellen hoe haar leven zou zijn geweest als zij met Joe was getrouwd. Hij was de man van haar zuster... klaar. Als zij maar even, zelfs maar een seconde, afdwaalde van dat smalle stenige pad, kon alles misgaan.

Ik moest Emmett maar even bellen, dacht ze. Hem eraan herinneren zijn nieuwe pak bij de kleermaker op te halen, zodat hij het vanavond aan kan. Ze gingen naar een feest om de publikatie van Tansy Boone's nieuwe dessertkookboek te vieren, en in dat boek stonden ook verschillende recepten van Tout de Suite. Er zouden persmensen zijn, vertegenwoordigers van de uitgeverswereld en... het belangrijkste voor haar, critici van *Gourmand, Cuisine* en *Connoisseur*.

Annie had aangeboden voor het dessert te zorgen; uit reclame-overwegingen. Ze moest nog even controleren of er nog gasten aan de lijst waren toegevoegd en een uitnodiging aan Hyman Felder sturen. Ze moest zich helemaal op die Felder concentreren.

Annie liep bij Louise vandaan en begon een ronde door haar fabriek die eigenlijk veel te klein was. Werkneemsters met witte schorten en mutsen snelden heen en weer met bladen dunne chocoladevormen voor desserts, pistache toffee, in chocolade gedoopte sinaasappel-halvemaantjes, praline fondant, en truffels die klaar waren om in dozen te worden verpakt. Langs een van de wanden stond een rij roestvrijstalen ovens, kookpotten, diepe wasbakken, tempereermachines, en wat oude en nieuwere machinerie. Emmett had haar verteld dat in deze ruimte vroeger een vrij grote hoedenfabriek had gehuisd.

Ze zag de mollige, koffiekleurige Netta een blad met lange vingers wegdragen. Zou Netta eraan gedacht hebben karton over de bakplaten uit te spreiden voor ze de lange vingers in de oven deed? De laatste partijen waren enigszins droog geweest, en karton hield het vocht in het baksel vast. Ze zag een paar kratten staan. Die grapefruits... als ze niet snel werden gebruikt, moesten ze worden weggegooid. Zelfs gesuikerde grapefruitschil moest vers zijn... als je erin beet, moest je dat voelen.

Annie liep naar de toonbank waar Doug met gefronste wenkbrauwen naar een lopende band stond te kijken. Er was een soort verkeersopstopping van lege gietijzeren vormen aan de ene zijde. Ze wachtten erop onder stralen door te rollen die ze met vloeibare chocolade zouden bespuiten. Nadat ze dan afgekoeld en droog waren, zouden ze met diverse op likeur gebaseerde crèmes worden gevuld; daarna kwamen er chocolade bodempjes onder. Maar zonder lopende band geen bonbons. Verdraaid. Ze moest de fabrikant bellen dat ze een monteur stuurden.

Ze zei tegen Doug zo goed mogelijk door te gaan, en liep toen naar Lise, die bezig was in een grote koperen pot suiker te smelten voor de brokjes chocolade-pecannoten. Waren de vormen voor Kerstmis uitgepakt? Lise zei iets, maar door het gezoem van de machines en het gekletter van de bladen en pannen was ze onverstaanbaar. Lise wees met een met chocolade besmeurde hand naar de planken langs de rechtermuur.

Hoog op een van de planken, in een doos, vond Annie wat ze zocht, een stel Victoriaanse gietijzeren vormen die bijzonder en heel duur waren: een kerstmannetje zo uit een boek, een elfje met een broek aan en gebreide muts op, een engel met een pruilend mondje en een paar verstrengelde poezen. Ze had ze twee jaar geleden in een antiekzaak op Portobello Road in Londen ontdekt. De eerste Kerstmis daarna had ze honderd figuurtjes van elke vorm gemaakt en ze de eerste dag al allemaal verkocht. Nu waren ze haar meest verkochte figuurtjes in de kersttijd. Het was nog wel vroeg in het seizoen, maar ze zouden leuk staan bij haar inzending naar de beurs. Annie sloot haar ogen en probeerde zich voor te stellen waar ze ze neer zou zetten en ze hoorde de voetstappen achter haar niet.

'Annie?'

Geschrokken keek ze om. 'Joe!'

'Sorry, ik wilde je niet laten schrikken.' Hij maakte een verontschuldigend gebaar. Ondanks de chocoladelucht rook ze hem: bloed en zaagsel. Hij was naar de vleesmarkt geweest. 'Heb je even tijd voor een wandelingetje?'

Annie had duizenden dingen te doen, maar toch zei ze: 'Ja, hoor!'

Buiten was ze blij dat ze 'ja' had gezegd. Het was al herfst en ze had het nauwelijks gemerkt. De trottoirs lagen vol bladeren en de lucht was zo blauw als hij alleen in het najaar kan zijn. De zon was al aan het ondergaan, maar hulde de oude pakhuizen nog in een gouden licht. Joe hief zijn gezicht op en ademde diep in.

Samen liepen ze Washington Street door zonder iets te zeggen. Joe was zo stil dat Annie ongerust begon te worden. Hij had haar niet mee gevraagd om een eindje te wandelen enkel om het genot van haar gezelschap. Er moest iets aan de hand zijn... iets wat hij haar wilde vertellen.

Ging het om Laurel? Annie vermoedde dat Laurel en Joe problemen hadden. Al vertelde haar zuster haar nooit iets, toch kreeg haar stem iets merkwaardigs als ze over Joe sprak, alsof ze Annie er vooral van wilde doordringen dat haar huwelijk uitstekend was.

Misschien beeld ik me maar in dat er problemen zijn, dacht Annie. Misschien wílde ze diep vanbinnen graag dat niet alles koek en ei was tussen meneer en mevrouw Joe Daugherty. Zou Laurel daarom misschien zo weinig mededeelzaam zijn? Was dat ook de reden dat zij en haar zuster elkaar nog altijd op een afstand hielden, al stonden ze nu op goede voet met elkaar, plaagden elkaar en konden ze eindeloos telefoneren?

Ze kwamen bij Morton Street en sloegen de hoek om naar de zon en de Hudson. Dit deel van de stad was vroeger vol pakhuizen voor oceaanstomers geweest, en er hadden grote drukkerijen gestaan. Nu zag Annie dat er hier en daar voor de beroete gebouwen houten steigers stonden, en werklieden liepen in en uit met hout, wandplaten en kruiwagens vol cement. De gebouwen werden veranderd in woonzolders en flats, voor de kinderen en misschien de kleinkinderen van degenen die hier eens veertien uur per dag hadden gezwoegd. En het ging zo snél. Waarom leek het zo vaak of alles voorwaarts ging, behalve zijzelf?

Eindelijk wendde Joe zich tot haar en zei: 'Het gaat om mijn vader. Hij wordt steeds erger.'

'Joe... wat spijt me dat.' Annie had graag zijn hand gepakt, maar deed het niet.

Marcus was er slechter aan toe sinds Joe's moeder vorig jaar mei was gestorven; dat had Annie ook wel gezien. Weer een kleine hartaanval, en daarna had hij die eigenaardige wisseling van stemmingen gekregen, plus geheugenverlies. De doktoren noemde het Alzheimer, maar Joe dacht dat het zijn vaders manier was om het hoofd te bieden aan een ordelijk, misgelopen leven. Omdat niets zijn gezondheid of zijn vrouw terugbracht, had de oude man gewoon, zoals Joe het uitdrukte, 'de deur dichtgedaan en het gordijn dichtgetrokken'.

'Zelfs nu is hij nog heel moeilijk.' Hij klonk nijdig, maar ze zag de lijnen in zijn gezicht. Ja, hij vond het vreselijk. 'De afgelopen anderhalve maand zijn er al drie verpleegsters weggelopen. De laatste liet me haar armen zien – blauwe plekken tot aan de ellebogen toe – en ze zei dat ik niet moest denken dat ze van plan was een proces te beginnen. Ze had nu rust nodig, maar hoe kon je rust nemen als niemand intussen de rekeningen betaalde?' Joe streek half lachend met zijn hand door zijn haar. 'Niet te geloven, hè?'

'Wat ga je doen?'

'Het gaat niet om het geld,' zei hij. 'Laat haar maar een proces beginnen. Maar híj, mijn vader... hij gaat zo achteruit.' Hij haalde diep adem. 'Vorige week maakte ik een afspraak met Naomi Jenkins... dat is die sociaal werkster van wie ik je vertelde. Ze helpt mensen in dit soort situaties. Helpt je beslissen of het... nou ja, of het tíjd wordt. Na een bezoek aan mijn vader zocht ze me in het restaurant op.'

'En?'

'Ze vond dat hij naar een tehuis moest.'

'Joe, wat erg...' Voor ze kon nadenken, had ze zijn hand gepakt. Zo bleef ze even staan, vol meegevoel en... verlangen. Toen trok Joe zich terug en bukte zich om een muntje op te rapen. Het was oud en verkleurd en nadat hij het even bekeken had, gooide hij het een eind weg.

Toen wendde hij zich tot Annie en glimlachte. 'Weet je, toen ik een paar dagen geleden Adam instopte, keek hij naar me op en zei: "Papa, weet je, die school is stinkmoeilijk." Dat is duidelijke taal, hè? Soms vind ik dat ook van het leven. En ik denk dat mijn vader het met me eens zou zijn.'

Ik ook, dacht Annie, maar ze dacht niet aan ouderdom of tehuizen. Wat was het oneerlijk dat je zoveel van twee mensen kon houden als zij van Joe en Laurel, en weten dat de ene liefde de andere onmogelijk maakte.

Het was ook oneerlijk tegenover Emmett. Ze kenden elkaar al zo lang dat het vaak leek of ze getrouwd waren... maar díe stap had ze nooit kunnen doen. Misschien deed ze die pas als ze echt geloofde dat het Joe niets zou kunnen schelen.

Verdraaid, ze moest niet aan dat soort dingen denken. Tout de Suite had nu al haar aandacht nodig. Waarom liet ze de dingen niet op hun beloop? Maar, bedacht ze, het is nu al zes jaar geleden; wordt het geen tijd dat je de werkelijkheid eens aanvaardt? Goed, ja. Maar wat was er eigenlijk precies aan de hand?

'Sorry,' zei ze, al wist ze niet wat ze er precies mee bedoelde. 'Het is oneerlijk.'

'Ik heb het nog niet aan Laurey verteld. Dan raakt ze zo van streek. Weet je, ze zijn zo verschillend als maar mogelijk is en toch konden zij en mijn vader het van het begin af aan goed met elkaar vinden. Ze is dol op hem. Ze kan hem zo goed aan. Ik word veel te gauw boos... en dan verlies ik mijn kop.'

'Je moet het tegen haar zeggen.'

'Dat weet ik.' Hij keek omlaag, maar niet snel genoeg. Ze had iets in zijn ogen gelezen... iets vreemds.

'Joe, tussen jou en Laurey is alles toch in orde, hè?'

Hij zweeg net even te lang en haalde toen zijn schouders op. 'Jazeker. Waarom vraag je dat?'

'Ik weet het niet. Laat maar. Het gaat me ook niets aan.'

Hij glimlachte. 'Nou, nou, jij bent óók veranderd.'

Annie was opgelucht dat hij van stemming veranderd was en ze ging onmiddellijk op zijn gebruikelijke geplaag in. 'Alleen maar tijdens werkuren,' zei ze onmiddellijk. ''s Avonds word ik weer een *jente*. Rivka zegt dat ik daar zo goed in ben dat ik er les in zou kunnen geven.'

Hij raakte even haar arm aan. 'Hoe gaat het eigenlijk met Rivka?'

'Telt nog steeds hoofden... maar nu van kleinkinderen. Ik geloof dat ze tot negen komt, en er zijn er nog twee onderweg. Ik vind het erg, maar ik kan alle namen niet onthouden.' Ze zweeg even. 'Joe, wat je vader betreft: als er iets is wat ik kan doen...'

Hij haalde zijn schouders op. 'Dank je. Ik red het wel, maar ik moest het even aan iemand kwijt, denk ik. Ik heb Emma overgehaald in elk geval tot het eind van de maand te blijven, ondanks de blauwe plekken.'

'Lieve God, Joe, hoe heb je haar omgekocht?'

'Een cruise naar de Bahama's. En tegen de tijd dat ze aan boord gaat, heeft ze het dubbel en dwars verdiend.'

Annie lachte. 'Dat denk ik ook.'

'Weet je,' zei hij, en staarde voor zich uit, 'soms denk ik dat het voor alle betrokkenen eenvoudiger zou zijn als de ouwe maar doodging.' Hij zweeg, wreef over zijn kaak en keek spijtig. 'Jezus, zoiets heb ik nog nooit tegenover iemand bekend.'

'Hindert niet,' zei ze. 'Ik schrik niet zo gauw. Eigenlijk denk ik dat je vader dat zelf ook zou willen.'

Hij raakte even haar arm aan en fluisterde: 'Dank je.'

'Waarvoor?'

'Dat je naar me hebt geluisterd. Dat je me niet verteld hebt dat Marcus Daugherty een harteloze schoft van een zoon heeft.'

Ze staarde hem aan. 'Ik vind,' zei ze langzaam, 'ik vind dat wat jij doet veel moed vergt... en veel liefdegevoelens.'

'Gek.' Hij keek omhoog naar de hemel, alsof hij daar om bevestiging van alles vroeg. Ze keek naar zijn heftig trillende adamsappel. Er stonden glinsterende tranen in zijn ogen. Eindelijk zei hij, en zijn stem klonk alsof het hem veel moeite kostte te spreken: 'Zo heb ik er nooit over gedacht. Over die liefdegevoelens. Hij was... nou ja, hij was gewoon mijn vader.'

Dit keer pakte Joe háár hand beet en zo wandelden ze samen terug naar Washington Street, onder de bijbels gouden zon, alsof ze dit hun hele leven al hadden gedaan.

Voor het eerst in jaren voelde ze zich bij hem op haar gemak, en vreemd tevreden. Maar tegelijkertijd kwam er een huivering in haar boven. Een uitdrukking van Dearie kwam in haar op: je moet nooit slapende honden wakker maken. Maar wat moest je doen als ze toch wakker waren geworden?

In Zabar's entresol, onder een plafond vol vergieten, vrolijke emaille ketels en manden van ijzerdraad in drie lagen vol theedoeken en pannelappen, en omringd door wanden vol met allerlei hulpmiddelen, van een mixer tot borden, nam Annie een teugje van haar champagne en baande zich een weg door het vertrek. Hier kuste ze een wang, daar schudde ze iemand de hand, en weer even verder bleef ze staan praten met mensen die ze kende. Bijvoorbeeld met Avery Suffolk die haar eens had geïnterviewd voor een artikel in *Cuisine*, Tansy Boone die een gebloemde chiffon japon droeg die haar het uiterlijk gaf van een praalwagen tijdens het jaarlijkse bloemencorso, terwijl ze hof hield naast een piramide van haar boeken, en Lydia Scher, Tansy's uitgever bij Speedwell Press, aan wie Annie haar idee gepresenteerd had van een kookboek uitsluitend gewijd aan truffels.

Tegen een uur of negen was het meeste voedsel, bagels, vis, zalm uit Nova Scotia, kreeftsalade, pesto gnocchi en pasta primavera, verorberd. Nu zetten kelners in het wit, de koffiepotten neer, en kopjes en schoteltjes op bladen beladen met Annie's desserts. Ze zag dat heel veel mensen – ondanks de berg voedsel die ze net hadden verorberd – toch nog een paar truffels namen.

Maar er was iets verkeerd. Ze voelde het. Erger zelfs; toen het gejubel

om haar truffelcake en haar piepkleine witte chocolade dessertcups gevuld met mousse met brandy erin, voortging, de mensen enthousiast op
haar toe kwamen, vol loftuitingen en kusjes, werd ze niet door het gebruikelijke gevoel van triomf overvallen. Het enige dat ze kreeg was hoofdpijn.

Ze liep naar de desserttafel in de hoop dat een flinke dosis cafeïne zou
helpen, toen Emmett op haar afkwam en zijn arm om de hare haakte.

Hij trok haar opzij en vroeg: 'Amuseer je je?'

'Ja, hoor,' antwoordde ze luchtig, 'waarom zou ik niet?' Ze maakte een
gebaar de kamer rond, naar de planken propvol potten en pannen in alle
maten. Ze voelde zich er thuis, ja, in zeker opzicht, hoewel ze twijfelde of
ze haar zijden japon en opalen oorbellen zou dragen als ze een partij
Kahlúa-hazelnootkoekjes zou moeten klaarmaken.

'Je hebt weer die blik in je ogen,' zei hij vol genegenheid, en streek haar
korte donkere haar van haar voorhoofd weg.

'Wat voor blik is dat?'

Zijn blauwe ogen schitterden. 'Zoals die van generaal MacArthur toen
hij Corregidor bestormde. Rustig aan, Cobb, het is maar een feestje. Je
hoeft niemand hier met je charmes te veroveren.'

Annie keek hem aan en voelde een mengeling van genegenheid en
wanhoop opkomen. Hij kon zo moeilijk doen, soms... Vooral wanneer ze
wist dat hij gelijk had. Hij plaagde haar altijd, stangde haar, daagde haar
uit, zorgde dat ze de dingen vanuit alle standpunten bekeek, ook vanuit
de standpunten die ze niet wilde; zoals toen ze dat voorstel van General
Foods overwoog om voor de financiering van haar fraaie diepgevroren
desserts te zorgen. Toen ze hem had verteld dat ze van plan was er toch
aan te beginnen, had Emmett – ze lagen net samen in bed, wist ze nog –
zijn handen achter zijn hoofd gevouwen en naar het plafond gestaard terwijl hij zijn goede voet tegen de laagste sport van haar koperen ledikant
zette. Op zijn eigen peinzende, afgemeten manier die haar soms irriteerde, maar die wel altijd haar aandacht opeiste, had hij gezegd: 'Zoals ik de
zaak bekijk, zullen mensen die desserts willen hebben die door Tout de
Suite worden gemaakt, heus wel weten waar ze je kunnen vinden. Het
maakt het zelfs nog aantrekkelijker om er meer dan gewoon je best voor
te moeten doen, vind je niet? Ik bedoel, als je het gewoon in je bood-
schappenwagentje gooit... nee, dat is niet hetzelfde.'

Annie had geargumenteerd dat ze met het geld dat ze door die overeenkomst kon verdienen, haar bankleningen kon afbetalen, en misschien
zelfs nog wat overhouden. Maar diep in haar binnenste had ze geweten
dat hij gelijk had. Er zou iets geweld aan worden gedaan... en dat iets zou
de kwaliteit en het cachet van Tout de Suite zijn. Bovendien, wilde ze net
zoiets worden als Sara Lee? Twee dagen later had ze General Foods opgebeld en gezegd: bedankt voor het aanbod, maar ik doe het niet.

Nee, Emmett was – ondanks zijn moeilijke gang en zijn hartelijke lach

– niet zo gemakkelijk. Wanneer ze alles in het werk stelde om haar zin door te drukken, drukte hij net zo hard terug. Ze waren het nooit eens over het restaurant waar ze zouden gaan eten of de film die ze wilden zien. En hij kon ongelooflijk tactloos zijn. Zoals vorige week, toen hij gezegd had, terwijl ze bezig was een grote bestelling voor een belangrijk huwelijk de deur uit te werken, dat de ingewikkelde mousse waar ze uren aan besteed had precies zo smaakte als chocoladepudding; ze had hem wel kunnen vermoorden.

Maar één ding was waar: in de zes jaar dat ze hem nu kende, had Emmett haar nog nooit verveeld. Vaak maakte hij haar zo woedend dat ze hem een klap in zijn gezicht zou willen geven... maar ze kreeg nooit genoeg van hem.

Nu, in zijn nieuwe pak – donkergrijs met heel zachte, donkerrode streepjes – zag hij er heel gedistingeerd uit, precies zoals het hoorde voor een partner in een belangrijke makelaarsfirma. Afgezien van zijn laarzen – nieuwe die er na een paar weken al net zo versleten uitzagen als zijn oude – zou niemand ooit gedacht hebben dat de man die nu voor haar stond ooit op een booreiland had gewerkt of netten aan boord van een garnalenboot had gehaald. Zijn roodbruine haar was prima geknipt, al was het niet volkomen getemd; van voren, en ook van achteren, langs de boord van zijn Brooks Brothers overhemd, waren er scheidinkjes in gevallen.

'Ik zou hier niet zijn als het niet goed voor de zaak was,' zei ze tegen hem. 'Ik heb net nog met Ed Sanderson gepraat over zijn kritiek op het boek voor het tijdschrift *Chocolatier*, en weet je wat hij zei? Hij zei dat hij graag een artikel met foto over twee pagina's aan mij zou willen wijden.'

'Ja, vast wel,' zei Emmett, en knipoogde ondeugend waardoor Annie begon te lachen. 'Met een nietje door je navel, zeker?'

'Ik meen het, Em, en als je niet ophoudt me belachelijk te maken dan zal ik... zal ik...'

Hij pakte haar bij haar bovenarm, en trok haar dicht naar zich toe, zo dicht dat ze zijn bakkebaarden tegen haar wang voelde kietelen en zijn warme adem die een beetje naar kruidnagel rook. 'Wat doe je dan? Schop je me dan het bed uit?'

'Integendeel. Ik hou je er vast tot je om genade smeekt.'

'Dat zou wel eens een tijdje kunnen duren.'

'Ik heb geduld.'

Hij drukte heel zacht zijn lippen op haar slaap en fluisterde: 'Wat zou je ervan zeggen hier snel te verdwijnen en naar mijn huis te gaan, zodat we vast kunnen beginnen?'

Annie voelde zich warm worden. Verdraaid, waarom deed hij haar dit aan... waarom verleidde hij haar op een ogenblik dat ze dat niet wilde? Vanavond, na het feest, wilde ze alleen zijn om haar gedachten eens op een rijtje te zetten en over haar gesprek met Joe na te denken.

Ze schudde haar hoofd. 'Straks misschien. Ik wil nog met een paar mensen praten.'

Er verscheen een sombere uitdrukking op Emmetts vierkante, verweerde gezicht, maar hij liet haar los en gaf haar een duwtje. Annie schrok van zichzelf. Ze stelde het uit... en hij wist het. Wat haar het meest verontrustte was dat hij niets zei. Ze wist dat Emmett het stilst was wanneer het niet ging zoals het moest.

Ze dacht aan vorig jaar oktober, deze maand net een jaar geleden. Emmett had voorgesteld – niet voor het eerst – dat ze zouden gaan samenwonen, een flat zoeken die groot genoeg was voor hen beiden. Ze had hem zo vriendelijk mogelijk gezegd dat ze dat niet kon doen, dat ze er niet klaar voor was. Ze zou nooit de uitdrukking op zijn gezicht vergeten; die was niet boos of verbitterd, maar het was net of er een deur voor haar gezicht werd dichtgeslagen. Ze waren in haar flat geweest en net klaar met hun avondmaaltijd. Emmett had zich beleefd verontschuldigd, was opgestaan, had zijn jasje van de stoel gepakt, het over zijn schouder gegooid en was vertrokken.

Ze had gedacht dat hij wel terug zou komen, maar hij was weggebleven. Acht hele maanden lang was hij weggebleven, niet even langsgekomen, geen telefoontjes, geen bezoekjes aan de winkel, niets. Ze had hem erger gemist dan ze voor mogelijk had gehouden. Het was niet die bitterzoete pijn die ze had als ze aan Joe dacht. Het was meer alsof iemand haar een trap tegen haar buik had gegeven. Ze geloofde het niet helemaal, maar het deed pijn en ze was woedend, in hoofdzaak op zichzelf, omdat het haar zoveel deed. En toen had ze gehoord dat hij zich verloofd had met een vrouw die hij via zijn werk als makelaar had leren kennen. Dat had ervoor gezorgd dat ze in een diepe depressie terecht was gekomen. Wekenlang, zelfs op heel zachte dagen, had ze het koud gehad, met een neiging tot hoofdpijn, alsof ze op het punt stond een flinke griep te krijgen.

Ze herinnerde zich als de dag van gisteren die dag begin juni toen Emmett zonder enige waarschuwing weer voor haar neus had gestaan met een verkreukelde papieren zak in de hand. 'Ik was het afgelopen weekend bij een paar vrienden in het binnenland op bezoek en toen ontdekte ik deze dingen in hun achtertuin,' had hij zonder enige inleiding gezegd, en had haar de zak gegeven. 'Ik dacht dat jij er wel een paar zou willen hebben.'

Annie keek in de zak en begon te watertanden. Vioolhalzen! Zich nog ontwikkelende jonge varenbladeren! Hij had zich herinnerd hoe dol ze daarop was en hoe ze had geklaagd dat je ze nooit meer in de winkels zag. Opeens was ze aan het huilen en de tranen druppelden van haar kin in de zak met de enigszins verwelkte vioolhalzen.

'Kun je even blijven?' had ze met trillende stem gevraagd. 'Dan maak ik ze meteen klaar, als je tenminste tijd hebt.'

'Ik kan wel blijven,' zei hij rustig, en in zijn blauwe ogen had ze gezien dat hij niet van plan was een kwartiertje, of zelfs een uur, te blijven, maar veel en veel langer.

Hij had haar nooit iets verteld over de vrouw met wie hij had willen trouwen, of waarom hij hun verloving had verbroken. En Annie had niets gevraagd. Ze was blij dat Emmett terug was in haar leven, en in haar bed. Waarom zou ze dan furore maken? Sedertdien had Emmett het onderwerp samenwonen niet meer ter sprake gebracht. Ze wist dat hij er wel aan dacht, en ze voelde dat het vaak op het puntje van zijn tong lag. Hij was echter zo verstandig erover te zwijgen. Maar zou hij dat tot in het oneindige blijven doen? Voorzover ze Emmett kende, twijfelde ze daaraan.

Op dit ogenblik, zoals ze daar tegenover hem stond, voelde Annie zich plotseling verloren en eenzaam, alsof ze gestrand was op een ijsberg midden in een grote oceaan. Ik wil hem niet kwijtraken, dacht ze. Maar hoe kon ze hem vertellen dat ze van hem hield, hem aanbád zelfs, maar niet genoeg om met hem te trouwen?

Moest ze haar heerlijke huisje hier verkopen en bij hem intrekken? Ze had erover nagedacht, en een paar keer was ze er zelfs heel na aan toe geweest om de sprong te wagen. Maar dan was er toch weer iets geweest wat haar belette het te doen.

Joe? Misschien. Of misschien was ze niet voor het huwelijk geschapen... met niemand. Ze dacht aan haar zuster, die de rol van vrouw en moeder zo natuurlijk op zich had genomen als een vogel zijn nest bouwde. Laurels huis was meer dan een plek waar ze sliep en at en haar vrienden uitnodigde; het was een thuis, een veilige haven vol oude meubels die Laurel zelf had opgeknapt, snuisterijen die ze in de loop der jaren had verzameld, boeken die ze gelezen en herlezen had, lappendekens die ze zelf had gemaakt, babyspeelgoed van Adam dat ze nooit wilde weggooien. Annie was dol op haar eigen huis en op haar werk, en ze wenste geen leven zoals Laurel had, maar op dit ogenblik voelde ze zich opeens vreemd leeg. 'Em, het spijt me...'

'Laat maar.' Hij nam haar even op, een scherpe, taxerende blik, en keek toen de andere kant op. 'Maar als het je hetzelfde is, ik ben doodop. Ik heb vijf uur lang rondgelopen om mensen zolderetages te tonen en ik weet dat mijn voeten het dadelijk zullen begeven. Vind je het erg als ik vast ga?'

'Alleen als je me belooft morgenavond bij me te komen eten.'

Hij knipoogde. 'Afgesproken.'

Annie zag hoe zijn brede rug in de richting van de trap verdween – en bewonderende blikken uitlokte van diverse vrouwen die hij passeerde – en haar sombere stemming werd erger. Hoe lang zou het duren, vroeg ze zich af. Hoe lang zou het duren voor hij weer wegliep... en dit keer voorgoed?

Opeens voelde ze zich doodmoe. Ze had achter Emmett aan willen hollen en hem zeggen dat ze van gedachten was veranderd, maar het leek of haar voeten aan de grond waren vastgenageld. Ze dacht aan al die films die ze had gezien waarin mensen naast treinen voortholden die ze nooit meer zouden kunnen halen. Dan zwol de muziek aan, de locomotief pufte en blies rookwolken uit terwijl de verliefde man of vrouw om wie het allemaal ging, met ogen vol tranen vruchteloos uit het raampje van de coupé keek.

Hoewel ze geen stap had verzet of zelfs zijn naam had geroepen om te vragen of hij op haar wilde wachten, kreeg Annie toch een gevoel alsof ze buiten adem was, alsof ook zij heel hard had gehold om een trein te halen die ze al had gemist.

Hoofdstuk 28

Laurel ving de bal op en gooide hem terug naar Adam. Ze zag hoe hij met uitgestrekte armen omhoog sprong om hem op te vangen. Zijn shirtje sprong uit zijn broekje en toonde zijn buik die het babyvet wat begon kwijt te raken. De bal raakte net de top van zijn handschoen, maar hij kon hem niet vasthouden en schoot door en kwam met een bons tegen de achterkant van het huis terecht. Er bladderde meteen wat verf van de muur af.

Eigenlijk moest het huis opnieuw geschilderd worden, dacht Laurel. Hè, het leek nog zo kort geleden dat zij en Joe de hele buitenkant hadden afgekrabd en opnieuw geverfd. Maar dat was toen ze hier pas waren komen wonen en Adam nog maar net begon te kruipen. Zes jaar... was het werkelijk al zes jaar geleden? Ze keek omhoog naar het Cape Cod-huis, parterre met een etage erop, met zijn leuke blauwe luiken en grote, helemaal met muskietengaas afgezette veranda. Bijna een jaar lang hadden zij en Joe gezwoegd. Ze hadden verflagen weggehaald die nog uit de tijd van de Depressie stamden. Ze hadden de schoorsteenmantels en de deurlijsten onder handen genomen, de vloeren en de originele ramen er weer ingezet met nieuwe, dubbele beglazing. Ze hadden geschilderd en gekrabd tot hun armen er bijna afvielen. Maar het was een fijn huis geworden en het was alle zweetdruppels en moeite waard geweest. Van Bayside was het maar een half uur met de trein naar de stad, en ze hadden alle voordelen van het buitenleven. Little Neck Bay was met vijf minuten lopen te bereiken, en Adams school ook. In de warmere maanden had ze bloemen en groenten in de tuin en een groot grasveld voor Adam om op te spelen.

'Ma-a-a-ammm.'

Laurel zag hem staan bij de hortensiastruiken die hun tuin van die van de Hessels scheidden. Hij hield de bal vast en sprong van de ene voet op de andere alsof hij hoognodig naar de w.c. moest. Toen gooide hij haar de bal toe en dit keer retourneerde ze hem onderhands, laag genoeg zodat hij hem kon grijpen zonder omhoog te hoeven springen. Toch deed hij onhandig en ze dacht dat hij hem zou laten vallen. Maar toen had hij hem vast en hij keek haar zo triomfantelijk aan alsof hij een home run bij de World Series had gemaakt. Er schoot een brok van trots en liefde in haar keel.

'Goed zo!' riep ze. 'Nu jij. Laat me eens zien hoe Reggie Jackson het doet.'

'Kijk uit, mam, deze brandt een gat in je handschoen!'

'Maar ik draag geen...'

Laurel zag hoe vastbesloten hij was en de woorden bestierven haar op de lippen. Hij gooide haar de bal met zo'n kracht toe, dat hij zijn evenwicht verloor en op zijn knieën op het gras viel. Het leek of de bal in de lucht bleef hangen, toen kwam hij door de takken van de oude appelboom omlaag, schudde een paar vruchten los en daarna landde hij met een plof in een groentebed. Ze zag hem liggen, half verborgen onder een aangevreten blad met daaronder een paar courgettes. De meeste groenten waren al geplukt en ze had grote hoeveelheden ingemaakt. Met de jamsoorten erbij had ze beide planken van de ouderwetse bijkeuken helemaal gevuld.

Toen Laurel zich boog om de bal op te rapen, bedacht ze hoeveel Adam daarnet op zijn natuurlijke vader had geleken, met die glinsterende donkere ogen. Plotseling zag ze Jess Gordon voor zich zoals hij met opgeheven vuist op de trap van het studentencentrum had staan oreren. Adam had zijn vaders pikzwarte haar plus zijn scherpe trekken. Ook zijn sociale instelling – de onderwijzeres van Adam had haar verteld dat Adam zijn koekjes en brood altijd deelde met wie daar maar om vroeg, zelfs als hij daardoor zijn hele lunch verspeelde.

Laurel dacht aan de blauwe luchtpostbrief die ze van Jess had gekregen in het jaar dat Adam drie was geworden. Hij had dienst genomen bij het Vredeskorps en deed ontwikkelingswerk in Mexico, in een dorpje in Yucatán, waar hij de boeren hielp irrigatiegreppels te graven nadat ze bijna waren omgekomen na een vreselijke droogte. Het was vervelend dat hij vrijwel steeds diarree had, schreef hij, maar hij voelde zich gelukkiger dan ooit. Hij had daar een Mexicaans meisje ontmoet, Rosa Torrentes, en ze wilden gaan trouwen.

Ze moest weer denken aan haar eigen overhaaste huwelijk. Geen witte japon of sluier, zelfs geen rijst. Maar ze was zo ingelukkig geweest dat het haar niets had kunnen schelen; ze had toen geen behoefte gehad aan een groots huwelijksfeest. Ze had alles wat ze wilde hebben en dat stond naast haar in de persoon van Joe.

Maar was Joe ook zo gelukkig geweest? En zou zij het gemerkt hebben als hij niet zo in extase was als zij? Ze knielde op het gras naast de groentebedden, haar vingers om de bal heen, en verstijfde. Ze nam er geen notitie van dat haar broek nat werd van het gras. Niet huilen, hield ze zichzelf voor. Dat moet je niet doen. Niet waar Adam bij is. Maar de tranen begonnen al te vallen en tegelijkertijd verscheen weer het beeld dat ze sinds gisteren steeds weer voor ogen had: dat van Joe en die vrouw in het restaurant. Ze had net de tekeningen voor Sally, de Domme Gans bij Viking afgeleverd en was even bij het restaurant langsgegaan om Joe te verrassen. En ze had hem in de eetzaal zien zitten, met zijn rug naar haar toe, in gezelschap van een knappe vrouw met donkerrood haar die Laurel niet kende. Ze zaten beiden voorovergebogen en gingen zó in elkaar op, dat geen van beiden had gemerkt dat zij roerloos boven aan de trap bleef staan. Laurel zag duidelijk dat de vrouw Joe's hand stevig tussen de hare hield. Joe's gezicht kon ze niet zien, maar ze zag dat hij van streek was. Een verontschuldiging? Een ruzietje tussen geliefden? Een afscheid?

Ze zag het steeds weer voor zich. Hoe de gouden oorbellen van de vrouw glinsterden in het licht toen ze haar hand had uitgestoken om Joe over de wang te strelen, hoe Joe naar haar toe leunde, terwijl op de oude Wurlitzer een hit uit de top-veertig van het begin van de jaren zestig speelde. En Laurel stond daar maar, onopgemerkt door beiden.

De afgelopen nacht en vandaag de hele dag, zag ze hen steeds voor zich, in bed, naakt, de benen verstrengeld, grapjes makend en elkaar beminnend. Of zou er een andere, onschuldiger uitleg zijn?

Goed, misschien. Maar het ging niet alleen om die vrouw. Joe was de laatste tijd zo op een afstand; hij had al twee weken niet meer met haar gevreeën. En die houding bespeurde ze al langer.

Maar je wist het, hield ze zichzelf voor. Zelfs toen hij de woorden uitsprak, wist je dat hij niet van je hield toen hij met je trouwde, niet hartstochtelijk zoals jíj van hem hield. En je nam hem toch. Is het dan zo'n schok als hij een verhouding heeft? Het is in elk geval niet An –

'Zag je dat? Wauw, mam, zag je hoe hoog hij ging?'

Adams stem haalde haar terug naar de werkelijkheid. Ze streek even met haar knokkels over haar ogen en stond weer op.

'Als ik het voor het zeggen had, zou ik je dadelijk bij de Yankees opnemen... of misschien bij de NASA,' zei ze, en knuffelde hem. 'Zoals jij die bal gooide, moet je ook goed zijn met raketten.' Hoewel het een koele dag was, voelde Adam toch vochtig aan van het zweet.

Hij maakte zich los, streek zijn zwarte haar van zijn voorhoofd en zei somber: 'Kinderen kunnen geen weten-skappers zijn.' Haar hart bonsde. Zijn wereld is zo geordend: kleur binnen de lijntjes, dan kan er niets misgaan.

Laurel wenste dat het hele leven zo eenvoudig was. Was liefde maar net zoiets als geld op de bank zetten; hoe meer je erop zette, hoe meer je terugkreeg. Al die jaren was ze er van overtuigd geweest dat Joe's liefde alleen maar een kwestie van tijd zou zijn. Maar nu... nu wist ze niets meer zeker.

Ze kenden hartstocht samen. Ze wist nog hoe ze van zijn zwetende handen had gehouden. Maar altijd had ze zich afgevraagd of hij niet liever met Annie in bed had gelegen, Annie had gestreeld. Ze had zich voorgehouden dat het heel gewoon was dat getrouwde mensen na een tijdje niet meer zo heftig in elkaar geïnteresseerd waren. Maar hoe kwam het dan dat zij nu nog veel meer van Joe hield dan op hun trouwdag? Waarom

verlangde ze 's avonds zo naar hem als hij haar in bed zijn rug toekeerde?
'Mammie?'
Laurel kwam met een schok tot de werkelijkheid terug, en zag Adams bezorgde gezichtje. Ze moest hem niets laten blijken. Hij moest zich veilig en geborgen voelen; dingen die zij op zijn leeftijd niet had gevoeld. Ze omhelsde hem weer, maar hij maakte zich meteen los. Ze genoot van zijn geur: gras, zweetsokjes en ook vanille. Hij rende weg en liep met fladderende armen rondjes.
'Wrmmmmm, ik ben een raket! Kijk, daar ga ik!'
'Waarheen?' vroeg ze.
'Naar Mars.'
'O, en ik woon op Jupiter. Ik had gehoopt dat je me op de terugweg af kon zetten.'
Adam liet zich giechelend voor haar op het gras vallen. 'O, mammie, wat doet u gek!'
'En wie zegt dat?'
'Als je echt op Juupter woonde, wie zou mij dan 's avonds moeten instoppen?'
'Pappie natuurlijk.' Haar hart deed pijn.
'Annie ook!'
'Och, ik weet het niet... tante Annie heeft het zo druk.'
'Maar niet te druk voor mij.' Hij sprak met de overtuiging van een zevenjarige die vanaf zijn geboorte onophoudelijk was verwend, niet alleen door Annie, maar ook door tante Dolly en Rivka.
'Natuurlijk niet.' Al had Annie het nog zo druk met haar zaak, toch nam ze altijd tijd om met Adam naar de poppenkast te gaan, naar de dierentuin of midget-golf met hem te spelen.
'Ze komt vandaag toch?' vroeg Adam.
'Straks,' zei Laurel. 'Na je middagslaapje.'
'Ahhhhh... alleen baby's slapen 's middags.' Zuchtend stond hij op en merkte sluw op: 'Annie gaat 's middags vast niet slapen.'
'Je wilt die verkoudheid toch kwijt? En Annie is er niet, dus moet je doen wat die vervelende mammie zegt.' Laurel legde een hand in zijn nek en leidde hem het huis in. 'Ik heb ook een verrassing voor je, die je pas ziet als je in bed ligt.'
Opgewonden keek hij op. 'Je hebt ze!'
'Ik zeg niets.'
'Die Luke Skywalker-lakens! Je hebt ze!' Hij begon te dansen, maar hield opeens op en vroeg achterdochtig: 'Je hebt ze toch echt, hè?'
Laurel had er een verrassing van willen maken, maar die uitdrukking... die zag ze ook wel eens bij Joe als hij iets kreeg wat hij niet had verwacht, zoals toen ze hem slapend op de bank had uitgetekend en de tekening voor zijn verjaardag had laten inlijsten. Ze knikte, maar haar hart werd steeds zwaarder.

'Mag ik opblijven en ze aan Annie laten zien?'

'Nadat je geslapen hebt.'

Toen ze Adam eindelijk in bed had, wat even duurde omdat hij zo op-gewonden was over zijn Star War-lakens, zette Laurel thee, en nam een kopje mee naar de logeerkamer, waar ze een atelier voor zichzelf had gemaakt. Het was de kleinste kamer van het huis, maar ze was er dol op. Hij had een raam op het oosten, waardoor ze 's morgens prachtig licht had. 's Middags naaide ze er vaak op haar oude Singer – ze was nu bezig aan Annies japon voor de chocoladebeurs van volgende week. Haar zus-ter kon zich Halstons en Valentino's veroorloven, maar was gevallen voor deze japon in een Italiaanse *Vogue*. En Laurel had aangeboden hem te maken. Maar het was moeilijker geweest de tijd ervoor vrij te maken dan de japon te maken.

Laurel keek naar de wand rechts, met het kurkbord. Er zaten tientallen schetsen opgeprikt, waarvan sommige al omgekrulde randen vertoon-den. Naast het raam stond haar tekentafel en daarnaast haar ezel met een oud cocktailwagentje ertegenaan waarop al haar verf en penselen ston-den. De rest van haar spullen – stukken karton, tekenpapier, doeken, penselen, blikken met terpentijn en fixatief, dozen met lapjes, plastic be-kers met poederverf en een koffieblik met potloden voor Adam – stond keurig op de planken die zij en Joe tegen de achterwand hadden aange-bracht. Er hing een geur van verf en terpentijn in de lucht – een geur die in al haar kleren scheen te zijn getrokken.

Laurel ging op een kruk voor de tekentafel zitten en staarde naar de eenhoorn die spookachtig glinsterde onder het beschermende stuk plas-tic.

Ze had nog een paar ideeën in haar hoofd en wilde die vastleggen voor ze ze vergat. Maar na een paar minuten proberen vouwde ze haar armen over elkaar en leunde op de schuinlopende tekentafel. Haar blikken gle-den over de achtertuin en ze voelde een golf van vermoeidheid opkomen. Net als de keren dat ze zwanger was geweest; moe, bijna versuft.

Drie baby's. Drie. Nog maar heel klein en onbetekenend, maar niet voor haar. Elke keer had ze al een rozewangige baby voor zich gezien en het verlies was steeds weer vreselijk geweest, alsof ze Adam kwijtraakte.

Joe's baby's, zijn zonen en dochters. Als er één was geboren, zou alles tussen haar en Joe dan anders zijn geweest? Nee, dat was niet eerlijk. Hij hield van Adam of het zijn eigen vlees en bloed was. Wat er nu tussen hen speelde, had niets met haar miskramen te maken.

Was ze bezig de zaak op te blazen? Ze hadden het toch ook vaak heer-lijk gehad samen? Die tocht naar Barbados toen het steeds had geregend en ze het helemaal niet erg hadden gevonden. Ze waren binnen gebleven, hadden rum-punches gedronken en waren naar bed gegaan, en daarna hadden ze die heel kleine banaantjes gegeten.

Laurel dacht aan de keer dat er in de badkamer boven een pijp was gesprongen en het water door het plafond omlaag druppelde... boven op de laatste tekening voor de *Kwebbeleend*. Daar had ze weken aan besteed en alles was bedorven. Ze was ontroostbaar geweest, al had Joe erg zijn best gedaan haar op te fleuren, maar ze had gedacht dat niets haar kon helpen. Zelfs niet het etentje bij Rivka waar ze zich zo op had verheugd. Het was vrijdagavond, sabbat, een rustavond, bedoeld voor vreugde, maar ze kon echt geen vreugde opbrengen. Toch had ze een mooie japon aangetrokken, gezorgd dat Adam oppas had, en ze waren gegaan. Daar had ze aan Rivka's tafel gezeten, omringd door Rivka's kinderen en kleinkinderen, luisterend naar Rivka's man die beweerde dat als de familie niet ophield zich uit te breiden, hij het volgend jaar het Yankee Stadium zou moeten afhuren voor hun sabbat-diners.

En na de zegening was er iets moois gebeurd. Joe, die naast haar zat, had zijn keel geschraapt en gezegd: 'Er is één lezing dat ik in het Engels zou willen doen. Mag ik?'

Meneer Gruberman met zijn weelderig geborduurde keppeltje op en in zijn zwarte pak, keek wat verwonderd, maar had geknikt. 'Natuurlijk, ga je gang.'

'Het komt uit "Spreuken",' zei Joe, en zocht het op in het gebedenboekje dat Rivka hem had gegeven waar naast de Hebreeuwse tekst de Engelse vertaling stond. Met een gevoelvolle stem had hij voorgelezen: ' "Een degelijke vrouw, wie zal haar vinden? Haar waarde gaat koralen ver te boven. Op haar vertrouwt het hart van een man, het zal hem aan voordeel niet ontbreken. Zij doet hem goed, en geen kwaad, al de dagen van haar leven..." '

Laurel dacht aan geen bedorven tekeningen meer. Die man daar was haar alles. Hij houdt van me, had ze gedacht en ze was dolblij.

Maar nu, jaren later, was het plafond gemaakt en Laurel was niet meer zo zeker van Joe's liefde. Ze liet haar hoofd op haar armen vallen en sloot haar ogen. Ze was zo moe. Eigenlijk had zij de vrije tijd gedurende Adams slaapje meer nodig dan híj zijn slaap. Hij was er vermoedelijk ook te groot voor, zoals hij altijd zei, maar in deze uurtjes kon ze ongestoord werken, afgezien van de tijd die hij op school doorbracht. Ze had zoveel te doen: nog twee illustraties voor Mimi's boek, de volgende week. En ze was er nog niet eens aan begonnen! En Georgia Millburn van Little, Brown had gisteren twee keer opgebeld om te vragen of ze die eerste schetsen voor *Beggar Bones* al klaar had, of was het *Bag o' Bones*? Ze had ze vóór het weekend toegezegd, maar hoe had ze dat moeten redden?

Waarom had ze Annie toch beloofd die japon voor haar te maken? Ze deed altijd zo haar best voor haar zuster... het leek wel of ze iets goed te maken had. Maar Joe was toch uit vrije wil naar haar toe gekomen? Of niet soms?

Nee, Annie was geweldig, ook met Adam. Maar ze was vaak zo... overheersend. Ze kwam als een tornado binnen, overal rook je haar parfum en ze deelde maar uit: kussen, cadeautjes, omhelzingen, raad. Als Annie er was, was Adam onhandelbaar, en een half uur nadat ze weg was gegaan viel hij doodop in slaap, waar hij ook mee bezig was. Boven zijn Legostenen of zomaar op het tapijt. En als hij dan wakker werd, zeurde hij dat Annie terug moest komen totdat Laurel er gek van werd.

Maar ze begreep hem wel. Na Annies bezoeken leek alles opeens zo saai. Het huis met zijn vrolijke lappendekens en geweven wandkleden, de tinnen kannen vol denneappels en bloemen, leek plotseling kleurloos, zoals in de zon verschoten gordijnen. Met Annie erbij leek zelfs de lucht champagne; alleen het inademen ervan maakte je al een beetje tipsy. En als zij de deur achter zich dichtdeed, werd alles zo vlak.

Voelde Joe dat ook? Dat moest wel. Laurel werd soms halfgek van jaloezie als ze eraan dacht hoe Joe naar Annie moest verlangen. Als ze dan zag hoe geanimeerd hij deed als Annie er was, hoe vrolijk! Dan had Laurel het gevoel alsof zij daarbij vergeleken in het niets verdween. Ze moest zichzelf voorhouden dat zij ook actief en interessant was. Afgezien van haar zorgen voor Adam en het huis met de grote tuin had ze al twee boeken geïllustreerd en was ze genomineerd voor de Caldecott. Haar tentoonstelling in de Robson galerie in Spring Street had twee goede en één fantastische kritiek opgeleverd en ze had zelfs zes schilderijen verkocht tegen enorme prijzen. Een aan een klein museum bij Philadelphia. Ze maakte vrijwel al haar kleren zelf, bakte haar eigen brood en kookte uitstekend. Waarom zou ze zich dan zo klein voelen?

Ach, er bestond geen reden voor... behalve dat haar man door Annie gebiologeerd scheen te zijn, en tegen haar was hij, nou ja, alleen maar vriendelijk.

Goddank dat hij geen verhouding met Annie heeft, dacht ze. Een andere vrouw, daar kon ze het nog wel tegen opnemen. Maar tegen Annie?

Het beeld van Joe met de vrouw met het donkerrode haar – uit de verte had ze wel een beetje op Annie geleken – kwam weer bij Laurel boven. Ze kreeg er pijn in haar buik van, als bij de miskramen.

Ze moest hiermee direct ophouden. Ze moest het Joe gewoon ronduit vragen. Vermoedelijk was er een heel normale uitleg voor en als ze die hoorde, zou ze zich dan niet belachelijk voelen? Maar daarmee was al het andere de wereld nog niet uit. Hij kon zo voor zich uit zitten staren, zo somber, alsof hij de zorgen van de hele wereld op zijn schouders moest meetorsen en niemand in vertrouwen kon nemen. Maar verdraaid, zíj moest toch ook zijn beste vriend zijn! En dan die nachten dat ze stijf van verlangen naast hem lag, biddend dat hij haar in zijn armen zou nemen. Eens had ze hem gevraagd of er iets mis was met haar, en ze was bijna gestikt van verlegenheid. Wilde hij iemand die meer uitstraling had, in plaats van een vrouw die meestal in een spijkerbroek en T-shirt door het huis liep en die zich vrijwel nooit opmaakte? En Joe... hij was zo geschrokken dat hij haar onmiddellijk in zijn armen had genomen en haar

347

tederder had bemind dan ooit. Ze had er zelfs naderhand om gehuild, maar niet van vreugde. Even had ze weer gevoeld hoe het in het begin was geweest.

Zelfs als hij geen verhouding had, dan was hij eigenlijk toch al bij haar weg. Maar hoe kon iemand die je nooit helemaal had toebehoord, je verlaten? Wat moest ze toch doen? Wat kón ze doen? Achter haar man staan – zoals in versjes – in de hoop dat hij terugkwam? Wat zielig als ze alleen zo zou kunnen leven.

Maar Joe verliezen was nog erger. Zolang ze zich herinnerde hield ze al van hem. Die liefde was in haar gegroeid; die kon ze toch niet opgeven? Zouden haar gevoelens voor hem net zo verbleken als die van Joe voor haar?

Wat zou Annie in mijn plaats doen, vroeg ze zich plotseling af.

Waarom moest alles toch altijd weer bij Annie uitkomen? Het was háár leven. Ze had Annie niet nodig. Ze wist nog hoe nijdig Annie was toen ze haar van Val vertelde. Toen Adam twee was en ze eens met Annie in een Indiaas restaurant lunchte, had Laurel haar zuster verteld dat Val haar had geschreven en gezegd dat hij haar en zijn kleinzoon nader wilde leren kennen en zij had toegestemd in een kort bezoekje.

'Hoe kún je?' Annie had haar aangestaard en haar vork op haar bord laten vallen. 'Hoe kun je het zelfs maar overwegen?'

'Adam heeft er recht op zijn grootvader te kennen,' had Laurel rustig maar vastbesloten gezegd. 'Zelfs al is Val nogal vreemd.'

'Vreemd? Is dat alles? Laurey, ik verwacht van die man de afschuwelijkste dingen. Hij wil vast iets van je.'

'Wat dan? Je doet of hij een misdadiger is. Nee, Annie, ik heb eigenlijk medelijden met hem. En hij heeft alleen Adam en mij.'

'En jij moet goedmaken wat hij verder niet heeft?'

Laurel had haar scherp aangekeken, iets in Annies ogen gezien dat haar deed beseffen dat Annie onder haar hardheid ook niet zeker van zichzelf was. 'Dit is geen strijd,' zei ze. 'Ik stel hem niet boven jou. En ik zeg ook niet dat het verkeerd was dat je mij bij hem weghaalde.'

Toen had Annie gezwegen, maar naar haar blikken te oordelen wist Laurel dat Annie absoluut niet overtuigd was.

Maar Val kwam maar weinig. Na die eerste keer was hij nog twee keer geweest. Gelukkig had hij geen geld gehad om over te komen vliegen.

Laurel stelde zich voor hoe woedend Annie zou zijn als ze wist dat zij, Laurel, hem geld stuurde. Niet veel, nooit zoveel dat Joe het zou missen en haar vragen zou stellen. Het was al jaren geleden begonnen. Val had haar gebeld en nogal schaapachtig gezegd dat hij tijdelijk wat geld nodig had, en kon hij wat van haar lenen om de zaak voor elkaar te brengen waar hij mee bezig was?

Die 'zaken' zagen nooit het levenslicht en de leningen werden nooit terugbetaald. Maar Laurel had medelijden met Val. Ze voelde zich zelfs schuldig. Alsof het mede haar schuld was dat hij zo terecht was gekomen.

Vreemd genoeg miste ze Rudy wel. Ze had nooit een brief van hem beantwoord of een telefoontje aangenomen, maar toch bezorgde de gedachte aan hem haar een brok in haar keel. Het was vreselijk dat hij zo tegen haar had gelogen, maar ze voelde dat die leugens niet kwaadaardig bedoeld waren. Hij had haar niet willen kwetsen. Hij had haar een dienst willen bewijzen. En in zekere zin dankte ze het aan hem dat ze Adam had, want zonder oom Rudy had ze hem zeker afgestaan voor adoptie. Wat zou haar leven zonder Adam zijn? Ze moest er niet aan denken.

Laurel wilde eens met iemand praten. Zou ze het met Annie over Joe kunnen hebben? Als ze alles blééf wegstoppen, plofte ze nog eens. Misschien kon Annie haar helpen. Laurel bedacht hoe heerlijk het zou zijn om alles eens aan een ander te kunnen vertellen. Daar bleef ze over zitten nadenken terwijl haar handen druk bezig waren. Ze wilde een eenhoorn met iriserende vleugels – net regenbogen – maken, en hij moest naar de sterren vliegen.

'Een beetje hoger, vind ik,' zei Annie. 'Even boven de enkel.'

Laurel lag met spelden in haar mond voor haar geknield. 'Ik kan hem tot boven de knieën afknippen. Mini schijnt terug te komen.'

'Misschien in *Vogue*... maar niet voor mij. Die blote rug gaat me al ver genoeg, en het is geen badpakkenshow. De jury moet oog hebben voor mijn truffels, niet voor mijn dijen.'

Laurel keek op. 'Ze zullen ze heerlijk vinden. Waar maak je je zo veel zorgen over?'

'Over alles.' Ze deed of ze overliep van zelfvertrouwen, maar Laurel had gemerkt dat ze weer op haar nagels beet... een verkeerd teken. Als dat er níet was, zou niemand ooit weten dat Annie zorgen had.

Laurel zag hoe geweldig haar zuster er in deze japon uitzag. De stof ging op haar lijf een eigen leven leiden. Hij had een boothals die haar hoekige schouders markeerde en haar kleine borsten benadrukte. De rug was werkelijk erg bloot, maar Laurel vond dat hij haar zuster toch fantastisch stond. Ze had een mooie rug, met een gladde, olijfkleurige huid. En dat korte haar stond haar zo goed. Annies haar was net als zijzelf: recht, praktisch, regelrecht op het doel afgaand.

De laatste jaren was Annie echt mooi geworden. Geen Grace Kelly-achtige schoonheid, maar meer als Sophia Loren: exotisch, met haar grote ogen nog groter door eyeliner en mascara en haar grote mond donker-rood opgemaakt, een kleur die precies bij haar paste.

Vergeleken met haar voelde Laurel zich een slons in haar geruite blouse en oude spijkerbroek. Ze moest ook eens iets aan haar haren laten doen... of haar nagels laten manicuren. Ze had nog hetzelfde kapsel dat ze op school en tijdens haar studietijd had gehad: in het midden gescheiden en op haar rug hangend. Nu had ze haar haren in een paardestaart bij elkaar gebonden met een elastiekje. Ze keek naar haar handen. Onder haar nagels zaten allerlei kleuren verf van de posterverf die ze voor Adam had gemaakt. Hij mocht aan haar ezel schilderen terwijl zij de zoom van Annies japon afspeldde. Manicuren? Toe nou.

Annie voelde zich als de goede fee in Assepoester en bukte zich om Laurels schouder aan te raken. 'Ga toch mee,' zei ze. 'Je vindt het vast leuk. Er zijn veel mensen die jij kent.'

Laurel trok haar schouders op. 'Och, ik weet het niet.'

Het was niet voor het eerst dat Annie haar dit vroeg. Laurel wilde Annie wel een plezier doen en haar bij deze grote gebeurtenis wat steun geven, maar ze voelde zich nooit prettig op feesten.

Ze dacht aan het feest dat Joe's wijnleverancier had gegeven toen hij twintig jaar getrouwd was. Al die luid lachende vreemden die schreeuwden om boven het lawaai van de band uit te komen, en ze voelde steeds natte glazen tegen haar blote arm als de mensen zich langs haar heen drongen. Ze vond het vreselijk te moeten proberen geestig te zijn, of interessant, en dat bij mensen die al niet meer wisten hoe ze heette als ze zich hadden omgekeerd. Ze wilde liever thuis zitten met een boek, of naar een oude film op de televisie kijken, fijn in een oude badjas opgekruld op de bank.

'Joe zou het leuk vinden,' zei Annie.

Hoe weet jij zo goed wat Joe leuk en niet leuk vindt? had ze geïrriteerd willen snauwen. Maar Annie bedoelde het goed. En al die jaren had ze nooit iets gedaan waaruit Laurel had kunnen concluderen dat ze meer was dan een schoonzuster en goede vriendin van Joe.

'O, ja,' zei Laurel effen. Ze had al gezegd dat hij moest gaan, eventueel tante Dolly escorteren.

'Dus je denkt er over na?'

'Goed.' Dat was de gemakkelijkste uitweg. Argumenteren met Annie had geen zin; dat verloor je altijd. 'Sta nu even stil, dan kan ik die zoom recht afspelden.' Ze bracht nog een paar spelden aan en stond op. 'Zo. Kijk maar eens in de slaapkamerspiegel, maar kijk nergens anders naar. Het is nog één grote rommel. Het bed is zelfs nog niet opgemaakt.'

Het hele huis was rommelig. Laurel keek naar Adams speelgoed dat op het nog niet gestofzuigde kleed lag; op de kussens lagen kruimels en er zat een kleverige ring van een glas op tafel. Nadat ze gisteren uit Joe's restaurant was thuisgekomen had ze alleen nog maar willen slapen.

Plotseling merkte Laurel dat Annie haar opmerkzaam aankeek.

'Dat bed kan me niet schelen, maar jij wel, Laurey. Je ziet er vreselijk uit. Wat is er aan de hand?'

Laurel was doodmoe en had het gevoel dat er lood in haar armen en benen zat. Hoe had ze ooit kunnen denken dat ze dit met Annie kon bepraten? 'Niets,' zei ze, en deed opgewekt. 'Ik sliep tot vlak voor je kwam, daarom is het bed nog niet opgemaakt.'

Annie nam haar scherp op. 'Je bent toch niet ziek... of zo?'

'Bedoel je zwanger?' snauwde Laurel.

'Bén je dat?'

Laurel werd nijdig, maar beheerste zich. 'God! Zwanger!' Ze dacht aan Joe die haar al in tijden niet meer had aangeraakt. 'Dat zou een wonder zijn.'

Annie zweeg geschrokken. Toen zei ze: 'Is er iets mis tussen jou en Joe?'

'Nee, hoor.' Laurel lachte kort. 'Wil je koffie of zo? Ik heb wat bananenbrood gemaakt... daar is nog wel wat van over.'

Annie reageerde niet en zonk op de schommelstoel bij de haard neer, maar bleef Laurel aankijken. 'Wil je erover praten?'

'Nee.'

'Heb je ruzie gehad met Joe?'

'Nee. Zullen we het ergens anders over hebben? Ik heb geen zin in een kruisverhoor.'

'Je ziet er moe uit.'

'Ik zéi je toch dat ik moe was.'

'Komt dat door iets wat hij heeft gedaan?'

Laurel kreeg het gevoel dat ze zich vastklemde aan de rand van een afgrond en dat haar greep verslapte. Het zou zo gemakkelijk zijn zich te laten vallen, en regelrecht in Annies schoot terecht te komen zodat Annie haar kon troosten. Maar nee...

'Fijn dat je de japon mooi vindt,' zei ze gemaakt luchtig. 'Ik wist niet hoe hij uit zou vallen. Fluweel is zo moeilijk. Het glijdt zo weg. Ik heb talloze malen die linkernaad moeten uithalen en opnieuw doen. En dan die rits... dat is...'

'Joe houdt van je,' hield Annie aan. 'Dat weet jij toch ook?'

'Dat is... daarom heb ik de rug zo ver uitgesneden. Vind je dat ook niet leuk?' Maar toen kon ze niet meer en snikte. 'O, Annie, hij heeft een verhouding.'

Ze vertelde Annie over de vrouw in het restaurant, hoe vreselijk dat was geweest... ze had wel willen sterven. Zelfs nu ze erover sprak deed elk woord nog pijn. Ze begon door haar tranen heen te giechelen. Hou op, beval ze zichzelf. Maar ze kon het niet. De paniek sloeg toe. Straks kwam Annie op haar af om haar te troosten. Dat wilde ze niet! Annie zou haar haar laatste restje waardigheid ontnemen.

Maar Annie bewoog zich niet. Ze bleef daar net zo zitten, alsof ze verstijfd was. En toen begon ze te lachen. Ze láchte.

Laurels gezicht deed pijn, alsof ze een klap had gekregen.

Toen kwam Annie op haar toe. 'God, wat heb je me aan het schrikken gemaakt. Ik dacht...' Ze pakte Laurels hand en kneep erin, nog steeds lachend. 'Laurey, lieverd, je hebt het helemaal mis. Joe heeft geen verhouding. Die vrouw die je hebt gezien, dat moet dezelfde zijn over wie

Joe me iets vertelde – een sociaal werkster. Hij heeft me het hele verhaal gedaan over zijn vader die geen verpleegster meer kan hebben... over Naomi – zo heet ze, geloof ik – die aanraadde hem naar een verpleeghuis te doen. Het ís verschrikkelijk om Marcus in een tehuis te doen. Dus daar is Joe kapot van. Naomi zal geprobeerd hebben hem te troosten. Begrijp je wel?'

O, ja, Laurel begreep het. Het was heel duidelijk. Geen verhouding met een vreemde, maar iets veel ergers. Een ander soort bedrog. Joe had die moeilijke beslissing over zijn vader genomen en had er niets over tegen háár gezegd. Hij had Annie in vertrouwen genomen. Niet haar, zijn vrouw, maar Annie. Joe en Annie, zo was het al vanaf het begin geweest.

Nu zag Annie er opeens vreselijk uit, met een doodsbleek gezicht. Ze greep Laurel bij haar armen vast.

'Laurey? Wat is er? Je bent doodsbleek! Mijn God, je denkt toch niet dat ik over zoiets lieg? Denk je dat ik dat verzin om jou een plezier te doen?'

'Natuurlijk niet.' Laurels stem kwam van heel ver weg, van een verre bergtop, en was door de achtergrondgeluiden des te scherper – Adam die in de kamer ernaast een versje uit Sesamstraat zong met zijn heldere en doordringende stem. Buiten sloeg een specht met zijn snavel tegen de stam van de oude moerbeiboom voor het raam. De klok op de schoorsteenmantel tikte luidruchtig, leek het.

'Laurey, wat ís er?' Annies stem klonk wanhopig.

Laurel draaide zich met een ruk om. Ze had het gevoel of ze met scharnieren en veren in elkaar zat, net een buiksprekerspop die ze als kind wel eens op de televisie had gezien. Charlie McCarthy, of was het Edgar Bergen? Nee, Bergen was die buikspreker. Hij...

Ze staarde Annie aan alsof ze haar nog nooit had gezien en werd overspoeld door allerlei gevoelens: een zondvloed van liefde, verdriet, afkeer en spijt.

'Jij,' zei ze, en het ruisen in haar oren was zo hard dat ze moest schreeuwen om zich verstaanbaar te maken. 'Jíj bent wat er mis is met mij.'

Annie sloeg haar hand voor haar mond. 'Wát zeg je?'

'Je zit daar te lachen alsof ik blij zou moeten zijn.' Ze deed blindelings een stap vooruit, maar trapte op een stuk speelgoed van Adam zodat ze pijnlijk haar enkel verzwikte. Ze keek Annie woest aan. 'Hoe kún je? Hoe kun je doen alsof, terwijl we beiden weten dat hij alleen maar jóu wil hebben! Wees tenminste zo eerlijk dat toe te geven. En jij wilt hém ook. Daarom hou je nu toch al jaren Emmett aan het lijntje? Doe toch niet zo edel, en beken het.' Ze voelde dat ze op was. 'Beken dat jij hem wilt hebben!'

Een donderende stilte vulde de kamer. Laurel stond op de rand van de afgrond te trillen. Annie staarde haar met grote donkere ogen aan.

'Mammie?'

Laurel sprong op alsof ze gestoken werd. Ze keek naar Adam die roerloos onder aan de trap stond; hij had een oud overhemd van Joe aan, met opgerolde mouwen, en de rug sleepte over de grond. Van voren zat het vol verf en in zijn ene knuistje had hij een penseel vast. Zijn ogen stonden wijdopen en angstig. God, o, God. Hoe lang had hij daar al gestaan? Wat had hij allemaal gehoord?

Ze wilde naar hem toe rennen, hem onder haar kussen bedelven, hem geruststellen, maar ze was niet in staat zich te verroeren. Ze stond als aan de grond vastgenageld, terwijl Annie in haar glanzende fluwelen jurk – waarvan de losse zoom om haar enkels bengelde en de spelden glinsterden in het licht – als een veelkleurige vogel door de kamer zeilde en Adam bij de hand pakte.

'Hemel, moet je jou zien! Ik geloof dat er meer verf op jou dan op dat papier zit. Wil je me eens laten zien wat je hebt gemaakt? Ik wil het zo graag zien.' Ook zij was van streek, haar stem trilde, maar ze verborg het goed. Ze beschermde Adam, net zoals ze vroeger de kleine Laurey had beschermd.

Annie keek even achterom toen ze Adam de trap op leidde. Laurel keek hen na, plofte toen neer op de sofa en had dolgraag willen huilen, maar ze was vastbesloten dat niet te doen.

Hoofdstuk 29

Joe reed met zijn Volvo de oprit op over een deken van herfstbladeren. Zijn koplampen sneden een groene streep door de ligusterhaag langs de garage. Hij zag dat het huis donker was, op één lichtje in de gang boven na. Het was bijna middernacht. Laurel en Adam zouden wel in diepe slaap zijn. Hij wilde dat hij ook al zover was. Jezus, wat een avond. Terwijl de bestellingen zich opstapelden en iedereen zo hard mogelijk aan het werk was, liet de afwasmachine het afweten en de hele keukenvloer stond blank. En tegelijkertijd was er een feest boven met achtentwintig dronken Yale-studenten die elkaar broodjes toegooiden. Hij had twee kelners, die hij beneden eigenlijk niet kon missen, op wacht moeten zetten om ervoor te zorgen dat ze de tent niet afbraken... En toen, bij het dessert, kwamen er opeens nog acht goede vrienden van de bruidegom aanzetten die nog bediend wilden worden.

En elke dag deze week had hij heen en weer geheld tussen Morton Street en de nieuwe 'Joe's Place' die hij aan het opzetten was op Third Avenue en Eighty-second. De opening zou op de eerste december zijn. Maar zelfs al waren de menukaarten al gedrukt en de kelners aangenomen, het leek absoluut onmogelijk. Hoe harder hij werkte, hoe groter de vertragingen werden. Geen enkel stuk van de keukenuitrusting was op de beloofde tijd gekomen. De loodgieter leek een verdwijnspelletje te spelen. En toen moest Jorge, zijn chef-kok, zo nodig in het Spaans uitvallen tegen een inspecteur van de keuringsdienst van waren, want hij verwachtte niet dat een vent met een dikke buik die eruitzag alsof hij uit Brooklyn kwam en bovendien Jaretsky heette, hem zou verstaan. Prachtig dus.

Maar al die moeilijkheden in het restaurant konden niet op tegen wat hij morgen voor zich had. Hij had om twee uur een afspraak met de directeur van het St. Franciscus Centrum. En daarna moest hij doen wat hij dagenlang had uitgesteld: het nieuws over zijn vader aan Laurel vertellen. Ze was zo dol op Marcus. Ze zou er vermoedelijk op aandringen dat zij de oude man in huis namen, en hij zou als een ontaarde zoon worden beschouwd als hij nee zei. Bah, wat een rotzooi.

Toen hij echter uit zijn auto stapte en het betonpad naast het huis opliep, begon Joe zich kalmer te voelen, minder onder druk te staan. Hij voelde de nachtlucht tegen zijn wangen, koel en fris, en hij zag zijn adem als stoomwolkjes voor zijn gezicht. In het donker kon hij gemakkelijk de weg naar de zijdeur vinden die toegang gaf tot de keuken. Toen keek hij op en begreep waaróm alles zo duidelijk zichtbaar was: er hing een volle maan, groot en oranje, boven zijn dak. Het was precies een enorme pompoen die daar op Halloween wachtte. Hij haalde diep adem en rook de scherpe rooklucht van een vuur hier of daar, en de vage geur van gekookt voedsel die hem deed denken aan een in folie gewikkelde schotel die in de oven warm werd gehouden.

Maar er was iets vreemds... iets wat niet zo hoorde. En opeens wist hij het. Op avonden dat Laurel wist dat hij laat thuis zou komen, liet ze altijd het licht op de kleine houten veranda aan. Maar dit keer was er geen licht aan.

Zou ze het vergeten hebben? Soms was ze zo verstrooid; maar dat verdomde licht vergat ze nooit. En als ze Adam had meegenomen naar de Burger King of om voor de zoveelste keer *The Muppet Movie* te zien, zouden ze toch nooit zo laat thuis zijn gekomen als nu.

Zou er iets gebeurd zijn met haar? Hij herinnerde zich verleden jaar omstreeks deze tijd, toen hij op een ochtend vroeg was opgestaan en Laurel, die vier maanden zwanger was, bewusteloos op de grond van de badkamer had gevonden, haar nachtpon kletsnat van het bloed. Het bloed van hun dóchter. In het ziekenhuis hadden ze hem verteld dat het een meisje was. Die andere baby's waren al weg voordat hij gewend was aan het idee dat Laurel zwanger was, maar deze... het was al aan Laurel te zien geweest. En een meisje. Evenals toen voelde Joe dat de tranen hem in de ogen sprongen. Van verdriet, maar ook van opluchting. Want wat had er kunnen gebeuren als hij Laurel niet tijdig had gevonden? Als ze eens was doodgebloed voor hij haar naar het ziekenhuis had kunnen brengen? Ze had kunnen sterven.

Maar nu was Laurel niet zwanger. En toch, toen hij de sleutel in het slot omdraaide en naar binnen stapte, voelde hij zijn maag zich samentrekken, en een vaag gevoel van onrust bekroop hem. In het donker van de kleine veranda bij het washok, vlak bij de keuken, rook hij de geruststellende geuren van waspoeder en schone kleren. Hij kreeg de neiging om Laurel te roepen, maar beheerste zich. Zij en Adam sliepen vast al lang.

Maar er wás iets mis, hij voelde het. Hij voelde de haren in zijn nek rechtop staan en het rare gevoel in zijn maag werd erger.

Hij liep door de keuken en zag in het licht van de maan dat die niet was opgeruimd. Er stonden stapeltjes borden op het aanrecht, en er lagen kruimels toost en verkreukelde papieren servetjes op de vurehouten tafel in de ontbijthoek. Zelfs de Kaapse viooltjes op de vensterbank zagen er verwaarloosd uit en hingen. Dat was niets voor Laurel... Meestal zag het er hier onberispelijk uit als hij thuiskwam. Ze was zo trots op dit huis en zei dat ze zelfs die stomme baantjes leuk vond die de meeste vrouwen haatten: meubels poetsen, stofzuigen, alles en alles stoffen. Ze weigerde zelfs een werkster in dienst te nemen. Ze was erop gesteld geen mensen om zich heen te hebben. Bovendien beweerde ze dat het doen van het huishoudelijk werk haar hielp haar gedachten te ordenen, zodat ze ideeën voor haar illustraties kon verzinnen.

Joe baande zich een weg door de eetkamer met de ronde eiken tafel en gebeeldhouwde kast die vol stond. Niet met fijn porselein, maar met Mexicaans aardewerk in vrolijke primitieve kleuren, en Laurels dierbare snuisterijen: koperen olifantjes naar grootte gerangschikt die elkaar met de slurf bij de staart vasthielden; enigszins vreemde klei-dieren die Adam had gemaakt; een ingewikkelde beschilderde Russische doos; een paar tinnen kandelaars; een spaarpot in de vorm van een hond die kwispelde als je er iets in gooide; en een mandje vol knikkers. Op het smalle stuk muur dat naast de deur overbleef en waarop nu het maanlicht viel, zag hij duidelijk de waaiers die Laurel daar had opgehangen – teer beschilderde Japanse waaiers, één antieke gemaakt van kant en bot, en een paar in de vorm van een omgekeerde traan.

Laurels huis, dacht hij. Hij woonde hier, maar het huis was in wezen van haar, was haar schepping. Het trof hem dat het hem nooit was opgevallen hoe rustgevend het was. Wanneer hij 's avonds doodmoe thuiskwam, terwijl alle spieren in zijn nek pijn deden, was het al een weldaad om alleen maar naar binnen te gaan; het was net alsof hij in een warm bed kroop. Laurel! Alles rondom hem deed hem aan haar denken.

Toch was er iets... iets wat hij was vergeten te doen. Toen herinnerde hij zich hoe afgetrokken ze gisteravond had geleken. Ze was alleen maar moe, had ze beweerd, maar hij had gevoeld dat er meer was. Hij had echter niet aangedrongen.

Hij liep de trap op, heel stil en met twee treden tegelijk, en op de eerste etage gekomen stak hij zijn hoofd om de openstaande deur van Adams kamer. In het vage gele licht van zijn Donald Duck-nachtlichtje lag Adam opgekruld op zijn zij, diep in slaap. Hij had de meeste dekens weggetrapt en zijn duim stevig in zijn mond. Joe voelde dat de spanning wat minder werd. Zie je wel? Als er iets met Laurel was gebeurd, zou Adam dan daar zo rustig in zijn pyjama liggen te slapen?

Hij liep op zijn tenen naar het bed toe en uit pure gewoonte voelde hij aan de voorkant van zijn pyjama. Droog. Gelukkig maar. Dat was tenminste iets. Ongeveer een jaar geleden plaste Adam nog elke nacht in zijn bed. Maar de laatste tijd stond hij 's nachts zelf op om te gaan plassen. Hij herinnerde zich dat Laurel altijd de meeste zorg op zich had genomen – Adams verdriet, al dat extra wasgoed – en hij had haar vrijwel nooit horen klagen.

Joe kuste zijn zoon op zijn vochtige, naar tandpasta ruikende wangetje en plotseling overrompelde hem een herinnering. Opeens was hij terug in groep negen, het toneelklasje van meneer Dunratty, en speelde mee in een scène van *Onze Stad*. Toen had het niet veel indruk op hem gemaakt, want hij snakte ernaar om – onder invloed van zijn opspelende hormonen – naar buiten te rennen en te gaan voetballen. Maar nu wist hij precies hoe de spook-Emily zich moest hebben gevoeld toen ze daar de o zo kostbare minuten van haar vroegere leven aan zich voorbij zag trekken, hoe gefrustreerd en vol verlangen ze moest zijn geweest. Zoiets voelde hij nu ook voor Adam... en net als hem vaak ook ten opzichte van Laurel overkwam. Alsof hij op de een of andere manier deze ogenblikken met zijn zoon en zijn vrouw opspaarde voor de tijd dat ze er niet meer zouden zijn, en hij alleen nog op herinneringen kon teren. En die tijd was misschien niet zo ver meer!

Joe's maag begon erger op te spelen. Jezus, hoe was het zover met hen gekomen? Wat Laurel betrof probeerde hij uit alle macht alles in orde te houden. Maar het was net zoiets als hardlopen door mul zand: het leek aldoor alsof je te langzaam vooruitkwam. Deed hij misschien te erg zijn best?

Het was waar dat hij niet verliefd op Laurel was geweest toen ze trouwden. Hij was erg op haar gesteld, er waren moeilijkheden, ja, maar de diepe liefde die hij nu voor haar voelde had tijd nodig gehad om te groeien.

Plotseling zag Joe Laurel voor zich op die dag in het ziekenhuis, net nadat Adam was geboren en hij haar had gevraagd met hem te trouwen. Het had geleken of ze recht door hem heen keek met haar heldere blauwe ogen en ze had gevraagd: 'Joe, hou je van me?'

'Natuurlijk,' had hij geantwoord, en moest moeite doen om niet de andere kant op te kijken, want die ogen keken hem zo doordringend aan.

'Niet zoals toen,' had ze bijna boos gezegd. 'Niet zoals je van me hield toen ik klein was. Ik bedoel nú. Afgezien van Adam en van' – hij zag dat ze iets doorslikte – 'van Annie. Hou je van me?'

Joe zat gevangen tussen de waarheid en een leugen die maar een halve leugen was; hij had haar hand gepakt en gezegd wat ze wilde horen.

'Ik hou van je. Afgezien van Adam. Afgezien van iedereen. En ik wil met je trouwen.'

Toen had hij toch de andere kant op moeten kijken, want als hij dat niet had gedaan, zou de hitte van de vreugde die ze uitstraalde hem verschroeid hebben. Hij had gedacht: hoe kan ik haar zeggen dat ik ook van Annie hou... en dat als alles anders was geweest, ik Annie zou hebben gevraagd met me te trouwen?

Maar diep in haar binnenste moest ze iets hebben vermoed. Was dat de oorzaak van hun problemen nu? Kwam het daardoor dat hij haar in bed niet meer kon aanraken zonder zich schuldig te voelen? Het kwam niet omdat hij niet meer van haar hield of haar niet meer begeerde. Maar hij hield ook van Annie en begeerde haar ook. En het ergste was dat Laurel het wist. Ze wist het en het deed haar veel verdriet. Hij kon er zelfs niet met haar over praten, want als hij dat deed, zou hij het hardop moeten zeggen, toegeven dat ze het zich niet verbeeldde. En als hij dat deed, kwetste hij haar dan niet nog erger? Maar hij wilde haar niet kwijt.

Als hij naar haar keek, zag hij een mooie, verstandige en getalenteerde vrouw, en een intens toegewijde echtgenote en moeder. Misschien was ze niet zo extravert en spontaan als Annie, maar op haar eigen rustige manier kon Laurel even krachtig en vastbesloten zijn. Als Annie vuur en licht was, dan was Laurel de stevige, vaste grond, dacht hij.

Er kwam nog een herinnering bij hem boven in de duisternis en geuren van zijn zoons kamer. Die zomer dat hij de verrotte planken op de veranda had weggehaald. Opeens vlogen er overal wespen die hem staken en langs de rug van zijn overhemd kropen. Hij moest een nest hebben losgetrokken. Hij wist nog dat hij gillend van pijn om Laurel had geroepen. Zij had op haar knieën in de tuin gelegen, druk bezig tomaten te verplanten. Ze had opgekeken en toen automatisch de tuinslang gepakt die op de grond naast haar lag. Toen had hij gevoeld hoe de koude straal hem trof. En daar stond Laurel, zonder enige angst om die overal rondzwermende wespen en ze hield de slang vast alsof die een machinegeweer was. Hij zag verschillende wespen op haar armen landen, en een in haar hals. Ze kromp even in elkaar toen ze haar staken, maar hield niet op met spuiten totdat hij ver genoeg weg was gehold om zich van de insekten te kunnen ontdoen.

'Hollen!' had hij geroepen, en toen had ze de slang laten vallen en was achter hem aan gerend terwijl de rand van haar grote strohoed op en neer danste, met zwaaiende armen en benen.

'Doe je kleren uit,' had Laurel bevolen toen ze hem bij de heg die de scheiding met de grond van de buren vormde, had ingehaald. Koortsachtig begon ze aan haar eigen short en T-shirt te trekken.

'Jezus, wat doe je nou?' Hij staarde haar niet-begrijpend aan en intussen begonnen de steken op zijn armen en benen te branden. Het leek of hij in brand stond.

'Trek alles uit!'

Toen ze allebei in hun ondergoed stonden, pakte ze handenvol modder, naast de goudsbloemen die ze net water had gegeven. Ze smeerde zichzelf en hem ermee in totdat ze beiden onder zaten. Joe voelde de ergste pijn wegtrekken, en zag opeens hoe belachelijk ze eruitzagen: op klaarlichte dag, in hun ondergoed, vol modder, in het volle zicht van de buren.

Hij begon te lachen en sloeg voorover terwijl hij zijn buik moest vasthouden.

'Wat is er zo leuk?' vroeg ze, en zette de handen op haar modderige heupen terwijl er ook een modderstreep langs haar wang liep die veel op een bakkebaard leek.

'Ik vroeg me alleen af wat meneer Hessel van hiernaast zou zeggen als ik nu naar hem toe ging en vroeg of ik zijn snoeischaar mocht lenen.'

Laurel boog zich voorover, en onmiddellijk daarna voelde Joe dat iets nats en kleverigs zijn voorhoofd trof, net boven zijn wenkbrauw. Terwijl de modder over zijn gezicht liep, zag hij hoe Laurel zich giechelend achter een boom verschool. Hij pakte ook een handvol modder en gooide die in haar richting, maar hij miste haar net. Ze slaakte een gilletje, draaide haar achterwerk in zijn richting en hij moest haar wel achternagaan. Hij haalde haar gemakkelijk in – ze lachte veel te hard en kon dus niet echt snel lopen – en lichtte haar beentje.

Op dat ogenblik keek hij op en zag hun al wat oudere buurman, Gus Hessel, over het hek naar hen kijken; zijn mond viel open van verbazing. Laurel zag hem ook. Ze sprong overeind en holde naar de achterdeur, en dus was het Joe die zijn buurman flauwtjes groette voor hij zich ook snel terugtrok. Eenmaal binnen verdrongen ze elkaar onder de douche, hielden elkaar vast en lachten als gekken totdat het water dat van hen afliep geen sporen van modder meer vertoonde.

'Hoe kan ik ooit meneer Hessel weer onder ogen komen?' steunde ze lachend.

'Doe het maar niet; hij zal zijn ogen niet meer van je kunnen losrukken.'

Ze sloeg hem met een nat washandje en tegen de tijd dat ze onder de douche vandaan kwamen, brandden de wespesteken niet meer en ze maakten in de slaapkamer af waar ze in de tuin mee begonnen waren.

Plotseling voelde Joe een heftig verlangen naar die zorgeloze tijden. De laatste maanden, met al die spanningen in het restaurant en zijn vaders toestand, had hij soms het gevoel dat hij door de verkeerde kant van een telescoop naar Laurel keek. En ja, Annie was er ook altijd nog...

Toen hij gisteren dat wandelingetje met haar maakte, had hij het gevoel gehad van een kind dat spijbelde. Annie had hem opgefleurd. Daarna had hij zich prima gevoeld... een uurtje.

Joe trok zachtjes de dekens over Adam heen en liep de kamer uit. De slaapkamer van Laurel en hem lag naast die van Adam, maar daar was het pikdonker. Eerst dacht hij dat ze sliep. Maar al lagen de dekens rommelig, toch was het bed leeg.

Hij ging zachtjes naar beneden, naar Laurels atelier waar hij een streepje licht onder de gesloten deur door zag schijnen. Ze was blijkbaar elk idee van tijd kwijt omdat ze zo hard aan het werk was. Daarom was het vermoedelijk ook zo'n rommel in de keuken en had ze niet aan het buitenlicht gedacht. Hij werd wat rustiger.

Voor de deur staand klopte hij zachtjes. 'Laurey?'

Geen antwoord.

Hij deed de deur open en zag haar op de hoge kruk voor haar tekentafel zitten, haar gezicht er vlak boven, haar haren langs haar hoofd vallend. In de lichtkegel van de aan de tafel bevestigde lamp zag hij haar hand die wild aan het tekenen was.

359

'Laurey?' zei hij nog eens, en stapte naar binnen.

Haar hoofd schoot omhoog, ze draaide zich om en keek hem aan. Even kwam haar arm tegen de lamp aan waardoor er plotseling schaduwen op de wand verschenen. Haar gezicht zag er vreemd uit; grote ogen staarden hem aan. Ze had een loszittende peignoir aan, zo blauw als een Vlaamse gaai, en de kleur van haar ogen. De glanzende plooien vielen omlaag en het viel hem op dat ze blijkbaar in korte tijd heel mager was geworden; haar armen die uit de mouwen staken, leken wel rietjes. Ze zag er ziek uit, heel erg ziek.

Joe schrok ervan. Jezus, wat was er met haar aan de hand?

'Dag. Sorry, dat ik je bang maakte,' zei hij. Rustig blijven, hield hij zich voor. Ze vertelt het je wel als ze zover is. 'Moet dat klaar?' Hij wees naar het papier op de grond.

Ze knikte. 'Ze willen het maandag hebben.' Haar stem klonk toonloos. 'Ik probeerde iets anders uit, pastel en houtskool.' Ze keek naar haar zwarte handen. 'Het gaat om die eenhoorn. Die is niet...' Ze slikte en keek van hem weg op.

Joe waagde een blik over haar schouder. De gevleugelde eenhoorn leek op hem toe te zeilen, de lijnen waren een en al soepelheid. Buitengewoon. Ze had zo'n talent, maar ze geloofde er zelf niet in.

'... zoals ik wil,' maakte ze haar zin af.

'Wat bedoel je?'

Laurel schudde haar hoofd en veegde met haar hand over haar wang, waardoor daar een zwarte streep achterbleef.

Joe werd ongerust. Waarom moest hij toch altijd alles zo uit haar trekken? Ze kon zo goed uitdrukking aan haar artistieke gevoelens geven, maar met woorden was ze zo open als een stenen muur.

'Hij is goed,' zei hij zachtjes, en keek weer naar de tekening. De eenhoorn was uitgevoerd in lila pastel en zachtjes geschaduwd met houtskool; hij leek bijna driedimensionaal, alsof hij boven het papier hing. 'Heel goed. Misschien wel het beste wat je ooit hebt gemaakt.' En hij meende het.

Laurel fronste haar wenkbrauwen en keek naar de grond. 'Nee,' zei ze met die afschuwelijke toonloze stem. 'Het is gewoon een paard met vleugels en een hoorn.'

'Maakt dat verschil?'

Ze keek naar hem op alsof ze zich verbaasde dat hij niet zag wat haar zo duidelijk was. 'Hij moet... toverkracht uitstralen. Kinderen die dat verhaal lezen, moeten in hem gelóven.'

'Laurey,' zei hij zachtjes, 'het is maar een verhaal.'

Hij zag tranen in haar ogen. 'Zíe je het dan niet? Als je denkt dat hij echt is, ís hij echt. Net als de kerstman. Als ik iets teken, hoe fantastisch het ook is, geloof ik erin. Daardoor komt het tot leven.'

'En je gelooft niet in eenhoorns? Of in deze eenhoorn?' Hij glimlachte en hoopte haar rustiger te stemmen.

Ze keek hem zo verdrietig aan dat Joe plotseling het gevoel kreeg dat hij een eenzame toekomst voor zich zag.

'Ik geloof nergens meer in.' Ze rilde en kromp in elkaar. Heel zachtjes, bijna onverstaanbaar, zei ze: 'Joe, ik wil... ik wil een tijdje bij je weg. Maak alsjeblieft geen bezwaren. Ik kan er zelfs niet over praten. Het zou iets anders zijn als ik niet van je hield. Dan was ik sterker. Maar... God, het is zo moeilijk.' Ze haalde diep en pijnlijk adem.

Joe staarde haar aan en kon zijn oren niet geloven. Toch voelde hij ook een zekere opluchting; alsof hij het aan had zien komen. 'Laurey, wat is er aan de hand?' Hij deed een stap naar haar toe, maar ze stak afwerend een hand uit.

Toen ze zich een beetje beheerst had, zei ze: 'Het heeft geen zin beschuldigingen rond te strooien. Toen Annie me alles over... over je vader vertelde, voelde ik me zo... zo... nou ja, ik dacht erover na en begreep dat het niets nieuws was. Afgezien van mijn gevoelens. Het enige nieuwe is dat ik... ik niet meer in ons samen geloof. Alles wat ik heb gewild, alles wat ik heb gehoopt... dat gebeurt gewoon niet. Mijn eigen geloof is niet voldoende.'

Joe had geweten dat dit ogenblik zou komen en dat was al zó lang het geval dat hij bijna het idee had dat het hem al eens eerder was overkomen. Toch werd hij nu overvallen door een enorm verdriet. Met elke vezel van zijn wezen wenste hij dat hij Laurel kon overtuigen hoe wanhopig hij van haar hield en hoe hij haar nodig had.

'Het spijt me, dat ik je niets over mijn vader heb verteld. Ik wilde het doen...' Hij zweeg en trok zijn schouders even op. 'Maar daar gaat het nu niet echt om, hè?'

'Nee.'

De blik op haar gezicht zei hem wat ze dacht, en voor Joe zich kon inhouden, vroeg hij: 'Annie?'

Laurel keek hem strak aan. 'Ja.'

Christus, ze had het helemaal bij het verkeerde eind. Hij moest haar zien te overtuigen. Hij kon niet ontkennen wat hij voor Annie voelde. Maar wát was de waarheid? Hij hield van deze twee vrouwen, deze twee zusters die als dag en nacht van elkaar verschilden. En de twee helften van zijn verdeelde hart zouden nooit één geheel kunnen vormen. 'Laurey, ik...'

'Joe, ga alsjeblieft weg.' Ze keek hem woedend aan, maar hief toen haar hand op. 'Wacht... je vader... weet hij al wat je van plan bent?'

'Al zou ik het hem vertellen, dan begreep hij het nog niet. Weet je nog dat hij ons vorige week vertelde dat Hitler Polen was binnengevallen? Gisteren herkende hij míj zelfs niet meer. Maar dat is niets nieuws.' Hij glimlachte wat treurig. 'Dat maakt het juist zo erg. Gedurende mijn hele leven heb ik meer van hem gewild dan hij wenste te geven... en nu is het te laat.'

'Hij houdt van je, Joe. Misschien toonde hij het niet altijd, maar ik weet dat het zo is.'

Al was het niet helemaal waar, toch was hij haar dankbaar. 'Misschien. Het enige dat ik nu weet, is dat ik het vreselijk vind om te doen. Hij was niet zo'n goede vader, maar hij had fut en stijl. Heb je wel eens gezien dat er zo'n vijfhonderd jaar oude sequoia werd geveld? Zo voel ik het als ik naar mijn vader kijk.' En Joe had het gevoel dat hij zélf ook snel ineen zou storten.

Hij wilde niet weggaan. Als hij erop stond het hier en nu uit te praten, zou Laurel vermoedelijk toegeven. Dan was alles weer in orde, voorlopig althans. Maar uiteindelijk zou er niets veranderen. Misschien was ze wel verstandig. En was hij het haar eigenlijk niet schuldig haar wens in te willigen? Wie weet zou het hun helpen. Maar het deed zo'n pijn. 'Ik zal een paar dingen inpakken,' zei hij, en geloofde zijn eigen woorden nauwelijks.

'Ga je naar de flat?' Ze keek hem zielig aan en voegde er meteen aan toe: 'Dat zal Adam willen weten.'

'Ja.' Flat? Hij moest even goed nadenken. Toen herinnerde hij zich de flat in Twenty-first Street die hij aan had gehouden. Hij was goedkoop en hij kon er slapen als hij té moe was om naar huis te rijden. Maar daar wonen? Moest Adam hem daar dan bezoeken, alsof hij een oom was in plaats van de vader die hem 's avonds kwam instoppen?

Nee, hij wilde nu niet aan Adam denken. Later, als hij zich beter kon beheersen. 'Ik zal hem morgen bellen,' zei hij.

'Wat moet ik hem aan het ontbijt zeggen?'

Joe aarzelde en hij dacht dat er meer op het spel stond dan Adam, misschien wel zijn en Laurels hele toekomst. Jezus, ze hadden zoveel samen. Al die jaren, soms heerlijk, soms gek – zoals het feestje ter ere van de publikatie van een door Laurel geïllustreerd boek *De jongen die baden vreselijk vond* – terwijl hun kelder onderliep. En het verdriet om de verloren baby's. Grapjes waar alleen Laurel om kon lachen. Herinneringen. Albums vol foto's die iedereen verveelden, maar hun niet.

Nee, hij wilde dat alles niet verliezen. Níets ervan eigenlijk.

Hij zag plotseling Laurel voor zich in een leuke gebloemde japon, klaar om naar een pianorecital in Carnegie Hall te gaan waar hij kaartjes voor had kunnen bemachtigen. Ze zat voor haar toilettafel met haar hoofd schuin en deed een oorbel in; hij zag haar beeld in de spiegel en ze lachte tegen hem. En zonder dat er een woord werd gezegd, wist hij dat ze hulp nodig had met de oorbel.

Waarom moest hij daar nu aan denken? Zo'n kleinigheid. Maar misschien was dat het wezen van een huwelijk, bedacht hij, niet de wilde passie, maar de eenvoudige onuitgesproken woorden die mannen en vrouwen deelden. Niet al die grootse momenten, maar de kleine die samen de moleculen vormden waaruit het heelal bestond.

362

Toen deed Joe wat hij al had willen doen bij het binnenkomen. Hij was in twee passen de kamer door en omhelsde haar. Haar parfum van veldbloemen omhulde hem in een verrukkelijk waas.

'Zeg tegen hem dat ik terugkom,' mompelde hij, en liet haar toen snel los.

Hoofdstuk 30

Henri had het gevoel dat hij in het sombere advocatenkantoor van Amadou et Fourcheville gevangenzat, op deze zolder vol stoffig antiek. Hij keek naar de wormstekige betimmering en zag dat rondom het waaiervormige *cosse d'orange*-raam dat uitzicht bood op de rue de Caumartin, het oude behang er hier en daar in repen bij hing. *Mon Dieu*, wanneer zou de oude Amadou voor het laatst een raam hebben geopend? Het rook hier naar stof en pijprook. En de witharige advocaat zelf, die achter een Louis Quinze-bureau met zijn pijp zat te spelen, leek zelfs nog ouder dan het meubilair. Toch paste dat wel goed bij de rol die hij moest spelen. De oude Girod had al zijn vrienden overleefd; en waarom zou dan zijn testament niet door een mede-spook worden voorgelezen?

Henri ving de blik van Francine op. Ze zat kaarsrecht op een verguld stoeltje met haar zwarte haren achterover getrokken in een onberispelijke chignon die haar scherpe trekken extra accentueerde. Ze was elegant gekleed in een ecrukleurig pakje, afgezet met marineblauw en had het ene in een zijden kous gestoken been nonchalant over het andere geslagen. De zelfvoldane blik kende hij maar al te goed. Diezelfde uitdrukking had ze gehad toen ze de laatste minnaar van Jean-Paul uit zijn baan bij het onderwijs had laten zetten en naar Algerije had laten terugsturen. Natuurlijk zou Francine nooit toegeven dat hun zoon homo was, maar ze deed er alles aan om zijn liefdes dwars te zitten.

Zou zij iets van het testament van haar vader af weten waarvan hij niet op de hoogte was? Henri voelde toch een zekere bezorgdheid.

Het is maar een pose, hield hij zich voor. Als Girod's eenmaal van mij is, heeft ze geen macht meer over me en dat weet ze. Eindelijk echtscheiding. Geen vals geparadeer van medelijden met de oude heer meer. Ik ben vrij!

Vrij om te hertrouwen, als hij dat wilde. Maar met wie? Dolly? Nee, hij was gek als hij dat bleef hopen. Dolly heeft me in haar verleden ondergebracht, en dat is goed. Zes jaar is een lange tijd. Maar alleen het denken aan haar was al heerlijk. Over twee dagen was hij in New York voor de chocoladebeurs. Dan zou hij haar terugzien en weten of hij nog een kans had.

Henri keek naar zijn kinderen en vroeg zich af hoe zij op Dolly zouden reageren. Jean-Paul, al vroeg kalend, zat altijd over zijn boeken gebogen en zou haar vermoedelijk nauwelijks opmerken. En die lieve mollige Gabrielle in dat vreselijke bruine pakje had het zo druk met haar kleintjes dat ze zich helemaal liet gaan. Hij stelde zich voor dat Dolly Gabrielle mee uit winkelen nam en samen met haar kleurige japonnen en onpraktische schoenen kocht.

Maar nee, er was nog veel te veel onzeker. Toch bleef hij hopen. Hij ging verzitten en de stoel kraakte, een geluid dat in deze stilte als vuurwerk klonk. Toe nou, had hij tegen de onhandige oude advocaat willen zeggen, schiet eens wat op.

Hier had hij een eeuwigheid op gewacht: op het ogenblik dat hij eindelijk Girod's als zijn eigendom kon beschouwen; en toch miste hij de oude heer. Henri kon hem zó voor zich zien, zittend naast Amadou, terwijl hij stilletjes lachend naar zijn familie keek. Wat zou hij om mijn ongeduld hebben gelachen. Hij leek ook wel een vierjarige die 'zo nodig moest'.

Maar waarom was hij zo zenuwachtig? Girod had zijn belofte gehouden en het document voor zijn ogen getekend. Hij had er zelfs een kopie van, thuis. Hoewel Augustin in de afgelopen zes jaar zijn testament misschien veranderd had, zou het deel omtrent de firma natuurlijk ongewijzigd blijven. Ondanks zijn koppigheid was Augustin een man van eer geweest. Waarom was hij dan zo zenuwachtig?

Henri merkte dat Francine hem aankeek met ogen even hard als de diamanten in haar oren; ongetwijfeld een cadeau van haar minnaar. Vreemd dat ze dat deel van haar leven zo verstopte. Al zes jaar geleden was Henri uit hun flat in Marais getrokken, en de enige verandering die ze had aangebracht was dat ze van zijn studeerkamer een kapel had gemaakt. Maar al haar gebeden schenen haar afkeer van hem nooit te hebben verminderd. Alles was en zou ook altijd zíjn schuld blijven, van haar eigen hoofdpijnen en last van haar lever tot aan Jean-Pauls 'afwijkende' aard. Zelfs de dood van hun spaniël die kort na Henri's vertrek onder een taxi was gekomen, was zijn fout.

Ze zette iedereen naar haar hand, vrienden, minnaars, kinderen, zelfs haar oude koppige vader, behalve hem, haar man... en dát was – naar hij begreep – de bron van al haar haat tegen hem.

Ze had het vermoedelijk prettiger gevonden als hij haar ook had gehaat. Maar zijn medelijden vond ze vreselijk. Toch had hij met deze harde, verbitterde vrouw te doen, vooral als hij dacht aan de jonge vrouw met wie hij eens – eeuwen geleden – langs het strand had gelopen in La Trinité sur Mer. Ze was toen nog geen negentien en had tot aan haar middel door het ijskoude water gewaad om een bril te pakken die een oude vrouw in een roeiboot had verloren.

Dat meisje van toen deed hem denken aan de impulsieve milde vrouw naar wie hij nu verlangde. Dolly. Wat miste hij haar!

Henri keek naar Amadou die zijn pijp eindelijk had opgestoken. Met het ding tussen zijn tanden geklemd en de bril op het puntje van zijn neus zocht hij tussen de papieren voor hem.

'Waar zijn ze nou gebleven? O, ja... hier.'

Hij las alle kleine legaten voor, tot aan die aan zijn bediende en chauffeur, Mohammed Al-Taib, die hem ruim twintig jaar trouw had gediend.

'*Pardon*, monsieur Amadou,' viel Francine hem in de rede. 'Wat mijn vader aan zijn bediende heeft nagelaten interesseert ons niet.' Ze wuifde afwerend met haar hand waar dikke aderen op lagen. Jammer, dacht Henri, op haar vijftigste was haar gezicht nog opvallend weinig gerimpeld, maar haar handen waren van die van een vrouw van tachtig. 'Gaat u door met wat voor ons van belang is.'

Henri moest lachen als hij dacht hoe Dolly hier op zou hebben gereageerd. Recht op het doel af. Hij verborg zijn lach achter een hand.

Amadou zweeg, geschrokken. 'Hm, ja... maar ik wilde alleen... hm... natuurlijk, madame Baptiste, als u dat wenst.'

Amadou deed weer onhandig met zijn pijp zodat er tabak op de papieren voor hem viel en Henri had het document wel uit zijn handen willen grissen. Toen schraapte de oude man zijn keel en begon te lezen op de toon van een toneelspeler uit de provincie.

'Hm... hier... "Aan mijn kleinzoon, Jean-Paul, vermaak ik mijn bibliotheek met zeldzame boeken met uitzondering van mijn eerste uitgave van Hugo's *Cromwell*, die ik nalaat aan mijn vereerde vriend, professor Cottard van de Bibliothèque Nationale..."'

Boeken? Prima. Hij zag hoe verrukt Jean-Paul keek. Als kind was de jongen al een boekenwurm geweest en hij las liever dan dat hij at. En nog steeds gaf hij aan boeken de voorkeur boven mensen, en hij was allergisch voor chocolade.

Hij bestudeerde zijn zoon, een man met hoekige schouders en vochtige handen, weinig haar en een glanzend wit, hoog voorhoofd. Vreemd dat hij zo'n zoon had. Jean-Paul leek op hem noch op Francine. Als Gaby hem als haar broer voorstelde, geloofde men haar niet. Alleen Jean-Pauls wat rode neus leek op die van Francine. De rest van hem was uit de hele familie bij elkaar geraapt. Toch hield Henri van zijn zoon, de professor, de entomoloog die dol was op insekten en die de voorkeur gaf aan mannen in plaats van aan vrouwen. Hield hij zo van hem omdat hij zo vreemd was? Hij dacht aan Dolly die eens naar een mislukte truffel had gekeken en gezegd: 'Ik hou het meest van misbaksels, want ze doen me denken aan mensen; we moeten van elkaar houden, ondanks al onze gebreken.' Had Jean-Paul zich maar tegen zijn moeder verzet in plaats van heimelijke ontmoetingen met vrienden te hebben, als een spijbelend schooljongetje. Maar wie ben ik om hem iets te verwijten? Wat voor voorbeeld heb ik hem gegeven? Ondanks alles had hij al jaren geleden van Francine moeten scheiden en met Dolly trouwen.

'Papa, voelt u zich wel goed? U ziet zo bleek. Zal ik wat cognac voor u halen?' fluisterde Gabrielle hem toe. 'Ik weet waar hij het heeft... achter die bruine boeken.' Ze lachte hem toe.

Henri pakte zijn dochters hand. Die lieve Gabrielle. Even donker als haar moeder, maar niet zo ellendig koud. Ze was nog mollig na de geboorte van haar vierde kind, een meisje, en deed hem denken aan perziken en zonneschijn, aan de boomgaard achter het landhuis bij Deauville waar hij een eeuw geleden achter een mollige, giechelende kleuter had aan gehold.

'Ik dacht aan perziken,' fluisterde hij terug.

Gaby keek hem even verbaasd aan en streek een plooi in zijn jasje glad. Opeens zag Henri zichzelf als een oude man, alleen in zijn kleine flatje aan de rue Murillo, waar zijn dochter hem af en toe kwam bezoeken. Ze zorgde dat hij genoeg at, lichaamsbeweging kreeg en zijn medicijnen innam. Hij rilde en bedacht hoe alles anders zou zijn als Dolly bij hem was.

Henri keek naar Amadou's lippen die opdreunden: '"... Wat Girod's betreft, vermaak ik aan mijn kleinzoon, Jean-Paul Baptiste, en aan mijn kleindochter, Gabrielle Baptiste Rameau, elk tien procent van de aandelen. En aan een trust op naam van mijn geliefde schoonzoon, Henri Baptiste, vijfendertig procent..."'

Henri's hart leek verheugd op te springen. Hij had met Gaby door de kamer willen dansen. De oude man had zijn belofte gehouden! Vijfendertig procent, plus de twintig die hij al had, gaven hem de meerderheid. Nu kon hij nieuwe machines kopen, meer mensen in dienst nemen, betere verpakkingen gebruiken, zonder dat Augustin hem betuttelde. En het beste van alles: hij kon zonder enige vrees van Francine scheiden.

Maar wacht eens... Amadou las nog meer voor.

'"... die beheerd moet worden door trustees ten behoeve van Henri en mijn dochter, Francine Baptiste-Girod. Bij de dood van een van beiden gaat dat deel naar de in leven zijnde partner, en wordt de trust ontbonden. Maar als om enige reden Henri en Francine zouden gaan scheiden, gaat het hele aandeel naar Francine."'

Henri had het gevoel dat er een baksteen op zijn hoofd was neergevallen. Had hij het goed gehoord? Hij dwong zich naar Francine te kijken en zag haar zelfvoldane lachje; toen wist hij dat het waar was. Die twee hadden dit plannetje gesmeed, schakel voor schakel van de ketting die hem levenslang aan Francine zou binden. Althans voor de Kerk en de buitenwereld. Stom, schande, *merde*!

Hoe had hij zich zo kunnen laten beetnemen? Hij had moeten zorgen dat de oude man hem zijn aandeel vóór zijn dood had gegeven. Girod was op hem gesteld geweest en hij was geen toneelspeler. Hij had niet gedaan alsof, maar de banden des bloeds waren sterker geweest. *Sacré Dieu*, hij had het kunnen weten.

Henri kreeg hoofd- en maagpijn van woede en moest zich bedwingen niet op te springen en te zeggen dat hij dit niet accepteerde. Het was schandalig! Hij had Francine wel kunnen wurgen.

367

Ik ga het aanvechten, dacht hij woedend. Hij zou een slimme advocaat nemen en hem het oorspronkelijke testament als bewijs tonen. Dan zou duidelijk worden dat de oude man door zijn dochter was gemanipuleerd. Toen voelde hij Gaby's hand op zijn arm en zijn woede bekoelde. Nee, hij zou zijn kinderen en kleinkinderen die schande niet aandoen. Een rustige echtscheiding was één ding, maar een geruchtmakende rechtszaak... nee, dat kon niet. Bovendien zou hij die misschien verliezen.

'Dat is alles, denk ik,' eindigde Amadou, en keek hen over zijn bril aan. 'Als u... hm... nog vragen hebt?'

Henri stond op, liep naar het raam en vroeg: 'Vertelt u me eens... wat voor soort kunstmest gebruikt u om die plant hier zo groen te houden? Men zegt wel eens paardemest, maar anderen zweren bij guano... vogelmest.' Hij keek naar Francine en zag hoe haar glimlach verdween. 'Wat gebruikt u, monsieur Amadou?'

De oude advocaat kreeg een kleur en stotterde: 'Ik denk er nooit zo over na... hm...' Hij schraapte zijn keel. 'Eigenlijk geloof ik dat uw schoonvader zoiets eerder zou hebben gevraagd.'

'Ja, dat is zo,' antwoordde Henri, en knikte. 'Ik weet zeker dat Augustin zal zorgen dat al het groen in de hemel goed verzorgd wordt.'

Francine kreeg een kleur en keek hem woedend aan. Zijn pijl had doel getroffen. Maar Henri was nauwelijks voldaan. Hij was vrijwel gevoelloos. Hij moest nodig ergens gaan liggen en bijkomen.

'Wilt u me nu excuseren, monsieur,' zei hij, 'ik heb een belangrijke afspraak.' Hij wendde zich tot zijn zoon. 'Jean-Paul, wil je me afzetten op weg naar de Sorbonne?'

De man keek hem geschrokken aan en wendde zijn blik af. 'Ik... eigenlijk moet ik de andere kant op, papa.'

Zeker een afspraakje met een vriend, dacht Henri bedroefd. Maar hij knikte alleen maar en zei: 'Goed, hoor. Dan neem ik wel een taxi.'

Gaby stond op en zag er ontsteld uit. Haar haren raakten steeds meer los en er zat een vlek op haar rok die hij nog niet had gezien – babyspuug, zo te zien. Francine keek haar dochter met onverholen afschuw aan.

'Ik rijd u wel, papa,' bood ze aan. 'Ik ga toch die kant op. Ik heb Marie een paar balletschoentjes beloofd. Haar balletschool geeft een uitvoering van *Giselle*. Delen ervan, althans.' Toen ze zich op straat in haar kleine Citroën wrongen, vroeg ze: 'Duurt uw afspraak lang? Ik dacht dat we anders... als u tijd hebt... even koffie konden gaan drinken, of zo. Ik ben zo klaar met mijn boodschap en mijn *au pair* blijft tot twee uur bij de baby.' Hij zag tranen in haar ogen voor ze zich bukte en in haar tas naar haar sleutels zocht.

'Je hoeft me niet te troosten,' zei hij zacht.

'O, papa.' Snikkend sloeg Gaby haar handen voor haar gezicht. 'Wat vreselijk. Ik weet hoe graag u wilde dat... nee, het is niet eerlijk. Maman weet niets af van Girod's. Ze wil het alleen als wapen tegen u gebruiken.'

Ze sloeg haar armen om Henri heen en snikte tegen zijn schouder. 'Wat gaat u nu doen?'

'Eerst ga ik naar mijn afspraak. Daarna' – hij streelde de slordige haren in haar hals – 'neem ik jou mee voor een lunch bij Fouquet.'

'U mag mijn aandelen hebben,' zei ze fel. 'Ik wil ze niet.'

Henri hield haar vast. Het was een lief gebaar, maar hielp hem niet voldoende. Hij kuste haar vochtige wang en zei: '*Ma petite, merci*, maar je hebt me iets gegeven wat veel kostbaarder is.'

'Papa...'

'Gauw, of we zijn beiden te laat.'

'Waar?'

'In de winkel. Daar heb ik de afspraak.'

Hij had geen afspraak, maar wilde even alleen zijn.

Gaby veegde haar neus met haar mouw af, startte en reed weg. Ze reed voorzichtig, maar Henri had het gevoel dat hij regelrecht naar een afgrond racete. Kon hij, op zijn leeftijd, nog helemaal opnieuw beginnen?

Maar ik leef niet met Francine samen, bedacht hij. Ik hoef haar zelfs nooit meer te zien. Maar zonder een echtscheiding zou hij nooit echt vrij zijn. En had hij geen kans Dolly terug te winnen. Zijn hart werd koud. Terwijl Gabrielle verbluffend handig door de chaos op de Place de la Concorde zwierde, dacht Henri aan Dolly's zachte lichaam, aan haar mond... O, God... Het was misschien al te laat. Maar hij kon de hoop niet opgeven. Hij kon zich toch niet bewust zijn leven lang aan Francine laten vastketenen?

Nog twee dagen, dacht hij. Over twee dagen zie ik Dolly. Dan weet ik het. Zuchtend strekte Henri zijn benen uit tussen het kinderspeelgoed op de grond. Hij zette zich schrap terwijl het autootje zwaaide en danste en hij dacht eraan hoe Dolly er bij hun afscheid uit had gezien – ze stapte het vliegtuig in met een gestippelde jurk aan en een grote strohoed op en had haar tranen bijna – maar niet helemaal – verdoezeld achter een grote zonnebril met een montuur met rijnsteentjes.

Dolly belde aan en wachtte. Geen reactie. Maar ze voelde dat Laurel thuis was. Kwam het omdat de petunia's en dianthussen er zo fris bij stonden, alsof ze net water hadden gekregen? Ze belde nog eens, maar wachtte niet of de deur zou opengaan. Ze liep de veranda af en om de zijkant van het huis heen, waarbij haar hoge hakken in het nog natte gras wegzonken en de zoom van haar wijde rok aan een rozestruik bleef haken. Aan de achterkant probeerde ze de glazen deur naar de zonneveranda. Ze stapte naar binnen en liep naar de op een kier staande deur van de zitkamer.

'Laurel!' riep ze. 'Schatje, ik ben het... Dolly.'

Geen antwoord. Zou ze nog in bed liggen? Het was pas kwart voor negen, maar Dolly wist dat haar nichtje op weekdagen vroeg opstond omdat ze Adam naar school moest brengen. Misschien wílde ze niet dat er iemand op bezoek kwam. Ze nam ook de telefoon niet op.

Het was niet Laurel die haar het nieuws over Joe had verteld; Dolly had het droeve bericht van Joe zelf gehoord. Na twee dagen vergeefs het huis te hebben gebeld, had ze eindelijk Joe in het restaurant bereikt. Met een stem waarin de spanning te horen was, had hij haar gezegd dat hij van huis weg was gegaan, maar dat hij hoopte dat het slechts tijdelijk was. Hij had geen uitleg gegeven, maar gezien het feit dat hij degene was die was weggegaan, leek hij toch erg van streek.

Dolly had zich gedwongen gevoeld eens te gaan kijken. Uitgenodigd of niet, ze moest zien of ze haar nichtje kon troosten. 'Lieverd... ben je daar?' In het vage licht van de even opengetrokken overgordijnen zag ze allemaal speelgoed op het tapijt liggen en ze voelde zich wat gerustgesteld. Zolang ze Adam had, zou Laurel het wel redden.

'Dag, tante Dolly.' Het leek of Laurels zachte stem uit het niets kwam. Dolly schrok zo, dat ze bijna haar tas liet vallen.

Ze draaide zich om en zag Laurel op de drempel naar de keuken staan met een verkreukelde peignoir aan, die eruitzag alsof ze erin had geslapen. Haar lange haren zaten in een slordige vlecht en zelfs in het weinige licht zag Dolly hoe rood en gezwollen Laurels gezicht was. Haar hart ging naar haar nichtje uit.

Ik weet precies wat je voelt, dacht ze. Treuren om een man die er niet is. Hoe vaak ben ik 's morgens wakker geworden op een vochtig kussen en met een loodzwaar hart?

'Ik klopte, maar je hoorde het zeker niet,' zei Dolly die haar nichtje niet nóg verlegener met de situatie wilde maken.

'Ik... ik was zeker in de badkamer,' zei Laurel.

'Maar je ziet eruit of je wel aan een kopje koffie toe bent,' zei Dolly opgewekt. 'Ga maar fijn zitten, dan zet ik het even.'

In de keuken trok Dolly de gordijnen open en liet de zon naar binnen. Laurel knipperde met haar ogen en zonk neer op een van de stoelen bij de ontbijttafel. Dolly vond de koffie in een kast en terwijl die stond te pruttelen zocht ze eieren, brood en boter. Ze rook aan een pak melk dat nog net niet zuur was.

'Wanneer heb jij voor het laatst een goede maaltijd gehad?' vroeg Dolly.

'U hoeft niet zoveel moeite te doen,' zei Laurel met een stem die klonk of ze zwaar verkouden was. 'Heus, ik heb geen honger.'

'Dat vroeg ik niet, is het wel?' Met de handen op de heupen keek Dolly haar nichtje streng aan. 'Je hebt vanochtend vast nog niets gehad... en gisteravond ook niet. Moet je jezelf zien. Je ziet eruit alsof de postbode je onder de deur door heeft geschoven.'

Laurel zuchtte. 'Ik voel me niet goed.'

'Dat kan ik zien.' Dolly ging tegenover haar zitten en vroeg zachtjes: 'Wil je erover praten, schat?'

370

Laurel schudde haar hoofd, haar ogen glinsterden en ze had haar lippen stijf op elkaar geklemd, alsof ze bang was dat er een stortvloed van tranen zou komen als ze haar mond opendeed. In het naar binnen stromende zonlicht zag Dolly hoe haar haren slordig om haar hoofd piekten. De vlecht die ze in bed droeg, leek meer op een stuk gerafeld touw, dan op een vlecht.

'Joe vertelde me dat hij is weggegaan,' zei Dolly zachtjes, nam Laurels slappe hand in de hare en drukte die.

Ze leek nog bleker te worden, als dat althans mogelijk was. 'Wat... wat heeft hij gezegd?'

'Niet veel. Het enige dat ik weet is dat hij zich blijkbaar ellendig voelde onder deze omstandigheden. Hij is geen man die zonder goede reden bij zijn vrouw en zoon wegloopt.'

'Ik heb hem gevraagd weg te gaan.' Laurels stem brak en ze haalde diep adem; ze moest duidelijk moeite doen zich te beheersen.

'Ik begrijp dat je je redenen had en ik dring er ook niet op aan dat je me die vertelt,' zei Dolly en ze wreef Laurels koude vingers tussen de hare alsof ze er zo wat warmte in kon terugbrengen. 'Maar je moet wel heel zeker weten dat je dat echt wilt, want zoiets... tja, het kan jullie misschien nog veel verder uit elkaar drijven. Moeilijkheden in een huwelijk moeten worden uitgepraat, en dat is nogal moeilijk als de twee betrokken personen kilometers van elkaar verwijderd zijn.'

'Ik... ik weet niet of het mogelijk is dit uit te praten.'

'Denk goed na. Ik wil dat je nú nadenkt... zijn jij en Adam werkelijk beter af zonder hem?'

Laurel trok haar hand terug, liet haar hoofd zakken en drukte haar handpalmen tegen haar slapen alsof ze hoofdpijn had. Dolly wachtte gespannen en dwong zich haar mond te houden, maar ze had wel willen uitschreeuwen: je weet niet hoe erg het kan zijn om elke nacht weer in een leeg bed te slapen. Je kent de eenzaamheid niet. Wat kon erger zijn dan wat zij in de jaren na Henri had geleden?

'Het gaat om Annie,' zei Laurel zo zacht dat Dolly haar eerst nauwelijks verstond. 'Zij is degene die hij eigenlijk wil hebben. Het is altijd Annie geweest.'

Dolly voelde dat ze kippevel kreeg, maar ze schrok er niet echt van. Ze had het toch eigenlijk altijd al geweten? 'Heeft hij dat gezegd?'

'Nee. Maar ik weet het. Geloof me, ik verbeeld het me niet.'

'Weet je het heel zeker?'

'Heel zeker.'

'Goed, laten we dan aannemen dat het waar is. Wat wil je eraan doen?'

Laurel hief haar hoofd op en knipperde met haar ogen van verbazing. 'Wat bedoelt u? Ik dóe er toch al iets aan. Ik heb hem gevraagd weg te gaan.'

'Tja, als je van plan bent te gaan scheiden, dan ben je op het goede pad.

Maar als jij denkt dat dit huwelijk iets is wat de moeite van het vechten waard is, dan stel ik voor dat je iets ánders doet.'

'Wat bijvoorbeeld?'

'Om te beginnen moet je iets eten. En daarna zou je die vreselijke peignoir eens kunnen verruilen voor iets leukers. Doe je haren en gebruik een lippenstift. Wat parfum hier of daar zou ook niet slecht zijn.'

'Parfum? Toe, tante Dolly, ik weet dat u het goed bedoelt... maar lippenstift en parfum zullen niet herstellen wat er tussen Joe en mij is misgegaan.'

'Dat heb ik ook niet gezegd. Maar je moet toch ergens beginnen? En als je niet tevreden over jezelf bent, hoe kun je het dan over iets anders zijn?' Dolly stond weer op om het ontbijt verder klaar te maken. 'Wil je jam op je toost of alleen boter?'

'Graag jam. Er staat wat in de ijskast.' Laurel zag er nog even ellendig uit, maar er was een begin.

Even later, toen Dolly een bord voor haar neerzette, slaagde ze er zelfs in flauwtjes te glimlachen. Ze keek neer op de gebakken eieren met een bruin randje en de toost die eerder zwart dan bruin was, en zei: 'Het ziet er heerlijk uit.'

Dolly voelde dat ze een kleur kreeg. Laurel was beleefd, en beiden wisten het. 'Nou ja, ik heb nooit gezegd dat ik een goede kokkin was. Maar het is lekker en warm.'

'Bedankt, tante Dolly,' zei Laurel en raakte even Dolly's hand aan. 'Mag ik u iets vragen? Over u en Henri?'

'Goed, ga je gang.' Ze glimlachte, al had ze daar weinig zin in, en knabbelde aan een slap stukje spek.

'Waarom zijn jullie nooit getrouwd?'

'Dat is eenvoudig genoeg. Het antwoord daarop ken je – hoe kon ik met Henri trouwen, hij had toch al een echtgenote?' Ze praatte luchtig, maar haar hart voelde alsof het van lood was.

'Dat weet ik. Maar als hij zoveel van u hield, waarom is hij dan niet gescheiden?'

Ze zuchtte. 'Er zijn veel redenen, lieverd.'

'Ziet u hem nog wel eens?'

'Af en toe, in hoofdzaak zakelijk. Op conventies, beurzen en zo. En zo nu en dan telefoneren we.' Ze moest moeite doen om te blijven glimlachen, maar ze had haar verdriet al zo lang verborgen dat ze er knap in was geworden.

'Maar je zei net dat de mensen samen moeten blijven en hun best moeten doen om dingen uit te praten. Waarom zijn u en Henri niet samen gebleven?'

Even bleef Dolly stil zitten; ze hield haar koffie vast en staarde naar een rode eekhoorn buiten die wat zaad van het voedertafeltje voor de vogels had gepakt. Hoe leer je om iemand niet meer te missen, vroeg ze zich af, vooral als hij er altijd is, hij in elke gedachte een rol speelt, achter elke glimlach verborgen zit?

'Het was geen gebrek aan liefde,' zei ze, en koos zorgvuldig haar woorden. 'Misschien stonden we al vanaf het begin te ver van elkaar af. Ik weet wel, als ik met Henri getrouwd was geweest, zou ik hem nooit hebben laten gaan. Geen sprake van.'

'Dit klinkt vermoedelijk dwaas – ik bedoel omdat u hem al in zo lange tijd niet meer hebt gezien – maar denkt u dat hij ooit nog eens bij u zal terugkomen?'

'Ik denk erover,' zei Dolly eerlijk. En dat ze erover nadacht, dat wist God. Maar wensen alleen hielp niet. Dat had ze al lang geleden ontdekt. 'Nog wat toost?'

Laurel schudde haar hoofd, maar Dolly merkte dat haar bord bijna leeg was. Er zat een beetje frambozenjam op haar lip. Dolly pakte een servet en veegde die weg. Toen ze zich terugtrok, greep Laurel haar hand en kneep erin.

Op dat ogenblik had Dolly geen spijt van wat ze had opgegeven, want wat ze ervoor in ruil had gekregen, gaf haar zo'n heerlijk gevoel. Ze had een familie om van te houden, en de leden daarvan hielden ook van haar.

'Ik zal wel opruimen terwijl jij je aankleedt,' zei ze tegen Laurel. 'En dan gaan we daarna winkelen.'

'Winkelen?' vroeg Laurel. 'Waarom?'

'Een jurk, we gaan een jurk kopen. De mooiste jurk die Bendel voor je heeft en die je morgenavond naar de chocoladebeurs gaat aantrekken.'

'Maar ik ga niet...'

'Natuurlijk ga je wel,' viel Dolly haar in de rede en wuifde met haar hand zodat haar bedelarmband begon te rinkelen. 'Dat zal je goeddoen. En wie weet wat er nog verder van komt?'

Hoofdstuk 31

Emmett stond bij een grote werktafel op de eerste etage, vlak bij de ingang van de Tout de Suite-fabriek en hij inhaleerde de zware chocoladegeur. Vreemd, dacht hij, dat ook een geur herinneringen op kon roepen. Bij hem was dat zeker het geval: even wat zeelucht die van de oceaan landinwaarts woei en hij voelde een onvast dek onder zijn laarzen en het ruwe tuig van een garnalentrawler dat in zijn handpalmen beet. En als hij midden in de zomer door een maïsveld reed, was hij weer zeventien en lag daar met Cora Bigsby te vrijen onder een hemel van ruisend groen waar de zon in strepen doorheen viel en zijn rug verwarmde.

Wat zou over een aantal jaren de geur van chocolade nog bij hem losmaken? Zou hij zich Annie herinneren die om een uur 's ochtends bij hem in bed viel na een lange avond in de fabriek, met de geur van chocolade nog op haar huid, haren en lippen? Of zou hij er een brok van in zijn keel krijgen? Zou die hem doen denken aan deze avond... nu hij afscheid van haar moest gaan nemen?

Niet doen, hield hij zichzelf streng voor. Je bent nog niet weg... Je hebt haar nog geen kans gegeven om van gedachten te veranderen. Hij zou haar vertellen wat voor aanbod hij had gekregen: verkoopleider in Fountain Valley, prachtig ontworpen luxe huizen ter waarde van negentig miljoen dollar, net buiten La Jolla. Een kans zoals hij nooit weer zou krijgen. Hij zou haar moeten zeggen dat ze nú een beslissing moest nemen. Hij had haar nodig. Maar hij wilde een vaste belofte van haar; ze moest zijn vrouw worden. Of het was uit en dan ging hij verder zijn eigen weg.

Hij keek naar haar zoals ze daar naast Doug en Louise stond te werken, met vochtige haren van de hitte die in de fabriek hing; haar handen en de voorkant van haar schort zaten vol chocolade. Ze doopten plastic bladeren in de gesmolten couverture voor de boom – helemaal van chocolade – die het middelpunt van de inzending van Tout de Suite op de beurs morgen zou worden. Hij zag dat het aanrecht waar Annie aan stond vol stond met pannen gesmolten chocolade, marmeren schalen die met chocolade waren besmeerd voor het erin dopen van de bladeren, en metalen bladen waarop de afgewerkte bladeren lagen te drogen. Hij sloeg Louise gade die met de rug van haar pols – het enige deel van haar hand dat niet vol chocolade zat – haar losse blonde pony uit haar ogen streek, en verderging met dopen. Hij wist dat als de couverture op het blad droog was, die eraf kon worden gepeld en met warme chocoladepasta kon worden 'vastgelijmd' aan de boom die hij half klaar op een slagershakblok midden in het vertrek zag staan. Hij was bijna anderhalve meter hoog en de stam en takken waren uit dikke chocolade gesneden; het was meer dan alleen maar hoog gegrepen – het was een meesterwerk.

'Ik heb nog nooit van iemand gehoord die een hele boom uit het niets wist te scheppen… behalve misschien God,' zei hij als grapje, maar hij kreeg er een naar gevoel van in zijn maag. Wat kan ik zeggen, dacht hij, om een vrouw die denkt dat zij voor God kan spelen, te overtuigen dat ze beter af is met mij?

'Ja,' zuchtte Annie, en veegde haar handen aan haar voorschoot af. 'Behalve dat God de wereld in zes dagen schiep, en wij boffen als we dit geheel over vierentwintig uur af hebben. Als ik eraan denk hoe lang ik hier al mee bezig ben, val ik vermoedelijk ogenblikkelijk flauw.'

'Misschien wordt het wel tijd dat je dat eens doet,' merkte Doug grijnzend op terwijl hij opkeek van het aanbrengen van een laag chocoladeglazuur op een tak.

Emmett was hem dankbaar. Doug, een kleine vierkante kerel met een bos donker haar en zware wenkbrauwen, kon het prima met Annie vinden; zijn voortdurende grapjes maakten dat ze zichzelf, en Tout de Suite, niet ál te serieus ging nemen.

Op dit ogenblik keek Doug op zijn duikershorloge om zijn behaarde pols. 'We zijn vanochtend om half zeven begonnen en het is nu kwart over twaalf 's nachts. Wanneer veranderen we in pompoenen?'

'Dank je wel, Doug.' Annie keek hem met een woedende blik aan, maar beet toch op haar lippen om niet te lachen. 'Hoe zou ik toch ooit weten hoe lang we al bezig zijn als jij er niet was?'

Emmett keek door haar lachje heen en zag haar afhangende schouders en de donkere kringen onder haar ogen; hij voelde het verlangen haar op de een of andere manier te redden, haar in zijn armen te nemen zoals zo'n rechtschapen vent in een oude wild-westfilm, en met haar de ondergaande zon tegemoet te rijden…

Hou je ogen toch open, hield hij zich voor. Ze trouwt vast niet met je… ze wil zelfs niet met je samenwonen! Voorzover het jou betreft, beste kerel, is de zon al onder.

Nu niet, Em, kunnen we hier alsjeblieft een andere keer over praten? Hoe vaak had hij die woorden al van haar gehoord? En wanneer was het wél de goede tijd om erover te praten? Ze hadden het beiden altijd erg druk, dus nergens tijd voor als ze die niet námen. Nog deze week had hij drie hele dagen bij een advocaat op kantoor gezeten om te proberen als bemiddelaar een zo voordelig mogelijk koopcontract te krijgen voor een volledig omgebouwd stenen stadhuis. Hij had gedacht dat ze nooit zover zouden komen dat de vereiste handtekeningen gezet werden. En hij had

375

drie afspraken gehad 's avonds, met investeerders van buiten de stad die tweederangs kantoorgebouwen wilden opkopen; en daartussendoor nog een bespreking met een accountant over een belastingdeal voor een cliënt.

En vanavond had die arme eenzame oude Haberman hun diner gerekt met koffie en dubbele brandy's zodat hij eens lekker uitgebreid kon uitweiden over het feit dat Amerika en de onroerend-goedmarkt in New York Ronald Reagan in het Witte Huis moesten hebben om de belastingen te verlagen. Wat wist zo'n halfgare pindaboer uit Georgia nu van het leiden van een natie? De hele avond had Emmett zitten popelen om weg te komen. Hij had Annie al in dagen niet meer gezien, en nu, vanavond, móest hij met haar praten.

Nu hij haar daar echter zo druk bezig zag om haar inzending voor morgen op tijd klaar te krijgen, moest hij er nog eens even over denken. Ze zag er werkelijk doodmoe uit. En nu hij hier toch was, kon hij misschien maar beter een handje helpen.

'Wat kan ik doen?' vroeg hij, en trok zijn jasje uit.

'Me niet in de weg lopen,' zei Louise prompt, maar wierp hem een glimlach toe om te tonen dat het maar een grapje was. 'Nee, als je het meent, dan is er iets dat je kunt doen.' Ze keek even bezorgd naar Annie. 'Neem háár mee. Alsjeblieft, al is het maar voor een uurtje. Neem haar mee en laat haar wat eten. Ze is hier al langer dan wij allemaal en heeft zelfs nog geen vijf minuten vrij genomen om een kopje koffie te drinken.'

'Geen sprake van!' riep Annie boven het lawaai van de tempereermachine uit terwijl ze een blad met gereedgekomen bladeren naar Doug bracht. Toen bleef ze ergens met haar voet achter hangen, want ze wankelde naar voren en het blad gleed bijna uit haar vingers. Doug ving het nog net op en Annie kon nog juist haar evenwicht bewaren; ze haalde even diep adem. Toen zette ze haar beide handen op de heupen en keek Louise dreigend aan. 'Als ik deze inzending niet voor morgen klaar krijg, en wel zodanig dat ik er de eerste prijs mee win, dan kan ik maar beter meteen naar Tahiti afreizen... of me misschien voorgoed uit de zaak terugtrekken. Want jullie kunnen me geloven of niet, tenzij ik dat contract met Felder kan sluiten, bestaat er totaal geen excuus meer om me dood te werken.'

Met haar voorschoot vol chocolade en een voorhoofd dat glansde van het zweet, zag ze eruit of ze op het punt stond in te storten.

'Kom nou, Cobb, het ís al morgen,' merkte Emmett op. Hij had zijn armen om haar heen willen slaan, met chocolade en al, en tegelijkertijd had hij haar een pak rammel willen geven omdat ze zo verdomd koppig was.

'Er is eigenlijk niet eens meer zoveel te doen,' zei Doug tegen haar. 'Lou en ik kunnen de rest best samen af... heus.'

'Ik weet het niet...' Annie weifelde, zag hij, maar gaf nog niet toe. 'We zijn nog niet eens aan die peren van marsepein begonnen.'

'Lise komt heel vroeg om ze te maken,' vertelde Doug haar. 'Het deeg staat al klaar in de koelkast.'

'Maar...'

'Of jij gaat, of wij gaan staken,' dreigde Louise.

'Dat waag je niet!' hijgde Annie geschrokken.

'Wacht maar af,' antwoordde Louise, en haar meestal zo ondeugende gezichtje stond heel ernstig.

Toen deed Emmett iets wat hemzelf evenzeer verbaasde als haar: hij pakte Annie om haar middel, tilde haar op en hees haar over zijn schouder. Voor een vrij lange vrouw was ze verrassend licht; het was net of hij een kalf van een dag oud had opgepakt.

'Em... hou op... zet me neer!' Hij voelde hoe ze zich niet erg overtuigend verzette en probeerde zich los te maken terwijl hij haar naar de deur droeg.

'Het spijt me, mevrouw, maar het is voor uw eigen bestwil,' haalde hij aan – waaruit wist hij niet meer – en kloste tussen de karretjes, aanrechten, opgestapelde bladen met ganache en dergelijke door. Toen hij even omkeek, zag hij hoe Louise hen met open mond nakeek.

'Em, ik meen het, je maakt me zó nijdig. Dit... dit... is belachelijk! Ik wil niet als een zak aardappels naar buiten worden gedragen! Zet me neer! Ik meen het! Ik moet...' Annie hield op zich te verzetten en begon te giechelen. 'God, als Hy Felder hier op dit ogenblik naar binnen zou wandelen...'

'Hij kan barsten.' Emmett liep om een stapel metalen platen heen die vol stonden met verpakkingsmateriaal. Bij de deur gekomen, probeerde hij hem open te schoppen, maar zijn laars klonk alleen hol tegen het metaal. De deur bewoog niet. Hoe kwam het dat in wild-westfilms deuren altijd zo opengingen?

Grommend zette Emmett haar voor de deur neer en gebruikte zijn lichaam om haar ertegenaan te drukken. 'Kan ik je vertrouwen? Of moet ik je vastbinden?'

'Em... je bent gek.' Ze sloeg haar hand voor haar mond om niet in lachen uit te barsten.

'Gek op jou.' Hij trok haar hand weg, kuste haar en voelde hoe ze haar aanvankelijke verzet opgaf. Ze rook heerlijk en proefde nog beter. Wat een vrouw... maar hij hield van haar. Hoe kon hij haar in de steek laten?

'Doug en Louise...' wilde ze gaan protesteren.

'Die zien ons hier niet, en wat dan nog? Het is toch geen geheim meer, is het wel?'

'Goed, jij je zin.' Ze zuchtte en legde haar hoofd tegen zijn schouder. 'Maar als ik toegeef, moet je me één ding beloven.'

'Wat je maar wilt.'

'Dat je ophoudt als Matt Dillon te praten. Je maakt me nerveus.'

'Waarom?'

'Want na elke *Gunsmoke*-episode kwam er altijd een confrontatie.'

Was ze bang voor de concurrentie morgen, of voelde ze dat er een confrontatie met hem op til was?

Even later liepen ze door Washington Street naar een pizzeria die de hele nacht open was. Verdomme, dacht Emmett, misschien moet ik nú met haar praten, voordat ik niet meer durf.

Annie, begon hij in gedachten, ik ben zesendertig en heb genoeg van dat wachten. Ik verdien behoorlijk met de verkoop van flats en huizen, en heb er nog steeds zelf geen. Ik blijf maar zwerven en wachten totdat we samen iets kunnen kopen.

Hij dacht aan dat mooie huis in Turtle Bay dat hij had gezien en vermoedelijk goedkoop had kunnen krijgen. Het was uitgewoond, maar hij had al gezien hoe Annie en hij het samen zouden opknappen. Maar Annie wilde niet; ze was er niet klaar voor. Ze hield van hem, zei ze, maar als ze bij hem ging inwonen, wist ze niet of ze dat zou uithouden. En was bij hem weggaan nadat ze een tijd hadden samengewoond niet veel erger dan niet samenwonen? Ze had gelijk, dat was nog erger. Maar kon ze dan verdomme niet geloven dat er ook een kans was dat ze het wel samen zouden redden? Die keer – nu een jaar geleden – had hij haar in de steek gelaten. Als zij geen besluit wilde nemen, zocht hij wel iemand die dat wél zou willen.

Hij dacht aan die maanden zonder haar: hij sliep slecht en kreeg last van zijn maag. Hij had zijn uiterste best gedaan om Annie niet op te bellen en nergens heen te gaan waar hij haar zou kunnen treffen. En toen had hij Elaine ontmoet. Ze was heel anders dan Annie: mollig, altijd leuk gekleed en vaak een lint in haar krullen. Ze gaf les in de zesde klas van de St. Lucasschool in de Village. Maar ze ging niet zo in haar werk op als Annie. Ze was erg lief, ook voor hem. Toen hij haar ten huwelijk vroeg, had ze onmiddellijk ja gezegd. En waarom was hij dan niet met haar verder gegaan?

Nu hij naar Annie naast hem keek – met een gele regenmantel aan waarvan de ceintuur was aangetrokken tegen de kou, met haar korte haren waar de wind doorheen blies – wist hij waarom hij niet met Elaine was getrouwd. Omdat ze Annie niet was.

Het was eigenlijk heel eenvoudig. Elaine was goed, verstandig, leuk, gezellig... maar ze was niet de vrouw die hij wilde. Ja, hij begreep wel een beetje hoe Annie over Joe Daugherty dacht. Ze had haar halve leven van die vent gehouden, maar voorzover Emmett wist, waren ze nooit samen naar bed geweest. Emmett wilde dat ze dat wél hadden gedaan. Die bezeten minnaars, de Romeo's en Julia's, waren altijd lieden die nooit echt samen waren geweest. En hoe kon hij – met zijn manke poot, zijn snurken, zijn getrek aan de dekens 's nachts – nu concurreren met een obsessie? Hij had het geprobeerd. Uit alle macht. Hij had gehoopt dat ze op een dag tot bezinning zou komen en beseffen dat al die kleine dingen die zij samen deden – zoals in bed de zondagse *Times* lezen, bij haar of bij hem, elkaar inzepen onder de douche en dan vechten over wie de laatste droge handdoek bemachtigde, laat en hongerig uit de bioscoop thuiskomen, en dan alle restjes in de koelkast bij elkaar zoeken, naar de radiodokter luisteren en zich rot lachen – dat dát liefde was, de beste soort, de enige soort die belangrijk was.

Maar Annie zag alles bij anderen en was zakelijk uitgeslapen, maar ze zag niet wat werkelijk goed voor háár was.

Emmett raakte haar elleboog aan. 'Nog nerveus voor morgen?'

'Het gaat al beter.' Ze glimlachte tegen hem. 'En probeer die stunt niet weer, alsjeblieft.' Bij het licht van een straatlantaarn zag hij dat ze probeerde hem streng aan te kijken.

'Ik zal het niet meer doen, heus.'

'Waarom weet ik nooit of je iets meent, of niet?'

'Als ik nu íets ernstig meende, zou ik zeggen dat je in bed moest liggen... bij voorkeur in het mijne.' Hij pakte haar hand terwijl ze overstaken.

'Sorry, Em. Ik weet dat ik de laatste tijd te hard heb gewerkt. Maar er was zoveel te doen en...' Ze haalde diep adem en rechtte toen haar schouders. 'Moet je mij horen. Jij bent de laatste weken ook erg druk geweest. Heb je dat gebouw aan Mercer verkocht?'

'Nog niet, maar het gaat wel weg. Het is me vermoedelijk vanavond gelukt. Ik heb met Haberman gegeten, die vent die die naamloze vennootschap opricht. Hij heeft zes investeerders en ze beginnen, zelfs al kunnen ze de laatste paar huurders er nog niet direct uit krijgen.'

Annie geeuwde en keek Emmett verontschuldigend aan. 'Sorry, ik heb vannacht nauwelijks geslapen.'

'Gewerkt?'

'Nee, ik heb met mijn tante getelefoneerd. Ik maak me zorgen over mijn zuster.'

'Laurel? Is ze ziek?'

Annie schudde haar hoofd en keek de andere kant op, naar een taxi die toevallig op de hoek was blijven staan en waar drie jongens uitkwamen met kortgeknipt haar en allemaal eenzelfde soort zwart leren jack. 'Niet bepaald. Maar Dolly zegt dat ze kapot is. Joe... Joe is weggegaan... terug naar zijn vroegere flat. Laurel heeft hem gevraagd weg te gaan.'

Emmett begon langzamer te lopen en kreeg plotseling het gevoel dat hij op z'n hoede moest zijn, alsof hij op gevaarlijk terrein was.

'Ik wist niet dat ze problemen hadden. Ik dacht altijd dat ze het zo goed samen konden vinden.' Emmett vond Laurel aardig, en Joe eigenlijk ook. En ze leken het samen goed te hebben. Waarom was hij dan niet verbaasd nu hij hoorde dat ze misschien uit elkaar gingen? 'Het is zeker al een tijdje aan de gang?' Emmett voelde dat er meer was dan ze wilde zeggen, maar hij vroeg niet verder. Als het Joe Daugherty betrof, hield hij zich zo afzijdig mogelijk.

'Denk je dat het nog goed komt?'

'Ik weet het niet.'

Bedoelde ze dat ze er geen idee van had, of hóópte ze dat ze uit elkaar zouden gaan? Als Emmett eraan dacht dat Joe en Annie zouden gaan doen wat hij, Emmett, nu al zo lang wenste, voelde hij de pijn in zijn maag al.

'Maar er zit je nog meer dwars,' vroeg hij. 'Wil je erover praten?'

'Kortgeleden was ik bij Laurey en ze was toen erg van streek. Ze scheen te denken dat Joe een verhouding had. Ik probeerde haar tot andere gedachten te brengen, en toen viel ze tegen mij uit. Ze zei... nou ja, ze gaf mij de schuld van...' Annies stem haperde even, 'van allerlei dingen. En waarachtig, misschien heeft ze ten dele wel gelijk.'

'Annie, wat er ook mis is gegaan tussen hen beiden, dat is hún zaak.'

'Het is niet...' Ze stak haar handen diep in haar zakken en boog zich wat voorover. 'Het is niet zo eenvoudig als jij denkt.'

'Dat is iets maar zelden.'

Hij dacht aan Annie en hoe haar liefde – als je het zo kon noemen, en ook al hield ze hem soms op een afstand – toch solider en voor hem belangrijker was dan de volmaakte devotie van Elaine. En daar hield hij zich maar aan vast. Dat had hem ook belet om er ooit helemaal een punt achter te zetten. Maar nu... nu was hij óp.

'Annie, er is iets...'

Maar voor hij de woorden kon zeggen, voor hij haar alles over Californië kon vertellen, over dat project in Fountain Valley, over die fantastische baan die hem was aangeboden, zag Emmett dat ze nu al vlak bij Arturo waren. Een kleurig verlicht bord boven het beslagen raam prees pizza, calzones en andere heerlijkheden aan.

'Wat?' Ze draaide zich met een glimlach vol verwachting naar hem toe.

Nee, dacht hij, liever nog even wachten. Ze moest zich nu eerst ontspannen en wat eten. En volgens hem serveerde Arturo de beste calzones in New York.

'Laat maar, ik vertel het je straks wel,' zei hij.

Na de beurs, dacht hij. Morgen, of overmorgen, wanneer ze niet meer zo onder druk stond. Hij zou haar zeggen dat New York hem benauwde en dat hij zich er op een bepaalde manier een uitgestotene voelde – alsof hij in de grote gok om onroerend goed nooit meer dan een beginneling zou zijn. En dat, tenzij zij hem de reden gaf om dat wél te doen, hij niet van plan was hier te blijven. Want als ze deze keer, nadat hij haar opnieuw ten huwelijk zou hebben gevraagd, weer nee zei, dan wist hij dat hij heel ver weg wilde. Want anders blééf hij terugkomen en maakte op die manier een sul van zichzelf.

Hoofdstuk 32

Rudy liep door de draaideur van het fitness-centrum in Venice waar Val werkte. Hij keek eens naar het vieze tapijt en de beschimmelde wanden en vroeg zich af of Val nog werkte of al naar huis was. Wat een rotzooi hier. Zo diep was zijn knappe broer dus gezonken, dit was de beste baan die hij kon krijgen: lesgeven in karate aan homo's in een vreemd soort club aan Washington Boulevard.

Hij had Val al in zes jaar niet meer gezien of gesproken. Maar sommige dingen veranderden niet, dacht Rudy. Zou Val nog steeds de pest aan hem hebben? Stel je voor dat Val – al had hij Val gezegd waarom hij kwam – hem zou zeggen op te donderen.

Rudy voelde zich niet prettig en er parelden zweetdruppeltjes op zijn voorhoofd. Het was hier wel warm, maar hij wist dat die hitte niet de oorzaak van zijn zweten was, of van dat rare gevoel in zijn maag. Hij verzette zich tegen een vlaag van duizeligheid en dwong zichzelf zich te concentreren op de jongeman achter de receptiebalie.

'Ja, wat kan ik voor u doen?'

Rudy staarde naar de overontwikkelde jongen met puistjes die achter een metalen bureau zat, met voor zich een beduimeld exemplaar van *Ring*.

'Ik zoek iemand,' zei Rudy.

'Bent u lid?'

'Nee.'

'Dacht ik al.'

Dat slimme kreng pestte hem met zijn kleine postuur en zijn dikke buik, die zelfs door het kostbare jasje niet werd verborgen. 'Verdomme, hoe weet je dat?'

'Och... ik heb u hier nog nooit gezien.' De hufter knipperde even met zijn ogen en liet zijn stoel op de achterpoten vallen, blijkbaar enigszins verrast door Rudy's felle reactie.

Kalm aan, verpest nu niet onmiddellijk alles al, dacht hij. Rudy haalde diep adem en dwong zich tot een grijns, al kostte het hem moeite.

'Ik zei dat ik iemand zocht.' Hij sprak zo effen mogelijk. 'Val Carrera. Ik heb gehoord dat hij hier werkt.'

'Val? Ja, die is hier ergens. Ik geloof niet dat hij op het ogenblik lesgeeft. Misschien is hij in de gewichtenkamer.'

Rudy begon naar de deur te lopen die toegang tot de ruimte erachter gaf.

'Hé, daar kun je alleen naar binnen als je lid bent!' De jongen kwam overeind. Hij was lang... minstens een meter negentig. 'Ik zal zien of ik hem voor u kan vinden.' Hij klonk alsof Rudy hem weghaalde van zijn werkelijke baan: lui achter een bureau zitten.

Rudy kreeg hoofdpijn. Hij had Val willen verrassen. Als hij naar Vals flat was gegaan, had zijn broer vermoedelijk de deur voor zijn neus dichtgegooid. Dus was hij hierheen gegaan. En nu bedierf dat rotjoch alles.

Rudy haalde zijn portefeuille te voorschijn – hagedisseleer met gouden hoeken, kostte bijna evenveel als de inhoud. Hij haalde er een biljet van twintig dollar uit en stopte dat de jongen toe.

'Hier, een boekelegger.'

Hercules moest achteroverbuigen om het biljet in de zak van zijn strakke spijkerbroek te stoppen, maar zijn oogjes begonnen geïnteresseerd te glinsteren. 'Heeft Val problemen?'

Dat joch zag te veel politiefilms, en dus was het misschien niet zo verstandig geweest hem geld toe te stoppen. 'Nee, ik ben... een vriend. Ik hoorde dat hij hier kon zijn. Ik wilde even langslopen en hem groeten.'

'Eigenlijk mag ik u niet doorlaten als u geen kaart hebt.' Hij keek even nerveus naar een deur waar KANTOOR op stond. 'Maar ik denk dat het wel even kan. Hij is in de oefenkamer, rechtdoor.'

Rudy liep door een naar schimmel ruikende gang. Hij deed de eerste deur rechts open en zag allerlei roei- en oefenmachines staan, en een tiental nogal jonge en gespierde mannen. Maar geen Val. Zou hij weg zijn gegaan zonder dat het joch bij de receptie dat gezien had?

'Heeft iemand Carrera gezien?' schreeuwde hij naar binnen.

'Probeer... stoom... kamer...' hijgde een reus met kortgeknipt haar die naar het leek zo'n duizend pond opdrukte. Hij wees naar een deur achter een rij aan de grond bevestigde hometrainers.

Rudy liep erheen en kwam in een kleine, viesruikende kleedkamer. Er stonden oude kasten en versleten houten banken. Een tiental kerels was zich aan het aan- of uitkleden of hun haren aan het drogen of ze waren bezig zich te scheren. Aan de wand rechts was een groot stuk metaal zichtbaar met een handvat en op een bordje erboven stond: STOOMKAMER. Hij wilde er net naar binnen gaan toen hij bedacht dat hij aangekleed was. Zou het niet vreemd zijn als hij daar zo naar binnen ging?

Maar toen hij zijn broek uittrok, bedacht hij dat dat toch ook niet zo'n goed idee was. Hij vond het niet erg naakt te zijn... maar naast Val zou hij zich voelen als een slak die er gewoon om vroeg te worden doodgetrapt.

Zijn hart begon te bonzen. Toen bedacht hij dat ze niet alleen zouden zijn. Als er anderen bij waren, zou Val hem niets doen. Bovendien, wat deed het er allemaal toe?

Hij pakte een natte handdoek van de bank bij de deur en bond die om zijn middel. Hij was nog geen stap die stoomkamer in en zweette al als een paard. Wat een afschuwelijk gevoel... zo halfnaakt.

Maar alles: Laurel... de kleine Nicky... alles hing van Val af. Rudy wilde haar zien en Val was zijn paspoort. Als hij Val zover kon krijgen hem dit te gunnen – hem even met Laurel te laten praten, nou ja, dat was alles wat hij wilde. Hij wilde haar laten weten dat hij, Rudy, haar nooit kwaad had willen doen. Ze had nooit op zijn brieven of telefoontjes gereageerd. Hij was maar blijven wachten en hopen. Maar nu kon hij niet meer wachten. Als hij niet gauw iets deed, was het misschien te laat.

Een kastdeur viel dicht en Rudy keek op de wandklok; het was al bijna half vier. Jezus, hij moest opschieten. Over een uur moest hij bij de dokter zijn.

Hij trok de deur open en de stoom golfde naar buiten. Rudy zag een bank en een spookachtige hand. Van Val? Hij haalde diep adem en zijn longen vulden zich met stoom; hij hoestte en kreeg het gevoel dat hij zou stikken. Wat een hitte! Deden mensen dit vrijwillig? Hij was nog nooit in een stoombad geweest en hierna hoefde het ook nooit meer.

'Ben jij het, O'Donnell?'

Vals stem klonk vreemd gesmoord. Rudy verstijfde; was hij hier alléén met Val?

Nu kon hij wat zien, en door de mist heen zag hij een figuur op een bank liggen: een gespierde man met wit haar, spiernaakt, steunend op zijn elleboog, een been opgetrokken en het ander recht voor zich. Rudy kreeg het bijna te kwaad en had willen vluchten vóór Val hem herkende. Maar toen zag hij opeens Laurel voor zich – ze stond op een ijskoud trottoir, erg zwanger, en wuifde hem na. Hij móest haar spreken, nog één keer. En ook het jongetje zien dat bijna van hem was geweest.

Rudy boog zich in Vals richting.

'Hallo, Val.'

Val schrok. Zijn koude zwarte ogen keken Rudy aan met de blik van een slang die naar zijn prooi kijkt. 'Jezus Christus... hoe ben jij... wat wil je, verdomme?'

Rudy slikte zijn eigen woede weg. Hoewel Val tweeënvijftig was, een leeftijd waarop de meeste mannen hun haar kwijtraakten en een buikje kregen, leek Val alleen maar steviger en slanker te zijn geworden. Rudy zag hem in de mist, terwijl zijn gebruinde spieren glinsterden, en voelde zich kleiner en lelijker dan ooit. Zelfs Vals pik – verdomme – leek wel een brandslang.

'Ik wil met je praten,' zei hij, en probeerde niets van zijn verbittering te laten blijken. 'Alleen maar praten, dat is alles.'

'O, ja? Hoe komt het dat als wij praten, ik altijd bedonderd schijn te worden?' Val kwam overeind, plantte zijn voeten op de tegels en zijn armspieren spanden zich toen hij zijn vuisten balde. Hij kreeg die speciale blik in zijn ogen. Uitkijken!

'Verrek, Val, we hebben elkaar al in jaren niet meer gezien. Heb je me nog niet genoeg gestraft?'

'Genoeg? Jou?' brulde Val. Hij kwam dreigend vlak voor Rudy staan. 'Dat noem jij stráf? Na wat jij hebt gedaan? Ik zou je je nek moeten omdraaien!' Hij prikte zijn wijsvinger in Rudy's borst.

Rudy deed een stap terug; waar Val hem had aangeraakt, kreeg hij een bonzende pijn.

'Luister eens, ik...'

'Jij luistert naar míj!'

Val stak zijn hand uit en sloeg Rudy hard in zijn gezicht, waardoor hij tegen de muur achter hem tuimelde. Zijn hoofd kwam zo hard terecht dat Rudy iets hoorde kraken en hij zag sterren voor zijn ogen. Hij proefde iets zouts, koperachtigs, en wist dat hij bloedde.

Haat steeg in Rudy op, wilde woeste haat. Eén klap maar. Een vuistslag was lang niet zo erg geweest, die had hij kunnen accepteren. Maar een klap verkocht je aan een vrouw.

Rudy hinnikte als een paard. 'Ga je gang maar, sla me maar verrot, draai me mijn nek om. Dan bewijs je me een dienst.'

Dat hielp. 'Waar heb je het verdomme over?'

'Ik ga toch dood. Dat kan net zo goed in een stoomkamer gebeuren met de liefdevolle handen van mijn broer om mijn hals.' Hij grijnsde en leek hysterisch te worden. 'Klinkt eigenlijk wel mooi, hè?'

'Wat is dat voor onzin, Rudy?'

'Alleen maar de waarheid, en die is niet zo leuk.' Hij klopte op zijn buik. 'Kanker. Iets waar je in net gezelschap niet over praat.'

'Ik vind niet dat je er ziek uitziet.' Maar aan Vals plotselinge onzekere uitdrukking zag Rudy dat er iets van twijfel tot zijn minieme brein was doorgedrongen.

'Ik voel me meestal ook goed. De dokter heeft me iets gegeven, een soort radioactieve drank. En pijnstillers. Ik neem zoveel pillen dat ik Elvis Presley wel lijk.'

'Nou, je lijkt anders niet op hem.'

Beiden grijnsden, maar Val bekeek Rudy opeens weer dreigend. 'Rudy, als je me weer bedondert, veeg ik de vloer met je aan.'

'Ga je gang. Maar wil je me niet eerst even aanhoren?'

'Is er dan nog meer? Jezus!'

'Ik ben hier niet gekomen om je te vertellen dat ik ziek ben, als je dat bedoelt.' Rudy was voorzichtig, wilde niet sentimenteel worden. 'Mag ik gaan zitten?' Met de rug van zijn hand veegde hij het bloed weg dat nu vermengd was met het zweet dat van zijn gezicht afdroop. Hij rilde en was bang. Niet voor Val... maar voor wat hem te wachten stond.

Val wees naar de bank, maar bleef zelf staan.

'Het is vreemd welke dingen door je heen gaan als je weet dat je gauw doodgaat,' begon Rudy, en hield zijn stem luchtig. 'Ik moest aan Shirley denken, die ons in een goede-moeder-bui meenam naar Coney Island en jij werd in de ondergrondse misselijk van alle hot dogs die je had gegeten.'

'Daar herinner ik me niets van.'

'Ik wel, want ík kreeg er een pak slaag voor.'

'Wat bedoel je? Waarom?'

'Ik had beter op je moeten passen, zei Shirley. Maar je stopte je altijd vol.' Hij grinnikte, maar er kwam gal naar boven. 'Van lekkere dingen kreeg jij nooit genoeg.'

'Wat heeft dat hiermee te maken?'

'Niets. Alleen dat ik als kind al op jou moest passen en dat wordt een gewoonte. Toen ik Annie en Laurel had gevonden, had ik het je willen vertellen, echt waar. Want ik zorgde altijd voor je.' Hij zweeg even en zijn lippen waren kurkdroog. Hij liet de woorden even bezinken voor hij aan de tweede helft van zijn leugen begon. 'Maar toen vertelde Laurel me dat als ik het aan jou vertelde en Annie kwam dat te weten, dan zou ze je vast vermoorden, en ik geloofde haar. Ik had gezien hoe ze je al had geslagen, dat kleine kreng.'

'Ik had die meid een flink pak slaag moeten geven toen ik er nog de kans voor had,' zei Val venijnig.

'Dus wist ik niet wat ik moest doen. Maar ik paste op dat jou niets overkwam, zoals ik altijd had gedaan. Misschien was het in dit geval niet goed, maar ja, zo gaat het. Wat ik eigenlijk wil zeggen, Val, is dat het me spijt.'

'Waarom heb je me dit nooit verteld?'

'Daar heb ik nooit de kans voor gekregen.'

Val stond in tweestrijd. Het was altijd beter zijn slimmere, rijkere, oudere broer aan zijn kant te hebben. Hij viel naast Rudy op de bank neer en zijn broer voelde triomf in zich opkomen.

'Tja...' Hij keek Rudy even aan. 'Dus je bent echt ziek?'

Rudy schokschouderde. 'Ik zal je de details besparen.'

'In Mexico zijn klinieken...'

'Laetrile, ja, ik heb het gehoord. Misschien probeer ik dat nog wel. Alles is het proberen waard.' Hij raakte Vals arm aan. 'Ze zeggen dat als je doodgaat je hele leven aan je voorbij trekt. Alleen als je wordt neergestoken of van een rots omlaag stort, is daar geen tijd voor. Dus bof ik nog, in zekere zin... Ik heb tijd om boete te doen. Te beginnen bij jou.'

'Wat roerend.'

Rudy wist niet of hij het meende of niet. Hij werd misselijk en zijn benen zagen eruit als gekookte garnalen. Jezus, als hij hier niet gauw wegliep, viel hij flauw.

'Laurel,' zei hij, en zweeg. Zelfs het noemen van haar naam was hem al te veel. Hij probeerde te slikken, maar het ging niet. Eindelijk kon hij weer wat zeggen. 'Ik wil haar zien. Maar ik wil niet dat ze... hiervan weet.' Hij wees op zijn maag.

Maar Val schudde verdomme zijn hoofd.

'Onmogelijk. Dat wil ze vast niet. Waarom zeg je haar niet gewoon dat je ziek bent? Ze is zacht van aard... als ze weet dat je gauw zult sterven, heeft ze vast medelijden en wil alles vergeten.'

Begreep Val het dan verdomme niet? Rudy wilde Laurels medelijden niet. Hij wilde haar alleen nog eens spreken... alles uitleggen.

'Ik heb mijn redenen,' zei hij.

'Ja, die heb je altijd.' Vals stem klonk bitter. Hij wilde zijn stervende broer blijkbaar niet helpen. Tja, wanneer had Val ooit iets voor een ander gedaan?

'Wil jij met haar praten?' Hij probeerde niet smekend te klinken.

'Ik weet het niet,' zei Val ontwijkend. 'Luister, alles is nu net goed tussen haar en mij en dat wil ik niet bederven. Ze wordt misschien nijdig als ik met jou aankom.'

Met andere woorden, je wilt de bron niet laten opdrogen, dacht Rudy. Hij kende die blik van Val. Hij kreeg verdomme geld van Laurel. Daarom aarzelde hij zo.

Plotseling zag Rudy de toekomst duidelijk voor zich. Val zou zich steeds verder bij haar opdringen en haar afzetten. En op een dag, niet zo erg ver in de toekomst, als hij een zielige oude man was en te ziek en te zwak om te werken, zou hij op haar gaan parasiteren. En hij zou het nog voor elkaar krijgen ook. Jezus! En hij, Rudy, zou er dan niet meer zijn om het te beletten.

Rudy onderdrukte een rilling. 'Hoeveel?' gromde hij. 'Hoeveel wil je hebben?'

'Jezus, wat denk je eigenlijk? Dat ik een zieke broer wil uitknijpen?' Val probeerde beledigd te kijken, maar Rudy voelde hoe verrukt hij was.

'Dat zeg ik niet,' zei Rudy, opeens te moe om hem terecht te wijzen. 'Kijk, ik beschouw het maar als... nou ja, een erfenis. Als ik doodga, gaat alles naar Laurel en de jongen. Maar op deze manier krijg jij dan ook wat.' En ik hoop, dacht hij erachteraan, dat Laurel dan van jou bevrijd is.

'Jezus, Rudy...'

'Wat zou je zeggen van driehonderdduizend?'

Val keek of hij het in Keulen hoorde donderen. 'Belazer je me nou? Driehonderdduizend?' Door de stoomwolk heen zag Rudy dat zijn broer zijn ogen ongelovig wijd opensperde.

'Natuurlijk zou je het niet ineens krijgen. Het zit vast in investeringen, maar ze leveren een aardig inkomen op.'

'Hoeveel?'

'Ruw geschat? Ongeveer drieduizend per maand. Geen fortuin, maar als je het niet gaat vergokken en bij de rennen wegblijft, kun je er goed van leven.'

Val begon heen en weer te lopen; zijn voetzolen maakten een raar geluid op de natte tegels. Hij had duidelijk al een besluit genomen.

'Ik denk niet dat ze je bij haar thuis zal willen ontvangen. Ze zou er zenuwachtig van worden, jou daar bij haar zoon te zien. Maar toen ik haar onlangs opbelde, vertelde ze me dat ze naar een of ander feest in het Plaza Hotel gaat dit weekend. Ik zou haar kunnen bellen... voorbereiden... en haar vragen jou in de lobby te spreken, of een drankje met je te drinken aan de bar.'

'Ja, goed. Bedankt, Val.' Die woorden uitspreken was even erg als gebroken glas uitspugen, maar Rudy wist dat hij bij Laurel zonder hulp van haar vader niets zou kunnen bereiken. En wat deed Val er ook toe? Rudy dacht al ver in de toekomst. Hij dacht aan Laurel, aan wat hij tegen haar zou zeggen... en bidden dat ze dit keer zou luisteren. Ze móest. Hij had er zo'n behoefte aan.

'Klaar?' Het leek Rudy dat de stoom zelfs tot in zijn schedel was doorgedrongen en hij zag vaag dat Val opstond en met een handdoek om zijn middel naar de deur liep. Hij dwong zich tot een lachje, maar het deed hem pijn. Toch wilde hij zijn broer niet tonen hoe ziek en wanhopig hij zich voelde. Hij viel net zo lief hier dood op de grond neer als Val die voldoening te gunnen.

'Ja, laten we maar gaan. Nog meer stoom,' spotte hij, en kwam op wankele benen overeind, 'en ik kan mijn organen híer afgeven in plaats van ze aan de wetenschap te vermaken.'

Hoofdstuk 33

Annie bleef staan voor het gebouw waar zij en Laurel vroeger hadden gewoond. Ze had diep in gedachten rondgewandeld en had er geen idee van hoe ze hier terecht was gekomen. Het trottoir was verlaten en het moest een uur of vier in de ochtend zijn. Ze staarde omhoog naar de beroete voorgevel en voelde zich als een slaapwandelaarster of iemand die in een diepe trance is en net door het geluid van een knippende vinger is ontwaakt.

Ze wist nog dat ze naar Arturo was gegaan en daar twee stukken pizza en een halve spinaziecalzone had verorberd. Daarna had Emmett haar in een taxi geduwd en bevolen naar huis te gaan om wat te slapen. Doodop had ze de taxichauffeur toegestaan haar naar West Tenth te brengen, naar haar gezellige maar rommelige flat. Ze wist nog vaag dat ze het gietijzeren hek had geopend dat aan de straat lag en over de privé-oprit was gelopen waarbij ze enkele keren op de oude bevroren keien was uitgegeden. Daarna had ze eeuwenlang met de drie sleutels van haar deur moeten toveren. Eindelijk was ze binnen en liep op de tast door de donkere kamers. Ze was zelfs te moe om de lichten aan te doen en ze moest met kleren en al op bed zijn neergevallen. Vaag herinnerde ze zich dat ze uren later met een droge mond, bonzend hart en erg warm was wakker geworden en het gevoel had gekregen dat ze opgesloten, ja, in een val zat. Ze snakte ernaar naar buiten te gaan... wat frisse lucht te krijgen. Toen, als in een dikke mist en zonder echt te zien waar ze liep, was ze gaan wandelen... verder... en verder.

Terwijl ze daar op de stoep voor het oude gebouw stond te rillen in een te dun suède jasje wist Annie wat ze in haar diepste binnenste aldoor had geweten: ze was op weg naar Joe.

Ze zag de lichten op de eerste etage en was niet verrast.

Ze moest hem spreken, zien te ontdekken of Laurel gelijk had, of zij er werkelijk iets mee te maken had dat Joe en Laurel uit elkaar gingen. God, wat moest ze doen als het waar was? Wílde ze dat het waar was? Ze sloeg haar hand voor haar mond en vóór ze het wist beet ze weer op haar nagel.

Ze dacht eraan hoe Emmett haar uit de fabriek had weggehaald. Nog steeds had ze het gevoel dat ze door iets of iemand werd voortgedreven. Ze liep de stenen stoep vol scheuren op, duwde de zware glazen deur open en liep de hal met de vuile betimmering binnen. Haast automatisch ging haar hand naar de bel van Joe's flat. Ze drukte erop.

De huistelefoon kraakte en ze hoorde een vervormde stem. Joe, maar hij klonk niet slaperig. Bijna alsof hij haar – of iemand anders – verwachtte. Toen Annie naar boven liep, werd haar hoofd helderder. Dit is te gek, dacht ze. Ik moet hier niet heen. Vermoedelijk maak ik de zaak alleen maar erger voor Laurel. Ze dacht eraan hoe ze zich vorig jaar had gevoeld toen Emmett niet meer kwam; niet zo wanhopig dat ze haar bed niet uit wilde komen, maar wel leeg, als een huis zonder meubels, kale kamers waaruit een luidruchtig gezin was weggetrokken. Tot dan toe had ze nooit geweten hoeveel ze om hem gaf. Maar de laatste stap – een ring, een belofte voor het leven – had ze niet kunnen doen. Ze had het wel gewild... en nóg... maar iets weerhield haar. Er was iets anders wat ze eerst moest uitvechten. Was ze hier omdat Joe haar daarbij kon helpen?

Ze zag hem boven aan de trap staan wachten, voor zijn open deur; een lange man met slordig bruin haar. Hij had een verschoten spijkerbroek aan en een oude coltrui waarvan de mouwen tot boven de ellebogen waren opgerold. Zijn voeten waren bloot, alsof hij niet gemerkt had hoe koud het was, of het kon hem niets schelen.

Ze kuste hem op de wang, die ijskoud was. Ze had het gevoel dat ze zich heel langzaam onder water voortbewoog, maar haar hart sloeg snel. Nu zwom ze langs hem heen, door de open deur, de kleine, slechtverlichte vestibule in, en nog verder, de kamer in.

Ze draaide zich om en zag Joe voor zich staan. Hij keek haar aan alsof hij niet wist of ze daar wérkelijk stond, of dat hij het zich maar verbeeldde.

'Annie. Jezus. Wat doe jij hier, verdomme?' Hij wreef over zijn gezicht waarvan de huid er rauw en geïrriteerd uitzag.

'Zal ik zeggen dat ik toevallig in de buurt was? Ik zag nog licht branden en vond dat ik je even gezelschap moest houden?'

'Om vier uur 's ochtends?'

'Ik kon niet slapen.'

'Tja... ik ook niet.'

'Mag ik gaan zitten?'

'Natuurlijk.' Hij knipperde met zijn ogen en vroeg toen: 'Koffie? Ik heb genoeg gezet om de hele stad wakker te houden.'

'Nee, dank je.' Ze keek rond. Ze was hier in jaren niet meer geweest, maar alles was nog net zoals ze het zich herinnerde: de houten vloer met een plastic laag met daarop een enkel Navajo-kleedje, gewitte stenen muren, de sobere Stickley-bank en -stoelen. Op een tafeltje zag ze een oude *Newsweek* liggen met Elvis op het omslag – die al een jaar of vier dood was. God, het was hier net een museum! Hier lag geschiedenis, háár geschiedenis, alles wat ze zag riep herinneringen op, tientallen herinneringen.

'Wat vreemd weer hier te zijn,' zei ze. 'Jou hier te zien. Het lijkt of je hier nooit weg bent geweest.'

'Zo voel ik het niet.' Hij keek om zich heen alsof hij half en half verwachtte te ontdekken een vreemd huis te zijn binnengewandeld. 'Het voelt raar aan hier weer te wonen, onjuist. Alsof ik een kledingstuk wil aantrekken waar ik uitgegroeid ben.'

Annie raakte zijn onderarm aan. 'Joe... wat is er aan de hand met jou en Laurey? Ik was bij haar en ze leek me erg van streek. Maar ik dacht eigenlijk niet...'

'Wat zei ze?'

'Ze scheen te denken... nou ja, dat jij misschien een verhouding had. Ze had je met die vrouw in het restaurant gezien, die sociaal werkster. Maar toen ik haar vertelde dat ze het mis had, werd ze... werd ze erg boos. Ze zei veel gekke dingen die ze vast niet heeft gemeend. Over mij... en jou.'

'Misschien zijn ze niet zó gek. Misschien zijn wíj gek.'

Hij keek naar hun spiegelbeeld in het donkere vensterglas en er lag een vreemde, afwezige uitdrukking op zijn gezicht. Hij had zijn bril niet op, zag ze. Zonder bril zag hij er zo naakt, zo kwetsbaar uit, net een kleine jongen. De huid om zijn ogen was roze, alsof hij er stevig op had gewreven. Zielige ogen. 'Heb je wel eens naar stilte geluisterd?' ging hij zachtjes door, bijna alsof hij in zichzelf praatte. 'Ik bedoel écht geluisterd? Geen muziek, geen televisie, geen enkel geluid. Dan hoor je je hart slaan en dat is griezelig. Je denkt dat het zo zou kunnen ophouden. Net als een niet-opgewonden horloge.' Hij bleef staan, draaide zich om en het leek of hij haar nu pas echt zag. Ook zij zag hem duidelijker dan ze in jaren had gedaan. Hij zag er doodmoe uit, ja, maar zijn gezicht, die trekken die vroeger nog niet hun plaats schenen te hebben gevonden, waren nu aan elkaar gewend; alles paste bij elkaar en er waren geen scherpe hoeken meer.

Dat had Laurel voor hem gedaan, dacht Annie. Misschien was Joe die eerste jaren niet wild verliefd op haar geweest, maar Laurel had hem iets gegeven wat zij, Annie, vermoedelijk niet aan hem had kunnen schenken: een thuis, een gezin, een plek waar hij veilig was voor de druk en zorgen verbonden aan het leiden van een zaak. Waarom leek dat alles nu kapot te gaan?

'Jezus, moet je mij horen,' zei Joe, en schudde zijn hoofd. 'Ik schijn morbide te worden op mijn oude dag. Dát, of het is het gevolg van al die koffie.'

'Heb je al met Laurel gepraat? Ik heb geprobeerd haar te bereiken, maar krijg steeds de in-gesprektoon. Ik denk dat ze de hoorn van de haak heeft gelegd.'

Hij zuchtte. 'Ze wil ook niet met mij praten. Ze laat Adam opbellen.' Hij drukte zijn handpalmen tegen zijn voorhoofd en drukte even zijn haren plat tegen zijn schedel en liet ze toen weer los. 'Christus. Je weet niet wat het betekent tegen je kind te moeten zeggen dat je niet weet wanneer je weer thuiskomt.'

Plotseling voelde Annie zich zwak worden, alsof ze niet meer op haar benen kon blijven staan. Ze zonk op de harde leren sofa neer en haar hart bonsde in haar lijf.

'Joe, bedoel je hiermee dat... jij en Laurey denken aan een...'

'Scheiding?' Hij staarde haar aan en zijn ogen stonden treurig; hij klemde zijn kaken op elkaar. 'Jezus, nee, dat niet. Laurey wil alleen tijd hebben. Alleen. Om na te denken. Om na te gaan waar we zo heen gaan.' Zijn mond vertrok tot een bittere glimlach. 'Een eufemisme. Wat ze werkelijk bedoelt is "je hebt me in de steek gelaten, schoft die je bent".'

Misschien is dat zo, bedacht Annie, maar dan heb ik – ten dele – ook schuld. Het had geleken of ze Joe had losgelaten, maar in haar hart was dat níet het geval. Daar hield ze vast aan haar liefde, koesterde die heimelijk, beschermde het gevoel als een kaars die anders zou uitwaaien. Ze gebruikte dat gevoel om Emmett op een afstand te houden... en misschien ook om Laurel te straffen omdat zij Joe van haar had afgenomen. Maar als dat zo was, dan was dat níet haar bedoeling geweest.

'Laurel is erg gekwetst. Maar ze komt er wel overheen.' Annie sprak snel en wilde de woorden zeggen zodat ze ze kon horen en misschien zelfs geloven.

'Nee... het is meer.' Joe zonk naast haar op de sofa neer, zijn onderarmen op zijn knieën en zijn hoofd voorovergebogen. Ze zag de zachte haartjes achter in zijn nek, net als het babyhaar van Adam. Ze vocht tegen de neiging haar hand uit te steken en hem daar te strelen. 'Ze is... anders. Ik ben met een kind getrouwd. Nu is dat kind volwassen. Ze houdt van me, maar ze heeft me niet meer echt nodig, zoals vroeger. En dat is prima. Maar, zie je, nu... heb ik háár nodig.' Zijn stem brak.

'Wat ben je van plan te doen?'

'Ik dacht erover haar een brief te schrijven.' Hij wees op een blocnote waarop enkele woorden stonden, en op een paar in elkaar geknepen ballen papier die op de tafel lagen.

'Wat wil je schrijven?'

'Dat ik van haar hou.'

'Dat weet ze toch wel.'

'Ja. Dat hoop ik tenminste.'

'Waarom dan? Waarover gaat dit allemaal?'

'Omdat ze weet dat ze niet de enige is. Ze weet hoe ik over jou denk, wat ik voor jou voel.'

Annie hoorde boven hen voetstappen kraken. Buiten, op de vensterbank, koerde een duif, waardoor ze zich afvroeg of het soms al ochtend was. Ze was door en door koud. En haar eigen hart – als dat ook eens, net als een horloge, afliep?

'We hebben niets verkeerds gedaan,' zei ze, en voelde zich als een dom kind op school dat niet wist wat het moest zeggen, hoe het moest antwoorden.

Joe ademde diep uit, met een fluitgeluidje tussen zijn tanden. 'Christus, soms denk ik dat alles wat we ooit hebben gedaan verkeerd was. Al dat doen alsof.'

Ze wilde haar handen voor haar oren slaan, zijn stem niet horen. Tegelijkertijd verspreidde zich een warmte in haar.

'Nee!' riep ze uit. 'Zo was het niet. Ik wilde... ik wilde héus dat jij en Laurey gelukkig zouden worden.'

In gedachten deed ze een stap achteruit en onderzocht haar woorden, zoals een voorzichtige koper kleding bekijkt, of die niet vol vlekken zit, of er een knoop loszit of een zoom gerafeld is. Ze ontspande zich een beetje. Ja, wat ze zei was waar. Natuurlijk had ze gewild dat haar zuster gelukkig werd, dat haar huwelijk goed zou zijn. Natuurlijk.

'Ik ook,' zei Joe, en drukte zijn duimen tegen zijn gesloten oogleden. 'Ik ook.'

'Zeg haar dat dan. Zeg tegen haar...'

Joe keek haar aan en de pijn in zijn ogen was vreselijk om te zien. God, hoe kon hij dit verwerken? En zij, kon zíj het?

'Soms denk ik,' begon hij langzaam, en keek haar strak aan, 'dat het beter was geweest als we eens samen hadden gevreeën, jij en ik. Al was het maar één keer. Dan zou ik me niet zo... bedrogen voelen.'

Er viel een ijzingwekkende stilte. Weer hoorde ze de duif op de vensterbank zachtjes koeren, en het getik van de radiator die langzaam afkoelde.

'Wil je nu met me vrijen?' De vraag was eruit voor ze goed besefte wat ze zei. Ze leunde achterover, geschrokken, ademloos, en haar hart bonsde. Toch was ze heel kalm, alsof ze zich onderdompelde in een bosvijver, diep en koel, waarin ze haar spiegelbeeld kon zien. Ze had een lange weg afgelegd om hier te komen, en misschien was de reis nu eindelijk voorbij. Was ze hiervoor gekomen? Om een verlangen te stillen dat al zo oud was dat het een onderdeel van haar hele persoon vormde, van haar botten, van haar vlees? Als ze bij Joe was, lag haar verlangen naar hem in elke zin, in elke gedachte. En toch trok ze zich steeds terug en zorgde ervoor dat elk woord, elke aanraking, elke kus in het openbaar slechts een gebaar was. Ze paste altijd op en overschreed de grenzen van het zusterschap niet.

Joe keek haar aan en zijn ogen omvatten haar met de tederheid van een omhelzing. In dit licht leken zijn ogen eerder bruin dan groen. Wat een prachtige kleur. Hoe kon iemand ooit zeggen dat bruin saai was? Joe's ogen hadden de kleur van de aarde, van de eeuwen. Zelfs al die rimpeltjes in de buitenhoeken van zijn ogen ontroerden haar en wakkerden haar verlangen hem in haar armen te houden alleen maar aan.

Met een ruk die haar aan het schrikken maakte stond hij op, raakte haar niet aan en keek zelfs niet om terwijl hij de kamer uit liep.

Als in trance volgde Annie hem.

Joe's slaapkamer was veel kleiner dan ze zich herinnerde. Het vertrek had een hoog raam dat uitzag op een tuintje. Het wasachtig licht van een enkel peertje bescheen de lage groenblijvende planten en de uit de zomer overgebleven vlijtige liesjes. De kamer was donker, afgezien van het licht uit de tuin, waardoor alles er vreemd uitzag, net als in een zwart-witfilm. Er was geen begin en geen einde... alleen een hier en nu.

Joe zei niets terwijl ze zich uitkleedde; hij had zijn donkere ogen op haar gevestigd en zijn blik was ondoorgrondelijk. Toen trok hij zijn trui uit en stond in zijn spijkerbroek voor haar, zijn lange torso gestippeld door de schaduwen van een hemelboom, zodat het leek alsof de boom gelijk met de man ademhaalde.

Er kwam een beeld van Laurel voor Annies geest, maar ze duwde het weg. Dit is van mij, hield ze zich fel voor. Van ons! Laurey zal er nooit iets van weten.

Ze keek toe terwijl hij de rest van zijn kleren uittrok. Annie rilde, maar niet van de kou. Het was het zien van Joe, naakt en prachtig – een lange glanzende mannengestalte. Het leek of zijn gezicht alleen uit licht en schaduwen bestond.

Zo stonden ze voor elkaar, naakt, zonder elkaar aan te raken. Toch had Annie het gevoel dat ze in de macht van een elektrisch veld was, de lucht om haar heen was statisch en ze voelde de vonken op haar blote huid, tot in haar haarwortels toe. Net aan de grens van haar gezichtsveld zag ze in de verte sterretjes schitteren. Er zoemde iets in haar hoofd. Ze was bang, zwak en ze beefde en ze was nauwelijks in staat te blijven staan.

Als ze nu niet voor hem terugdeinsde – en snel – dan zou ze worden meegezogen. Dan zou er misschien nooit meer een eind aan komen. Maar al was er een trein regelrecht op haar af komen razen, Annie had zich niet kunnen bewegen.

Joe begon haar aan te raken; haar haren, haar gezicht. Zijn vingertoppen beroerden luchtig haar oogleden, neus, lippen en oren. Het waren zachte strelingen die haar kalmeerden en tegelijkertijd opwonden. Het was alsof hij haar als een kaart in zich opnam, alle onderdelen wilde onthouden. Er waren zoveel punten en het was vreemd te beseffen dat er toch nog zoveel te ontdekken viel. Een hele wereld.

Hij had zachte handpalmen die het ene ogenblik koel aanvoelden en het volgende ogenblik bijna vurig, langs haar nek, schouders en armen gleden. Nu omvatten ze haar borsten en hij boog zich voorover om ze allebei te kussen. Ze voelde zich zwak worden en er dansten lichtjes voor haar ogen.

'O, God... Joe.'

Hij beefde, maakte ergens in zijn keel een geluid dat het midden hield tussen een zucht en een kreun. Hij trok haar tegen zich aan en liet haar zijn opwinding, zijn warmte voelen. Eindelijk kuste hij haar. Nee, niet zomaar een kus... het was meer, o, veel en veel meer. Als hij op dat ogenblik in haar was gedrongen, geloofde ze niet dat ze zich zaliger had kunnen voelen dan nu het geval was. Ze werd overspoeld door een golf van warmte; ze had het gevoel of ze glansde en glinsterde. God, waarom had ze dit zo lang van zich afgeschoven? Hoe had hij het gekund?

Ze raakte hem aan. Daar... en daar. O, hij was prachtig. Ze was dol op het feit dat alles zo juist was bij hem – er was niets te veel, niets dat niet volmaakt bij de rest paste. Lange botten en spieren als een kat. Harde scheenbenen die als ondiepe lepels waren gevormd. En hier, waar ze hem nu aanraakte... smal en glad... een druppel vocht aan de top, warm en kleverig.

De kamer leek te zwaaien, rond te tollen. Nu lag ze op het bed en Joe lag op zijn knieën over haar heen. Hij kuste haar borsten, haar navel... en lager. Annie slaakte een kreet, want de schok die het gevoel van zijn mond teweegbracht benam haar de adem. Het was zo heerlijk dat het bijna pijn deed. Ze pakte zijn hoofd beet en drukte haar handpalmen tegen zijn slapen zodat ze de aderen daar voelde.

Ze begon te huilen, heel stilletjes, en de tranen rolden vanuit haar ooghoeken in haar haren. Ze begeerde hem... o, wat begeerde ze hem... maar ze wilde hier geen eind aan maken. Ze wilde dat dit altijd zo zou blijven doorgaan.

Maar tegelijkertijd reikte ze naar een hoger punt. Ze hoorde het aan de snellere ademhaling van haarzelf en aan die van Joe. Ze voelde het aan de intense gevoelens die in haar opstegen, overal: aan haar polsen, keel, slapen. Ze leek erdoor op te zwellen, en was nat.

Nu.

'Ik ben in je,' hijgde hij. 'Ik voel je. Voel mij ook. Wat heerlijk, Annie. Jouw naam. God, ik ben dol op je naam. Annie, Annie, Annie. O, Jezus, ik kom...'

'Ja,' riep ze uit.

Ze zag een bliksem, wit, verblindend, en heerlijker dan ze ooit had gevoeld. Ja... o, ja...

Toen ze naderhand beiden uitgeput, verrukt en vol zalige gevoelens naast elkaar lagen, dacht Annie: kan ik dit weer loslaten? Is het mogelijk dit te laten gaan en gewoon door te leven? Maar zelfs als ze hem losliet had Annie het gevoel dat ze niet onveranderd zou doorleven. Ze had het gevoel alsof, ja, alsof een kringloop in haar eindelijk was gesloten. Hoewel een leven zonder Joe altijd iets afschuwwekkends voor haar was geweest, voelde ze zich nu heel vredig. De buitenwereld begon weer tot haar door te dringen. Gesmoorde stemmen kwamen van beneden, en in de flat boven hen werd een toilet doorgetrokken. Buiten hoorden ze een poes klagelijk miauwen, er werd met veel lawaai een vuilnisvat op straat gezet. In de verte huilde een sirene.

Ze wendde zich tot Joe die opgekruld naast haar lag, een lang been over het hare, een arm om haar middel geslagen. 'Ik hou van je.' De woorden kwamen zo gemakkelijk, alsof het een zin was die ze talloze malen had gerepeteerd.

Joe streek een lokje haar van haar wang. Ze had net vorige week haar haren laten knippen, korter dan vroeger; het was nu een glanzend donkerbruin kapje dat haar hoofd omvatte als een ouderwets hoedje. Nu wenste ze dat ze het lang had laten groeien, dat ze lokken had die tot aan haar middel reikten en die Joe om zijn vingers kon winden en waarin hij zijn gezicht kon begraven.

Maar hij keek niet naar haar haren; zijn zachte bruine ogen waren op haar gezicht gericht. 'Dank je,' mompelde hij. 'Daarvoor. En voor jou.'

'Het was gemakkelijker dan het had moeten zijn.'

'Dat moet je niet zeggen.' Hij legde luchtig een vinger over haar lippen. 'Ik kan me niet schuldig voelen. Misschien moet dat wel... ik weet het niet. Maar het schijnt dat wij beiden door maar steeds te proberen fatsoenlijk en oprecht te zijn, meer slechts dan goeds hebben aangericht.'

'Joe, denk je dat als we eerder...' Ze probeerde rechtop te gaan zitten, maar Joe hield haar zachtjes vast.

'Annie, het gaat nu alleen om ons... om ons tweeën hier nu in dit bed. Ik weet niet wat er morgen zal gebeuren, of overmorgen, of volgend jaar. Maar op dit ogenblik weet ik één ding: ik hou van je.'

Het beeld van Laurel flikkerde op en verdween weer. Morgen zou ze er verder over nadenken. Over schuldgevoelens. Dit ene ogenblik mocht ze toch wel hebben?

'Nog eens, Joe,' fluisterde ze, en hield hem stevig vast. 'Vrij nog een keer met me.'

Maar zelfs terwijl hij opnieuw in haar was, kon ze het al voelen: het ogenblik was voorbij, veel te snel, het verdween terwijl ze zich er nog aan vastklemde, alsof ze dronk uit een beker met een gat in de bodem en wanhopig probeerde haar dorst te lessen voor al het water was weggedruppeld.

Hoofdstuk 34

Dolly kwam uit de balzaal de ontvangstruimte in lopen en werd meteen in een wolk sigaretterook gehuld. Wat een mensen! Het smalle vertrek met het hoge plafond was stampvol: mannen in smoking, dames in prachtige avondjaponnen van zijde, brokaat of bezet met glinsterende lovertjes. Allen stonden in groepjes bij elkaar en staken af en toe een hand uit om een glas champagne of een cocktailhapje te pakken van de zilveren bladen waarmee in donkerbruine jasjes gestoken kelners rondliepen. Alle roodfluwelen fauteuils waren bezet, zag ze; de palmen en de tafeltjes met de roze, zijden lampen waren tegen de muur geschoven om meer ruimte te scheppen.

Onder een vergulde muurkandelaar in een hoek speelde een kamerkwartet, maar de muziek was nauwelijks te horen. Het leken net bewegende figuurtjes op een mooie muziekdoos. Dolly keek naar de fraaie spiegelglazen deuren, het verguldsel op het plafond en de wanden en ze dacht aan vroeger, aan andere chocoladebeurzen, toen zij en Henri onder de eettafel elkaars handen hadden vastgehouden en de minuten telden totdat ze naar haar flat konden gaan en heerlijk samen in bed konden kruipen.

Ze voelde een steek in haar borst en legde even haar hand tegen haar boezem, vlak boven de halslijn van haar groensatijnen avondjapon. Ze was ook een beetje duizelig en ze voelde dat ze even wankelde op haar hoge hakken, alsof ze probeerde op een gevaarlijke richel haar evenwicht te bewaren. Ze klemde zich vast aan de grote saffieren hanger in haar decolleté, alsof die steun kon bieden.

Henri. Verdraaid, waar was hij? Hij had gezegd dat hij hier zou zijn. Maar de boodschap op haar antwoordapparaat was door allerlei achtergrondgeruis erg moeilijk verstaanbaar geweest. Hij had gebeld vanaf Charles de Gaulle, dat had ze wel begrepen. Zijn vliegtuig zou over enkele minuten vertrekken... en hij zei dat hij voor de beurs naar New York kwam. En – toen had ze het gevoel gekregen alsof ze in een ijskoud zwembad was gedoken – hij had gezegd dat hij met haar over een heel belangrijke zaak moest spreken!

Ze had zich gedwongen te wachten tot laat in de middag voordat ze had geprobeerd hem te bereiken in het Regency Hotel waar hij altijd logeerde. Ja, meneer Baptiste had gereserveerd, zeiden ze; maar nee, hij was nog niet aangekomen. Ze liet een boodschap achter, maar hij had haar niet opgebeld. Zou er iets met het vliegtuig zijn gebeurd? En, lieve God, wat kon die korte boodschap van hem betekenen?

Dolly deed haar ogen dicht. Ben ik gek aan het worden? Of komt het door mijn leeftijd en maken die veranderingen binnen in me me in de war? Toch blijf ik maar denken dat Henri over andere dingen met me wil praten dan zaken. En als ik dat stomme idee nu niet ogenblikkelijk uit mijn hoofd kan zetten, voordat hij hier binnenkomt, dan wéét ik dat ik me als een idioot zal gedragen.

Haar gedachten vlogen terug naar het verleden. Het was nu vier jaar geleden dat Henri voor de *Gourmand*-beurs naar New York was gekomen – meestal stuurde hij Pompeau, samen met Maurice of Thierry. Waarom kwam hij dit jaar zelf?

Begrafenis, was dat niet het woord dat ze door al dat gedruis heen had gehoord? Zou de oude Girod zijn gestorven? En als dat zo was, betekende dat dan dat Henri eindelijk vrij was?

Ach nee, het was waarschijnlijker dat Henri slécht nieuws meebracht. Als Francine het eens had gewonnen – en als ze Henri eens dwong om Dolly totaal opzij te zetten? Ja, dat was belangrijk genoeg, daarvoor zou Henri zelf hierheen komen om het haar persoonlijk te vertellen. Ze moest het weten.

Dolly duwde de kelner opzij die haar een blad met tulpvormige glazen vol champagne wilde voorhouden. Ze wiebelde op de tenen van haar felgroene satijnen pumps heen en weer en probeerde over de hoofden heen te kijken. Geen Henri. Haar ogen vulden zich met tranen.

Ze knipperde om alles duidelijker te kunnen zien. Toen ontdekte ze bekende gezichten. Bij de bar en als twee dikke vrienden met elkaar in gesprek, zag ze de hoofden van de twee grootste Belgische chocoladefirma's, Kron en Neuhaus. Felle rivalen, en elk wenste vermoedelijk hartstochtelijk dat er een kroonluchter op de inzending van de ander zou vallen. Aan de andere kant van het vertrek zag Dolly een lange, goedgebouwde man met grijzend krulhaar, Teddy McCloud, een oude vriend van Perugina. Ze wierp hem een kushand toe en hij knipoogde. En daar bij de tafel waar de plaatsen voor het diner werden uitgedeeld, die slanke man met die bril op die op een garnaal knabbelde, was dat niet Robert Linxe van La Maison du Chocolat? Ze herkende ook Maurice Bernachon en de zoon van Maurice, Jean-Jacques, en Marie Biard van Debauve & Gallais.

Er waren nog andere gezichten die ze herkende, maar daar kon ze niet onmiddellijk de namen bij vinden. Die zware kerel van Charleston Chocolates, de lievelingsbonbons van Elizabeth Taylor, volgens de geruchten. De blonde dame van Li-Lac. Een knappe man met een rood gezicht van Leonides.

397

Maar waar was Henri toch?

Plotseling kreeg ze een inval: misschien was hij binnen om de inzending van Girod's te controleren.

Dolly probeerde zich een weg te banen naar de spiegelglazen deuren die naar de balzaal leidden, toen ze zag hoe iemand haar wenkte, een indrukwekkende blonde kerel die zo uit een Wagner-opera had kunnen komen. Hij rookte een dun bruin sigaretje. Ze was zijn naam vergeten, en wist alleen nog dat hij iets met Tobler-Suchard te maken had. Ze wuifde terug, maar liep door.

Ze liep de balzaal in. Hier was het rustig. Er waren geen mensen, behalve de hotelstaf die de tafels nog eens controleerde en de jury van *Gourmand* die notities over de inzendingen neerkrabbelde. Ze wist dat in de categorie truffels en bonbons het uiterlijk en de smaak van het grootste belang waren, maar de kwaliteit van de chocolade zelf was even belangrijk, zo niet belangrijker. Chocolade werd op verschillende punten beoordeeld: 'presentatie', hetgeen betekende dat de chocolade een glad en zelfs glanzend oppervlak moest vertonen; 'brosheid', hetgeen inhield dat hij gemakkelijk breekbaar moest zijn zonder te versplinteren of slap te worden; 'gevoel in de mond' of structuur, niet korrelig of te vochtig; 'smaak', waarmee de zoetheid werd vastgesteld, evenals het percentage chocolade, likeur en het bouquet. Dolly was ervan overtuigd dat de chocolade van Girod's aan alle eisen voldeed. Ze bleef even onder de lange door zuilen opgehouden arcade staan die aan de eetzaal grensde. Kelners liepen met lege schalen langs haar heen en verdwenen door de dubbele deuren naar de keuken, waaruit ze even later met volle bladen terugkwamen.

Achter de marmeren zuilen zag ze de grote balzaal, die door twee enorme kroonluchters werd verlicht. De crèmekleurige wanden waren afgezet met verguldsel en het gewelfde plafond was versierd met camee-achtige, ovale schilderingen van landelijke taferelen. Aan het ene eind bevond zich een toneel met aan weerskanten roze fluwelen gordijnen, en langs de wand tegenover haar zag ze vier wat hoger gelegen gewelfde nissen, een beetje lijkend op de kleine loges in de opera. Op de begane grond stonden tafels, bedekt met zachtroze damast en een bloemenarrangement van fresia's en roze babyroosjes.

Ze dacht aan vanochtend, toen ze Pompeau met hun inzending had geholpen. Het was er zo druk geweest als in een bijenkorf. Er werden allerlei pakken binnengebracht, de hotelstaf was bezig geweest met de tafels, en de chocoladefabrikanten in kokskleding hadden hun zorgvuldig verpakte inzendingen onthuld en op de tafels voor het toneel neergezet.

Nu was alles gereed en het zag er geweldig uit, een triomf van menselijke vindingrijkheid en artisticiteit.

Alle inzendingen stonden een eindje van elkaar en op een gouden kaartje was de naam van de fabrikant vermeld. Zilveren bladen presenteerden ingewikkelde arrangementen van truffels en bonbons, heerlijke koekjes en taarten werden tentoongesteld alsof het juwelen in de etalage van Cartier waren.

Ze zag een schaakspel, en het bord en de stukken waren van witte en donkere chocolade gemaakt. Daarnaast een Spaans galjoen met een scheepslogboek, een kijker en een zak vol in goudpapier verpakte 'dubloenen'. Ze glimlachte om een treinstel van chocolade waar in de open wagons speelgoedsoldaatjes, poppen en blokjes met letters uit het alfabet lagen. Daarachter, op een ezel, een legpuzzel van een dorpstafereel. Ernaast een opvallende kopie van de Mona Lisa op een wit chocolade 'doek', geschilderd met verf die was gemaakt van cacaopoeder vermengd met koffie-extract. De prachtige lijst was ook van chocolade en versierd met stukjes bladgoud. Er stond ook een miniatuur houten blokhut waarvan de ruw uitgehouwen blokken met cacaopoeder waren bestoven en de kleine stenen put ervoor uit stukken gebroken chocolade bestond. Er was een arend uit een groot blok donkere chocolade gebeeldhouwd, en wel zo prachtig, dat het leek of de vogel zo weg zou vliegen.

In het midden van de grote tafel zag ze iets waarom ze in haar handen klapte en hardop lachte: een poppenhuisachtig sprookjeskasteel helemaal van chocolade bladerdeeg, met van kantelen voorziene muren, torens compleet met schietgaten en alles omringd door een gracht van slagroom. Een man met een camera stond erbij en ze zag dat een in een witte jas gestoken kok zorgvuldig het dak van de kasteeltoren oplichtte zodat de fotograaf de binnenkant kon fotograferen: een zijden wolk van koffiekleurige crème met verse frambozen en gebrande hazelnoten. Dolly watertandde.

Toen zag ze de boom.

Het was het middenstuk van de inzending van Tout de Suite. Hij stond boven op een voetstukje op een van de lange tafels, omringd door fantastische taarten op mooie houten schalen, en truffels die uit van chocolade takjes gemaakte mandjes rolden. Een 'picknick'! Wat knap van Annie! Toen ze dichterbij kwam, zag ze dat de stam en takken van de boom van de donkerste soort bitterzoete chocolade waren gemaakt, bezet met gebroken noten en bewerkt met een scherp mes waardoor alles eruitzag alsof het om ruwe bast ging. De bladeren waren zo teer dat ze bijna ruisten in de lucht van de airconditioning. En aan de takken, opgehangen aan heel fijne gouden draadjes, bengelden tientallen fantastische marsepeinen peertjes. Het was een triomf dat haar eigen Annie dit had gemaakt. Dolly voelde zich enorm trots. Ze dacht aan het telefoongesprek met haar nichtje, die haar verteld had hoe ingewikkeld het was om de boom te maken. Maar dit... dit ging alles te boven wat Dolly zich had voorgesteld. De jury zou hier ongetwijfeld van opkijken.

Annie had gezegd dat ze de eerste prijs móest winnen en Dolly was er nu van overtuigd dat ze die ook zou krijgen. Dat meisje had het doorzettingsvermogen van haar moeder, zonder Evies broosheid. Ze moest eindelijk eens besluiten met die aardige man van haar te trouwen. Emmett was geweldig, maar Annie zag het niet. Dolly moest moeite doen het er bij haar niet in te stampen. Pak hem, neem hem voor het te laat is, voor hij verdwijnt.

Maar och, dacht ze, wie ben ik om raad over mannen te geven?

Ze dacht weer aan Henri en ze inspecteerde de inzending van Girod's met petitfours, bonbons en truffels die op verschillende hoogten stonden, als een in bloei staande tuin. Zou Henri het mooi vinden? Het was niet de opvallendste inzending, maar Girod's kon zich dit rustig veroorloven. Ze stonden toch aan de top. Toch maakte Dolly zich zorgen. Had Pompeau misschien dat scheurtje in het *boule-de-neige*-glazuur over het hoofd gezien? Verder was alles volmaakt: een kring van met caramelglazuur gevulde bladerdeeggebakjes met chocoladepastei dreef op een wolk van mokkaslagroom in een schelp van pâté brisée. Henri zal het vast mooi vinden!

Toen zag ze dat middenin een ruimte was gemaakt – alsof Pompeau op het laatste ogenblik ruimte voor een toevoeging had willen maken. Maar wat? Ze was alles met hem nagegaan en hij had niets gezegd. Tenzij…

Dolly hield een jurylid aan dat ze kende, Clark Nevelson. 'Kent u monsieur Baptiste van Girod's? Hebt u hem hier gezien?'

Nevelson was hoofdredacteur van *Gourmand* en kende vermoedelijk iedereen. 'Henri? Ik heb hem net nog gezien. Hij is in de keuken met iets bezig.'

Hij was hier! Dolly's hart begon onstuimig te kloppen en ze kreeg het gloeiend heet. Wat was hij van plan?

Ze zag dat Nevelson naar haar decolleté keek met de blik van iemand die op de rand van het zwembad stond en overwoog of hij zou duiken of niet. Dolly was heimelijk blij dat haar boezem nog zo verleidelijk was, maar ze deed of ze niets merkte.

'Dank u,' zei ze en holde naar de keuken.

Maar net op dat ogenblik gingen de deuren open en begonnen de mensen naar binnen te stromen. Dolly liep tegen drie in smoking gestoken mannen en een dikke vrouw in brokaat op. Ze vloekte zachtjes en maakte een omweg. Maar het werd steeds drukker; het leek wel het metrostation Times Square op het spitsuur. Ze drong zich langs een man die te veel had gedronken (hoe kwam het dat een man in smoking dronken kon worden en er nog als Cary Grant kon uitzien, maar een vent met een spijkerbroek aan en een pet op er dan meteen walgelijk uitzag?) en zag Annie bij een van de zuilen staan. Ze sprak met een oudere man, vermoedelijk Hyman Felder – Dolly herkende hem van een foto uit *Business Week* of *Forbes*. Annie had een lange fluwelen japon aan die eruitzag alsof hij voor Marlene Dietrich was bedoeld, in *Blue Angel*. Elke keer dat ze zich bewoog leek het of de vlammen uit de koperkleurige stof sloegen. Haar huid glansde en haar bruine haren leken flitsen in dezelfde kleur uit te stralen. Ze had lange gouden bellen in haar oren. Toch zag Dolly dat Annie gespannen was, ze zag het aan de manier waarop ze haar hoofd hield. Het betekende zo veel voor haar om de eerste prijs – en dus Felders contract – te krijgen.

Of Girod's een tweede of zelfs een vijfde prijs kreeg, was niet zo belangrijk. Hun reputatie was al gevestigd. Maar Tout de Suite moest de eerste prijs hebben om in leven te blijven.

Kon ík Felder maar overtuigen, dacht Dolly. Ze ging op weg om de oude Felder eens te charmeren en goed in haar decolleté te laten kijken toen een man in smoking de microfoon pakte en zei: 'Wil iedereen op zijn plaats gaan zitten. Het diner wordt geserveerd.' Dolly was boos; nu moest ze wachten, en maar hopen dat Henri aan haar tafel zou zitten.

Plotseling viel het haar op dat ze Laurel nog niet had gezien. Ze had gezegd dat ze misschien wat laat zou zijn, maar het was nu al over achten. Was ze van gedachten veranderd? Was ze bang Joe hier te zien? Dat was dan ironisch, want voorzover Dolly wist, was Joe ook niet komen opdagen.

Plotseling voelde ze een arm om haar middel en het hart klopte haar in de keel. Henri? Nee, het was haar oude vriend Seth Hathaway, de president van de Vereniging van Zoetwarenfabrikanten.

'Dolly!' riep hij uit. 'Waar heb jij jezelf zo lang verstopt?'

'Vlak voor je neus,' antwoordde ze.

Hij keek naar het kaartje in haar hand. 'We boffen, we zitten bij elkaar aan tafel.' Plechtstatig, maar met ondeugende ogen bood hij haar zijn arm aan. 'Mag ik de eer hebben de mooiste dame in de zaal naar haar plaats te begeleiden?'

Dolly stond het hem toe en lachte om te verbergen dat ze bijna knarsetandde van woede.

Henri... waar ben je, verdomme?

'Jij durft,' zei Felder. 'Met zoiets riskants als een boom van chocolade, met al die takken, bladeren en peertjes. Hoe heb je het bedacht?' Hij schudde vol bewondering zijn hoofd.

'Je moet risico's durven nemen, nietwaar?' Ze nam een slokje champagne en probeerde er rustig uit te zien. Maar ze was uiterst nerveus. Misschien vindt hij het te gewaagd, te uitdagend.

Maar haar inzending was meer dan alleen gewaagd; alles smaakte ook heerlijk, vooral de *aveline*-taart. Ze zag hem daar liggen, merkwaardig deftig tegen de achtergrond van een geruit tafellaken. Hij bestond uit lagen in rum gedrenkte chocolade génoise en chocolade-hazelnootcrème, bedekt met een heel dunne laag glazuur met stukjes bladgoud en een lint van vuurrood 'satijn' van gesuikerde frambozensiroop. Eén hap en je kon er niet meer van afblijven.

Maar wat zou er gebeuren als de vijf juryleden – onder anderen Nan

Weatherby van *Metropolitan* en die nieuwe man van *Gourmand* – niet van rum of hazelnootcrème hielden? Hoe kwam ze erbij te denken dat ze beter zou zijn dan Manon, of Teuscher, of Neuchatel? Een tweede of derde prijs zou al een triomf zijn, behalve dat ze dan even ver was met Felder als nu: nergens.

Ik móet dit hebben, dacht ze. Ik moet hem op de een of andere manier overtuigen dat zelfs als ik niet win, hij dit contract met me moet afsluiten. Misschien moet ik hem tijdens het diner proberen te charmeren, vóórdat de prijzen bekend worden gemaakt. Als ze dan de eerste prijs kreeg, zou hij denken dat hij een genie was omdat hij haar al onder contract had voordat anderen een poging konden doen.

Plotseling had Annie geen zin meer in lachen of praten. Ze had een leeg gevoel, vooral omdat ze de afgelopen nacht niet had geslapen. Ze luisterde nog wel naar Felder, maar toch leek ze weg te drijven.

Ze zag beelden van de afgelopen nacht opduiken. Joe's gezicht boven haar in het vage ochtendlicht; hun lichamen met de verstrengelde armen en benen, de lakens die ergens in een hoopje waren weggeduwd. Het leek een beeld van jaren geleden en niet het begin van een verhouding. Was het dat geweest... een afscheid?

Waarschijnlijk hadden ze het beiden zo ervaren en daarom hadden ze niets meer gezegd. Wat er nu ook verder met Laurel gebeurde, zij en Joe zouden nooit méér zijn dan ze altijd waren geweest: vrienden die op elkaar gesteld waren maar een ander beminden. Ze was verdrietig, maar voelde zich toch compleet... alsof ze aan het eind van een lange reis was gekomen en eindelijk een rustplaats had gevonden, al was die niet wat ze had gezocht.

Plotseling zag ze Emmett bij de spiegeldeuren met een groep Belgen staan praten. Ze moest naar hem toe, alles uitpraten, en niet hier bij Felder blijven rondhangen. Ze dacht aan het vreemde briefje van Emmett dat ze vanochtend vroeg op haar keukentafel had gevonden toen ze van Joe terugkwam: 'Hoop dat je gevonden hebt wat je zocht.'

Wat bedoelde hij? Had hij geraden, of wíst hij dat ze bij Joe was geweest? Ze was vandaag erg druk geweest om vanavond op tijd hier te kunnen zijn – een uur eerder dan Emmett – en ze had nog geen kans gehad om met hem te praten. Nu wilde ze naar hem toe, ontdekken wat hij bedoelde.

Hij was nog niet naar haar toe gekomen, maar nu hij haar zag, probeerde hij haar te bereiken. Hij glimlachte niet.

Annie deed moeite haar aandacht bij Felder te houden.

'... Californië zou een nieuwe ervaring voor me zijn,' zei hij. 'Grote winkelcentra, een in Pasadena en een in Century City, beide rondom een Felder's, werkelijk groots – met watervallen en veel varens en muziek. En niet die muzak-onzin, maar Mozart.'

Annie moest moeite doen om interesse te blijven tonen en vroeg daarom hoe hij die winkelcentra had gefinancierd. Maar opeens voelde ze dat Emmett vlak achter haar stond.

'Beloof me dat u bij het diner naast me komt zitten, zodat ik alle bijzonderheden kan horen,' zei ze en ze raakte even Felders arm aan terwijl ze hem haar liefste glimlach schonk. 'Wilt u me nu excuseren? Ik zie iemand die ik even moet spreken.'

Felder knikte en maakte een beweging met een hand waar een pinkring met een diamant aan schitterde. 'Natuurlijk. Ga je gang.'

Annie draaide zich om en stond vlak voor Emmett. Hij droeg een donkerblauwe smoking met een zijden overhemd en een met een agaat vastgespelde das. Zijn blauwe ogen keken haar strak aan.

'Annie,' zei hij effen. 'Kan ik je even spreken? Alleen?'

Ze knikte en schrok. Er is iets mis, dacht ze. Heel erg mis!

Emmett leidde haar door de spiegeldeuren de ontvangstruimte in waar nog maar enkele mensen aanwezig waren. Hij nam lange passen en liep nauwelijks mank. Vlak bij de garderobe, waar de gang uitkwam op een kleine ruimte voor de toiletten, bleef hij staan. Hij keerde zich om en keek haar met zijn blauwe ogen zo koel en effen aan alsof zijn ogen twee stenen onder op een rivierbedding waren. Waarom deed hij dat? En waarom was het hier ineens zo koud?

Annie was bang. Ze verlangde er wanhopig naar dat Emmett zijn armen om haar heen zou slaan, haar zou knuffelen, plagen, zelfs uitschelden. Alles behalve die harde vastbesloten blik in zijn ogen; de blik van een man die een besluit heeft genomen.

Hij weet het, dacht ze. Op de een of andere manier weet hij waar ik de afgelopen nacht ben geweest... en hoe kan ik hem nu zeggen dat alles tussen Joe en mij uit is zónder hem te vertellen wat er precies is gebeurd?

Er was zoveel dat ze hem wilde vertellen... dingen die al jaren geleden gezegd hadden moeten worden. Maar, o, God, die blik!

Em, zei ze in gedachten, ik was stom dat ik al die tijd niet heb gezien wat er vlak onder mijn neus was. Ik beschouwde jou als iets wat vanzelf sprak. Ik dacht dat je er altijd zou zijn. Ik wist niet hoeveel je voor me betekende, daar dacht ik niet over na, net zomin als ik nadenk over eten en slapen. Maar ik zie het nu wel... en als je me nog één kansje wilt geven, dan zal ik het allemaal goedmaken...

'Annie...'

'Em, ik weet wat je wilt zeggen,' viel ze hem ademloos in de rede. 'Zeg het niet. Nog niet. Laten we later praten, als we naar huis gaan... als dit allemaal voorbij is.'

'Het ís voorbij. Dit. Wij.' Zijn stem klonk niet boos, alleen verdrietig, spijtig. 'Ik geef jou niet de schuld. Ik wist wat ik deed. Ik dacht: de aanhouder wint. Maar in het leven is dat niet altijd zo eenvoudig.'

Ze zag zijn lippen bewegen en bedacht dat ze die altijd zo sexy had gevonden, met die sproeten. Ze begeerde Emmett, even hartstochtelijk als ze Joe de afgelopen nacht had begeerd. 'Ik hou van je,' zei ze, en voor het eerst meende ze wat ze zei.

Zijn blauwe ogen keken haar doordringend aan. 'Nadat ik gisteravond bij je was weggegaan, maakte ik me zorgen om je... je zag er zo doodmoe uit. Ik wilde je niet wekken door je op te bellen, en dus liep ik vanochtend vroeg bij je langs. Om vijf uur. Je was niet thuis... dus belde ik de fabriek. Ik heb zelfs Louise thuis gebeld, haar gewekt. Ze zei dat je pas om half zeven zou komen. En toen dacht ik aan Joe. Ben je daar gisteravond heen gegaan, naar hem?' Ze zag dat zijn handen zich tot vuisten hadden gebald. 'Nee... geef maar geen antwoord. Ik wil het niet weten. Of, laten we het zo zeggen, ik wil het niet horen.' Eén vuist ging omhoog en bleef vlak voor haar in de lucht hangen. Maar toen streelde hij met zijn harde witte knokkels teder haar wang.

Annie wilde zeggen dat hij het verkeerd zag, dat ze van hém hield... maar hoe kon ze zoiets uitleggen?

Emmett schudde zijn hoofd en spreidde met een hopeloos gebaar zijn handen. 'Gisteravond is er iets tot me doorgedrongen. Ik heb liefde altijd beschouwd als iets oneindigs, zoals de sterren, of God. Maar dat is niet zo. Je liefde kan opraken, net als benzine in een auto. Of een band die verslijt. Ik ben het moe, Annie, er is niets meer over.'

Annie was verstomd, alsof ze een duik in ondiep water had genomen. Alles deed pijn: haar borst, haar hoofd en haar maag. Er kwamen tranen in haar ogen die over haar wangen biggelden. Ze moest zorgen dat hij wist hoeveel ze van hem hield... nu en morgen, voor eeuwig. 'Em...' Haar stem brak en stierf weg. Ze wilde hem smeken, maar iets weerhield haar. Ze zag dat áls het haar zou lukken, haar hele leven misschien anders zou worden... maar ze was te koppig.

'Ik wilde het je toch even laten weten,' ging hij door. 'Ik blijf niet voor het banket. Ik kwam alleen maar om afscheid te nemen.'

'In smoking?' Ze slaagde erin door haar tranen heen te lachen.

Zijn gezicht vertoonde een flauw glimlachje. 'Ik kan toch niet als een uitgetelde bokser verdwijnen, is het wel?'

'Verdwijnen? Ga je ergens heen?'

Hij haalde zijn schouders op. 'Ik verhuis naar het Westen.' Hij grinnikte even. 'Nou klink ik weer als Matt Dillon.'

'Matt Dillon was geen makelaar.' Ze snoof en wreef met de rug van haar hand over haar ogen, boos op zichzelf en op hem. Hij mocht niet weggaan. Iedereen van wie ze hield ging weg. 'Ik wil niet dat je gaat... dat weet je toch?'

Emmett keek haar lange tijd aan en ze dacht dat hij van gedachten zou veranderen. Toen gaf hij haar een luchtige kus. 'Er is een groot verschil tussen de wens dat iemand niet weggaat en de wens dat hij blijft.' Even keek hij haar strak aan; misschien probeerde ook hij om niet te gaan huilen. Ze voelde de neiging hem gerust te stellen, en het leek alsof haar

404

leven op het spel stond. Alles deed pijn. Hij raakte even haar wang aan, triest, en draaide zich om.

Annie zag hem gaan, een grote man met een manke voet en met een groter hart dan zij verdiende. Ze had op het tapijt onder het vergulde plafond van het Plaza willen neervallen en huilen, huilen... Maar dat kon niet. Straks, als ze weer alleen was.

Verstard draaide Annie zich om en liep terug naar de balzaal. Ze had altijd Tout de Suite nog, hield ze zich voor. En hoewel ze Emmett graag achterna was gelopen, wist ze dat als ze niet bleef en Felders contract in de wacht sleepte, ze niet alleen Emmett kwijt was, maar ook haar zaak.

Dan had ze niets meer.

Ze rechtte haar schouders, knipperde haar tranen weg en liep door de spiegeldeuren naar binnen, het hoofd hoog opgeheven, als een koningin die klaar is voor haar kroning.

'Merde!' vloekte Henri toen het stuk chocolade dat hij onder handen had, in tweeën brak.

Het kwam uit de ijskast en de kou had hem bros gemaakt; hij had hem even op kamertemperatuur moeten laten komen. Maar het leek hier in de keuken van het Plaza warm genoeg. En als chocolade té warm werd, zou hij slap worden en afbreken op de plekken waar hij de stukken aan elkaar had 'gelijmd'.

Zijn handen beefden, en hij dwong zich langzaam te werken. Geen fouten meer. Hij legde een stuk papier in de vorm van de vleugel van een zwaan over de rechthoek van couverture voor hem, en met enkele handige sneden ging hij door de chocolade en het papier heen. Het moest volmaakt zijn... hij moest haar tonen hoeveel hij nog van haar hield.

Nog een paar stukjes aanpassen en dan was het klaar – het meer in het Bois de Boulogne waar hij, jaren geleden, Dolly mee naartoe had genomen op hun eerste ritje in Parijs.

Het meer zelf had hij gemaakt van een dun ovaal van chocolade, hier en daar met witte chocolade opgeborsteld om rimpels in het water aan te geven. Om het meer stonden rietstengels, ook van chocolade. Er lagen leliebladeren in het water van melkchocolade waarop bloemen van witte chocolade rustten, met prachtige bladeren als dunne eierschalen. En in het midden dreef een roeiboot van chocolade 'plastic' – een kneedbaar mengsel van couverture en glucose – met twee figuurtjes erin, een man en een vrouw. Om hen heen zwommen zwanen en ganzen en aan een kant was zelfs een waterval van geraspte melk-, witte en donkere chocolade.

Zou ze de plek herkennen? Zou ze het zich herinneren? Maar zelfs áls dat zo was, zou ze hem misschien toch niet terug willen hebben.

Wat zonde van al die verloren jaren, dacht hij. Waarom was hij toch zo koppig geweest en had hij er steeds op aangedrongen dat ze naar Parijs kwam?

Non. Als ze hem wilde hebben, zouden ze opnieuw beginnen. Hier. Samen. Hij had gelukkig wat geld opzij gezet en had de aandelen in Girod's waarvoor Francine, als ze ze in de familie wilde houden, een flinke prijs zou moeten betalen.

Girod's. Het was bijna ondenkbaar dat hij nooit meer zijn geliefde zaak zou binnenstappen, Pompeau's nieuwste creatie zou proeven en grapjes met leerlingen en verkoopsters zou maken. Maar het kón. Die mensen konden best zonder hem verder, en hij zonder hen. Hij was bij zijn schoonvader gekomen toen de zaak nog klein was en door hard werken, kundigheid en een goede keus van personeel, had hij een zaak met prestige opgebouwd. Die kwaliteiten had hij. Het kón, zelfs al moesten ze opnieuw beginnen terwijl hij al zo belachelijk oud was, tweeënzestig.

Ja, dit meer was net als Girod's, méér dan wat aan elkaar geplakte chocolade. Het vertegenwoordigde zijn hele kennis en de vaardigheid van zijn handen. Hoe kon hij zijn gevoelens voor Dolly beter tot uitdrukking brengen? Met woorden zou hij vast dwaas klinken. Maar als ze dit zag, dan wíst ze dat zijn hart in elke lelie, in elke rietstengel zat.

Henri doopte het breedste stuk van de vleugel van de zwaan in een kom met gesmolten chocolade die au bain-marie warm werd gehouden, en drukte de vleugels vervolgens zachtjes tegen het lichaam van de vogel aan; daar hield hij hem vast tot de chocolade hard was.

Maar het duurde zo lang! Henri wilde dolgraag Dolly gaan zoeken, maar dwong zich het kalm aan te doen. Alles moest goed gebeuren. Om hem heen blaften de koks hun orders en waren druk bezig. Deuren gingen open en dicht en kelners holden af en aan.

Mon Dieu, hij moest zijn hand stilhouden! In geen jaren – niet meer sinds hij bij Fouquet had gewerkt – had hij iets van chocolade gemaakt. Hij wist nog wel hoe het moest, maar moest zich dwingen zich niet te haasten. Zijn borst deed pijn; zou hij problemen met zijn hart hebben? Ach nee, hij was bang; dat was alles. Bang dat hij te laat zou zijn.

Nadat hij het laatste blad had aangebracht en alles met een soort doorzichtig glazuur had bespoten, trok Henri zijn voorschoot af en deed een stap achteruit om zijn creatie te bewonderen. Ja, ze zou het herkennen, zien dat het het Bois was – de waterval, de zwanen, zelfs dat kleine roeibootje waar ze zo weg van was geweest.

Henri keek op zijn horloge. *Mon Dieu*, al half negen! Hij kon zich niet meer verkleden. Hij moest het grijze pak aan houden dat hij in het vliegtuig had gedragen, verkreukeld en wel.

Voorzichtig tilde Henri zijn meesterstuk op, dat als een sprookjeseiland op een acryl plaat stond. Langzaam liep hij ermee naar de dubbele deuren. Hij ontweek nog net een kelner die een enorm blad met dampende soepkoppen droeg en werd door paniek bevangen. O, ze waren al aan de eerste gang bezig! Als ik Dolly niet zie voordat ze gaat zitten... voordat die eindeloze speeches beginnen... dan zal ik tot na dat hele lange diner moeten wachten.

Waarom had hij niet vooraf geregeld dat hij aan háár tafel werd geplaatst? Dan was hij in elk geval in haar buurt geweest, had hij haar kunnen aanraken, haar parfum kunnen inademen.

Henri herinnerde zich de keer dat hij haar voor het eerst had gezien, toen ze die kelderkeuken van Girod's was binnengekomen in een rode jurk en met een felgekleurde sjaal om haar haren. Hij was niet in een goede stemming geweest – er was iets misgegaan met de ganache – maar ze had om zijn gemopper gelachen. 'O, neem maar geen notitie van me,' had die schattige vrouw gelachen, en ze had hem hevig geïntrigeerd met haar brutaliteit en gemakkelijke omgangsvormen. 'Ga toch door... ik weet dat het niet voor mij bedoeld is.'

En nu, na al die jaren... zou ze hem nog steeds willen? Henri liet zijn gift voor haar op één hand balanceren en deed de deur open.

Rudy zat in de Oak Bar van het Plaza aan zijn tonic te nippen. Geen gin meer... mocht niet van de dokter. Toch had hij een dronken gevoel. Het leek of het sombere vertrek om hem heen draaide; zijn hoofd tolde en zijn maag dreigde zich om te keren. Hij had een zure smaak in zijn mond. Hij keek steeds naar de ingang en draaide zijn glas in zijn handen om en om.

Half negen en nog steeds geen Laurel. Ze had hier een half uur geleden al zullen zijn. Dat had Val gezegd. Hij had het beloofd. Maar misschien had Val hem weer belazerd. Of was Laurel van gedachten veranderd. Misschien wilde ze niets meer met hem te maken hebben. Maar hij móest haar zien. Dit was zijn laatste kans.

Gisteren nog hadden ze hem bijna naar het ziekenhuis gebracht. Een proefoperatie, ja zeker... maar Rudy wist wat ze zouden vinden. Hij vóelde het, próefde het bijna – zijn ingewanden rotten weg. Darmkanker. Christus. Zonder enige waardigheid. God had hem altijd als een mislukte grap beschouwd – áls er een God was.

Goed, hij zou gaan, maar nog niet. Pas na deze reis, nadat hij Laurel had gezien. Nadat hij haar had verteld wat hem al die jaren bezig had gehouden. Kanker? Toe nou. De kanker doodde hem niet; het kwam door Laurel.

Afwezig greep Rudy in een kommetje pinda's voor zich en stopte er een paar in zijn mond, maar toen hij ze doorslikte kreeg hij een afschuwelijke pijnscheut en sloeg voorover. Hij zag dat de barman nieuwsgierig naar hem keek, en deed zijn uiterste best om weer rechtop te gaan zitten. Concentreer je, zei hij tegen zichzelf. Laat niet zien dat je ziek bent.

'Oom Rudy?'

De stem maakte hem nog erger aan het schrikken dan die pijnscheut. Hij gooide bijna zijn glas om.

Ze stond vlak bij hem en wankelde op de voor haar ongewoon hoge hakken. Ze droeg een ivoorkleurige japon met hoge hals. Haar haren waren in een losse knot boven op haar hoofd samengetrokken en in haar nek hingen wat losgeraakte krulletjes. Ze had parel-oorbellen in en een antieke camee op de hals van de jurk; ze leek zelf wel een camee. Jezus... wat was ze mooi!

Rudy zag alles vreemd verwrongen, waardoor het leek alsof ze bij elke stap verder van hem wegging in plaats van dichterbij te komen. Hij wilde opspringen en haar beetpakken, maar hij wist zeker dat zijn benen hem niet zouden kunnen dragen.

'Laur...' Haar naam bleef in zijn keel steken. Nu ze voor hem stond en zich, als om steun zoekend, aan een stoel vasthield, leek ze nerveus, en ze keek naar de bar waarboven een groot schilderij van de Plaza-fontein hing. Maar ze wás er... dat was het allerbelangrijkste. Rudy vergat zijn pijn en vond zijn stem terug. 'Je bent gekomen,' zei hij. De woorden klonken toonloos, helemaal niet zoals hij ze bedoelde. Hij had het gevoel dat hij uit elkaar zou spatten.

'Het was me bijna niet gelukt.'

'Nu je er bent, moet je ook gaan zitten.' Hij wees naar de stoel die ze vasthield en was doodsbang dat ze meteen weer weg zou gaan. 'Leuk hier, hè? Heb je ooit zoveel beeldhouwwerk gezien? Het lijkt het Vaticaan wel, of zo. Wil je wat drinken?'

'Niets. Dank u. Ik kan maar heel even blijven. Ik ben al laat – er waren lange files.'

'Wij zijn zo klaar.' Hij haalde diep adem. 'En... hoe gaat het met je?'

'Goed. Ik werk hard.' Ze sprak zo automatisch als een verkoper of bankbediende die hem een prettige dag verder wenste.

'Ja, ik heb je boeken gezien. Ze zien er prachtig uit.' Hij zei niet dat hij ze alle zeven op een speciale plank bij elkaar had gezet. 'Ben je op dit moment ergens mee bezig?'

'Zelfs met een paar dingen tegelijk.' Ze ging even verzitten. Laurel keek alsof ze zich niet op haar gemak voelde en haar poging tot een glimlach mislukte. 'Ik ben dol op mijn werk, maar het is wisselvallig. Maar Joe, mijn man...' Ze zweeg, maar hij had de klank in haar stem al gehoord.

'Ja, ik heb gehoord dat je getrouwd bent.'

'Joe en ik zijn gescheiden.' Ze sloeg haar ogen neer, maar hij had nog net de bezeerde blik erin gezien. Rudy had meer willen weten, maar durfde niets te vragen omdat Laurel ongeduldig met haar nagels op de tafel klopte. 'Val zei dat u me iets wilde zeggen.' Ze staarde hem aan en kneep haar lieve ogen even halfdicht. 'Ik zal eerlijk tegen u zijn. Ik was niet gekomen als hij me niet had overgehaald. Hij heeft blijkbaar besloten het verleden uit te wissen.'

'En jij?'

'Ik weet niet wat ik moet denken. Het enige is dat ik u vertrouwde... en u...' Ze zuchtte. 'Och, waarom moeten we het allemaal weer ophalen?'

Rudy had het gevoel alsof haar woorden als stenen in zijn maag vielen. Hij had het geweten. Hij had gewéten dat ze hem niet had vergeven. Maar waarom deed het dan toch zo'n pijn?

'Ik heb je niet gevraagd hier te komen om me te vergeven,' zei hij rustig, hij lachte zelfs even, al kostte het moeite. 'Je hebt recht op je eigen gevoelens. Ik vraag je niets. Ik wilde je alleen zien.'

Laurel glimlachte niet... maar ze stond ook niet op om weg te gaan. Goddank. Rudy's duizeligheid nam wat af. Hij zag Laurel spelen met de parelmoeren sluiting van haar avondtasje.

'Luister eens,' zei ze. 'Ik ben niet boos meer op u. Ik denk er ook niet zo vaak meer aan, als u zich daar bezorgd om maakt.' Rudy wist dat ze hem niet wilde kwetsen, maar haar woorden deden hem pijn. Ergens niet aan denken was erger dan haten. 'Laten we maar geen grote verklaringen afleggen,' zei ze.

'Nee, goed.' Hij opende zijn handen als een goochelaar die wilde tonen dat hij geen verborgen trucs heeft. Laurel wist niet wat hem dit kostte. 'Er is echter één ding – ik geef nog steeds heel veel om je. Dat heb ik altijd gedaan. Dat moet je weten.'

'Maar waarom hebt u het dan gedaan?' Ze zette haar ellebogen op tafel en liet haar kin in haar gevouwen handen rusten terwijl ze hem eerlijk verbaasd aankeek.

Rudy begon te beven en moest zich vooroverbuigen om de achterkanten van zijn knieën vast te grijpen en zo zijn armen stil te houden. Wil ze dat echt weten, vroeg hij zich af. Wil ze horen dat ze de enige mens in mijn hele leven is van wie ik ooit heb gehouden en die van mij hield... al was het maar een klein beetje? Nee, hij wilde niet dat ze medelijden met hem had; dan nog liever haat. Hij speelde met een papieren servetje en scheurde dat in reepjes.

'Ik heb eens een zaak gehad... een cliënt van me kreeg niet het voogdijschap over zijn kind en werd zo wanhopig dat hij op een dag het meisje afhaalde en ermee vandoor ging. Het kind was vijf jaar en nog nooit 's nachts van huis geweest. Gelukkig voor alle betrokkenen had de politie hem achterhaald voordat hij in een andere staat was. "Waarom heb je dat gedaan?" vroeg ik hem. En die intelligente kerel keek me met van die grote schaapogen aan en zei: "Ik móest het gewoon doen." ' Rudy zweeg even en liet de papiersnippers als een sneeuwbui om zijn glas omlaag dwarrelen. 'Ik denk dat ik wel weet hoe die knaap zich voelde. Je weet dat je iets doet wat verkeerd is, maar je móet het gewoon doen.'

Hij keek op en zag enig begrip in haar blauwe ogen. Maar ze keek niet naar hem. Haar blik was op het gebeeldhouwde hoofd van een maagd gericht, boven op een van de eiken zuilen.

'Het spijt me zo,' zei Rudy moeizaam. 'Je weet niet hoezeer het me spijt. Elke keer als ik aan jou en de jongen denk...' Hij zweeg, want het brok in zijn keel belette hem verder te praten.

Laurel zat er roerloos bij en keek in de verte. Het leek een eeuwigheid te duren. Eindelijk keek ze hem weer aan; zag hij dat begrip nog?

'Hij heet Adam,' zei ze zachtjes. 'Wil je een foto van hem zien?'

Rudy knikte. Hij zag dat ze een portefeuille uit haar avondtasje haalde en er een kleine foto uitnam, een schoolfoto. Het was een jongetje in een gestreept T-shirt met donker haar en gaten tussen zijn tanden. Rudy keek er lang naar voor hij de foto teruggaf.

'Hou hem maar,' zei ze. 'Ik heb er nog meer.'

'Dank je.' Haar gebaar trof hem diep. Hij had zoveel dingen willen vragen. Kon ze het redden alleen? Had zij of de jongen iets nodig? Miste Adam zijn vader? Maar het was al te laat... ze stond op.

'Ik moet weg,' zei ze. Ze voegde er geen beleefd excuus aan toe zoals mensen vaak deden. Ze stak alleen even haar hand uit en raakte zijn pols aan. 'Dag.' Ze liep naar de deur en draaide zich zo plotseling om dat Rudy het idee kreeg dat de muren om hen heen ronddraaiden. Hij zag tranen in haar ogen en kreeg het gevoel dat ze hem iets heel kostbaars schonk. 'U hebt me eens heel erg geholpen,' zei ze. 'Adam is het mooiste in mijn leven.' Ze glimlachte tegen hem en wuifde even; een gebaar dat zijn hart bijna brak.

Rudy drukte de hand met de foto tegen zich aan terwijl hij keek hoe ze wegliep. Hij voelde dat de foto hem verwarmde, die afschuwelijke pijn daarbinnen enigszins verzachtte.

Laurel gleed voorzichtig de balzaal in, maar zag onmiddellijk dat ze te laat kwam om onopgemerkt te blijven. Het diner was al aan de gang en de mensen aan de met roze tafelkleedjes bedekte tafels zaten te praten en te lachen. Kelners liepen rond met spijzen en dranken, en vulden de broodmandjes bij. Ze bleef onder de arcade treuzelen en had zich het liefst omgekeerd om naar huis te gaan. Ik hoor hier niet, wist ze. Ze was nog van streek van haar ontmoeting met oom Rudy met wie ze, ondanks alles, toch medelijden had. Ze voelde dat er meer was dan hij had losgelaten en ze had het idee dat ze hem had teleurgesteld. Maar dat was onzin. Ze was hem toch niets schuldig?

Nu verdwenen de gedachten aan Rudy echter en ze zocht alle gezichten voor zich af, op zoek naar Joe. Was hij hier ook? Annie had hem uitgenodigd, hen beiden eigenlijk – maar zou hij er zijn? Dolly heeft hem vast verteld dat ik hier zou zijn. Want die wilde hen graag weer bij elkaar brengen. Waarschijnlijk had ze zelfs gezorgd dat ze aan dezelfde tafel zouden zitten.

Hoe zou hij reageren als hij haar zag? Had hij haar net zo erg gemist als zij hem? Wilde hij net zo graag thuiskomen als zij hem thuis wilde hebben?

Ze zag Joe echter nergens. Hij was niet gekomen. Hij wilde haar niet zien. Hij miste haar helemaal niet.

Een kelner snelde langs haar heen. Laurel deed een stap terug en leunde tegen een van de zuilen.

Op het toneel aan het eind van de balzaal kondigde een man in smoking iets aan. Hij zei dat over enkele ogenblikken de prijzen bekend zouden worden gemaakt en iedereen werd verzocht zichzelf aan een dessert te helpen. 'En als u denkt dat de jury het moeilijk heeft gehad om een winnaar aan te wijzen,' zei hij met zijn gemaakt jolige stem, 'wacht dan maar totdat u zelf zou moeten kiezen tussen al die fraaie inzendingen waarbij u staat te watertanden!'

Hartelijk applaus en wat gekreun.

Laurel zag haar zuster aan een tafeltje dicht bij het toneel zitten, tussen tante Dolly en een nogal ruw uitziende man met kortgeknipt haar. Ze vertelde een of ander verhaal en iedereen aan de tafel keek haar aandachtig aan. Zoals gewoonlijk beheerste Annie de omstandigheden weer prima. Zelfs in de japon waar Laurel zo hard aan had gewerkt – en die Laurel tóch had afgemaakt, al was ze nog zo van streek geweest en die ze haar zuster had toegestuurd – zag Annie eruit alsof ze van niemand hulp nodig had, alsof ze in haar eentje de hele wereld aankon.

Laurel voelde zich plotseling erg misplaatst; ze paste niet in Annies wereld, de wereld waar Joe dol op was en waar hij zich thuis voelde. Was hij daarom vanavond niet gekomen, omdat hij wist dat het tussen hen toch niet meer ging? Dat ze nooit kon worden wat hij eigenlijk wenste? Hij wil Annie, wist ze. En ik kan nooit zo worden zoals zij.

Maar zou ze dat dan willen? Was het eerlijk van Joe dat hij met haar was getrouwd en verwachtte dat ze zo werd als zijn ideaal? Ik wil haar wereld niet, dacht Laurel, die Annie haar verhaal af zag maken met een aplomb waardoor de hele tafel in lachen uitbarstte. Laurel zou thuis willen zijn, Adam instoppen en een verhaaltje voorlezen zodat hij halverwege al in slaap viel. Ze had geen mensen nodig om zich door te laten bewonderen, ze wilde alleen een man die van haar hield en een zoontje dat soms 's nachts nog bij haar in bed kroop als hij bang was. En als Joe dat niet begrijpt... dan wil ik hem niet meer. Ze kon ook zonder hem verder leven. Maar het enige wat Laurel op dit ogenblik kon doen was zich losrukken van de onzichtbare ketenen die haar hier vasthielden en stilletjes de deur uitglippen.

Annie had haar handen tot vuisten gebald in haar schoot; daar kon niemand ze zien. Zo wachtte ze op wat Seth Hathaway voor de microfoon bekend zou maken.

'Het is mij een voorrecht de eerste keus van de jury bekend te maken in de categorie algemene voortreffelijkheid...'

Ze hield haar adem in. Toe, toe... laat mij het zijn... ik heb het zo nodig, smeekte ze inwendig.

'... Le Chocolatier Manon.'

Annie had het gevoel alsof ze een klap in haar gezicht had gekregen. Er werd luid geklapt, waardoor de volgende woorden bijna onhoorbaar waren: 'En de tweede keus... en laat ik u zeggen dat het een heel moeilijke was tussen de eerste en de tweede plaats, is voor Tout de Suite. Klappen, mensen.'

Dolly zag de blik op Annies gezicht en schrok. Dat meisje wil alleen het beste, begreep ze. De jaloezie van alle anderen was haar niet genoeg. Al had Annie in zes jaar meer gepresteerd dan vele anderen die al tientallen jaren in het vak zaten. Annie stond op om voor het applaus te bedanken, maar haar gezicht leek te zeggen: Ik wil meer. Het meisje wilde... nee, móest nummer één zijn. En niet eens alleen vanwege Felder. Nu had ze het gevoel gefaald te hebben.

Zo was Eve ook geweest, herinnerde Dolly zich. Als Eve ergens binnenkwam, zagen de mensen haar meteen. Daar zórgde ze wel voor. Repetities die door anderen rustig werden afgewerkt, werden door haar als bijzondere voorstellingen behandeld. Ze spéélde de rol niet alleen, ze wás de persoon die ze moest uitbeelden. Net als Billy in *Storm Alley* had ze haar haren rood geverfd, was gaan roken en naar country-and-western muziek gaan luisteren – die Eve voordien altijd haatte omdat die haar te veel aan Clemscott herinnerde.

Plotseling drong het tot Dolly door: ik had ook een ster kunnen zijn... maar mijn wil was niet krachtig genoeg. Ze had jarenlang het land aan haar zuster gehad, maar het was niet Eve's talent geweest, of haar eigen gebrek daaraan, dat het struikelblok had gevormd. Die ellendige Syd had toch gelijk gehad: ze wílde wel, maar had er niet álles voor over. Zij had het fijn gevonden als het haar gelukt was, maar Eve had het nodig gehad om te kunnen leven.

Dolly luisterde naar het applaus en zag de dochter van haar zuster naar het toneel lopen, en er kwam een wensgedachte in haar op: hier had Eve moeten zitten, niet ik. Ze zou trots op Annie zijn geweest!

Dolly's ogen schoten vol tranen. Ze zag de zaal alleen nog door een waas en het leek of Annie een stralenkrans om haar hoofd had gekregen. Ze straalde gewoon licht uit, zoals ze daar liep om haar prijs in ontvangst te nemen.

Toen zag Dolly plotseling, vlak bij het toneel, Henri aan een tafeltje zitten. Hij was er! Ze had op willen springen en hem toewuiven. Zelfs vanuit de verte zag ze dat hij oud was geworden – zijn haren en zelfs zijn snor waren grijzer dan ze zich herinnerde – maar God, wat heerlijk om hem te zien! Ze kreeg een droomgevoel, alsof ze een vogel was die zo de lucht in kon vliegen. Alleen dit was werkelijkheid!

Ze zagen elkaar, maar Henri wuifde of lachte niet; hij staarde alleen maar. En hoewel hij zich niet bewoog, was het net alsof hij op haar toe kwam. Toen zag ze dat hij op de tafel van Girod's wees, vlak bij haar. Waarom? En toen zag ze het: een heel bewerkelijke inzending die ze nog

412

niet had gezien. Ze verrees half van haar stoel om die beter te kunnen zien... en, o, Heer! Rietstengels, lelies, een meer, een boot, een waterval... maar... maar dat was het Bois de Boulogne! De plek waar ze die eerste dag hadden geroeid. En hij wist het nog!

Dolly kreeg een heerlijk gevoel. Hij houdt nog van me, wist ze.

Toen draaide ze zich om en zag dat Felder was opgestaan en naar de uitgang liep. Kortgeleden had ze hem naar de toiletten zien gaan, dus hij vertrok waarschijnlijk. Wat zou Annie teleurgesteld zijn.

Hij kent me absoluut niet, die Felder, dacht Dolly, maar misschien kan ik hem overhalen... zeggen hoe geweldig ze is. Hem overtuigen dat ze een enorme aanwinst voor Felder's zou zijn.

Dolly wist niet of ze naar Henri toe moest rennen of haar nichtje helpen. Ze aarzelde even en sprong toen op om Felder te volgen, de lobby in. Gelukkig zag ze hem nog net de trap aflopen die naar de hoofdingang beneden leidde. Dolly holde bezorgd achter hem aan en hield zich aan de witmarmeren leuning vast, want op haar veel te hoge hakken kon ze slecht snel een trap aflopen. Als ze Felder straks inhaalde... wat dan? Wat moest ze dan zeggen? O, ze bedacht wel wat. Ze zou hem overtuigen dat hij zich vergiste als hij níet met Annie in zee ging.

Toen Dolly beneden aankwam en de rijk versierde lobby betrad, was ze volkomen buiten adem. Waar was Felder nu?

Ze wachtte niet op de portier, maar drukte zelf de zware glazen deur open en holde naar buiten. Daar zag ze Felder... hij liep naar een verlengde limousine die naast het trottoir klaarstond. Zonder naar links of rechts te kijken, stortte Dolly zich achter hem aan de straat over.

'Meneer Felder!'

Te laat hoorde ze remmen gillen; ze zag grote koplampen vlak voor zich opdoemen.

Iets gaf haar een slag; ze voelde dat ze viel en het leek of de hemel als een emmer vuil water op haar neerstortte – een grijze film waarin nog net enkele sterren te zien waren.

Vreemd afwezig dacht ze: wat dom van me. Oversteken zonder uit te kijken. Hoe vaak hadden haar chauffeur en Henri haar daar al tegen gewaarschuwd?

Hemel, maar wat deed alles pijn... vreselijke pijn.

Toen zag ze een helder wit licht dat tot in haar hoofd doordrong, waardoor alles wazig leek. Het duwde de pijn weg en zelfs het verkeerslawaai scheen weg te sterven. Vreemd genoeg was Dolly totaal niet bang meer. Ze had het gevoel dat ze hier de hele tijd naartoe had gewild... al vanaf het ogenblik dat ze die afschuwelijke brief in die brievenbus had laten glijden.

Toch had ze Henri nog zo graag willen vertellen hoeveel ze van hem hield... en altijd van hem zou blijven houden.

Ze lag op het trottoir en haar benen vormden een merkwaardige hoek

413

die ze niet kon herstellen. Dolly tuurde omhoog naar een wazige zee van gezichten die boven haar schenen te hangen. Iemand scheen om hulp te roepen, maar ze hoorde geen woorden, ze zag alleen monden open- en dichtgaan. Ze hoorde wel politiefluitjes, verkeerslawaai en gegil van sirenes.

Toen trok er een kilte door haar botten alsof ze op de bodem van een rivier lag. Ze gleed weg... weg van al die geluiden. Haar blik werd weggetrokken naar een bijzonder licht dat in de duisternis was verschenen. De zon glinsterde op een naar het strand rollende golf. De golf brak. Ze hoorde het geluid van verrukt meisjesgelach. Ze rook zoute lucht, hoorde zeemeeuwen.

Dolly zag haar zuster langs het strand in Santa Monica hollen, haar slanke soepele lichaam tegen het goud van de ondergaande zon afgetekend, het water ruiste naar het strand en golfde om haar lange slanke benen.

Evie... rare... je bent vergeten je kousen uit te trekken!

Dat kan me niet schelen! O, Dor, doe niet zo nuffig. We zijn er, zie je wel? We zijn hier! In Ca-li-for-ni-ë. Het is niet te geloven, hè? O, God ben ik gisteravond in mijn slaap gestorven en ben ik nu in de hemel?

Dat is je laatste paar kousen. Als je ze bederft, krijg je de mijne niet.

Doris Burdock, je klinkt net als Mama-Jo. Kijk eens om je heen! Kijk eens! Zand! Heb je ooit zoveel zand gezien? Ik zou het liefst al mijn kleren willen uittrekken en mezelf in een groot gat in de grond ingraven, allemaal zand om me heen.

Verwacht niet van mij dat ik je weer uitgraaf. Ik ben niet helemaal per bus uit Kentucky gekomen om hier zandkastelen te bouwen. Moet je zien... je hebt al een ladder. En die kousen kosten achtennegentig cent per paar. Hoe denk jij een filmster te worden als je er slordig uitziet?

O, Dor, hou op met dat gevit. We zijn hier! Kun je die lucht ook proeven? Voel je het? Al het andere is nu verleden tijd. Clemscott is alleen nog maar een afschuwelijke droom. En ik ga nooit meer terug. Nooit meer. Zelfs niet in gedachten. Van nu af aan bén ik iemand. Ik ben een...

'Ster,' fluisterde Dolly en voelde dat ze wegzonk. Het warme zand sloot zich boven haar hoofd.

Hoofdstuk 35

Lelies? Een enorm boeket, stijf en wit als kaarsen, kwam haar gezichtsveld binnendrijven. In het licht dat door de gesloten jaloezieën naar binnen viel, leken ze te glanzen. Zoet... ze geurden te zoet... enigszins kunstmatig, net als rozen van suikergoed op een bruidstaart. Maar lelies waren voor begrafenissen!

Dolly probeerde haar ogen wijder open te krijgen, maar het leek of er zandzakken op haar oogleden lagen. Ze slaagde er niet in ze verder dan een spleetje van elkaar te duwen. Haar hele lichaam voelde overigens aan alsof ze een dag aan het strand had doorgebracht, warm en alles kriebelde, en het leek of ze in alle poriën zand had.

'Ik ben niet...' Ze wilde zeggen dat ze niet dood was en dat de lelies niet op hun plaats waren, maar ze kon niet meer dan wat gegorgel voortbrengen.

Uit een half gesloten oog zag ze een schaduw uit een hoek loskomen. Toen sloten zich armen om haar heen, lippen drukten zich op haar wangen en voorhoofd. Ze sloot haar ogen; het was te moeilijk ze open te houden, maar ze had geen ogen nodig om te weten dat het Henri was. Ze voelde hem, zijn warmte, zijn stevigheid, zijn ruwe wangen en kietelende snor. Zijn kleren roken naar te veel Gauloises – maar ze had nog nooit zo'n heerlijke geur geroken.

Misschien wás ze wel dood, en was ze in de hemel.

'Henri?' bracht ze uit.

'Dolly... o, *ma poupée*...' Ook zijn stem klonk schor.

Dolly probeerde haar armen uit te steken, maar één ervan zat aan een infuus vast; ze wilde hem omhelzen, maar het deed te veel pijn. Ze kon zich alleen heel kleine bewegingen veroorloven. En zelfs dan gingen er scheuten vanuit haar polsen door haar hele lichaam heen.

'*Non*...' Ze voelde dat Henri haar zachtjes terugdrukte op de matras. 'Beweeg je niet. Je kunt beter stil blijven liggen.'

'Waar?' Ze opende haar ogen en zag hem nu beter. Ze keek hem strak aan en zag dat er rode randjes om zijn ogen zaten en dat er tranen in stonden.

'Lenox Hill. Ze zeiden dat het een goed ziekenhuis was. Je moet je niet opwinden.'

415

'Hoe lang ben ik hier al?'

'Sinds gisteravond.'

'En nu? Hoe laat is het nu?'

Ze zag hem op zijn horloge kijken. 'Half zes. De zon gaat al onder.'

'Ben ik zo lang weg geweest?'

'Herinner je je nog dat gisteravond je nichtje hier is geweest?'

'Annie?'

'Ja, en Laurel ook. Ze heeft gisteravond twee keer opgebeld en is vanmorgen naar je komen kijken. Je deed je ogen open, maar we wisten niet of je haar zag. Ik was zo bang, maar de artsen hebben me gerustgesteld. Ze kunnen je helpen.'

'Toen ik al die bloemen zag, dacht ik even dat ik al dood was,' zei Dolly, en lachte zwakjes. 'Maar iemand die dood is kan niet zoveel pijn hebben.'

'Je hebt geboft. Vier gebroken ribben en een hersenschudding, een zware. Maar je bent sterk. Je wordt wel weer beter.'

'Hoe komt het dan dat ik me zo ellendig voel?'

Henri grinnikte. 'Je bent alweer opstandig. Dat is prima.'

'Och, laat maar. Oooo!' Ze probeerde haar benen te bewegen, maar dat deed verschrikkelijke pijn.

Ze klemde zich aan Henri's hand vast terwijl er vlagen duizeligheid over haar heen sloegen. De bloemen leken zelfs te bewegen. 'Lelies,' prevelde ze en ze wist dat de pijnstillers haar zo suf maakten. 'Ik haat lelies; ze hebben geen kleur.'

'*Oui, ma poupée*, Felder kent je niet zo goed als ik. Als wij trouwen krijg je vuurrode en gele rozen... en een felrode japon.' Zijn stem brak en er biggelden tranen over zijn wangen. 'Een rode japon, net zoals je die eerste dag in de winkel in Parijs aan had.'

Wat zei hij? Hoorde ze niet goed door die medicijnen, of vroeg hij haar werkelijk ten huwelijk?

'Henri... ben je...'

'Nee, laat het me zeggen. Daar heb ik al veel te lang mee gewacht, en straks wil je het niet meer horen. Ja, ik wil dat je mijn vrouw wordt. Ik ben weg bij Girod's. Dat betekent dat jij er ook mee moet ophouden. Denk je dat we samen weer helemaal opnieuw kunnen beginnen?'

Zijn gezicht stond grimmig en strakker dan vroeger. Hij zag er moe uit, en ook bang. Alsof hij nauwelijks de kostbaarheid besefte van wat hij haar aanbood.

Dolly vocht tegen het feit dat ze weer wegzonk. Ze vocht om Henri te kunnen zeggen wat ze al zes jaar lang had willen zeggen. En dat was veel. Ze wilde zeggen dat geen enkele andere man – en ze had er met opzet een paar geprobeerd – zich met hem kon meten. En het was niet erg dat ze opnieuw moesten beginnen; ze zou het heerlijk vinden. Ja, ze wilde hem hebben... in haar flat, in haar bed, met zijn tandenborstel naast de hare, zijn ochtendjas naast de hare op de badkamerdeur, zelfs de bijtende geur van zijn Gauloises.

416

Haar hart bonsde onstuimig, en elke slag deed pijn, maar dat hinderde niet. Dat oude lichaam herstelde zich wel weer. Haar hoofd hield wel op met tollen. Het enige belangrijke nu was de juiste woorden te zeggen. Ze kon alleen uitbrengen: 'Reken maar.'

Drie dagen later zat Dolly rechtop in bed een ginger ale te drinken. Ze vroeg zich af of haar ongeduld om hier zo snel mogelijk weg te komen betekende dat ze aan het beter worden was. En toen kwam Annie binnen.

'Dag,' begroette haar nichtje haar, en legde een paar tijdschriften op het tafeltje naast haar bed. Ze had een crème gabardine broek aan en een turkooiskleurige trui. 'Ik dacht dat u wel eens iets anders wilde lezen dan de boulevardbladen. Alles is beter dan "Moeder verkracht door buitenaardse wezens, brengt tweehoofdige baby ter wereld".'

'Och, twee hoofden zijn beter dan één,' zei Dolly.

Annie kreunde. 'Je klinkt al een stuk beter.'

'O, ja,' zei Dolly. Annie was elke dag geweest, soms twee keer op een dag en had altijd iets meegebracht om haar op te fleuren: een bos gele chrysanthemums, een mandje frambozen, een lippenstift van een heel duur merk. Het goede aan deze hele beproeving was dat ze nu haar nichtje zo vaak sprak.

Toch was er iets wat Dolly enorm hinderde. Ze wist wat het was, al durfde ze er niet over te beginnen. Maar nu, met Henri naast zich, kon ze het misschien riskeren om de woorden te zeggen en misschien een eind te maken aan dat afschuwelijke schuldgevoel dat altijd maar aan haar knaagde. Het werd tijd om de zaak tegenover Annie uit de doeken te doen; haar te vertellen wát er tussen haar en Eve was gekomen. Nu ze de kans op een nieuw begin met Henri kreeg, vond ze dat haar leven – net als een oud huis – van alle spinnewebben en vuil moest worden ontdaan. Ze wilde graag, nee, ze móest met een schone lei beginnen.

Toch maakte ze zich zorgen. Als ze nu eens niets meer met me te maken wil hebben, als ze hoort wat er precies is gebeurd? Haar hart werd zwaar. Dolly begon toch maar over een veiliger onderwerp.

'Hoe is je gesprek met Felder verlopen?' vroeg ze.

Annie had die ochtend een onderhoud met de warenhuismagnaat gehad en straalde nog haar zegevierende gevoelens uit. 'Hij zegt dat hij toch met mij in zee wil gaan. Als mijn tante me zo hoogschat dat ze ter wille van mij een taxi trotseert, moet ik wel heel bijzonder zijn.' Ze grinnikte. 'Weet u wat ik denk?'

'Nee, wat dan?'

'Dat u degene bent die bijzonder is.' Haar ogen schitterden alsof ze haar tranen moest bedwingen. 'Ik weet niet hoe ik u moet bedanken voor het feit dat u zich bijna liet doodrijden om mij, maar helpt het een beetje als ik zeg dat ik van u hou?'

Dolly kreeg een schok alsof ze de taxi opnieuw voelde. Had Annie dat echt gezegd? Die woorden had Dolly haar nooit horen zeggen, in al die jaren niet dat ze elkaar kenden. Ik hou van u! De tranen schoten haar in de ogen en ze veegde ze gauw weg met een puntje van het laken voor ze haar mascara lieten uitlopen.

'O, schat, ik vind het heerlijk je dat te horen zeggen. Maar...'

Nu was het zover. Vóór dit ogenblik weer weg was. De waarheid over die lieve, alles voor een ander opofferende tante Dolly.

'Nu we het toch over liefde hebben, ik dacht Henri hier te vinden, zoals gewoonlijk,' viel Annie haar in de rede. Ze voelde zich bij te veel sentimentaliteit niet op haar gemak en wilde een situatie vermijden waarbij alles tot melodrama kon leiden. Ze lachte en vroeg luchtig: 'Vertel me nu niet dat hij weg is om de uitnodigingen voor het huwelijk te bestellen.'

'Niet zó snel. Hij is pas over een half jaar echt gescheiden, en misschien duurt het nog wel langer.' Dolly probeerde zich verder overeind te hijsen, maar dat deed te veel pijn in haar ribben. Ze vertrok haar gezicht. Toen hielp Annie haar de kussens te verplaatsen. 'Maar,' voegde ze eraan toe, 'ik heb al zo lang gewacht, wat doen die paar maanden er dan nog toe?'

'Gelijk hebt u. Henri is het wachten absoluut waard.' Het leek of Annies donkerblauwe ogen even bedroefd keken, en Dolly vroeg zich af of ze aan Emmett dacht. Annie had haar verteld dat hij naar Californië was verhuisd. Dolly popelde om haar toe te roepen: ga hem achterna... laat hem niet ontsnappen!

Maar ze moest niet vergeten wat er de laatste keer was gebeurd toen ze Annies zaken wilde regelen – dat had haar bijna het leven gekost.

'Annie,' begon ze, pakte de klamme hand van haar nichtje vast en trok eraan om haar naast zich op het bed te laten plaatsnemen. 'Er zit me al heel lang iets dwars. Iets wat ik je al lang geleden had moeten vertellen. Ik wilde het aldoor al zeggen en als ik het nu niet doe, terwijl ik hier zo hulpeloos lig, dan weet ik niet of ik er ooit nog genoeg moed voor kan verzamelen.'

'Het gaat zeker om Dearie?'

Dolly knikte en het leek of haar keel werd dichtgeknepen.

'Je moeder was een goed mens,' begon ze. 'En ik wil niet dat je denkt dat wat er gebeurd is haar schuld is, want dat is niet zo. Ik heb al die ellende aangehaald... voor haar en jou en je zusje. De hemel weet dat ik je niet vraag me vergiffenis te schenken; ik kan het mezelf nauwelijks vergeven. Zie je, ik heb iets vreselijks gedaan... Iets wat de carrière van je moeder heeft geruïneerd en haar hart heeft gebroken. Ik wil dat je weet...'

'U hoeft het niet te zeggen,' viel Annie haar in de rede en ze kneep Dolly zo hard in haar hand dat de pijn via haar polsen omhoog schoot. 'Ik heb me heel, heel lang afgevraagd wat er tussen u en Dearie was gebeurd. Wat er zo verschrikkelijk kon zijn dat ze al die jaren niet meer met u wilde praten. En nu...' Ze zweeg even en zag eruit alsof ze zorgvuldig haar woorden overwoog. '... Ik weet dat wat het ook was, niets mijn gevoelens voor u kan veranderen. Ik ben mijn moeder niet,' voegde ze er zachtjes aan toe. 'Wat er tussen u en haar is gebeurd kan ik niet beoordelen. En hoe het komt dat u denkt dat u verantwoordelijk bent voor wat er allemaal is gebeurd. Ze heeft zelf ook dingen gedaan, haar keuze bepaald. Ik hield veel van haar. Ze was mijn moeder. Maar ze was niet volmaakt.'

Dolly voelde zich opgelucht, alsof een grote golf alles wegspoelde wat haar dwarszat. Het leek of ze jaren had zitten boenen aan een vlek die niet weg wilde, en die was nu plotseling verdwenen.

'Ik hield ook van haar,' zei ze. O, wat was het heerlijk in staat te zijn die woorden hardop te zeggen zonder je schijnheilig te voelen!

'Dat weet ik,' zei Annie. 'Waarom zou ik hier anders zijn?'

Hoofdstuk 36

Laurel keek naar de bloemen die Dolly tegen zich aangedrukt hield terwijl ze in haar felrode uitrusting door het gangpad naar het altaar van de Opstandingskerk aan East Seventy-fourth liep.

Geen traditioneel bruidsboeket voor haar tante; alleen een enorme tak orchideeën, dieppaars met geel. Haar japon was natuurlijk niet wit. Ze droeg een roodzijden pakje met een wijd uitlopend jasje met aangerimpeld heupstuk; het geheel was afgezet met beige zijden vlechtwerk. Ze had een enorme hoed op haar hoog opgestoken platinahaar en om die hoed was een beige lint bevestigd; een met pareltjes bezet sluiertje hing over haar ogen en ze zag er precies zo uit als een filmster uit de jaren veertig. Dolly keek strak naar het onder rozen bedolven altaar en naar Henri die daar stevig en plechtig kijkend stond te wachten.

Laurel besefte dat niet het opvallende pakje, de merkwaardige hoed of de orchideeën zo'n stralende indruk maakten. Het was de uitdrukking op Dolly's gezicht, haar glimlach – alsof ze de hele zon bij haar ontbijt had opgegeten.

Laurel zat op de harde bank, vlak bij het altaar, en voelde dat ze een brok in haar keel kreeg. Ze was blij voor Dolly, heel blij. Niemand verdiende het meer dan zij. Maar Dolly was ook niet de reden waarom ze die brok in haar keel had gekregen. Ze keek naar Joe die aan de andere kant van het gangpad zat. Adam, naast haar, zat te wiebelen en fluisterde: 'Waarom komt pappie niet bij óns zitten?'

'Daarom,' fluisterde ze terug. Dit was niet het juiste ogenblik voor een uitgebreide uitleg en ze was ook te gespannen. Het was al erg genoeg dat ze Joe hier moest zien. Misschien had Dolly daarom geen bruidsmeisjes willen hebben, omdat ze had geweten hoe ellendig Laurel zich zou hebben gevoeld nu haar eigen huwelijk gestrand was.

Ze keek van opzij naar Joe en dacht: hij heeft zijn haar laten knippen. Het waren altijd kleinigheden die haar van streek maakten. Er gingen tijden voorbij zonder dat ze hem zag. En dan, als hij Adam kwam halen, toeterde hij niet, maar stond opeens voor haar neus als ze de deur opende. Ogenblikkelijk zag ze dan allerlei kleinigheden: een bakkebaard die langer was dan de andere, een knoop die van zijn jasje af was, of een nieuwe broek.

Elfeneenhalve maand, dacht ze, en ik krijg nog steeds kippevel als ik je zie... of je stem over de telefoon hoor. Zonder nadenken dek ik vaak ook voor jou... of wil Annie of Dolly bellen maar draai bij vergissing jouw nummer. En dat oude Yankee-sweatshirt dat ik niet kon vinden... ik heb het weer. Het hangt in mijn kast, en soms, als ik 's nachts niet kan slapen, pak ik het, leg het naast me neer en snuif je geur op...

Hou op! Niet doen! Ze moest niet aan hem blijven denken, hield ze zichzelf voor. Anders kwam ze deze dag niet door.

Laurel voelde dat haar ogen prikten, maar ze wílde niet huilen. Als ze eenmaal begon, zou ze niet meer kunnen ophouden. Misschien zou het lijken of ze om tante Dolly huilde, maar het zou om haarzelf zijn, uit verlangen naar haar man, daar, vlakbij, een vreemde in een donkerblauw pak met een gestreepte das. Ze kon hem bijna aanraken, maar hij was zo ver van haar vandaan dat hij net zo goed op een ander continent had kunnen zijn.

Kan ik zo doorleven, vroeg ze zich af. Kan ik zonder hem verder leven? Ach, dat heb je nu al bijna een jaar gedaan, hield ze zich voor.

Die eerste ellendige weken, die was ze alleen doorgekomen door zich haar leven als een schilderij voor te stellen, een blanco doek waarop ze iets zou schilderen, iets wat misschien beter was. Het zou vermoeiend zijn helemaal opnieuw te beginnen, maar ze zou het toch doen. Anderen hadden het ook gedaan. En ze wílde het. Ze moest bewijzen dat ze op eigen benen kon staan. En ze had het klaargespeeld. Ze had meer opdrachten dan ze aankon. Nu had ze zelfs een boek dat ze zelf had geschreven én geïllustreerd op de bestsellerlijst van *Publishers Weekly*. Sinds het verschijnen in juni waren van het boek *Penelope's lappendeken*, over een meisje dat haar oma hielp een lappendeken te maken en zo leerde haar verdriet over de scheiding van haar ouders te verwerken, al drie herdrukken verschenen. De kritieken waren lovend en kinderen vonden het prachtig. Ze had gezien hoe ze in de bibliotheek aandachtig naar het voorlezen ervan zaten te luisteren.

Ook zij, net als Penelope, had geleerd haar verdriet te verwerken. Vooral omdat ze van alles bedacht om niet eenzaam te zijn. Om niet thuis te zitten piekeren, maakte ze afspraakjes met relaties uit de uitgeverswereld voor een etentje hier of daar. Ze ging naar ouderavonden, naar de opening van een galerie; zelfs al was ze liever met een boek in bed gekropen. Ze dwong zich zichzelf goed te verzorgen, ook al zou niemand anders dan Adam, en misschien de postbode, haar zien.

Hoe kwam het dan dat dit zien van Joe haar zo van streek maakte? Laurel slikte en keek naar Annie die aan Adams andere kant zat. Ze droeg een pied-de-poule rok met een rood jasje. God, bad ze, schenk me toch wat van Annies kracht. Maar ze zag dat Annie huilde en niet scheen te merken dat ze haar make-up bedierf. Ze had ook weer zitten nagelbijten, merkte Laurel. Dacht ze aan Emmett, miste ze hem? Of huilde ze om Joe?

Laurel zag dat Adam bevreemd naar Annie keek en ze dacht: hij heeft haar nog nooit zien huilen. Het huilen van zijn moeder, och, daar was hij aan gewend; Laurel had niet veel zelfbeheersing. Nu zag ze dat haar acht-jarige zoon aan Annies mouw trok en haar een klein plastic autootje aan-bood dat hij in zijn vuistje geklemd hield. Annie nam het dankbaar aan, sloeg haar arm om zijn schouders en drukte hem even tegen zich aan.

Laurel voelde dat de tranen haar in de ogen sprongen en probeerde zich op de woorden van de kale geestelijke met zijn haviksneus te concentre-ren, maar het waren voor haar alleen geluiden. Was het erg egoïstisch van haar om zo verdrietig om Joe te zijn terwijl tante Dolly trouwde?

Laurel verlangde er vurig naar Joe vlak naast zich te weten, zijn arm om haar heen, zijn hand in de hare. Ze wist echter dat ze zich niet zou kunnen inhouden. Als ze dichter bij hem kwam, zou ze hem smeken weer mee naar huis te gaan.

Nee, hield ze zich voor. Nee, ik heb hier zo hard voor gevochten. Ik laat me dit alles niet meer door hem afnemen. Dat zou hij niet met ópzet doen, maar het zou toch gebeuren. Met een enkel gebaar, een aanraking, een vluchtige kus zou hij haar moeizaam verkregen zelfvertrouwen weer vernietigen. Hij hield van haar, maar niet genoeg. Hij zou er weer voor zorgen dat zij hém meer nodig had dan zichzelf.

Er rinkelde een belletje. Nu begon ze aan oom Rudy te denken. Die advocaat uit L.A. had haar gebeld en gezegd: 'Uw oom is gestorven.' Drie maanden geleden. Ze was bedroefd geweest, en geschrokken. Toen bleek dat hij haar een kapitaal na had gelaten: het huis in Malibu en een in Brentwood, plus elke maand geld, afkomstig uit belangen in winkelcen-tra en kantoorgebouwen; voor haar en Adam. En daarmee had ze iets gekregen wat nog belangrijker was dan het geld zelf: economische onaf-hankelijkheid. Ze had nooit meer geld nodig van Joe, of van een andere man. Maar het ging bij haar en Joe toch niet om geld?

O, wat benijdde ze Dolly. Zelfs vanaf deze afstand was het duidelijk dat Henri's ogen en hart alleen voor Dolly waren.

Laurel keek rond en herkende enkele gasten, meest vrienden van Dol-ly. Verder collega's uit de chocoladewereld, haar huishoudster, haar chauffeur. Gloria De Witt, die eens bedrijfsleidster bij Dolly was ge-weest, en nu een te groot jasje bezet met lovertjes over een slankmakende paarse jurk droeg. En was die oudere man achterin niet die man aan wie Dolly geld had geleend om zijn eigen bloemenzaak te beginnen? De dik-ke zwarte dame naast haar conciërge, Bill, was de stichteres van de 'Har-lem Coalition'; Laurel herkende haar van foto's. Dolly had haar aan geld voor beurzen voor gettokinderen geholpen.

En daar zat Rivka, die een bescheiden gebreid pakje aan had met haar mooiste *sjeitel*. Laurel wist dat gelovige joden geen christelijke kerk bin-nen mochten gaan, maar Rivka had voor Dolly een uitzondering ge-maakt. Laurel dacht eraan wat Dolly had gedaan toen Channa, Rivka's jongste kleinkind, in het ziekenhuis lag na een aanval van meningitis. Dolly had een clown gehuurd die beladen met ballonnen en een zak vol goocheltrucs de kinderafdeling van het ziekenhuis op was gestapt. Rivka had Dolly uitgescholden om haar verkwisting, maar toen had ze Dolly omhelsd en gezegd dat ze Channa nog nooit zo blij had gezien.

Laurel had zich voorgenomen niet naar Joe te kijken als Dolly en Henri hun huwelijksbelofte uitspraken. Toch kon ze het niet nalaten op dat ogenblik even een blik op hem te werpen.

Ze zag dat Joe evenmin naar het altaar keek – hij keek naar haar. Laurel voelde zich schuldig en voelde dat ze een rode kleur kreeg.

Hij kéék niet alleen, het was de maníer waarop hij naar haar keek: verrast, verbijsterd, alsof ze een vreemde was die hij wel eens had gezien, maar niet thuis kon brengen.

Neem me niet kwalijk, mevrouw, maar u komt me zo bekend voor. Weet u zeker dat we vroeger niet samen getrouwd waren?

Laurel kreeg bijna een hysterische lachbui en beet op haar tong om zich te beheersen. Toch liepen de tranen over haar wangen. Je hebt hem niet nodig, hield ze zichzelf voor. Dat denk je maar.

Ze dacht aan dat hevige onweer vlak nadat Joe was vertrokken. Er was een tak van de esdoorn afgerukt die boven op het dak van de garage was terechtgekomen. Joe verhielp dat soort dingen altijd, maar nu moest zíj het doen en dat was goed, want nu werd ze gedwongen haar oude flanellen peignoir en sloffen te verwisselen voor normale kleren. Ze had dagen in die oude dingen rondgelopen. Buiten was ze uitgegleden in de dikke modder en ze was op de plek zelf blijven huilen tot ze inzag hoe belachelijk ze zich gedroeg. Idioot! Geen wonder dat Joe genoeg van haar had gekregen. Ze dwong zich op te staan en op de aluminium uitschuifladder te klimmen die tegen de boom stond. Met een bijl speelde ze het klaar genoeg twijgen van de dikke tak af te slaan, zodat ze hem van het dak af kon trekken. Doodmoe was ze weer naar binnen gestrompeld en ze had een lange hete douche genomen – de eerste sinds dagen – en daarna had ze een uitvoerig ontbijt voor zichzelf en Adam gemaakt: vers uitgeperst sinaasappelsap, roereieren met champignons, en Engelse muffins.

Het leven ging door, besefte ze. Hoe erg alles ook was, ze had Adam… en zichzelf. En Annie ook. Al was ze soms vreselijk boos op Annie, toch waren ze zusters.

Toen Laura er echter aan dacht dat Joe straks vrij zou zijn om met een ander te trouwen, kreeg ze het toch te kwaad. Daarom had ze de besprekingen over een echtscheiding ook steeds uitgesteld. Was ze bang dat hij met Annie zou trouwen?

En wat dan nog?

Nee, dat kon hij niet doen. Ze zou dolgraag nog een kans bij Joe hebben. Maar dan zou Joe dat ook moeten wensen. Ze zou niet kunnen zorgen dat hij haar weer wilde. Dat had ze al geprobeerd, en zonder resultaat.

Laurel werd onderweg opgehouden door het verkeer en kwam laat op de huwelijksreceptie aan. Bill Watley, die al lang lid was van zijn Chelsea *Alcoholics Anonymous*, bracht met Pepsi een toost op het bruidspaar uit en vertelde dat hij eens als kerstman stomdronken haar zaak was binnengekomen. Maar in plaats van hem eruit te gooien, had ze hem een fles Cherry Heering gegeven, 'om hem warm te houden'. Hij had het niet opgedronken, zei hij, en was de volgende dag meteen naar de AA gegaan en sindsdien stond hij droog. Maar hij bewaarde de fles zuinig, als aandenken.

'Pas maar op, Henri,' brulde hij, 'anders brengt ze jou ook nog op het goede pad.'

'*Mais oui*,' antwoordde Henri grijnzend. 'Maar dat heeft ze al gedaan.'

Laurel zag dat Adam de achtjarige tweeling – kleinzoontjes van Henri – onmiddellijk meenam naar de logeerkamer waar Dolly een doos met speelgoed en spelletjes bewaarde. Toen begon ze in haar beste school-Frans een oppervlakkig gesprek met Henri's dochter – een lieve, mollige vrouw in een roze jurk die haar totaal niet stond – en daarna ging ze naar de bar waar ze een glas wodka nam. Ze wilde blij zijn voor Dolly, maar nog meer wilde ze even absoluut niets meer voelen.

'Laurey.'

Bij het horen van zijn bekende stem draaide ze zich zo snel om dat de wodka over haar vingers plensde. Het leek of het een eeuw geleden was dat ze samen hadden gepraat. Hoewel, hij belde minstens eenmaal per dag om met Adam te praten. Het leek alleen of zijn stem nu anders, zachter klonk. Of was dat verbeelding?

'We moeten praten,' zei hij zachtjes. 'Op het balkon. Ik zal je jas even halen, want het is vrij koud.'

Koud? Wat wist hij van kou, van kou die tot in je botten zat als je 's morgens je arm naar je man uitstrekte en hem niet vond? Als je rilde, al stond je elektrische deken op maximum?

Maar nu had ze het warm, haar hart bonsde tegen haar ribben en al haar redelijke argumenten verdwenen in een waas. Verdorie. Waarom deed hij dit? Maar ze sprak niet tegen en wachtte totdat hij terugkwam met haar jas.

Hij wil me zeggen dat hij bij een advocaat is geweest, dacht ze, en dat het tijd wordt dat we gaan scheiden. Natuurlijk heeft hij gelijk, maar, God, kan ik het aan?

Buiten knoopte ze haar jas dicht, want al woei er een frisse oktoberwind, toch had ze het nu niet koud. Ze vroeg zich af of ze soms koorts had. Haar gezicht voelde warm en strak aan, en haar keel deed pijn.

Ze stonden op het grote balkon dat naar het westen uitzicht bood op de herfstkleuren van Central Park en Laurel stelde zich voor dat zij en Joe alleen op een vlot stonden waarmee ze over een blauwe oceaan voeren. Zo zou ze willen doorgaan, nooit ergens aanleggen, alleen zij samen. Net als in een sprookje.

Ik haat alles dat eindigt, dacht ze. Zelfs in boeken vind ik het vreselijk de laatste bladzijden om te slaan. Het is net alsof de mensen die je hebt leren kennen dan sterven. Of je in de steek laten.

Wacht niet tot hij het zegt, bedacht ze. Bespreek het nu je nog een beetje waardigheid kunt opbrengen.

'Ik weet wat je wilt zeggen, Joe, en ik wil niet...' Ze zweeg, en kreeg een brok in haar keel. Ze slikte het weg en ging verder. 'Ik wil dit niet erger maken dan het al is. Je weet hoe sommige paren zelfs over de martini-shaker ruziemaken.'

Joe glimlachte. 'We hebben geen martini-shaker,' zei hij.

'Nou ja, je weet wat ik bedoel.'

'Ja, dat wel.'

'Ik bedoel: het gaat hier niet om dingen. Ja, we zullen wel wat moeten delen en regelen, zoals over Adam. Hij vraagt me nog elke avond wanneer je thuiskomt. Het is al erg genoeg voor hem zonder dat we ruziemaken.' Ze haalde even diep adem. 'Misschien is het wel goed dat die andere baby's nooit zijn gekomen.'

'Dat moet je niet zeggen.' Joe pakte haar bij de schouders en dwong haar hem aan te kijken. 'Dat mag je nooit zeggen.' Zijn stem klonk boos.

'Waarom niet?' Zij werd nu ook nijdig. 'Het is toch zo? Meer kinderen zouden alleen maar tussen jou staan en... en wat je werkelijk wilt hebben.'

Ze was niet bang. Misschien ging het alleen maar daarom. Om Adam. Misschien was híj wel de reden waarom Joe tot nu toe nog geen formele echtscheiding aan had gevraagd.

'Hoe weet jij zo precies wat ik wil?'

'Hoe zou ik dat weten? Jij vertelt me nooit iets! Verdraaid, Joe, je had het mij moeten zeggen. Over je vader. Over Annie. Over alles. Je had me al direct aan het begin moeten zeggen dat je alleen om Adam met me trouwde!'

'Dat is niet waar!'

'Waarom doe je me dit aan? Natuurlijk is het waar. Ik wist het toen al, diep vanbinnen, maar ik wilde toch met je trouwen. Ik dacht dat ik zou kunnen zorgen dat je wel echt van me ging houden. Maar dat gevoel kun je niet afdwingen, hè?'

'Ik had eerlijker tegen je moeten zijn. Dat spijt me.'

'Ik fantaseerde vaak... nou ja, dat was kinderachtig... maar ik stelde me voor dat je op een ochtend wakker zou worden, en dan, net als in een sprookje, mij naast je zou zien liggen, en dan zou het zijn alsof er een nare betovering verdween en je me voor het eerst zag. En verliefd op me werd! Alsof je nooit van een ander had gehouden' – haar stem brak en de tranen biggelden over haar wangen – 'en nooit van mijn zuster had gehouden.'

'Er was geen concurrentie. Geloof me, zo was het niet.'

'Ik weet het.' Nee, dacht ze, hoe zou ik ooit al Annies charme en uitstraling kunnen hebben?

Er dreef een wolk langs de zon en zijn gezicht leek nu heel zacht, heel teder. Hij liet haar hand niet los, maar zijn greep werd minder stevig.
'Laurey...'
Zeg het, smeekte ze stilletjes. Zeg het en dan is het voorbij.
'Ik hou van je.'
God, hij vermoordde haar. Verdomme!
Ze trok zich los en deed trillend een stap achteruit. 'Dat is oneerlijk!'
'Laurey, wacht. Ik weet dat het niet steeds...'
'Nee,' viel ze hem in de rede. 'Ik wil het niet horen! Doe alsof ik dood ben! Want zo wil ik me innerlijk over jou voelen, dood.' Ze huilde. 'Joe, als je ook maar een klein beetje van me houdt, doe me dit dan niet aan. Hou óp.'

Laurey liep wanhopig over het balkon. Ze wilde een manier, iets, wat dan ook, vinden om dit beetje nieuwe hoop dat opflikkerde níet te voelen. Woedend trok ze haar gouden trouwring af en gooide hem blindelings omlaag. Ze zag hem door de lucht schieten en twaalf etages vallen, steeds kleiner wordend. Hij loste gewoon op, net als de betovering die haar was opgelegd – die was nu ook weg.

Toen ze omkeek naar Joe, zag ze dat hij doodsbleek was geworden. Ze verwachtte dat hij nu zou zeggen dat hij hoopte dat ze vrienden konden blijven, om Adam.

In plaats daarvan rende hij over het balkon, de flat in.

Even stond ze verbaasd te kijken, alsof het laatste stukje van de puzzel dat ze had gevonden toch niet paste. Wat was hij gaan doen?

Toen drong het in een flits tot haar door: de ring. Hij was op zoek naar de ring.

Ze begon te wankelen en keek over de smeedijzeren leuning omlaag. Eerst zag ze alleen de enorme hoogte... het verkeer had de afmetingen van Adams Matchboxes. Opeens zag ze hem, een figuurtje dat onder de toegangsoverkapping van de flat wegsprong. Bij de stoeprand bleef hij even staan aarzelen; toen gooide hij zich voor het verkeer. Laurel werd doodsbang en kreeg het idee dat ze naar beneden viel. Ze knipperde met haar ogen, en zag dat ze nog op het balkon stond.

Het bloed bonsde in haar oren. Beneden zag ze een heel kleine Joe met uitgestrekte armen het verkeer tegenhouden, wat met veel gegil van banden en geclaxonneer gepaard ging. Maar Joe nam nergens notitie van en bukte zich midden op straat.

'Joe! Kom toch!' Ze wist dat hij haar niet kon horen, maar ze gilde toch.

Een taxi kwam recht op hem af en ontweek hem op het laatste moment. Toen raakte ze hem in het verkeersgewoel kwijt. Het leek uren voor ze hem weer zag: midden op Park Avenue terwijl hij iets omhoog hield als een Olympische gouden medaille. De ring.

'Joe, gek die je bent,' zei ze moeizaam.

Even later stond hij naast haar, de ring in zijn vuist, en zijn gezicht rood van de kou, maar met glinsterende ogen van triomf. Toen zei ze hem recht in zijn gezicht wat ze van hem dacht.

'Je had doodgereden kunnen worden! En voor niets!'

'Nee, niet voor niets!' hijgde hij. 'Laurey, ik kan wat er gebeurd is niet veranderen. Toen we trouwden wist ik misschien nog niet hoe en wie je precies was. Jezus, wie weet dat wel? Het enige dat ik nu weet, is wat ik nu voel: ik hou van je. Zonder jou naast me kan ik 's nachts niet slapen. Elk uur van de dag en van de nacht mis ik je. Ik heb het geprobeerd... geloof me, ik heb alles geprobeerd. Ik heb al die maanden erop gewacht dat jij zou zeggen dat je me miste, dat je me terug wilde hebben, en toen je dat niet zei...' Hij zweeg en nam haar hand. 'Wat doet het er ook toe wie wat zegt? Het enige belangrijke is dat ik je terug wil hebben. Laurel Daugherty, wil je met me trouwen?'

Ze keek hem even stomverbaasd aan, te gelukkig om precies te weten wat hij bedoelde, of wat ze moest antwoorden.

'Nou? Zeg ja.'

'Joe...'

'We beginnen van voren af aan, nu, hier.'

'Weet je zeker dat je mij wilt, en niet... Annie?'

'Ik wil jou, mijn lieve Laurey.' Hij raakte even haar wang aan. 'Alleen jou.' Joe haalde diep adem en pakte haar linkerhand, en schoof de ring weer om haar vinger. Ze voelde hoe koud hij aanvoelde. Toen kuste Joe haar hand, bracht hem naar zijn lippen, en ze voelde dat zijn adem haar handpalm verwarmde.

'Zeg "ja",' mompelde hij, en trok haar in zijn armen. 'Gauw, voor ik gek word en mezelf over de balustrade gooi.'

Laurel proefde de koude lucht vol rook, roet en uitlaatgassen. Maar vanbinnen voelde ze zich nieuw en schoon, glanzend. Alsof ze op dit ogenblik opnieuw geboren werd.

'Ja!' riep ze, zo hard dat ze haar zelfs beneden op Park Avenue konden horen.

Binnen vonden ze wat mensen om de piano, waar een van de buren begonnen was met het zingen van 'Some Enchanted Evening', een lievelingslied van Dolly. Een dame met een volle boezem van de Metropolitan Opera zette haar glas op de piano en begon met haar volle, enigszins dronken stem de woorden te zingen.

'Waar is Adam?' vroeg Joe met schitterende ogen. 'Ik wil hem vertellen dat ik thuis kom eten.'

'Hij speelt de diplomaat met Henri's kleinzoontjes,' antwoordde ze.

Toen Joe naar Adam op zoek ging, kwam Dolly op Laurel toe en sloeg een arm om haar schouders. 'Dat lied... ik raak er elke keer weer door ontroerd.'

Laurel knikte, te emotioneel om iets te kunnen zeggen.

'Maar iedereen met ogen in zijn hoofd kan zien dat je niet dáárom zo verrukt kijkt.'

'Ik ben zo gelukkig.'

'Tja, ik ben dus niet alléén met mijn geluk, al voelt het wel zo aan.'

'Joe en ik...'

'Zeg maar niets. Het is overduidelijk.' Dolly knuffelde haar en Laurel verdronk in de geur van haar parfum. 'Liefje, je hebt me net het beste trouwcadeau gegeven dat ik zou kunnen wensen.'

'Ik had er geen idee van dat het zo zou gaan.'

'Liefde is iets vreemds,' zei Dolly, en grinnikte even. 'Zij is net een muilezel... net als je er genoeg van krijgt ertegen te drukken en eraan te rukken, komt zij vanzelf.' Dolly gaf haar een duwtje. 'Ga nu maar gauw naar huis, zodat je het naar behoren kunt vieren.'

'Maar u hebt de taart nog niet aangesneden!'

'Schat, ik had het niet over het feest van mij en Henri. Jij en die knappe man van je... jullie tweeën moeten je eigen toost maar uitbrengen.' Ze knipoogde en gaf Laurel nog een duwtje. 'Maak je geen zorgen om Adam. Hij en de tweeling amuseren zich kostelijk. Ik laat hem later wel door Felipe thuisbrengen... nadat jij en Joe de kans hebben gekregen elkaar weer nader te leren kennen.'

'Maar hoe gaat het dan met u... met uw huwelijksreis? Felipe zou u toch naar het vliegveld brengen?'

Dolly glimlachte en streek een lokje haar uit Laurels gezicht. 'Henri en ik... we zijn van gedachten veranderd. We gaan niet naar St. Bart. We blijven hier. Na al ons gereis, dat pakken en uitpakken wordt het tijd dat we eens ergens blijven.'

Laurel kuste haar tante en nam afscheid van Henri en anderen die ze kende, maar ze zag Annie nergens. Misschien was ze op het toilet of in de eetkamer om de taart te controleren die ze speciaal voor deze gelegenheid had gebakken. Laurel voelde zich toch enigszins opgelucht, want op dit ogenblik wilde ze liever niet met Annie praten. Nadat Joe was weggegaan, was hun verhouding wat stroef geworden. Oppervlakkig leek alles gewoon, maar dat was niet zo. Ze had zich afgevraagd of Annie haar tijd afwachtte, totdat ze dacht dat zij, Laurel, eroverheen zou zijn.

Joe was de Volvo gaan halen die hij een eind verderop had geparkeerd en zou haar in Bayside ontmoeten. Ze snakte ernaar om thuis te zijn.

Buiten liep ze snel naar de garage op Third Avenue, waar ze haar auto had geparkeerd, maar hoorde hakken achter zich tikken. Ze draaide zich om en zag Annie aankomen. Ze had een felgele zijdeachtige regenmantel aan en het leek alsof ze aan een parachute naar beneden kwam. Nu wuifde ze tegen haar en gaf haar een seintje om te wachten.

Laurel bleef staan. Als ze haar zuster zag, werd ze altijd door allerlei gevoelens bestormd: liefde, genegenheid, afkeer, schuldgevoelens. Wat nu, vroeg ze zich af. Laurel hield zich stevig aan haar vreugdegevoel vast.

Was ze nu werkelijk nog bang dat Annie het haar af zou nemen? Ze wenste alleen dat wát Annie haar zo nodig moest zeggen, even uitgesteld had kunnen worden. Ze wilde naar huis, op die zalige wolk waar ze zich nu op bevond. Maar ze kon Annie niet wegsturen.

'Dolly heeft het me verteld,' hijgde Annie toen ze haar had ingehaald, 'over jou en Joe. Ik wilde je zeggen... ja, ik wilde je zeggen hoe blij ik voor je ben.' Laurel keek haar onderzoekend aan, maar Annies gelaatsuitdrukking was oprecht.

'Dank je,' zei Laurel, en voelde zich een tikkeltje verlegen; ze wist niet wat ze moest zeggen. 'Ga je ook al weg?'

'Nee, ik wilde alleen jou nog even spreken. Nu ga ik terug, helpen de taart te serveren.'

'Ik heb hem gezien. Hij is geweldig. Hij ziet eruit als het plafond van een Victoriaanse salon; al die roze roosjes, krullen en slingers.'

'Dat was ook míjn inspiratie,' lachte Annie. 'Ik zag dat ergens in Newport. Zal ik je eens iets leuks vertellen? Ik liet een foto van Dolly's bruidstaart aan Hy Felder zien en hij heeft er net zo een voor de bruiloft van zijn dochter besteld. Ik laat hem er een klein kapitaal voor dokken.'

'Hoe gaat het met Felder?'

'Over een paar maanden is de plechtige opening en ik breng de produktie vast op gang.'

'Straks heb je een fabriek zo groot als Brooklyn nodig,' zei Laurel ongeduldig. Ze wilde weg.

'Ja, het is waar wat ze over nummer twee zeggen: wij moeten ons meer inspannen.'

'Jij bent nog nooit ergens nummer twee in geweest,' merkte Laurel met een lachje op. Ze keek naar Annie die stond te peinzen. 'Heb je nog iets van Emmett gehoord?'

Annie keek de andere kant op, maar ze leek gekwetst. 'Niets. Ja, als je breekt, moet je het goed doen; dan is het snel over.'

'Ik dacht dat jullie tweeën...' Geef het nou maar toe, je hoopte dat het weer goed zou komen, zei ze tegen zichzelf, zodat Annie geen gevaar meer voor Joe zou betekenen. Nee, het was meer. Laurel had oprecht van Emmett gehouden, en ze miste hem: zijn gevoel voor humor, de manier waarop hij Annie aan een lange lijn hield... hij had invloed op haar.

'Nee, dat is niet zo,' reageerde Annie enigszins scherp. Toen voegde ze er luchtig aan toe: 'Ik ben niet zo geschikt voor het huwelijk, denk ik. Of misschien doe ik het zoals Dolly en ga ik trouwen als al mijn vrienden al kleinkinderen hebben.'

'En hoe staat het dan met kinderen?' vroeg Laurel. 'Wil je er zelf niet eentje hebben?'

Annie zweeg even en keek een passerende bus na. 'Ik dacht aan die eerste weken in New York,' zei ze toen zachtjes. 'Je huilde steeds en ik voelde me zo ellendig. Het was alsof ik je iets verschrikkelijks had aangedaan waarom je me haatte. k heb een idee dat moeders vaak dat gevoel hebben.'

'Ik haatte je niet,' zei Laurel. 'Ik voelde me... nou ja, zo ontworteld. Net als Dorothy in *The Wizard of Oz*. Alsof ik door een cycloon naar een vreemd land was geblazen waar ik niemand kende en aldoor bang was.'

'Waarom zeg je het niet ronduit?' Annie hief haar hoofd en wierp Laurel een scherpe, maar getroffen blik toe. 'Je gaf mij er de schuld van dat ik je had meegenomen. Het was allemaal míjn schuld, hè? Alles.'

Laurel werd vreemd kalm. Misschien voor de eerste keer voelde ze zich alsof zíj de belangrijkste was, alsof het haar plicht was haar zuster te beschermen en te troosten. 'Nee, Annie, ik geef je nergens de schuld van. Je deed wat je moest doen. En ik volgde... zoals altijd.'

'Je had achter kunnen blijven.'

'Had ik een keus? Zonder jou zou het daar vreselijk zijn geweest. Nee, als ik iemand ergens de schuld van geef, dan is het Dearie. Zij heeft ons in de steek gelaten. Weet je, jij hield meer van haar dan ze verdiende.'

'Ze deed haar best een goede moeder te zijn.'

'Voor jou, misschien. Maar jij was degene die voor mij het belangrijkste was.'

'We zijn zusters,' zei Annie zakelijk. 'Zusters zorgen voor elkaar.'

'Maar begrijp je het dan niet? Jíj zorgde altijd voor mij. Nooit andersom.' Ze zweeg even. 'Het was ten dele ook mijn schuld. Ik líet je alles bedisselen.' Ze raakte Annies arm aan. 'Heus, het spijt me dat alles zo is gelopen. Maar ja, toen Joe weg was...' Ze wist niet goed meer wat ze precies had willen zeggen.

'Ik begrijp het,' zei Annie, en haar ogen schitterden van emotie. Ze keek Laurel aan, en die kreeg het gevoel dat ze net een niet onder woorden gebracht verdrag hadden gesloten.

Laurel keek naar een vrouw vlakbij die op haar hondje wachtte dat stond te plassen. Ze zag ook dat het trottoir vol bladeren lag; ze had de laatste tijd nauwelijks gemerkt dat de winter weer in aantocht was.

'Je komt toch met Thanksgiving?' vroeg Laurel zachtjes.

'Dat zou ik voor geen geld willen missen.'

'Je mag de kalkoen snijden.'

Laurel dacht aan hun eerste Kerstmis in New York, toen ze steeds kant-en-klaarmaaltijden met kalkoen hadden gegeten. Dan trok Annie de folie van de doos en zei: 'Ik begrijp niet waarom ze altijd zeggen dat het zo moeilijk is om een kalkoen te snijden. Kijk maar hoe gemakkelijk het gaat.' Het was een jaarlijks terugkerende grap geworden.

Annie schudde haar hoofd. 'Het was niet gemakkelijk toen, hè?'

'Nee,' zei Laurel zachtjes. 'Zeker niet.'

'Maar ik heb me altijd één ding afgevraagd. Weet je nog dat Joe en ik jou zo vaak met je geheimzinnige vriendje plaagden? Waarom deed je daar zo geheimzinnig over?'

Laurel dacht aan oom Rudy en vroeg zich af of de tijd was gekomen om Annie te vertellen dat zij niet de enige was geweest die dapper was om iemand van wie ze hield, te beschermen. Maar wat voor zin had het? Ze hoefde niets meer te bewijzen.

'Weet je,' zei Laurel, en de leugen deed haar niets, 'ik weet het niet meer. Ik deed gewoon maar geheimzinnig, denk ik.'

Annie haalde even haar schouders op alsof ze niet overtuigd was, maar het was zo lang geleden dat het er niet meer toe deed.

'Ik moest maar eens gaan,' zei Laurel. 'Joe zal zich afvragen waar ik blijf.'

'Joe? O, ja... natuurlijk. Nou...'

Laurel zag haar zuster een stap achteruit doen en ze zag er opeens wat verlegen en verloren uit, alsof ze weer een puber was, maar nu was er niemand die voor háár zorgde... en misschien ook niemand die op haar lette.

Omdat Annie niet keek waar ze haar voet neerzette, kwam ze met haar hak in een diepe scheur in het trottoir vast te zitten. Ze verloor haar evenwicht en viel voorover. Laurel wilde haar opvangen en kreeg haar zelfs te pakken, maar stond verkeerd en viel ook op het trottoir, met Annie boven op zich.

Na de eerste schrik kwam Laurel overeind en duwde Annie mee omhoog. Toen ze daar zo zaten, met Annies regenmantel om hen heen, werd het Laurel opeens duidelijk hoeveel ze van haar zuster hield. En hoe ze haar in allerlei opzichten nog steeds nodig had.

Opeens begon ze te giechelen.

Annie lachte ook een beetje, veegde wat tranen weg met haar mouw, en fluisterde: 'Niet kijken, maar die vrouw met dat hondje... ze kijkt naar ons alsof ze denkt dat een van ons tweeën de ander heeft overvallen.'

Laurel hees zich overeind en hielp ook Annie opstaan, waarna ze de natte bladeren van Annies felgele mantel afsloeg.

Naar de vrouw met de kleine Yorkshire terriër die met open mond naar hen stond te kijken, riep Laurel: 'Er is niets aan de hand... we zijn zusters!'

Epiloog

Los Angeles, 1983

Annie gaf haar autosleutels aan de parkeerwachter en liep het met een zonnedak overdekte toegangspad op dat naar de ingang van het Beverly Hills Hotel leidde. Ze was over de grote verkeersweg gekomen en had vaak in de file gestaan, waardoor ze nu moe en gespannen was. Maar hier, in die heerlijke schaduw, met aan beide zijden van het pad bakken met roze azalea's en vuurrode rododendrons, voelde ze dat ze weer bijkwam. Ze keek even op haar horloge. Tien over half een – ze had nog uren de tijd voor haar afspraak. Nog gelegenheid om even te slapen en misschien zelfs nog om te zwemmen.

Toen ze echter tegen de in een groen met goud uniform gestoken portier knikte omdat hij de zware glazen deuren naar de hal voor haar openhield, dacht ze aan de persoon met wíe ze een afspraak had en waarom, en ze kreeg even kramp in haar maag.

Emmett.

Ze had hem in anderhalf jaar niet gezien, en al die tijd geen brief of telefoontje van hem ontvangen, zelfs geen ansichtkaart. Toen, vorige week, kreeg ze de schrik van haar leven bij het horen van zijn stem door de telefoon: 'Hallo, hoe gaat het met je?' Alsof ze elkaar enkele dagen geleden nog hadden gesproken. Hij had nu zijn eigen makelaarsfirma in Westwood, had hij haar verteld. Het ging hem goed en, gezien Emmetts manier om de dingen altijd rustig en ontspannen te houden, kon dat betekenen dat het een piepklein zaakje was met een antwoordapparaat, maar het kon ook een deftig adres zijn met een tiental employés. Hij belde niet op om zo maar een praatje te maken. Hij had iets waarvan hij dacht dat zij er misschien in geïnteresseerd zou zijn: Bel Jardin. Het was op de markt, en werd als heel exclusief beschouwd.

Annies hart begon te bonzen bij het idee dat ze nu gauw het huis zou zien waar ze haar jeugd had doorgebracht. Dat ze misschien werkelijk weer in Bel Jardin zou kunnen wonen, leek voorlopig nog een sprookje, te mooi om waar te zijn.

Stel dat het veel duurder was dan ze zich kon veroorloven, dacht ze. Waarom had ze hem over de telefoon niet naar de prijs gevraagd? Wat voor zin had het om hier als een kip zonder kop heen te rennen, alleen maar om allerlei oude herinneringen op te halen?

Maar om eerlijk te zijn, was Bel Jardin niet de enige reden waarom ze was gekomen.

Ze zag Emmett al geamuseerd naar haar afgekloven nagels kijken. Wilde hij haar zien om haarzelf? Zou hij weten hoe ze zich na zijn telefoontje had gevoeld? Dat ze, ondanks de julihitte, een warm bad had moeten nemen om niet meer te huiveren?

Nee, zó dacht hij niet over haar. Hij was intussen vermoedelijk al getrouwd, had misschien al een kind. Hij had er niet over gesproken, maar waarom ook? Het was een zakelijk gesprek.

Hoe zou zijn vrouw eruitzien? Lange armen en benen, door de zon gebleekt blond haar, slank, een tandpastaglimlach. Ze speelde waarschijnlijk volleybal in haar bikini op het strand, net zoals in die Pepsi-reclames. Een Malibu Barbie.

Maar Emmett was geen Ken-pop. O, nee. Zou hij die oude cowboylaarzen nog dragen? Zou hij nog zo'n leuke lok op zijn voorhoofd krijgen als zijn haar vochtig was? Was hij vergeten dat hij ooit veel van haar had gehouden?

'Kan ik u helpen, mevrouw?'

Iemand sprak haar aan, en Annie zag dat het de receptionist was.

'Ik heb gereserveerd. Annie Cobb,' zei ze zakelijk.

'Hebt u bagage, mevrouw?' vroeg hij nadat ze het register had getekend. Híj zag er wel uit als een Ken-pop, dacht ze.

'Alleen dit.' Annie had niet meer dan een kalfsleren weekendtas bij zich met haar monogram erop: AMC. Daar kon ze altijd alles in kwijt voor een paar dagen. 'En ik draag hem zelf wel,' zei ze.

Maar een hulpportier, die eruitzag als een vroegere Olympische atleet, nam de tas uit haar handen en ging haar voor door de grote ontvangsthal. Annie vond dat het er onwerkelijk en ouderwets uitzag, zoals een Hollywood-ontwerper tropische overdaad zag, een mengeling van *Casablanca* en *Road to Rio*.

Boven leidde een roze gang met een trompe-l'oeil van bananenbladeren naar haar kamer, die uitkeek op een grindstrand en felgroene graseilandjes met slingerplanten. Haar bed leek wel een tropisch atol. En – als ze soms honger kreeg – er stond een in cellofaan verpakte fruitmand op het imitatie Queen Anne-bureau.

Annie schopte haar pumps uit en viel op het bed neer. Ondanks de airconditioning voelde ze zich gloeiend heet. Als ze hier ooit zou gaan wonen, zou ze allemaal nieuwe kleren moeten kopen.

Maar hoe kwam ze daarbij? Ze had wel met het idee gespeeld toen ze had gehoord dat Bel Jardin te koop was. Ze kon haar flat in New York aanhouden. Nu Tout de Suite hier volgende maand een zaak op Rodeo Drive opende, zou ze hier toch vaak moeten zijn. Omdat Dolly en Henri de fabriek, de voorraden en Felder's boetieks behandelden, kon zij verder de Westkust verkennen. Misschien ook een Tout de Suite in La Jolla, Sausalito, Carmel...?

Maar als ze hierheen kwam, was het niet voor zaken.

Het was vreemd, maar Annie had het gevoel dat het eigenlijk een soort weglopen was als ze zich hier zou vestigen. Niet van Tout de Suite. Hier werkte ze even hard als elders, zelfs al liepen de zaken beter dan ze ooit had kunnen verwachten. En niet van Laurel... ze kon beter dan ooit tevoren met haar zuster opschieten. Maar Laurel, nu in haar zesde maand en heel zwaar, én intens, stralend gelukkig, had haar daar niet nodig.

Liep ze van zichzelf weg? Of liep ze ergens héén? Naar rust, tevredenheid, naar het geluk dat altijd net buiten haar bereik leek te liggen? Hoe vaak had Rivka haar niet verteld dat ze moest gaan trouwen en een eigen gezin stichten? Ze was vierendertig, en Rivka vond dat ze dus een oude vrijster was.

Maar de mannen sinds Emmett hadden altijd iets vreemds gehad. Ze zaten onverbrekelijk vast aan hun moeder, hun therapeut, hun baan, hun hobbie (Russ met zijn passie voor antiek), hun allergie (David met zijn nevelapparaat en stofverslinder in elke kamer), of gewoon hun ego. Aardig, amusant soms, voor een avond of een weekend. Maar verder?

Waarom had ze Emmett toch niet naar waarde geschat toen ze hem had? Waarom had ze hem niet gevraagd te blijven?

En hoe zou het nu, na anderhalf jaar, zijn? Zoiets als een ontmoeting met een oude schoolvriend? Of zou ze helemaal van streek raken, zoals vlak nadat hij had gebeld? Het leek onmogelijk, maar het leek erop dat ze nog steeds verliefd op hem was.

Denk liever aan Bel Jardin, hield ze zich voor. Wat zalig als dat van haar zou zijn, zelfs al kon ze er maar af en toe wonen. Laurel en Joe konden er ook heen. En Adam en zijn nieuwe broertje of zusje konden op hetzelfde grasveld spelen waar zij en Laurel allerlei spelletjes hadden gedaan. En al was de hele zaak nu verwaarloosd, ze kon het altijd laten herstellen in de staat zoals het was voor Dearie zo ziek werd.

In gedachten liep ze al de lange oprit op waar de palmen boven haar hoofd ruisten en de schaduwen van de bladeren over het gras speelden. Ze zag het huis, dat de kleur had van een gepelde grapefruit, crème-gelig met wit, en die gewelfde terracotta daktegels, en de ramen en balkons met smeedijzeren hekken. Voor het grasveld lag een rozentuin en langs de brede voorveranda stonden grote stenen bakken met miniatuur-kumquat en rode-peperstruikjes. Bougainvillea slingerde zich om de raamstijlen en de paarse bloemen ervan waren overal...

O, hemel, daar ging ze weer! Ze woonde al in Bel Jardin, maar had het nog niet eens gezien. Hoewel dat nu toch gauw zou gebeuren.

Annie zat aan de patiotafel op de veranda van het Crow's Nest in Santa

Monica en wachtte op Emmett. Ze nipte van haar witte Zinfandel. In de eetzaal klonk gitaarmuziek. Ondanks alle rust om haar heen voelde ze zich hypernerveus.

Op de veranda zaten in hoofdzaak jongere mensen, zag ze. Echte hippe Californiërs. Een meisje met een blonde paardestaart droeg een Hawaii-sarong en haar blouse was vlak onder haar boezem geknoopt, zodat haar gebruinde middenrif te zien was. Ze zag er onecht uit, net een pop. Haar metgezel droeg een zonnebril, een ruimzittende korte broek en een hemd zonder mouwen; hij had zo voor een zonnebrandmiddel reclame kunnen maken. Ze leunden over de tafel naar elkaar toe en keken in elkaars ogen; of zonnebrilglazen.

Annie voelde zich te chic in haar keurig geperste broek, gouden zijden blouse, met hoge hakken en parels. Toen bedacht ze hoe misplaatst ze zich jaren geleden bij aankomst in New York had gevoeld... en kijk eens wat een stadsdame ze was geworden!

Zou Emmett ook meteen zien dat ze hier niet thuishoorde? God, wat bleef hij lang weg. De kelner had haar al tijden geleden haar wijn ge-bracht. Maar toen ze even op haar horloge keek, zag ze dat het nog geen drie uur was. Ze was weer eens te vroeg gekomen.

Er viel een schaduw over haar heen, en ze keek op met haar hand be-schermend boven haar ogen. Hij stond tegen het licht afgetekend, stevig gebouwd, met zijn gezicht in de schaduw. Maar zijn haren... daar had ze hem overal aan herkend. Door het licht van de zon leek het of de uitein-den vuur uitstraalden. Toen boog hij zich over haar heen en gaf haar een kus op de wang. Zijn geur – die bekende oude leerlucht – verdreef alle andere geuren om haar heen.

'Hallo, schoonheid.' Emmett viel op de redwood-stoel tegenover haar neer. 'Je was me te vlug af. Ik had champagne op ijs voor je willen klaar-zetten.'

'Ik dacht dat iedereen hier zich alleen maar voor het weerbericht inte-resseerde.' Ze lachte en dwong zich kalm te doen, maar haar hart bonsde en ze raakte wat buiten adem. Ze vouwde haar handen om de steel van haar wijnglas. 'Dag, Em, fijn je weer te zien.'

'Jij bent mooier dan ooit. Succes doet je goed, zie ik. Ik heb dat artikel over Tout de Suite in de *Times* gelezen, vorige week... het kwam over alsof je een mengeling tussen Horatio Alger en Gloria Steinem was. Maar de foto was niet goed.' Hij leunde achterover en sloeg het ene been over het andere. 'Maar toch, gefeliciteerd. Ik wist niet dat je hier ook een zaak wilde openen.'

'Dacht je dat ik daarom in Bel Jardin geïnteresseerd zou zijn?'

'Nee, ik had zelfs gebeld al had ik gehoord dat je naar Borneo verhuis-de. Ik weet hoeveel dat huis hier voor je betekent.'

'Wie zei iets over verhuizen?' Het klonk veel te agressief.

Emmett verstijfde enigszins. Waarom zei ze dat nu? Wilde ze hem ergens van overtuigen... of zichzelf? Maar als hij nu eens wist dat de werkelijke reden van haar aanwezigheid hier meer met hém dan met Bel Jardin te maken had? God, nee.

'Nou ja, ik had gewoon het idee dat je interesse had.' Emmett tuurde in de verte naar de pier van Santa Monica. Zijn blauwe ogen leken lichter; kon dat door de zon komen? Ze zag ook kleine zonnerimpeltjes bij de hoeken. Maar verder was het nog de oude Emmett. Hij was niet veranderd. Goddank. In zijn sportieve blazer zag hij er heel goed uit. Maar dat was altijd al zo geweest. En hij droeg nog steeds die cowboylaarzen. Wat verweerder, maar toch goed onderhouden. Het gaf Annie een absurd gevoel van geluk.

Voordat hij die uitdrukking op haar gezicht zou zien, boog ze zich snel voorover om in haar tas naar haar zonnebril te zoeken. Ze zette hem op en keek naar zijn grote hand vol sproeten. Geen trouwring. Dat was tenminste iets. Maar nee, dat bewees niets. Niet alle getrouwde mannen droegen een ring. En hij kon wel verloofd zijn, of samenwonen.

'Ik geloof dat ik jou ook moet feliciteren,' zei ze om van onderwerp te veranderen. 'Ik belde je kantoor om onze afspraak te bevestigen en een heel lieve dame zei me dat je weg was, maar ze vroeg me of ik met een van je verkopers wilde spreken. God, Em, hoeveel heb je er?'

'Twee met een volledige dagtaak,' zei hij. 'Maar ze werken alleen op provisiebasis, dus dan kost het mij niet zoveel.' Hij knikte. 'Maar het gaat me goed. Ik vind het hier fijn. Het is geen Parijs' – hij grijnsde haar even toe en ze kreeg kippevel – 'maar heel wat beter dan El Paso.'

En met jou... hoe gaat het met jou, had ze willen vragen. Ben je verliefd? Maar ze zei alleen: 'Dat verbaast me niets.'

Er kwam een kelner op hen toe. Emmett wees op haar glas. 'Wil je nog wat wijn?'

'Nee... dank je. Dan val ik zo in slaap. En jij... wil jij iets?' Ze bad dat hij niet zo'n Californisch tropisch monstermengseltje zou bestellen.

'Löwenbräu,' zei hij tegen de jongeman met de paardestaart.

Nog dezelfde oude Emmett. Annie was geweldig opgelucht, en vreemd opgewonden.

'Je vraagt je vermoedelijk af waarom ik je helemaal naar Santa Monica heb laten komen,' zei Emmett, 'terwijl Bel Jardin vlak bij je hotel ligt.'

'Ja, dat is wel bij me opgekomen.' Op het zand waren een stel tieners in shorts en badpakken aan het volleyballen. Ze leken in hoofdzaak zand omhoog te trappen. 'Maar dat is niet erg. Het is leuk hier. Ik was vergeten hoe de zon aanvoelde.'

'Ik woon hier dichtbij,' zei hij. 'Aan het eind van deze weg. Ik dacht dat we misschien daar eerst even langs konden gaan. Wil je het zien?'

Annie voelde iets van geluk diep in zich. Net als een visser die na een lange warme morgen zonder één visje, opeens zijn lijn strak voelde staan. Ze nam een slokje van haar wijn, die warm was geworden. Ze moest kalm blijven, hoe dan ook.

'Goed, hoor,' zei ze.

'Oké, laten we dan gaan.' Hij stond op.

'En je bier?'

'Laat maar. En bovendien moet ik rijden.' Ze zag dat de volleybal hun richting op kwam. Emmett ving hem op en gooide hem terug alsof hij ook een van de spelers was.

Op dit ogenblik, als hij het haar gevraagd had, was Annie zelfs met hem naar de maan gegaan.

'Het is een beetje klein,' zei hij. 'Ik heb iets anders op het oog... veel groter. Maar' – hij trok zijn schouders op – 'dat is nog niet definitief.'

Annie stapte een huis binnen waar het nog helderder en lichter dan buiten leek. Overal glas, dat hier en daar door hout bij elkaar werd gehouden. Ze liep naar de glazen achterwand en werd bijna duizelig. Het huis stond wat hoger dan de omgeving en keek uit op het strand en de oceaan. Klein? Misschien. Maar het leek of Emmett met dit huis niet alleen land had, maar ook de lucht, de zon en de zee.

'O, dag, jij bent zeker Annie?'

Annie draaide zich om en zag een vrouw blootsvoets met uitgestrekte handen op haar toe lopen. Ze leek helemaal niet op een blonde Barbie, zoals Annie zich Emmetts vrouw had voorgesteld. Om te beginnen was ze niet zo jong meer, ongeveer Annies leeftijd, met een aardig rond gezicht met bruine ogen en een zo lieve glimlach dat je haar meteen mooi vond. Haar roodbruine haar was één massa krullen, en ze was niet zo erg door de zon gebrand. Ze droeg slordige kleren; zou ze een artieste zijn? Ja, daar leek het wel op. Emmett zou toch nooit iets met zo'n dom kind met alleen een knap gezichtje te maken willen hebben. Deze vrouw leek precies bij hem te horen. Maar toen ze haar hand uitstak om die van de vrouw te drukken, leek haar arm van beton, zo zwaar. Alles leek opeens anders.

'Dag.'

Was dat háár stem, zo normaal en zakelijk? Ze dwong zich tot een glimlach die ook niet erg echt overkwam.

'Ik ben Phoebe.' Annie zag dat ze Emmett een beetje verwijtend aankeek. 'Je had me toch wel even kunnen waarschuwen. Moet je mij zien: ik sta hier in mijn slordigste kleren.' Met de rug van haar hand, vol verf, streek ze een lok haar van haar voorhoofd. 'Och, zelfs al had hij gebeld, dan had ik me vermoedelijk toch niet verkleed. Als ik aan het schilderen ben, vergeet ik alles.'

Ze deed heel gewoon. Waarom was ze niet een Malibu Barbie? Zo'n poppig vrouwtje voor wie Annie alleen minachting had kunnen voelen? 'Luister eens, zal ik iets maken, thee zetten misschien?' Phoebe keek verstrooid rond, alsof ze hoopte dat er een theeblad met toebehoren uit het niets te voorschijn zou komen.

Annie bekeek de banken en stoelen, die met Hawaii-katoen bekleed waren; er lagen allerlei kussens; er stond een open houtkachel met volgeladen manden met denneappels ernaast. En in het midden stond een enorme tafel beladen met nummers van *National Geographic* en *Architectural Digest*, schelpen nog vol zand, een duikbril, ongeopende brieven en een koffiekop. Ja, hier voelde Emmett zich vast thuis.

Op de wand aan de overkant zag ze een goed zeegezicht met op de rotsen uiteenspattende golven. Van Phoebe? De heftigheid van de oceaan was goed getroffen. Annie zou op dit moment graag iemand of iets te lijf willen gaan, of in de vloer wegzinken. Wat deed ze hier?

Anderhalf jaar, dacht ze, geen brief, geen telefoontje, niets... wat voor een idioot was ik om te denken dat ik nog een kans had? Wat ter wereld had ik eigenlijk verwacht?

'Misschien een andere keer? Ik heb nog een andere afspraak.' Annie keek veelbetekenend op haar horloge. 'Emmett, ik vergat nog te zeggen dat ik om half zes een andere afspraak heb... dus moeten we nu wel weg.' Ze zou inderdaad met een oude vriend van Dolly gaan eten, maar pas veel later. Die man had een dure kledingboetiek en zou misschien een goede manager voor Annies zaak op Rodeo Drive kunnen zijn.

Phoebe haalde haar schouders op. Zoals ze wilde.

'Ik ben klaar,' zei Emmett, en rinkelde met zijn sleutels. 'Je hebt het mooiste deel – het uitzicht – toch ook gezien. Schitterend, hè?'

'Geweldig.' Annie keek nog eens naar de oceaan en het strand vol baders en wandelaars. 'Ik benijd je.' Ze merkte dat ze Phoebe en niet Emmett aankeek terwijl ze sprak.

Ja, zo is het, dacht ze. Ik wil wat jij hebt. Ik wens nu meer dan ooit dat ik de kans had waargenomen toen het nog kon!

'Ik hoop echt je nog eens te zien,' zei Phoebe, die met Annie mee terugliep naar de deur. 'Emmett heeft me zoveel over je verteld: Annie dit en Annie dat, ik hoor niets anders.'

Dat zal wel, sneerde ze inwendig. Annie die hem als vanzelfsprekend beschouwde en maar weinig teruggaf. Annie die hem als reserve voor een andere man beschouwde. Annie die hem had bedrogen.

'Dat zou leuk zijn,' zei ze tegen Phoebe. 'En het was leuk je te leren kennen.'

Annie stapte in haar huurauto. Ze wist blindelings de weg naar Bel Jardin en had erop gestaan dat Emmett zijn BMW hier achterliet. Ze startte en had het gevoel dat ze in brand stond. Haar gezicht deed pijn, haar schedel gloeide en haar haren knetterden. Ze stelde zich voor dat ze over de Pacific Coast Highway reed – de richting deed er niet toe – met de raampjes omlaag en de wind verkoelend om haar heen. Hoe kon ze doen alsof ze kalm was terwijl Emmett vlak naast haar zat? Over koetjes en kalfjes pratend terwijl ze had willen schreeuwen: ik was gek om niet van je te houden, blind om niet te zien wat voor een geweldig mens je bent...

'Je hebt me nog niets verteld.' Ze sloeg op Sunset Boulevard Bellagio in, een smallere met bomen omzoomde weg die omhoog naar Bel Air leidde. Ze waren er bijna. Ze voelde hoe haar maag tekeerging. 'Als ze te veel vragen, heeft het geen zin om zelfs maar te gaan kijken. Zelfs al is de prijs volgens de normen van Bel Air redelijk, dan kan ik die vermoedelijk toch niet betalen.'

'Het kost je geen cent,' zei Emmett.

Annie reed langs de zachtglooiende groene terreinen van de golfbaan van Bel Air en stond bijna op haar remmen. 'Wat?'

'Wat ik zei.'

'Is dat soms een grap?'

'Het is geen grap.'

'Wat bedoel je dan eigenlijk?'

'Annie, ik wilde het niet eerder zeggen... maar Bel Jardin is verkocht.'

Nu stond ze zo heftig op haar remmen dat ze van de weg de berm op-schoten en de zijkant van de auto schraapte langs een paar struiken. Wat was dit voor een misselijke grap? Eerst Emmett, nu Bel Jardin... beide werden haar voorgehouden en dan weggegrist. Ze had willen gillen, maar ze wendde zich rustig tot Emmett, die kalm naast haar zat alsof dit iets onbelangrijks was. Voor hem was het dat misschien ook, maar niet voor haar.

'Bedoel je dat je me helemaal hierheen hebt laten komen om me te vertellen dat het verkócht is?'

'Het spijt me, Annie.' Hij legde zijn hand op haar arm, maar ze trok hem met een ruk terug. 'Het gebeurde opeens. Vanochtend.'

'Ik dacht dat je zei dat het zo exclusief was?'

'Ja, dat zei ik ook. Maar een vriend van de eigenaar deed een goed bod. Ik hoorde het later pas. Zoiets komt voor. En hoor eens, als je dat een prettiger gevoel vindt, nu achteraf, je had vermoedelijk gelijk dat je het je niet kon permitteren. De prijs was ruim drie miljoen.'

'Emmett' – ze draaide zich om en keek hem recht aan – 'wil je me vertellen wat we hier dan doen? Als Bel Jardin verkocht is, heeft het toch geen zin er naar te gaan kijken?'

'Och, je bent nu toch hier. Het kan toch geen kwaad? Kijken kost niets en toen ik de eigenaren vertelde dat jij hier vroeger hebt gewoond, vonden ze het prima als je wat wilde rondlopen. Rij je nog door... of gaan we verder lopen?'

Emmett grinnikte en ze werd woedend. Hoe kon je het ene ogenblik een man willen kussen... en hem het volgende ogenblik afranselen?

'Ik zou jóu moeten laten lopen... terug naar Santa Monica.'

'Ik was je opvliegendheid vergeten,' grinnikte Emmett. 'Kom, Cobb, als je vroeger iets in je hoofd had, moest het altijd gebeuren.'

'Als ik anders was geweest, was ik niet veel verder gekomen in de wereld.'

Het was vreemd, maar Annie begon zich beter te voelen; sterker ook, alsof ze inderdaad naar Bel Air omhoog líep.

'Wie zegt dat er iets mis is aan de manier waarop jij in elkaar zit?' vroeg hij zachtjes.

'Ik zeg dat! Ik had tevreden moeten zijn met wat ik had. Ik was stom om niets dan mijn werk te zien. En kijk eens hoe ver ik daarmee ben gekomen!'

'Hebben we het nog over Bel Jardin?' vroeg hij nu.

'Nee,' antwoordde ze scherp. Ze trok aan het stuur zodat ze weer op de weg kwamen, want ze wist dat ze – als ze niet gauw weer verder reed – iets doms zou doen, bijvoorbeeld tegen een getrouwde man zeggen dat ze van hem hield.

En daar verrees Bel Jardin achter een hoge oleanderhaag. De smeedijzeren hekken stonden open en de roze voorgevel aan het eind van de oprit met zijn hoge palmen glansde warm in het licht van de ondergaande zon. Roze? Was Bel Jardin echt roze? Misschien was het toch niet zó'n goed idee om hierheen te komen.

Maar wat fijn om het weer te zien! Ze vergat haar gevoelens voor Emmett en er kwam een opwinding over haar die niets te maken had met het feit of ze Bel Jardin al dan niet kon kopen. Het wás gewoon van haar; in haar hart zou Bel Jardin altijd van haar zijn.

Vlak voor het huis stopte Annie, stapte uit en haalde diep adem. Ze rook de citroenbloesem en de jasmijn. En kijk eens hoe de bougainvillea via de veranda bijna tot aan het dak was opgeklommen. Voor haar, langs het tegelpad naar de veranda, bloeiden pioenen zo groot als kolen, in roze, wit en vuurrood. En op de grond alyssum en viooltjes. Ze staarde naar de zware Spaanse deur en haar hart sprong op.

Thuis. Dit was haar thuis. Ze hoefde alleen maar naar de deur te lopen en de ijzeren klink op te lichten... dan was ze thuis.

Annie wendde zich tot Emmett die naast haar stond, en vroeg: 'Zijn ze thuis? De... hoe heten ze ook weer... de Baxters?'

'Nee. Maar ik heb de sleutels. Wil je naar binnen?'

'Zoals jij het zegt, klinkt het zo gemakkelijk. Zomaar naar binnen gaan! O, Em, ik weet het niet... kan dat wel?'

'Omdat ze hier niet zijn, bedoel je?'

'Nee, het gaat om mezelf. Misschien houd ik mezelf wel voor de gek en zie ik het zoals het is in plaats van zoals ik het me herinner.'

'Beschrijf het me maar als we rondkijken. Wie weet kan de nieuwe eigenaar wel een paar suggesties gebruiken.'

'Waarom?'

'Vraag het hem,' zei Emmett, en sloeg zijn arm om haar schouders. 'Hij staat hier vlak voor je.'

Annie deed een stap achteruit en keek hem aan alsof ze een soort spook zag. Een droom. Of misschien een nachtmerrie. Wilde Emmett haar alleen maar plagen... haar laten boeten voor de manier waarop ze hem had behandeld? Of zei hij dat... O, nee, dat kon niet!

'Jij?' hijgde ze. 'Heb jíj Bel Jardin gekocht? Maar waarom? Waarom heb je me helemaal hierheen gehaald?'

Emmetts blauwe ogen leken in het minder wordende licht bijna onnatuurlijk te stralen, net als sterren aan de hemel. Zijn haar wapperde om zijn hoofd in de avondbries en vormde weer die lok op zijn voorhoofd die ze dolgraag had willen strelen.

'Omdat het niet zo goed met me gaat als jij denkt. Ja, zakelijk gezien wel. Maar nu heb ik het over jóu, Annie, koppig mens dat je bent. Al twee jaar lang probeer ik je zonder resultaat te vergeten. Toen dit huis op de markt kwam, vond ik dat ik dat als een vingerwijzing van het lot moest beschouwen. Als ik Bel Jardin had, had ik ook een deel van jou. En nadat ik met Laurey had gesproken...'

'Heb je Laurey gebeld? Waarom?'

'Ik wilde niet wéér teleurgesteld worden. Je zuster heeft me precies verteld hoe het met je ging, volgens haar.'

'Wat heeft ze gezegd?'

'Dat je niet getrouwd was. En dat je haar, nog niet zo lang geleden, had verteld dat je grootste fout in je leven was geweest om niet met mij te trouwen. En toen dacht ik dat je misschien geïnteresseerd zou zijn om Bel Jardin te delen met een zwerver zoals ik ben.'

'En je vrouw dan?' vroeg ze.

Hij trok verbaasd rimpels in zijn voorhoofd en begon toen te lachen. 'Phoebe? Tja, eigenlijk niet zo gek dat je dat denkt. We zijn ook een tijdje...' Hij haalde zijn schouders op. 'Maar dat is alweer lang geleden; nu zijn we alleen goede vrienden. Ik laat haar mijn logeerkamer als atelier gebruiken.' Hij deed een stap naar Annie toe en nam haar kin in zijn grote, warme hand. 'Om het licht. Ze zegt dat het licht daar zo goed voor haar schilderijen is. Met al die ramen.' Hij boog zich voorover om haar te kussen, maar ze trok zich wat terug.

'Je bent toch niet nog...'

'Bedoel je of ik nog met haar slaap?' Hij lachte. 'Nee, daar zijn we te goede vrienden voor. Bovendien heeft ze een vriend. Een aardige kerel. Soms gaan we met z'n drieën aan de rol.'

'Dat is zo ongeveer het heerlijkste dat je ooit tegen me hebt gezegd.' De tranen stonden in haar ogen en ze zag alles als door een waas. Haar opluchting en vreugde waren zo groot dat ze die gevoelens niet onder woorden kon brengen. 'Wees nu maar stil en kus me.'

Dat deed hij. Het was een kus die haar deed denken aan alle goede dingen waar ze haar hele leven naar had verlangd. Ze werd warm van extase. Dat was tot nu toe alleen een woord voor haar geweest – een begrip dat ze niet kende. Ze dacht altijd dat het een gevoel voor volijverige gelovigen moest zijn, of dronken dichters en romanheldinnen. Maar nu

444

kon ze haar eigen gevoel niet anders beschrijven... dit vage gevoel van lichtheid, deze zaligheid. Ja, extase.

Opeens leek het alsof ze Dearie hoorde zeggen: vasthouden, meid... je krijgt nooit meer zo'n kans.

'Ga mee naar binnen,' zei Annie, en pakte Emmetts hand. 'Dan zal ik je laten zien waar we mijn moeders Oscar neerzetten.'